LA TRILOGÍA DE LA PATAGONIA

Cristian Perfumo

Las novelas que componen esta trilogía (*Dónde enterré a Fabiana Orquera*, *El secreto sumergido* y *Cazador de farsantes*) son obras de ficción. Los hechos y personajes que aparecen en ellas son producto de la imaginación del autor.

Edición: Trini Segundo Yagüe

Diseño de portada: The cover collection

ISBN: 978-987-48792-9-5

Gata Pelusa

www.cristianperfumo.com

DÓNDE ENTERRÉ A FABIANA ORQUERA

Dónde enterré a Fabiana Orquera

Cristian Perfumo

Esta novela es una obra de ficción. Los personajes que aparecen en ella son producto de la imaginación del autor.

Edición: Trini Segundo Yagüe
Diseño de portada: The cover collection

www.cristianperfumo.com

A Angelita,
a quien siempre vi con un libro en las manos.

1 — LA CARTA

Cuando encontré la carta, yo de Fabiana Orquera sabía lo que cualquiera en Puerto Deseado. Sabía que hacía muchísimos años se había ido a pasar un fin de semana romántico con un tipo, y que nunca más se supo de ella. Sabía que al tipo en cuestión, casado y candidato a intendente del pueblo, lo habían encontrado tirado en el suelo, inconsciente y empapado en sangre. Sabía que la sangre no era de él ni de ella, y que todo esto había sucedido en una casa cuyo vecino más cercano estaba a quince kilómetros.

La misma casa en la que, años después, yo pasaría casi todos los veranos de mi vida.

A los meses de la desaparición habían juzgado al tipo. Y aunque lo declararon inocente por falta de pruebas, el juicio le costó la candidatura en las elecciones. Eso era todo lo que yo conocía sobre Fabiana Orquera cuando encontré aquel sobre amarillento y ajado.

Al menos esos eran los hechos. Porque conjeturas había una por cada habitante de Puerto Deseado. Que si un rito satánico, que si no era la primera vez que el tipo hacía desaparecer a alguien. O que si la esposa... porque ya se sabe cómo son las que tienen cara de mosquita muerta.

Volviendo a la carta, la descubrí por pura casualidad. Acababa de llegar a la estancia Las Maras tras una hora y media de viaje desde Puerto Deseado. Después de convidarme unos mates, Dolores y Carlucho, tan amigos de mis viejos que eran casi mis tíos, me indicaron en cuál de las cinco habitaciones de la casa dormiría yo ese verano.

Me tocó una de las más grandes. Una cómoda de madera maciza que hubiera valido una fortuna en un anticuario y un espejo sobre ella ocupaban la mayor parte de una de las paredes. En sus cajones, vacíos salvo por algunas bolitas de naftalina, fui guardando la ropa de abrigo que había llevado para pasar el verano en aquella casa en el medio de la Patagonia. Abrí el cajón más bajo y puse en él toda la ropa interior que había traído. Al cerrarlo, descubrí la esquina de un papel amarillento asomando por debajo de la cómoda.

Era un sobre viejo. Con letra larga y apretada, alguien había escrito hacía mucho tiempo la frase "A quien lo encuentre". Como único indicio del remitente, en el dorso había un lacre rojo con un sello circular.

Sin estar demasiado seguro de que fuera una buena idea, lo abrí y extraje una cuartilla de papel fino y quebradizo, escrito con la misma caligrafía.

Estancia Las Maras, Noviembre de 1998

Fueron casi dieciséis años de silencio absoluto, y dieciséis años es mucho tiempo. Ya no queda ningún motivo para ocultarlo: Raúl lleva muerto casi un año y a mí no sé cuánto hilo me queda en el carretel.

Por eso decidí contar quién soy y dónde enterré a Fabiana Orquera.

La respuesta está al alcance de todos, en las páginas que nadie lee ni recuerda.

NN

Para cuando terminé de leerla por tercera vez, el corazón me latía con fuerza. Mientras caminaba por la habitación, me pregunté una y otra vez quién era NN, qué habría hecho con Fabiana Orquera y a qué se refería con que la respuesta estaba al alcance de todos.

Entonces alguien abrió la puerta de la habitación.

2 — LAS MARAS

—Cenamos en cinco minutos, Nahuel —me dijo Dolores Nievas, asomando la cabeza.

—Gracias, Lola. Ahora voy.

—No tardes, que ya sabés cómo se pone Carlucho —dijo, y desapareció cerrando la puerta tras de sí.

Miré el reloj. Casi las diez de la noche, y a la luz del día todavía le quedaba un buen rato. Por la ventana vi el sol enorme que empezaba a esconderse, alargando las pocas sombras de la meseta patagónica. Una pequeña construcción de piedra a la que llamábamos la Cabaña y un molino eran lo único que se erigía a más de medio metro del suelo. El resto era tierra gris y matas bajas entre mi ventana y el horizonte.

Metí la carta en el sobre y la dejé en el cajón junto con mi ropa interior, calculando que habían pasado más de catorce años desde que NN la había escrito. Desde noviembre de 1998 hasta enero de 2013.

El dos de enero de 2013, para ser precisos. La primera vez en muchos años que mi familia y los Nievas, dueños de Las Maras, no pasaban juntos las fiestas de fin de año. A mi viejo le había dado un preinfarto en noviembre y el médico le había recomendado que se quedara en el pueblo, cerca del hospital. A pesar de las protestas, entre mi mamá y yo lo obligamos a pasar la navidad y el fin de año en casa, aunque significara romper con una tradición que tenía más años que yo.

Eso hizo que las fiestas ese año fueran las más raras de mi vida. Estaba acostumbrado a pasarlas con mis padres, sí, pero no en su casa. No en Puerto Deseado, brindando con los vecinos. Para mí el año nuevo significaba que a las doce y cinco nuestros fuegos artificiales fueran los únicos en el cielo. Que cuando los platitos con garrapiñadas quedaban medio vacíos, la enésima chacarera la cantaran Carlucho y mi viejo, borrachos y abrazados. Y que a las cuatro de la mañana nos diéramos cuenta de que se estaba haciendo de día y cerráramos las cortinas para seguirla un rato más.

Fue justamente esa nostalgia la que causó que el mediodía de ese dos de enero, cuando terminamos por fin con las sobras de la cena de fin de año, decidiera ir a Las Maras a visitar a los Nievas. Sabía que no sería lo mismo que pasar las fiestas con ellos, sobre todo porque la mayoría de los veintipico que celebraban el año nuevo allí ya estarían de vuelta en sus casas. Los únicos que se quedarían, como siempre, hasta bien entrado enero serían Carlucho y Dolores Nievas. Así y todo, quise ir a pasar unos días con ellos en el campo, sin teléfono, ni Internet, ni un solo nene que me gritara "hola profe" por la calle.

Fue así como, después del postre y de tomar unos mates con mis viejos, abrí la puerta del Fiat Uno y tiré el asiento del conductor hacia adelante. Mi perro Bongo se sacudió el pelaje negro, pegó un ladrido mirándome con su cara cruzada por cicatrices y se subió de un salto. Hicimos los ochenta kilómetros desde Deseado a Las Maras mientras Charly García y yo cantábamos todas las canciones de Casandra Lange.

3 — PABLO

Como cada año en esa época, unos tablones apoyados sobre caballetes de madera duplicaban la longitud de la mesa de comedor. Los cuatro comensales se agrupaban en una punta. Carlucho Nievas estaba sentado en la cabecera, y a su derecha su esposa Dolores me hacía señas para que me apurara. Frente a ella, Valeria, la única hija del matrimonio, coqueteaba con su nuevo novio.

—Dale Nahuel, que se enfría —dijo Carlucho al verme aparecer en el comedor.

Me senté al lado de Dolores, justo enfrente del novio de Valeria.

—Perdón por darles de comer recalentado, pero esto no lo vamos a tirar —dijo Carlucho, señalando sobre la mesa una fuente en la que apenas cabía una paleta de cordero—. Sobró del asado que hicimos al mediodía para despedir a los últimos parientes.

—¿Qué dice, Carlos? Si me sirven esto en un restaurante y me cobran un ojo de la cara, dejo el otro de propina —dijo el novio de Valeria.

El comentario me pareció bastante pelotudo. Sin embargo, encontré normal que el pibe aprovechase cualquier oportunidad de anotarse un punto con sus futuros suegros. Después de todo, había manejado trescientos cincuenta kilómetros, sesenta de ellos de ripio, desde Comodoro Rivadavia para conocer a los padres de Valeria.

—Los piropos guardalos para mi hija —respondió Carlucho, hundiendo un cuchillo de hoja ancha en la pata de cordero.

El novio —Pablo se llamaba— empezó a murmurar algo como disculpándose, pero lo interrumpió la carcajada ronca de Carlucho, que terminó de separar un trozo de carne del hueso y se lo puso a Pablo en el plato.

—Ya te dije como es mi papá —dijo Valeria riendo, y lo besó en la mejilla.

Desvié la vista, simulando interés en la comida.

Carlucho continuó sirviendo carne hasta que todos tuvimos un trozo. Dolores nos llenó los vasos con torrontés salteño y empezamos a comer.

La conversación transcurrió casi todo el tiempo en torno a las preguntas que Pablo hacía a Carlucho sobre el funcionamiento del campo. Cuántas ovejas por hectárea, cuánta lana por oveja y los silencios entre medio para las multiplicaciones pertinentes. A la hora del postre —sobras de tiramisú y *lemon pie*—, Pablo ya tenía suficiente información para saber que con Valeria había que estar por amor. El único interés que tendría cabida en esa relación era el que se llevaba el banco.

—Vale nos contó que te dedicás a la informática. ¿Arreglás computadoras? —preguntó Dolores a su futuro yerno.

—No exactamente. Desarrollo *software*.

Carlucho y Dolores lo miraron sin pestañear.

—Hace programas que se ejecutan en una computadora. Como el Word —traduje.

—Gracias, Nahuel —dijo Pablo—. Trabajo para la empresa más grande de Comodoro en el área. La mayoría de nuestros clientes son petroleras.

—¿Y te gusta? —pregunté.

Me miró desconcertado.

—No me quejo. Se trabaja mucho, pero es una de las empresas que mejor paga a los programadores en el país. ¿Y vos, Nahuel, a qué te dedicás?

—Soy maestro.

—¿De escuela? —me preguntó, como si no hubiera entendido bien.

—Sí, de segundo y tercer grado. Nenes de siete y ocho años.

Pablo se llevó a la boca la cuchara colmada de postre. Cuando la sacó, perfectamente limpia, la usó para apuntarme.

—¿Te soy sincero? Yo no podría.

Gracias por el dato, pensé. Revelador.

—No es para cualquiera —intervino Dolores, que se había jubilado como directora de la escuela donde yo trabajaba—. Los chicos son difíciles, y hasta crueles a veces. Si no los mantenés entretenidos, alpiste perdiste. Pero Nahuel tiene una pasta impresionante. Lo adoran.

—¿No estarás un poquito condicionada porque me querés mucho vos?

—¿Un poquito condicionada? —saltó Valeria, y después agregó con voz aguda—. "¿Qué querés comer hoy, Nahuelito?" "No, dejá, no te levantes, que te llevo el mate a la cama".

—Es que es difícil no quererlo a éste. Es el hijo varón que nunca tuve —le comentó a Pablo y me pegó una palmada suave detrás de la cabeza.

Mientras él asentía con una sonrisa, la mirada de Valeria y la mía se cruzaron por un segundo. Intenté tragar, pero no pude.

—O sea que un señor maestro y un tipo querido.

—Y además, escritor —agregó Dolores sin darme tiempo a abrir la boca.

—No me digas, ¿en serio?

—A ver, todo lo que te diga ella, tomátelo como si viniese de mi mamá. Soy un maestro normal y corriente. Esa es mi profesión. Lo de escribir es más un *hobby* que otra cosa. Pero de ahí a...

—¿Novelas? —me interrumpió Pablo.

—No, eso me sería imposible. Tengo cero imaginación. Si tuviera que ponerle un nombre a lo que hago, es más periodismo que escritura. De vez en cuando publico una sección en El Orden, el diario de Deseado.

—Algo más que un aficionado, entonces. ¿Y de qué es la sección?

—Es difícil definirla, la verdad. Sería periodismo de investigación, pero a nivel pueblo. Por ejemplo, en octubre escribí dos páginas con la historia de cómo un terreno que estaba destinado a ser la plaza de un barrio se convirtió en locales comerciales tras una noche de póquer entre un concejal y sus amigotes.

—"La plaza de los otros juegos" —dijo Carlucho.

—Así es como se llamó el artículo y así es como la gente del pueblo llama ahora a esa zona, que nunca llegó a ser plaza —añadió Dolores.

—O sea que lo de un tipo querido, depende a quién le preguntes —concluyó Pablo.

—Totalmente. Hay un montón de gente en el pueblo que no me puede ni ver. Es bastante entendible, la verdad. Cuando uno se dedica a sacar trapitos al sol en un lugar así de chico, es inevitable caerle mal a más de uno. De hecho, de vez en cuando recibo alguna que otra amenaza. Mensajes en el teléfono, sobre todo.

—¿Y no te da un poco de miedo? —preguntó Pablo.

—Miedo, no. Me cuido, eso sí. Si me amenazan, automáticamente a la semana siguiente los escracho en la columna. Si sé quiénes son, lo hago con nombre y apellido, y si no, transcribo el mensaje que me hayan dejado y hago una carta abierta.

—O los vas a buscar a la casa y te agarrás a las trompadas —apuntó Valeria.

—Esos fueron casos puntuales en los que perdí los estribos. En general me limito a escracharlos. Una vez que hay una denuncia pública, ¿te pensás que se van a animar a hacerme algo? Además, no todo lo que publico es así de polémico.

—Es un *hobby* mucho más arriesgado que el mío. Soy numismático. Las monedas son bastante más inofensivas.

—¿Y ya tenés pensada la próxima historia, Nahuel? —preguntó Valeria.

—Tengo ganas de escribir sobre Fabiana Orquera. Se me ocurrió hace poco.

Menos de una hora para ser exactos, pero eso preferí no decirlo.

Al escuchar el nombre de Fabiana Orquera, los padres de Valeria dejaron de masticar.

—¿Café? —preguntó Dolores.

Todos dijimos que sí.

4 — LA DESAPARICIÓN

—Fabiana Orquera —explicó Valeria a Pablo— es una mujer que desapareció en esta casa a principios de la década del ochenta.

—Marzo de mil novecientos ochenta y tres —precisó Carlucho.

—¿Cómo que *desapareció*?

—Yo tenía la edad de ustedes y acababa de hacerme cargo de este campo —nos dijo Carlucho—. Mi madre había muerto hacía poco y mi papá, que tenía cerca de setenta años, ya no estaba para quedarse solo en esta casa. Si le llegaba a pasar algo, estaba a quince kilómetros del vecino y a ochenta del hospital. Así que lo convencí para que se viniera a Deseado.

—¿Y no se quedó nadie en la estancia?

—Sola no se puede dejar —rió Carlucho—. Y yo no me podía mudar para acá porque me iba bastante bien en Deseado con el taller mecánico, así que contraté a un mensual para que mantuviera el campo. Yo vendría todos los fines de semana que pudiera para supervisar y ayudar.

—¿Y alcanza con una sola persona para mantener un campo de veinte mil hectáreas?

—Para las tareas de mantenimiento, sí. Un tipo con experiencia basta y sobra para rodear ovejas, revisar alambrados, cuidar la casa. Ahora, para los trabajos más pesados, como la esquila o la señalada, siempre se contrata más gente. De hecho, lo seguimos haciendo así desde hace treinta años.

Pablo no parecía del todo satisfecho con la respuesta. Supuse que para alguien que no había estado nunca en un campo de la Patagonia era imposible imaginarse que en una superficie del tamaño de un país pequeño pudiera vivir una única persona. Y mucho menos, que su medio de transporte fuera un caballo.

—Como al mensual lo instalamos en la casita esa que está del otro lado de los tamariscos, ésta quedó vacía. Entonces se me ocurrió que los fines de semana que yo no viniera, podía alquilarla para sacar unos pesos extra.

—¿Pero eso funciona en un lugar como éste? —preguntó Pablo—. Deseado está a ochenta kilómetros, y Comodoro, casi a trescientos. ¿Qué tipo de gente alquila una casa en el medio de la nada?

—Yo también tenía esa duda la primera vez que puse el anuncio en El Orden, hace treinta y pico de años. Y resulta que, casi sin querer, descubrí que había mucha gente casada interesada en alquilarla.

—¿Matrimonios? —preguntó Pablo.

—Más bien uno de cada matrimonio —corrigió Carlucho.

Pablo miró a Valeria, desconcertado.

—A ver, amor, imaginate que vivís en un pueblo en el que todo el mundo sabe vida y obra del vecino. Imaginate además que estás casado y le estás metiendo los cuernos a tu mujer. Si vas a la casa de tu amante, alguien te va a ver seguro. A un hotel no podés ir, porque si el recepcionista no te conoce a vos, conoce a algún pariente tuyo. ¿Qué hacés?

—Me voy a pasar un fin de semana con mi amante a Comodoro.

—Estás pensando como alguien de la *city* —rió Valeria—, no como alguien de pueblo. Comodoro está lleno de deseadenses. No te olvides que somos un pueblo chiquito, sin universidad, sin grandes tiendas de ropa y, hasta hace poco, sin oculista. ¿Y dónde vamos cuando necesitamos todo eso? A Comodoro..

—O sea que usted alquilaba esta casa para aventuras extramatrimoniales.

—No. Yo alquilaba esta casa para que la gente viniera a pasar unos días en el campo y no le hacía preguntas a nadie.

—¿Y qué pasó con Fabiana Orquera, Carlucho? —intervine para reencauzar la conversación.

—Raúl Báez vino a verme una tarde al taller y me preguntó si le podía alquilar la casa para el fin de semana siguiente. Le respondí que no, porque tenía planeado venir yo. De hecho me iba a acompañar tu viejo —añadió mirándome—. Íbamos a venir a cazar guanacos y pescar en Cabo Blanco. En esa época éramos solteros, aunque él ya noviaba con tu mamá y Dolores y yo estábamos a punto de casarnos.

Mi padre y Carlucho eran amigos de toda la vida. Se habían conocido al empezar la escuela —la misma a la que había ido yo y en la que ahora trabajaba—. Sesenta y cinco años más tarde, todavía les quedaban ganas de seguir viéndose las caras. Mi viejo, jubilado hacía años, iba dos o tres veces por semana a tomar mate al taller. Y de no ser por el preinfarto, el día en que Carlucho se disponía a contarnos la historia de Fabiana Orquera mi papá habría estado junto a él en Las Maras, ayudándole a vaciar la botella de torrontés.

—Pero Báez insistió. Me dijo que necesitaba que fuera ese fin de semana sí o sí y se ofreció a pagarme el doble.

—Típico del que tiene guita de sobra —agregó Pablo.

—No. No era esa la actitud del tipo. Fue más bien la de alguien desesperado que te pide un favor.

—¿Te dijo para qué quería la casa? —preguntó Valeria.

—Esa era la pregunta que yo había aprendido a no hacer. Simplemente le dije que sí y acepté el doble. De hecho —dijo bajando la voz hasta un tono casi imperceptible—, con ese dinero compré...

Levantó la mano izquierda para mostrarnos la palma. Con el pulgar señaló la alianza de oro en su dedo grueso.

—Pero ese detalle mejor no lo escribas, Nahuel, porque a Dolores no le gusta que lo mencione.

—No es que no me guste que lo menciones —la voz de la mujer se oyó desde un rincón del comedor y su figura regordeta apareció con cinco tazas humeantes sobre una bandeja—. Lo que no me gusta es que relaciones estas alianzas, que simbolizan toda una vida juntos, con algo tan feo. Si no te hubiera pagado ese día Báez en el taller, habría aparecido cualquier otro a alquilar la casa o a que le arreglaras el coche, ¿o no? Y las alianzas las habrías comprado igual.

—Por supuesto que sí, mujer —dijo Carlucho, sonriéndole a Dolores—. Volviendo al tema, Báez me dijo que pasaría el fin de semana en la casa y que el lunes me dejaría la llave en un buzoncito que yo tenía en el taller. Yo tuve que hacer un viaje a Comodoro y cuando volví, el martes al mediodía, el buzón estaba vacío. Pensando que se habría olvidado, me fui para su casa y cuando golpeé la puerta me abrió la esposa con los ojos hinchados de llorar. Al reconocerme, empezó a pegarme con las manos cerradas, llorando y gritando que todo había sido culpa mía.

—¿Báez estaba casado con otra? —preguntó Pablo.

—Ya te dije. Casi todos los que me alquilaban estaban casados con otra.

—¿Y qué le dijiste a la mujer? —quise saber.

—Nada, ¿qué le iba a decir? Le pedí que se calmara y que me explicara lo que había pasado. Pero la señora no hacía más que llorar y gritarme que Báez estaba preso por culpa mía. En su cabeza, si yo no le hubiera alquilado a su marido para que se fuera con otra, nada de lo que vino después habría sucedido.

—¿Pero qué fue lo que pasó? —preguntó Pablo.

Carlucho se levantó de su silla y con un gesto nos indicó que lo siguiéramos.

5 — LA ESCENA DEL CRIMEN

Un minuto más tarde estábamos todos en la cocina.

—Según Báez, ese domingo él y Fabiana Orquera se levantaron, desayunaron y salieron a caminar por el campo.

—Que yo no digo que no sea verdad —interrumpió Dolores, que se disponía a lavar los platos—, pero con el viento que hubo ese fin de semana en Deseado, me cuesta creerlo.

Carlucho levantó los hombros antes de hablar, como quien ya está cansado de pelear la misma batalla.

—Según su historia, que ya nadie puede saber si es cierta o no, desayunaron y salieron a pasear. Al volver a la casa, Báez fue a buscar carne que el mensual le había dejado preparada en la carnicería.

—La carnicería es el cuartito donde se carnean los corderos y se los deja colgados para que se oreen —dijo Valeria, adelantándose a la pregunta de su novio.

—Ahora no se ve porque es de noche, pero esa ventana da a un caminito de piedras —continuó Carlucho, señalando el vidrio enorme que nos reflejaba como un espejo negro—. Bordeándolo, hay una hilera de tamariscos de unos treinta metros más o menos. Cuando se terminan esos árboles, si girás a la derecha y caminás unos veinte metros más, está la casa del mensual.

—Y atrás de ella, la carnicería —agregó Valeria.

—Báez declaró que antes de desaparecer detrás de los tamariscos se volvió para tirarle un beso a Fabiana, y que ella lo miraba por esta ventana mientras preparaba algo para picar. Dijo que tras saludarla, se perdió detrás de los árboles y a los pocos metros sintió un golpe en la cabeza que le hizo perder el conocimiento. Cuando se despertó estaba de nuevo en esta casa, en la vieja despensa.

—Todo esto, según él —acotó Dolores, que seguía lavando los platos.

—Según él —aceptó Carlucho y abrió una puerta de madera en la cocina.

Encendió la luz, invitándonos a entrar en una pequeña habitación en la que apenas cabían dos camas. Reconocí sobre ambas las mantas de lana tejidas a croché bajo las cuales había dormido más de un verano. Era, con diferencia, la habitación más fría de la casa. De sus años como despensa todavía conservaba estantes en dos de las cuatro paredes y ganchos de hierro colgando del techo.

—A partir de acá, su declaración y la del mensual son idénticas. Cuando Báez se despertó, estaba tirado ahí.

Señaló con el dedo el suelo en la entrada de la habitación.

—Alcides, el mensual, le pegaba en la cara con la mano abierta. Al incorporarse, lo primero que notó fue que estaba prácticamente bañado en sangre y que junto a él había un cuchillo enorme, también manchado.

—¿Lo apuñalaron? —preguntó Pablo.

—No, no tenía ni un rasguño —dijo Dolores desde la cocina.

—La sangre no era de él —agregó Carlucho.

—Entonces tenía que ser de Fabiana Orquera —sugirió Pablo—. Báez la podría haber matado y, después de deshacerse del cuerpo, fingir un ataque sabiendo que el mensual tarde o temprano lo encontraría. O quizás era inocente y quienes lo atacaron asesinaron a Fabiana Orquera y empaparon a Báez en su sangre para inculparlo.

—Ni una cosa ni la otra —dijo Carlucho—. Más tarde la policía comprobó que la sangre tampoco era de Fabiana Orquera.

—¿Había pruebas de ADN en esa época? —preguntó Pablo.

—No sé —dijo Carlucho—, pero en este caso no hizo falta. Era sangre de oveja. El mensual después declaró que en la carnicería había un cordero degollado sobre el banco para carnear. Estaba sin cuerear y no le habían abierto la panza para sacarle las vísceras. Solamente le habían hecho un tajo en la garganta.

—¿Y qué más descubrió la policía? —quiso saber Pablo.

—Nada más. Durante varios días la casa pareció una película yanqui. No me dejaban entrar ni a mí. Al cabo de una semana concluyeron que era como si la chica se hubiera esfumado. Hasta perros trajeron, pero no la pudieron rastrear. Me acuerdo que se la pasaban, pobres bichos, peleándose con los ovejeros de Alcides.

—¿Y esto en qué año dice que pasó, don Carlos?

—En el ochenta y tres.

—Plena dictadura militar —dijo Pablo.

—Fines de la dictadura militar —corregí—. Las elecciones fueron en octubre y esto pasó en marzo.

—¿Y no puede ser que a Fabiana Orquera la hicieran desaparecer los militares?

—Puede ser —intervine—. Después de todo, los milicos se chuparon como a treinta mil personas.

Recordé las veces que mi tío Hernando, el hermano de mi madre, me había contado los horrores de haber estado preso durante la dictadura en el setenta y siete. Él tuvo suerte y lo largaron a los tres meses, pero de su novia y dos compañeros de la universidad nunca se supo nada más.

—Mucho menos —dijo Pablo—. Son tantos los que dicen treinta mil como los que dicen siete mil.

—Perdoname, pero para mí los que dicen siete mil son unos fascistas —dije sin pensar.

—Con tu misma lógica, para mí los que dicen treinta mil son unos zurdos que siempre están en contra de todo.

—*Okey* —intervino Valeria—. Acá no estamos para hablar de política.

—Esto no es política —corregí—. Es la historia de uno de los genocidios más grandes del país.

—No importa qué título tenga, Nahuel —insistió Valeria—. Estamos hablando de Fabiana Orquera.

—¿Pero puede ser o no que esta mujer fuera uno de los subversivos que los militares querían limpiar? —preguntó Pablo.

—No creo —concluyó Carlucho—. Yo tuve un amigo al que lo chuparon los milicos. La forma en la que desapareció esta chica no concuerda para nada con cómo se movían ellos. Los militares te iban a buscar a tu casa y ponían todo patas para arriba. Buscaban pruebas, libretas de contactos, información. Lo que sea. Pero a la casa de Fabiana Orquera no fue nadie, y acá no tocaron nada. Y después está la sangre de cordero, eso sí que no encaja de ninguna forma.

—Además la mayoría de los desaparecidos de la dictadura fueron detenidos entre el setenta y seis y el setenta y ocho —dije a Pablo—. Tengo varios libros sobre el tema en casa. Si querés te presto uno.

Valeria me fulminó con la mirada.

—¿Y la familia de Fabiana Orquera lo culpó a usted también, como lo hizo la mujer de Báez? —preguntó Pablo, haciendo de cuenta que no me había oído.

—No, porque Fabiana Orquera llevaba apenas un año en Deseado y no tenía ningún familiar en el pueblo. Era de Entre Ríos y, según lo que supe en el juicio, la policía no pudo encontrar a ningún pariente suyo allá tampoco.

—¿Y nadie la reclamó nunca?

—El único que hizo la denuncia por desaparición en todo el país fue el propio Báez.

—De cualquier forma, en esa época no creo que las denuncias por desaparición tuvieran demasiada importancia.

Carlucho negó con la cabeza.

—Ni siquiera años después, cuando volvió la democracia y se abrieron las listas de personas desaparecidas. Ningún familiar preguntó por ella, jamás. Me lo confirmó muchos años después el fiscal del caso, ya retirado. Vino al taller para que le arreglara el auto.

—Era la víctima perfecta —observó Pablo—. Sin familia y recién llegada de la otra punta del país.

El ruido del agua corriendo cesó y Dolores apareció en el cuartito secándose las manos con un trapo. Puso un brazo alrededor del cuello de su marido y Carlucho bostezó instantáneamente. Valeria también abrió la boca grande, pero no pude saber si su bostezo era real o fingido.

—Mejor vamos a dormir así mañana aprovechamos el día —dijo, dándole un beso rápido en la boca a su novio—. No nos despiertes muy temprano, papi, que a Pablo no le gusta madrugar.

—¿Temprano? Temprano se despierta el mensual, que a las cuatro y media está arriba con el primer rayo del sol.

—Vamos —dijo Valeria riendo, y besó de nuevo a su novio.

—¿Y en qué habitación durmieron Fabiana Orquera y Báez ese fin de semana? —preguntó Pablo.

—No tengas miedo, que no fue en la nuestra —rió su novia.

—No. Fue en la de Nahuel.

6 — SOBRE NUESTRAS CABEZAS

—Antes de que nos vayamos a dormir, don Carlos —dijo Pablo cuando Carlucho puso el dedo sobre el interruptor de la luz de la despensa—. Usted mencionó un juicio. ¿Estuvo preso Báez?

—Lo absolvieron —dijo Dolores con un gesto amargo.

—Por falta de pruebas —agregó Carlucho.

—Es cierto. Nunca se pudo probar que hubiese sido él quien hizo desaparecer a esa chica. Tampoco que no lo hubiese hecho.

—Eso le arruinó la carrera política, ¿no? —intervine, recordando un artículo que había leído hacía un par de años en el archivo de El Orden, mientras buscaba información para escribir una historia en mi columna.

—¿Era político? —se sorprendió Pablo.

—Candidato a intendente —respondió Carlucho—. Pero en las elecciones del ochenta y tres se tuvo que bajar, porque estaba en pleno juicio. Años más tarde se volvió a presentar, pero sacó una cantidad de votos muy baja. Yo si tengo que tomar partido creo que el tipo era inocente, porque después del juicio se quedó en el pueblo, siguió trabajando, se volvió a presentar para intendente. No sé qué habrá hecho para convencer a los del partido de ser el candidato, porque en el pueblo una vez que te hacen la cruz...

—La mayoría en Deseado, yo incluida, cree que fue él quien la mató —interrumpió Dolores—. Y muchos de los que lo consideraron inocente del delito, condenaron que hubiera engañado a la mujer diciéndole que ese fin de semana se iba a una reunión del partido en Río Gallegos.

—Y después vinieron los mil rumores sobre lo que había pasado —dijo Carlucho.

—Si los chimentos se pudieran exportar, seríamos una potencia mundial —añadió Valeria.

—Con este tema, hubo de todo —rió Carlucho—. No faltaron los que aseguraron que yo tuve algo que ver, por ejemplo.

—A pesar de que cientos de personas te vieron todo el fin de semana en las carreras de Fiat 600 y de que el lunes estuviste en Comodoro —completó Dolores.

—Es cierto. Y con el tema de la sangre, no sabés la de historias que se inventaron. Que si un rito satánico, que si juegos sexuales morbosos. A mí una vieja me llegó a decir que siempre había sabido que Báez era un vampiro.

—Pero esa era la loca Azcuénaga, que no se la tomaban en serio ni sus hijos —rió Dolores, que seguía abrazada a su marido—. Lo mismo que el viejo Logan, que lo más cerca que estuvo en su vida de acá fue Cabo Blanco y así y todo sostuvo, hasta el día que se murió, que la casa había quedado embrujada con el fantasma de Fabiana Orquera.

—Eso debe haber perjudicado el negocio, ¿no, don Carlos?

—Un poco, la verdad. Después de que pasó todo eso dejamos de alquilar esta casa. Nos gastamos todos los ahorros en rehabilitar la vivienda del segundo mensual, que llevaba décadas abandonada, y empezamos a alquilar ésa. Así que los más supersticiosos perdieron el miedo.

Carlucho volvió a bostezar.

—Y eso es todo lo que sé sobre Fabiana Orquera.

—Y este hombre, Báez, ¿vive todavía? —quiso saber Pablo.

Un silencio incómodo invadió la despensa.

—No. La cosa terminó mal. Se ahorcó en el noventa y ocho, el día que se cumplían quince años de la desaparición de Fabiana Orquera.

Los ojos de Carlucho se dirigieron al techo y luego se cruzaron con los míos. Me bastó un segundo para entender que prefería no avanzar más con esa parte de la historia.

A las apuradas, el matrimonio nos deseó que durmiéramos bien. Carlucho salió de la casa a apagar el generador diésel sin contarle a su yerno el detalle que el resto ya sabíamos.

Quince años atrás, Raúl Báez había robado un coche en Puerto Deseado y conducido hasta Las Maras. Rompiendo una ventana, se había metido en la casa y se había ahorcado del gancho de acero que pendía ahora sobre nuestras cabezas en la vieja despensa.

7 — AL ALCANCE DE TODOS

Dos minutos después de quedarme solo en la cocina, el ronroneo lejano del generador eléctrico se apagó de golpe y con él, las luces. Cuando mis ojos se ajustaron a la oscuridad, miré por la ventana y distinguí, con la ayuda de media luna en un cielo sin nubes, la fila de tamariscos que se alejaba de la casa.

Conocía esos árboles de memoria. Jugando a la escondida o a la guerra, de chico me había metido en cada una de las cuevas que formaba su follaje perenne. Pero esa noche, a la luz plateada de la luna, tenían un significado diferente. Eran los únicos testigos de lo que había pasado en realidad entre Báez y Fabiana Orquera.

Entonces vi una sombra junto al tamarisco más alejado. Era una silueta que se acercaba casi corriendo hacia la casa. Y antes de que tuviera tiempo a reaccionar, la figura alcanzó la puerta de la cocina y giró el picaporte.

—No te das una idea de lo que refrescó —dijo Carlucho cerrando tras de sí y frotándose las manos.

—A vos solo se te ocurre salir con manga corta.

Incluso en la negrura de la noche pude ver el bigote de Carlucho ensanchándose en una sonrisa. Sentí su mano pesada y firme sobre mi hombro.

—Cuando necesite otra esposa, te aviso —me dijo y se fue a su habitación.

Me senté sobre la mesa y volví a mirar por la ventana.

De tratarse de cualquier otro lugar del mundo, habría creído imposible que un sobre pudiera pasar quince años debajo de una cómoda sin ser descubierto. Pero las habitaciones de Las Maras, salvo la de Carlucho y Dolores, sólo se ocupaban un par de semanas al año para alojar a los parientes que venían a pasar las fiestas. Si te olvidabas unos pantalones en un ropero a finales de enero, te los encontrabas en el mismo estante al volver el diciembre siguiente. Como decíamos a veces, mitad en serio y mitad en broma, en esa casa las cosas podían congelarse en el tiempo.

De hecho, casi cada verano que pasé en esa casa —y pasé muchos— encontré cachivaches dignos de anticuario que ni Carlucho ni Dolores habían visto jamás. Estos descubrimientos iban desde un recibo por la compra de mil ovejas del año mil novecientos treinta y cinco, cuando la estancia todavía no pertenecía a los Nievas, a una rueda de madera de un Ford T.

De todos esos pequeños tesoros, mi favorito lo descubrí dentro de una edición vieja del Martín Fierro que se caía a pedazos. Era una postal de Puerto Deseado del año mil novecientos veintiuno. De fondo se veía un vapor anclado en medio de la ría y, más cerca de la cámara, una veintena de viajeros desembarcaba de un bote de madera. La imagen de por sí me había parecido preciosa, pero lo que más me cautivó fue su destinatario. Iba dirigida a un tal José Imelio, en la ciudad de Rosario. Nadie me supo explicar quién era Imelio ni mucho menos cómo la postal, despachada hacia Rosario con el matasellos de Puerto Deseado, había terminado en Las Maras.

Aquella postal, que ahora descansaba enmarcada sobre una repisa de mi casa en Deseado, era la prueba firme de que si había un lugar en el mundo donde una carta podía pasar inadvertida durante quince años, era en un rincón de la casa de Las Maras.

El frío, que había entrado por la puerta de la cocina y la vieja despensa, se me había metido en el cuerpo. Envidiando a los miles de argentinos que en esos mismos días disfrutaban las playas de Mar del Plata, volví al comedor y prendí la estufa a leña. Como dicen algunos, en la Patagonia tenemos sólo dos estaciones: el invierno y la del tren.

Fui a mi habitación a buscar la carta. Al volver al comedor, acerqué todo lo que pude la silla a la estufa. Sólo se oía el ulular del viento contra el techo y el chisporrotear de las ramas de moye. A la luz de la llama, empecé a releer lo que había escrito el tal NN casi quince años atrás.

Me detuve en la referencia a Báez.

Ya no queda ningún motivo para ocultarlo: Raúl lleva muerto casi un año y a mí no sé cuánto hilo me queda en el carretel.

Según nos había dicho Carlucho, Fabiana Orquera había desaparecido en marzo del ochenta y tres, y Báez se había colgado exactamente quince años después. Marzo del noventa y ocho, calculé. La carta estaba fechada en noviembre de ese mismo año, a ocho meses del suicidio. Según NN, la había redactado a casi un año de la muerte de Báez. Hasta allí, todo cuadraba.

Pero ¿por qué NN se había limitado a prometer respuestas en

lugar de darlas?

Por eso decidí contar quién soy y dónde enterré a Fabiana Orquera.

No tenía ni idea. Lo que sí sabía era que la aparición de esa carta confirmaba dos puntos importantes del caso Fabiana Orquera que nadie había podido esclarecer en tres décadas.

En primer lugar, la referencia a Báez en la confesión eliminaba todas las dudas que quedaban sobre su inocencia.

Y en segundo lugar, la chica estaba definitivamente muerta. No desaparecida, sino muerta. Sorprender, no sorprendía. Después de todo, habían pasado casi treinta años sin que se supiera de ella. Pero la confesión de NN era, según parecía, la primera prueba firme de una muerte y un entierro.

Pensé en la idea de una tumba en Las Maras y no pude evitar una sonrisa irónica. Yo, que había pasado casi todos los veranos de mi vida en aquel campo, apenas conocía una fracción de él. Cada vez que salía a pasear en caballo, a cazar o a arreglar algo con Carlucho pensaba en cuántos sitios habría en esas veinte mil hectáreas donde nunca hubiese pisado el hombre. Era el lugar perfecto para enterrar a alguien y que no lo encontraran nunca.

¿Quién había asesinado a Fabiana Orquera hacía treinta años y dónde la había enterrado? Si lograba responder esa pregunta, yo, Nahuel Donaire, resolvería el misterio más grande de la historia de Puerto Deseado.

La respuesta está al alcance de todos, en las páginas que nadie lee ni recuerda.

Aunque no tenía nada claras las reglas del juego de NN, supuse que esas páginas se encontrarían en Las Maras, porque allí había sucedido todo. La desaparición, el suicidio de Báez quince años después y la carta de NN que, aunque escrita a los pocos meses, yo había tardado casi quince años en encontrar.

8 — CÍRCULO DE PUNTOS

Eché un puñado de ramas secas a la estufa y a la luz de la llama releí las palabras de NN, que ya empezaba a saberme de memoria. Volví a prestar atención a la parte donde mencionaba a Báez.

Ya no queda ningún motivo para ocultarlo: Raúl lleva muerto casi un año y a mí no sé cuánto hilo me queda en el carretel.

Por una parte, esa frase sugería que la muerte de Fabiana Orquera estaba directamente relacionada con Báez. Que alguien la había borrado de un plumazo para involucrarlo a él. Si no, no tenía sentido mantener el secreto hasta después de su muerte. Pero había algo en esa historia que no me terminaba de encajar. ¿Por qué nadie había denunciado nunca la desaparición de Fabiana? ¿No tenía un solo pariente que hubiera notado su ausencia? ¿Ni un amigo?

Y luego estaba la identidad del autor de la carta. Me pregunté si NN serían sus verdaderas iniciales o se trataba de una firma anónima, como las inscripciones en las lápidas de cuerpos que no pueden ser identificados.

Miré el papel por ambos lados sin tener claro qué esperaba encontrar. Era el mismo tipo que usaba mi abuela veinte años atrás para enviar cartas *par avion*. En una cara, la letra apretada de NN. En la otra, renglones azules y vacíos. Nada especial.

Dando un bostezo, eché un último vistazo al sobre. "A quien lo encuentre" de un lado, y el lacre rojo del otro. Un círculo de puntos, dos líneas paralelas dentro y dos estrellas fuera. Había algo en él que me resultaba muy familiar, pero fui incapaz de precisar qué.

Era como tener una palabra en la punta de la lengua.

Intenté reforzar un poco la luz de las llamas usando la pantalla de mi teléfono, que en Las Maras sólo servía para alumbrar, porque señal no había y para despertador estaba Carlucho. Comencé a contar los puntos del círculo y, mientras lo hacía, reparé en que no eran equidistantes. Había algunos muy pegados y otros más separados. De hecho, para cuando terminé de contarlos —eran treinta y siete—, me di cuenta de que los que estaban más juntos siempre aparecían en grupos de cuatro.

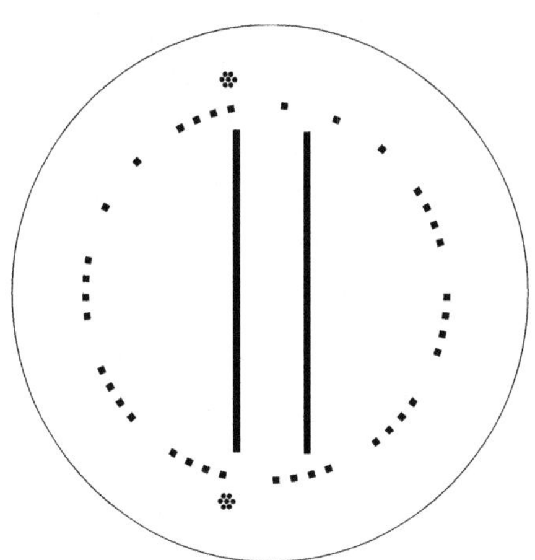

9 — PARA TI

Al día siguiente, después de comer unas milanesas de guanaco que había preparado Dolores, a todos nos entró sueño. Se había levantado un viento tan fuerte que Carlucho canceló el plan original que tenía para Pablo y para mí esa tarde: arreglar un molino a mitad de camino entre la casa y Cabo Blanco.

—Pero podemos aprovechar para ordenar un poco el garaje —nos dijo.

—Amor —intervino Valeria dirigiéndose a Pablo—. Si alguna vez te quedás sin trabajo, no le prendas una vela a San Cayetano. Prendésela a mi papá, que es el verdadero patrono de los desocupados.

Solté una carcajada. Era cierto, en nuestras visitas a Las Maras, Carlucho "San Cayetano" Nievas se había encargado de que nunca faltara un molino que arreglar, ovejas que bañar o una pared que pintar. A cambio, siempre había cordero al asador y vino. A veces, incluso buen vino.

—Con Pablo y conmigo no cuentes, pa. Nos vamos a dormir la siesta.

—Conmigo tampoco —dijo Dolores besando a su marido en la mejilla antes de irse a su habitación.

Aunque no tenía con quién hacer cucharita, a mí tampoco me hubiera importado echarme un rato. Pero conocía a Carlucho, y si se le metía algo en la cabeza, lo hacía con ayuda o sin ella. No podía dejarlo solo, moviendo trastos pesados de un lado para el otro.

—Yo te ayudo —le dije, y nos fuimos para el garaje.

Cuando entramos por la puerta que lo comunicaba con el comedor, sentí el aire frío en la cara. Estaba oscuro y el silbido del viento se colaba por las mil rendijas de la pared de chapa. Corrí la cortina de la única ventana y algo de luz logró atravesar el vidrio cubierto de mugre.

—Empecemos con esto de acá —dijo, señalando dos grandes estantes en la pared que se curvaban bajo el peso de cientos de revistas.

Agarré una de ellas al azar. En la portada, el dibujo de una mujer parecida a Marilyn Monroe, aunque de pelo oscuro, sonreía con la mirada ausente. Debajo del ramillete de flores blancas que sostenía en la mano, seis letras rojas y regordetas formaban la frase Para Ti. Dentro había recetas, patrones de tejido y artículos de moda. Era un ejemplar de mil novecientos cuarenta y tres y, a juzgar por el polvo que tenía encima, nadie lo había tocado más o menos desde esa época.

—No sé si las compró mi abuela o los anteriores dueños del campo, pero llevan toda la vida desparramadas en estos estantes. Y si fuera por mí se quedaban ahí, pero a Dolores se le metió en la cabeza que quiere *este* lugar para guardar latas de comida.

—¿Y dónde las vamos a meter?

—En esas cajas. Ahí no molestan.

Carlucho señaló tres cajas de cartón del tamaño de un televisor en un rincón del garaje. Al verlas, no pude evitar sonreír ante la paradoja. De todos los estantes, recovecos y armarios que había en el garaje, Carlucho había elegido justamente ese rincón para dejarlas. El único lugar de toda la casa que me traía recuerdos amargos.

Me sorprendí al darme cuenta de que ya hacía dos años que esa esquina roñosa se había convertido en un lugar importante en mi vida. Y uno desde que la aborrecía.

Intenté borrar los recuerdos de un plumazo y metí la Para Ti que acababa de ojear en una de las cajas vacías.

—¿Vos sabés las veces que me quise deshacer de todas estas revistas y Dolores me dijo que no, que ella un día las iba a mirar? Mil veces, y jamás en la vida leyó una sola.

Páginas al alcance de todos que nadie lee ni recuerda, pensé, mitad en broma y mitad en serio. Agarré otro ejemplar y pasé mecánicamente las hojas. A lo mejor era mi día de suerte y había una carta de NN esperándome dentro.

—¿Justo ahora se te da por aprender a tejer? ¿O estás buscando la receta de una mermelada?

—Es que ya estoy en edad de merecer —canturreé con voz aguda.

—Vos lo que te merecés es una patada en el medio de ya sabés dónde. ¿Qué estás buscando?

Estuve tentado de decirle la verdad, pero si lo hacía tendría que mencionar la carta de NN. Y, conociéndolo como lo conocía, Dolores y Valeria tardarían muy poco en enterarse. Y por ende, Pablo. Y para cuando terminara el verano y volviéramos todos al pueblo, cientos de personas se lo contarían a otras, jurando y perjurando mantener el secreto. En Puerto Deseado, como en cualquier pueblo, ser discreto no significaba no hablar sino hacerle prometer silencio al que escuchaba.

—Nada —dije, y puse la revista encima de la primera, prometiéndome que en cuanto tuviera la oportunidad las revisaría una a una.

Mientras Carlucho y yo llenábamos las cajas, me pregunté cómo habría hecho NN para dejar la carta en mi habitación. Si lo que decía en ella era verdad, había vuelto a la estancia quince años después de cometer el crimen perfecto para dejar allí su confesión.

¿Debajo de una cómoda, donde nadie podía encontrarla?

Volver a Las Maras sin levantar sospechas habría sido fácil, concluí. Después de todo, Carlucho nunca había dejado de recibir inquilinos en la estancia. Se había limitado a cambiarlos de lugar después de la desaparición de Fabiana Orquera, acondicionando la vivienda de piedra que se veía por la ventana de mi habitación.

—¿A vos te parece que se podrá hacer buena guita vendiéndolas por Internet? —preguntó Carlucho cuando las tres cajas estuvieron a reventar y no quedaba una sola revista en los estantes.

—¿Venderlas? Ni se te ocurra.

Carlucho recorrió con la mirada el garaje atiborrado de cachivaches antiguos y en desuso.

—Mirá lo que es este lugar —suspiró—. Hace años que no le cabe un coche, y últimamente apenas hay espacio para caminar. Encima la mitad de las cosas no son mías. Ni siquiera de mi viejo. Llevan en esta casa quién sabe cuánto tiempo.

—¿Y para qué querés un garaje? ¿Tenés problemas para estacionar? ¿Te roba el lugar el Cholo Freile?

Carlucho soltó una carcajada. El Cholo Freile era el dueño de la estancia vecina a Las Maras. Su casa quedaba a quince kilómetros.

—En serio, ¿de qué me sirve guardar cosas que no hacen más que juntar polvo? Hace años que lo único que uso de todo este garaje está acá adentro.

Carlucho se acercó a un ropero enorme y abrió de par en par sus dos puertas de madera maciza. Dándome la espalda, metió medio cuerpo en el mueble.

—Equipo de pesca y caja de herramientas, que siempre hay algo que arreglar —dijo, dándole dos golpes a la caja de metal que tantas veces me había hecho llevar de un lado para otro—. Eso es lo que más uso. Ah, y el Rupestre de vez en cuando. De hecho en estos días quiero salir a ver si cazo algo.

El Rupestre era la primera arma de fuego que yo había disparado en mi vida. Era un Máuser 1909 Modelo Argentino al que Carlucho había hecho grabar en la culata dos escenas de caza pretehuelche. De un lado del rifle, un hombre con una lanza perseguía un guanaco. Del otro, el mismo hombre corría detrás de un choique y sus crías.

Desde que tenía memoria, Carlucho guardaba el Rupestre en ese ropero, siempre descargado. Las balas las escondía en un lugar que sólo Dolores y mis viejos conocían.

—Lo demás, sólo sirve para juntar mugre —dijo, cerrando las puertas del armario y volviéndose hacia mí.

—Si vas a poner algo de esto a la venta, por lo menos asegurate de entender que la mayoría de lo que está acá ya dejó de ser viejo. Es tan viejo que ahora es *vintage*.

—¿Y eso qué significa?

—Que lo podés cobrar más caro.

Reímos ambos.

—Hablando en serio. Si alguna vez decidís vender algo de acá, por lo menos dame la opción de comprarlo a mí primero. Donde vos ves mugre, yo veo un montón de pequeños tesoros esperando ser encontrados.

—No te hagas el poeta que no te pienso regalar nada.

—No es para que me regales nada. Te lo digo en serio. ¿Te acordás de la postal de los años veinte que encontramos en esa edición viejísima del Martín Fierro?

—Me acuerdo. La de los pasajeros desembarcando en la ría. Alguien la había despachado de Deseado a Rosario y no supimos cómo había llegado acá. ¿La tenés todavía?

—Por supuesto, es una joyita. La enmarqué y ahora está colgada en casa.

—Eso sí que fue un misterio.

—Exactamente a eso me refiero —exclamé—, muchos objetos simples pueden encerrar pequeños misterios.

O no tan pequeños, pensé, recordando la carta de NN.

—De chiquito siempre te gustaron las cosas *vinchas* a vos.

—*Vintage.*

—Eso. Todavía me acuerdo de tu cara cuando te dije que te podías quedar esa postal. O del día que encontraste la moneda en la salina de Cabo Blanco.

—Esa no me la llevé.

—Debe de estar en algún lugar de este paraíso de coleccionistas.

Rió Carlucho y, luego de repasar con la mirada el garaje, se frotó las manos.

—Vamos a la cocina, así preparo unos mates.

Dio media vuelta y empezó a caminar hacia la puerta por la que habíamos entrado.

—Carlucho.

—¿Sí?

—Estaba pensando en el día en que desapareció esta chica, Fabiana Orquera. ¿El mensual no vio a nadie?

—¿Seguís dándole vueltas a lo de esa piba?

—Ya te dije que me gustaría escribir algo en El Orden sobre ella alguna vez. ¿Seguro que no vio a nadie? —insistí—. Esta gente siempre está al tanto de todo.

—A nadie, le pregunté mil veces. Es raro, la verdad, porque ese día estaba trabajando en los cuadros del oeste del campo, no muy lejos de la ruta. Tendría que haber visto cualquier vehículo que viniera desde Deseado.

—¿Y no puede ser que mintiera? ¿Que lo compraran?

—Imposible. Antes de trabajar para mí, Alcides Muñoz estuvo quince años en la estancia de mi tío Lito. Era como de la familia.

—¿O que lo amenazaran?

—Menos que menos —rió Carlucho—. Ese era casi peor que vos. No se le achicaba a nadie. Ante la menor amenaza manoteaba el facón y el asunto se resolvía ahí mismo.

—A lo mejor no lo amenazaron a él sino a alguien de su familia.

—¿Familia? Ni mi tío Lito ni yo le conocimos nunca un pariente. No tenía mujer, ni hijos. De hecho hace años que está internado en el asilo de ancianos de Deseado y, que yo sepa, nadie lo va a ver.

Noté un cierto tono de culpa en su voz. Seguramente Carlucho había postergado su visita a Muñoz más de lo que su conciencia consideraba aceptable. Decidí cambiar de tema.

—¿Y la Cabaña no existía cuando desapareció esta chica?

—Existía, pero estaba abandonada.

A pesar de ser una construcción de piedra, por algún motivo todos la llamábamos la Cabaña. Se trataba de una pequeña vivienda de una habitación, un baño y una pequeña cocina que había sido construida hacía casi un siglo para albergar a un segundo mensual, cuando el campo estaba en su apogeo. Era la tercera y última casa en las veinte mil hectáreas de Las Maras.

—Empezamos a remodelarla en el verano del ochenta y cuatro. Tu viejo me ayudó un montón.

—Al año siguiente de la desaparición de Fabiana Orquera —apunté.

Carlucho se sentó sobre una de las cajas de revistas.

—Al poco tiempo de lo que pasó con esta chica y Báez, me di cuenta de que si quería volver a alquilar los fines de semana, tendría que ser en otro lado. Dolores no quiso saber nada con volver a dejar que desconocidos durmieran en nuestra propia casa.

—No me extraña.

Carlucho giró la cabeza para comprobar que nadie nos oía.

—Aunque cuando alquilo la Cabaña, si nosotros no estamos, les cuento a los huéspedes lo del tronquito.

El tronquito era un pedazo de madera petrificada de la zona de Jaramillo. Tenía el tamaño de una botella de cerveza y estaba en la parte de atrás de la casa, bajo la ventana por la que Báez había visto por última vez a Fabiana Orquera. Debajo de él, siempre había una llave para entrar a la casa por la puerta de la cocina.

—Les digo que entren sólo en caso de emergencia. Si se quedan sin comida o tienen algún problema con el...

El mostacho tupido de Carlucho se siguió moviendo, pero yo dejé de escuchar. Lo que acababa de decirme explicaba cómo había hecho NN para dejar la carta en la casa casi dieciséis años después de matar a Fabiana Orquera. No lo había hecho rompiendo una ventana como cuando Báez había decidido ahorcarse en la despensa. NN había entrado por la puerta, usando la llave que el propio Carlucho le había indicado dónde encontrar. Tan sencillo como alquilar la Cabaña cuando los Nievas no fueran a estar en la estancia. Un día laborable, por ejemplo.

—¿Me estás escuchando?

—Por supuesto —reaccioné—. Me decías que siempre les decís dónde está la llave.

—Pero ojo, que les aclaro que es para que la usen sólo en caso de emergencia.

—¿Y tenés algún registro de los inquilinos de la casa?

—De la época de Fabiana Orquera y Báez, no. Ya te dije que acá la gente venía buscando discreción.

—¿Y de más adelante?

—Registro, nunca llevé. Lo único que hay es el libro de visitas de la Cabaña, pero ahí escribe el que quiere. Los que vienen de trampa, por ejemplo, no lo firman.

Y el que viene a confesar un asesinato, tampoco, pensé. Pero entonces la desilusión se transformó en duda. ¿Qué páginas más a la vista de todos y a la vez más olvidadas que las de un libro de visitas?

—Ahora la Cabaña está ocupada, ¿no? Ayer cuando llegué vi un Polo rojo estacionado en la puerta.

—Sí. ¿Te acordás de la española que vino el año pasado?

—No me digas que anda por acá esa madre patria —dije agarrándome la cabeza con las dos manos en un gesto exagerado.

—Sí. Vino este año otra vez. Sigue escribiendo su libro sobre Cabo Blanco y ayudándonos a restaurar la casa del guardahilos.

—¿No era una tesis lo que escribía?

—Libro, tesis, es lo mismo. La cosa es que está acá.

—Qué mujerón, por Dios.

—Perdón si sueno como mi esposa, pero ese mujerón podría ser tu madre.

Me encogí de hombros y sonreí.

—¿Y hasta cuándo se queda?

—Un mes más.

—Lo lamento en el alma, pero me parece que la voy a tener que ir a molestar —dije a Carlucho con una sonrisa socarrona—. No puedo esperar tanto tiempo para consultar el libro de visitas.

10 — LA MADRE PATRIA

La arenisca golpeaba con fuerza la chapa roja del Volkswagen Polo estacionado junto a la Cabaña. Antes de llamar a la puerta de madera, me sequé de las sienes las lágrimas que el viento en contra me acababa de arrancar.

Al abrir, la española me recibió con una sonrisa.

—Nahuel, ¿verdad? —dijo, levantando la voz para que la pudiera oír a pesar del viento.

Iba enfundada en un *jean* ajustado y una camisa beige. Su pelo, teñido de negro, no tenía más de dos dedos de largo y su escote era demasiado perfecto para los cuarenta y largos que le calculé. Ahí había habido bisturí.

Técnicamente, tenía razón Carlucho: esa mujer, que tenía unos veinte más que yo, podría ser mi mamá.

—Nahuel —asentí, aplastándome con la mano los mechones de pelo que volaban sobre mi cabeza—. Estoy pasando unos días en casa de Carlos y Dolores Nievas.

—Adelante.

El sonido del viento se apagó al cerrar la puerta y oí violines tocando música clásica. Venían de una computadora portátil sobre la mesa. Junto al aparato había un mate y un termo. Entre los libros y carpetas desparramados alrededor, reconocí "Cabo Blanco, historia de un pueblo desaparecido", de Carlos Santos.

—Nina Lomeña —dijo, plantándome dos besos cuando estuvimos dentro.

El verano pasado aquella mujer también había alquilado la Cabaña. Se había pasado varias semanas allí, mientras escribía una tesis o algo así sobre pueblos abandonados de la Patagonia. También había donado algún que otro euro a la Asociación de Amigos de Cabo Blanco y había ayudado con las primeras obras de la restauración de la casa del guardahilos. La única que todavía quedaba en pie en el pueblo extinto.

—¿Necesitas algo? —preguntó, metiéndose los pulgares en los bolsillos del pantalón.

—No. Bueno, en realidad sí. Antes que nada, disculpe que la moleste. Venía a pedirle...

—Antes que nada —me interrumpió—, tutéame. Que ya voy teniendo una edad y empiezo a deprimirme con estas cosas.

Su voz madura y su acento español me caían bien.

—Voy de nuevo, entonces: disculpame la molestia. Venía a pedirte si me puedo llevar el libro de visitas.

—Todo tuyo —me dijo, señalando una pequeña mesa junto a la puerta sobre la que había un florero vacío y un cuaderno de tapas duras abierto con un bolígrafo encima.

Me acerqué y leí el mensaje más reciente.

NO HAY PAZ COMO LA DE ESTE LUGAR NI ASADOS COMO LOS DE DON CARLOS. FAMILIA MORA. COMODORO RIVADAVIA. 15/11/2012.

—¿No lo vas a firmar? —pregunté.

—Sí, pero para eso hay tiempo —respondió—. Todavía me queda un mes más aquí.

—¿Y llevás mucho tiempo en la estancia?

—Desde dos días antes de navidad.

—Entonces, te vas a quedar casi un mes y medio en total.

Nina asintió con una sonrisa.

—Yo paso más o menos ese tiempo acá casi todos los veranos —dije.

—¿Pero el año pasado estuviste menos, no? No recuerdo haberte visto demasiado.

—No, el año pasado fue diferente.

Sonreí ante el eufemismo. Las fiestas del año pasado habían sido para mí una verdadera mierda. Las peores que había pasado nunca en Las Maras.

—Es una larga historia. La cosa es que llegué acá el veinticuatro casi a la hora de la cena y me volví el uno de enero. No estuve mucho.

—¿Y cómo es que pasas todas las navidades aquí? —quiso saber.

—Crecí celebrándolas acá. Mis viejos y los Nievas son amigos de toda la vida.

—Pues tus padres son muy afortunados. Los Nievas parecen excelentes personas. Yo no me lo podía creer cuando me invitaron a cenar con ellos y toda su familia para Nochebuena y Nochevieja.

La casa estaba llenísima de gente, todos cantando y bailando hasta que empezó a salir el sol. No sabes lo que fueron esas fiestas.

—Sí que lo sé —reí.

—Éste es un lugar único en el mundo —dijo con los ojos clavados en la meseta gris que se veía por la ventana.

—La verdad es que sí —asentí, pasando hacia atrás las páginas del libro de visitas sin prestarles demasiada atención—. ¿Y qué te trae a vos a un lugar así? Creo que el año pasado me mencionaste que escribías sobre Cabo Blanco, ¿no?

—Sí —dijo, señalando la computadora sobre la mesa—. Hace unos años empecé mi tesis de doctorado en Sociología. Escribo una comparación entre Cabo Blanco y Bujalcayado, en Castilla La Mancha.

—¿Por qué? —fue lo único que atiné a preguntar.

—Bujalcayado, porque mi abuela era de allí. Un pueblo en el medio de España que vivía de explotar una salina. Cuando el negocio de la sal dejó de ser rentable, quedó completamente abandonado. Igual que Cabo Blanco, por eso estudio ambos.

—¿Y hay más pueblos que desaparecieron por lo mismo?

—Bastantes. En España, sin ir más lejos, hay al menos diez.

—¿Y por qué Cabo Blanco entonces?

—Pues porque el caso de Cabo Blanco es muy particular. A diferencia de los pueblos en España, aquí el clima no permitía que la gente complementara sus ingresos con la agricultura. Cabo Blanco vivía exclusivamente de la sal. Y además está en el medio de la nada. Cuando la gente se quedó sin trabajo no tuvo la opción de viajar diez kilómetros al pueblo de al lado. Fue un pueblo que nació y murió con la salina.

Era curioso, pensé. Una mujer del otro lado del mundo me contaba una historia que muchos de los que vivían en Puerto Deseado ignoraban por completo.

—Además, estoy enamorada de la Patagonia.

—Hay muchos turistas que vienen y se quieren quedar —dije—. La primera vez que fui a Puerto Madryn, conocí a una señora irlandesa que llevaba diecisiete veranos seguidos viniendo a ver las ballenas.

—Es que la Patagonia es el viaje soñado de mucha gente. Incluyendo el mío, aunque soy una turista bastante inusual.

—Desde luego que no todos los que vienen escriben una tesis.

—Es cierto —rió Nina—. Pero no me refería a eso sino a que la mayoría de los que vienen vuelan de Buenos Aires directamente a El Calafate para ver el glaciar. Y de ahí a esquiar a los bosques de Ushuaia o a ver pingüinos y ballenas a Península Valdés, como tu amiga la irlandesa. Pero, dime una cosa, ¿qué verían esos turistas si en lugar de ir en avión, fueran del Perito Moreno a los pingüinos en coche?

—Mil quinientos kilómetros de estepa —contesté—. Matas bajas, seis o siete pueblos. Algún que otro guanaco.

—Pues ya me has entendido —concluyó Nina, satisfecha.

Luego señaló hacia la ventana.

—Yo estoy enamorada del desierto. Todas las mañanas me levanto y salgo a correr, y mientras más viento sopla, más me gusta.

Mirando por la ventana, asentí. Luego agaché la vista, sonreí y negué con la cabeza.

—¿Qué estás pensando? —preguntó.

—En que cada vez que salgo de Deseado, los primeros kilómetros voy puteando, diciendo que estoy harto de vivir en el culo del mundo. Sin embargo, a medida que me meto en la meseta me convenzo de que sería incapaz de irme de acá. Es cierto que éste es un lugar muy especial. Si no, no habría gente dispuesta a pagar miles de dólares para venir a que se los lleve el viento.

—Pues para mí es dinero bien gastado y, mientras me dé la salud, creo que seguiré viniendo. De hecho me gustaría pasar un año entero, para vivir la experiencia del invierno también.

—Esa es una historia completamente diferente —le advertí.

Luego me quedé en silencio. Se quiere venir un año, pensé. Un año de vacaciones, y yo apenas había podido juntar guita para irme diez días a Mendoza la primera quincena de febrero.

Preguntarle de dónde venían sus ingresos hubiera sido demasiado, así que me limité a especular. Más allá de la mano cirujana amiga, su ropa apretada insinuaba un cuerpo con mucho ejercicio. Pocos hijos, probablemente. Quizás ninguno. Me arriesgué por un marido empresario, podrido en guita pero sin tiempo para nada. Después de todo, ¿quién hacía un doctorado a los cuarenta y largos teniendo que laburar para comer?

Sin decir nada de esto, miré a mi alrededor buscando un tema de conversación y vi el mate sobre la mesa, junto a una carpeta de la Universidad de Málaga.

—Es fácil acostumbrarse a lo bueno, ¿eh? —dije, señalándolo.

—Al contrario —soltó una pequeña risita—, cuesta acostumbrarse. El mate es un gusto adquirido, como el café o la cerveza. A nadie le gusta la primera vez que lo prueba.

Arrugué el ceño y hasta abrí la boca para decirle que yo lo tomaba desde chiquito. Pero entonces recordé que mis primeros mates eran muy diferentes a los que tomaba ahora. Venían de la mano de mi papá, cuando ya estaba demasiado frío para los adultos. Entonces él le echaba una cucharada de azúcar bien colmada y me ofrecía uno.

—¿Puedo ayudarte en algo más? —ofreció Nina.

—No, eso era todo —dije, levantando el libro de la mesa y apretándolo bajo el brazo—. Muchas gracias y perdón por la molestia.

—No es molestia para nada. Al contrario, esto de la tranquilidad está muy bien, pero de vez en cuando viene bien hablar con alguien —dijo abriendo la puerta y estampándome dos besos.

Dejé de oír la música clásica. El viento lo invadió todo otra vez.

Volví a la casa de los Nievas con una sonrisa en la cara. Por suerte, Nina Lomeña no era mi mamá.

11 — EL LIBRO DE VISITAS

Con el mentón pegado al pecho y los hombros encogidos apuré el paso hacia la casa. Al entrar por la puerta principal me encontré el comedor vacío y oí voces que venían de la cocina. Evitándolas, fui directo a mi habitación a mirar el libro de visitas.

En la primera página, Carlucho Nievas daba la bienvenida a los visitantes en nombre suyo y de su familia. En la siguiente encontré el primer saludo de un huésped.

HACÍA TIEMPO QUE DESEADO NECESITABA ALGO ASÍ. 17-10-1984

No lo firmaba nadie.

Me mojé el índice con la lengua y empecé a pasar páginas. En cada una, los saludos formaban un mosaico de párrafos escritos con diversas caligrafías y colores de tinta. La mayoría tenían fecha, casi siempre entre octubre y abril, y más o menos la mitad estaban firmados. Había dos o tres que hasta incluían el número de DNI.

Después de unas veinte páginas apareció el primer mensaje de mil novecientos noventa y ocho, el año de la muerte de Raúl Báez y de la carta de NN. Estaba firmado en enero, igual que los tres que le seguían. Apoyando mi dedo húmedo sobre el papel, pasé lentamente las páginas hasta el primer mensaje de noviembre.

La letra apretada en un rincón, casi al margen, me resultó inconfundible.

¡Hola de nuevo! Este lugar es tan especial que cuesta describirlo con palabras. La belleza de sus paisajes sólo es igualada por los secretos que guarda enterrados. Descubrirlos es toda una aventura, un viaje disponible únicamente para aquellos que entiendan la importancia del orden y la perseverancia. NN.

Era el mismo NN que había escrito la carta que encontré debajo de la cómoda. La caligrafía apretada e inclinada hacia atrás no dejaba lugar a dudas.

Sonreí ante el "hola de nuevo". Cualquiera interpretaría que un huésped saludaba a los Nievas otra vez, después de haberlo hecho en persona. Pero para mí, la frase cobraba un significado completamente diferente.

Hola de nuevo, estancia Las Maras. Nos vimos hace casi quince años, cuando cometí un crimen que hoy vengo a confesar.

Hola de nuevo, desconocido que encontraste la carta. Por algún motivo, todavía no te pienso contar toda la verdad.

También me llamó la atención que NN hablara de secretos *enterrados*. Secretos que sólo podrían encontrar quienes entendieran "la importancia del orden y la perseverancia".

Me tiré en la cama con el libro abierto sobre el pecho, intentando encontrarle algún sentido a esa última frase. Orden y perseverancia. Entendía la segunda palabra, pues me quedaba claro que NN no estaba dispuesto a hacérmela fácil. Pero ¿orden? ¿Al orden de qué cosas se refería?

Estiré la mano hacia la cómoda y extraje la carta del cajón donde la había guardado. Observé por un buen rato el lacre rojo en el sobre. Si había en esas líneas paralelas y ese círculo de puntos un orden que entender, yo no lograba verlo.

Pero algo tenía que haber. De la misma forma en que la carta me había llevado al libro de visitas, el mensaje garabateado al margen tenía que ser una pista hacia algo más. Y la clave para entenderla estaba en la importancia de algún orden.

12 — CABO BLANCO

Tosí y al cerrar la boca tuve la sensación de masticar arena. Valeria también tosió.

—¿Te tenés que pegar tanto? —preguntó, mirando a Pablo.

—¿Querés manejar vos? —retrucó éste sin quitar las manos del volante ni la vista de la camioneta gris de Carlucho y señora, apenas unos metros por delante.

Bongo, mi perro, nos miraba a través de la nube de polvo. Era hijo de dos ovejeros de la estancia y me lo había regalado el mensual, apenas destetado, diez años atrás. Como todo perro acostumbrado al campo, le encantaba viajar en la parte de atrás de cualquier camioneta. Aquella mañana, cuando Carlucho había abierto la caja de su Ford Ranger gris para cargar el equipo de pesca, Bongo se había subido sin que nadie le dijera nada.

—No, lo único que quiero es respirar un poquito mejor —dijo Valeria tosiendo, y me pareció que lo hacía a propósito.

Pac. El golpe sonó como un balazo. En el parabrisas del flamante Renault Clio de Pablo apareció una marca con forma de telaraña del tamaño de una moneda.

—¿Y eso? —preguntó Pablo, disminuyendo un poco la velocidad y alternando miradas entre la camioneta, que se alejaba un poco, y la marca en el parabrisas.

—A ver, te doy pistas —dijo Valeria, estirando el cuello para ver el velocímetro—. Sobre una ruta de ripio, una camioneta a setenta kilómetros por hora, además de levantar polvo, levanta también piedritas.

La última palabra la dijo señalando tres veces, una por sílaba, el vidrio resquebrajado. Pie-dri-tas.

Pablo clavó los frenos y el Clio derrapó dando casi un cuarto de giro.

—¿Pero qué te pasa, nene? ¿Querés que nos matemos?

Sin preocuparse por enderezar el coche o moverlo hacia un costado de la ruta, Pablo se bajó y pasó un dedo sobre la marca que había dejado el piedrazo. Después de insultar al aire, rodeó el Clio y abrió con fuerza la puerta de Valeria.

—Manejá vos —le dijo.

Trescientos metros más adelante, las luces de freno de la camioneta de Carlucho se encendieron.

—Por supuesto que manejo yo —respondió ella y se bajó del coche, apartando a Pablo de un empujón.

Yo contemplaba todo esto desde el asiento de atrás sin decir nada. Tenía la sensación de haberme equivocado de sala en un cine. Durante la cena de la noche anterior, Pablo y Valeria se habían comportado de manera respetuosa el uno con el otro. Ahora, sin embargo, parecían dos hermanos adolescentes. Por más mal humor que hubieran generado los golpes de Carlucho en las puertas de nuestras habitaciones a las ocho de la mañana, esta escenita me parecía excesiva.

La expresión de rabia en la cara de Valeria cuando puso primera no se correspondió con la manera en que arrancó el Clio. Lo hizo con suavidad, casi demasiado lento, como si se propusiera que las ruedas no levantaran una sola piedra. La camioneta de los Nievas también arrancó.

Anduvimos un buen trecho en silencio. Valeria y Pablo con la mirada clavada en la ruta. La mía, en la meseta marrón que se extendía a ambos lados hasta donde el ojo era capaz de ver.

—Ahí está, Cabo Blanco —dijo Valeria después de una curva, casi con un tono de reproche.

Su dedo señalaba el horizonte, donde un peñón de forma irregular se recortaba contra el azul claro y brillante del Atlántico. En comparación con la roca, el faro que se erguía sobre ella parecía diminuto.

—Me lo había imaginado más grande —observó su novio.

—Faltan quince kilómetros —respondió ella.

Entonces Pablo se giró hacia mí.

—La bombilla que da la luz es del tamaño de una pelota de fútbol —afirmó.

—¿Estuviste antes? —pregunté.

—No, nunca —se limitó a contestar, sin aclararme de dónde había sacado el dato.

Recordé la última vez que yo había subido. La bombilla era del mismo tamaño que una incandescente, de esas que se usaban en cualquier casa antes de que las reemplazaran las de bajo consumo. Pero no hice ningún comentario. El horno no estaba para bollos.

Un poco más adelante, cuando el faro pasó de ser un palito a una forma roja con cúpula negra, nos cruzamos con Patipalo, el mensual que me había regalado a Bongo. Bordeaba un alambrado montado a su caballo overo, y dos perros ovejeros lo seguían, uno debajo de cada estribo, con la mirada fija hacia adelante.

Patipalo había sido el mensual de Las Maras desde que yo tenía memoria, aunque el sobrenombre se lo había ganado una noche mucho antes de conocer a los Nievas. La comparsa de esquila en la que trabajaba había terminado de pelar tres mil ovejas cerca de Mazaredo y se despedía de la estancia con un capón al asador y dos damajuanas de vino. Nadie supo decir el motivo de la discusión breve y con palabras arrastradas que terminó con una rótula destrozada por un balazo. Desde aquella noche, Patipalo no volvió a flexionar la pierna izquierda.

Pero eso no le impedía subirse cada día al caballo para cuidar las veinte mil hectáreas de estepa de Las Maras. Desde el lomo del animal, nos saludó levantando la mano y no nos volvimos a cruzar con ningún otro ser vivo en todo el camino a Cabo Blanco.

Al llegar al istmo que conectaba el cabo con el resto del continente, vimos la Ranger gris de Carlucho estacionada casi en la playa, junto a dos casas. Una era de chapa, y las décadas enteras de viento, salitre y abandono la habían dejado totalmente en ruinas. La otra, de piedra maciza, estaba irreconocible desde la última vez que la había visto, un año atrás. Ahora tenía techo, puertas y ventanas. Supuse también que los grafitis escritos en las paredes internas habrían desaparecido, pero las cortinas me impidieron comprobarlo.

La casa del guardahilos, que era como le llamaban todos, había cambiado mucho en un año. De ser paredes y nada más había pasado a parecerse a una casa hecha y derecha.

Valeria detuvo el Clio al lado de la camioneta de los Nievas. El matrimonio ya se había sentado, a veinte metros, sobre las piedras de la playa. Hundiendo nuestros pies en el canto rodado, nos acercamos a ellos con pasos ruidosos. Carlucho preparaba el equipo de pesca y Dolores, el mate.

—Avanzó una barbaridad la casa del guardahilos, Carlucho —dije.

—Viene bien, sí —respondió, sin disimular el orgullo—. Este año le estamos dando duro y parejo. Por dentro también la hemos mejorado mucho, pero todavía le falta. Ahora me olvidé la llave, pero si querés un día de estos venimos y te la muestro. De paso podemos aprovechar y le damos una mano de pintura a la cocina.

—¿No tenés suficiente con hacerme laburar en la estancia? —reí.

—Vos con los años te volvés cada vez más experto en esquivar el bulto.

—Y vos, en conseguir mano de obra barata. Hacés laburar hasta a la inquilina de la Cabaña.

Carlucho soltó una carcajada y hurgó en su caja de pesca.

—Ahí te equivocás. A Nina no hay que pedirle que trabaje, como a otros. Ella es una voluntaria más de la Asociación de Amigos de Cabo Blanco y viene a poner el lomo como Dolores, como yo y como otro montón de gente. Por amor al arte.

—Yo no sé de dónde saca tanta energía esa mujer —agregó Dolores—. Sale a correr todas las mañanas, haya el viento que haya; nos ayuda con la casa del guardahilos y además escribe una tesis de doctorado. Tiene las pilas de alguien veinte años más joven.

Me alivió comprobar que Dolores también encontraba que Nina tenía un espíritu mucho más joven que su edad. No era simplemente una invención mía para justificar sentirme atraído por una mujer que me llevaba dos décadas.

Carlucho miró a su futuro yerno y señaló alrededor.

—En Cabo Blanco hay básicamente dos actividades —dijo entre dientes, mientras mordía un pedazo de tanza y tiraba de él para apretar el nudo de un anzuelo—. Pescar y subir al faro.

—Yo para la pesca no fui nunca muy paciente. ¿Alguien quiere subir? —dijo Pablo señalando al faro en la punta norte del cabo.

Hubo un silencio corto.

—Yo paso —dijo Carlucho, encarnando el anzuelo con un trozo de langostino rebozado en polenta.

—Ya subimos demasiadas veces —agregó Dolores, extendiéndole un mate—. Preferimos usar lo que nos queda de rodillas para otras cosas.

—Yo hace como cinco años que no subo —dije—. Te acompaño.

—Sí, vamos —añadió Valeria.

Nos despedimos de Dolores y Carlucho y empezamos a caminar los quinientos metros que separaban la casa del guardahilos de las escaleras para subir al peñón.

Cuando pasamos junto a los coches, Pablo apoyó una mano en la ancha pared de piedra de la casa. Luego miró a su alrededor. El mar y la estepa de un lado, y el peñón enorme del otro. El faro era la única otra construcción a la vista en aquel paisaje hostil.

—Ubicación poco céntrica, pero excelentes vistas —dijo sonriendo—. Algo así tiene que haber sido el anuncio para vender esta casa.

—No creo que nunca hayan puesto un aviso —respondí—. Aquella de chapa era la oficina de correos y la casa del jefe. Ésta otra, la del guardahilos.

—El encargado del mantenimiento de la línea de telégrafo —acotó Valeria.

—¿Un correo? —preguntó Pablo señalando alrededor.

Mientras caminábamos hacia el faro con Bongo correteando alrededor nuestro, Valeria y yo le explicamos lo que ni él ni ningún otro turista hubiera podido adivinar al visitar Cabo Blanco. Le hablamos de todo lo que había pasado allí en la primera mitad del siglo veinte. La llegada de los agrimensores para delimitar la salina, las bodegas de los primeros vapores llenándose de sal traída a lomo de caballo, el primer viaje del trencito que sustituyó a los caballos, más vapores y más sal.

También le contamos que, por increíble que pareciera, a ese mismo pueblo cuyos habitantes estaban acostumbrados a inviernos con nieve hasta las rodillas, lo había matado el frío. Cuando la refrigeración se popularizó como forma de preservar la comida, ya no se necesitaron bodegas enteras cargadas de sal.

Le hablamos de los vapores que se empezaron a espaciar y del cierre del correo cuando ya no quedó nadie a quien mandar cartas. Le contamos que el faro había visto morir a sus pies el pueblo en el que había nacido.

No quedaban rastros del puerto, ni de las vías del pequeño tren, ni mucho menos de las casas de los pobladores. Los únicos sobrevivientes habían sido el faro y las construcciones del correo. Por lo demás, sólo había cuatro cruces viejas y despintadas a las que ahora nos acercábamos.

Las tumbas apenas habrían llamado la atención de no ser porque una de ellas estaba cercada con una reja de hierro. Bongo se acercó, olió los barrotes y siguió su camino.

—¿Y esa tumba de quién es? —preguntó Pablo.

—Yo siempre me pregunté lo mismo —se encogió de hombros Valeria.

—Era una nena —dije—. La hija del ferretero. La enterraron y le construyeron una cuna alrededor.

—¿Y vos cómo sabés eso? —preguntó Pablo.

—Mi *hobby*, historias antiguas, la sección en el diario, ¿te acordás?

—Ah, sí. El periodismo de investigación —dijo, y creí detectar sarcasmo en su voz.

Ignorándolo, reanudé la marcha hacia las escaleras.

13 — EL FARO

La charla se fue haciendo más espaciada a medida que subíamos la escalera que nos llevaba hasta la base del faro. Pablo fue contando los escalones en voz alta. Primero de uno en uno y luego de diez en diez, para ahorrar aire. Al único que parecía no costarle la subida era a Bongo, que de vez en cuando abandonaba el cemento y continuaba por la roca escarpada, llena de grietas y pequeñas cuevas.

—¡Ciento catorce! —gritó Pablo al llegar arriba.

Un hombrecito enfundado en un mameluco azul salió sonriente de la casa que había junto al faro. Su pelo negro era tan corto que el viento —que allí soplaba el doble de fuerte que al nivel del mar— no lograba moverlo.

—Buen día —dijo, con una sonrisa de dientes cuadrados y perfectamente blancos que contrastaba con su tez morena—. ¿De visita?

—Sí y no —dijo Valeria casi gritando, para imponerse al viento—. En realidad estamos de vacaciones en Las Maras. Mis padres son los dueños.

—Ah, entonces conocerán el faro mejor que yo. Llevo acá solamente seis meses. Me llamo Tadeo —dijo, estrechándonos la mano.

—¿*Solamente* seis meses? —rió Pablo—. En el medio de la nada y sin hablar con nadie por medio año a mí no me parece poco.

—Creo que lo malinterpretaste —interrumpí.

Tadeo me agradeció con la mirada.

—Soy cabo de la Armada y hace seis meses que me trasladaron al sur. Trabajo veinte días acá, manteniendo y supervisando el faro, y después hago un mes en el apostadero de Puerto Deseado.

—Y tampoco estás solo —agregó Valeria.

—No, siempre somos dos —señaló con el pulgar sobre su hombro, hacia donde estaba la casa de la que había salido a recibirnos.

—¿Se puede subir? —preguntó Pablo moviendo la cabeza hacia el faro.

—Por supuesto.

Tadeo sacó de un bolsillo una llave pequeña y ordinaria.

—En la casa de los torreros tenemos un libro de visitas. Si quieren después pueden pasar a firmarlo.

Entramos al faro por una pequeña puerta en la pared de ladrillos rojos y empezamos a subir la escalera de caracol. Cuando Tadeo cerró la puerta, la única luz que nos permitía ver dónde pisábamos era la que se colaba por unas pequeñas ventanitas del tamaño de una caja de zapatos en la pared curva del faro. Calculé que sería la quinta o sexta vez en mi vida que subía.

Esta vez no hizo falta que Pablo contara en voz alta. Al poco de empezar a subir, Tadeo nos dijo con el orgullo del alumno que se sabe la lección que había noventa y ocho peldaños en la escalera de caracol y que el faro medía veintitrés metros.

Al llegar arriba, apenas cabíamos los cuatro en la pequeña sala circular. En el centro había un cilindro de vidrio grueso del tamaño de un barril.

—Para amplificar la luz —explicó Tadeo.

Me agaché para mirar dentro del cilindro de cristal. La bombilla era tal y como la recordaba, no más grande que una naranja.

—Del tamaño de una pelota de fútbol —dije, guiñándole un ojo a Pablo.

Valeria me miró con un cierto desprecio, pero no dijo nada. Su novio se agachó para observar la lámpara, y por unos instantes sólo se escuchó el sonido del viento. Un silbido que se agudizaba con las ráfagas más fuertes y que, supuse, ahí arriba no paraba nunca.

—Parece una bombita cualquiera —comentó Pablo tras examinarla con expresión experta—, pero seguro que tendrá un voltaje altísimo.

—Doce voltios —indicó Tadeo sin dejar de mirar al mar por las ventanas de vidrio curvo—. Como una batería de coche.

Pablo calló y se volvió hacia los vidrios para apreciar las vistas: un horizonte plano de trescientos sesenta grados. Azul en el mar y gris en la tierra, pero siempre plano.

Saqué la cámara de fotos de la mochila e hice varias tomas. Al istmo por el que habíamos accedido al cabo, al mar azul e infinito y a los dos coches junto a las casas del correo, que desde allí parecían miniaturas en una maqueta. Las espaldas de Carlucho y Dolores, que seguían sentados mirando al mar, eran apenas dos puntos junto al agua.

—¿Y con qué se entretienen acá? —preguntó Pablo.

—Con lo que podemos —dijo Tadeo encogiéndose de hombros—. Jugando a las cartas, yendo a pescar, leyendo. También tenemos televisión satelital.

—¿Internet? —pregunté.

—Todavía no, pero dicen que van a poner en unos meses.

—¿Y te aburrís mucho? —preguntó Valeria.

—Y... un poco. Pero no es nada comparado con cómo era al principio, hace cien años. En esa época sí que era durísimo. El faro funcionaba a vapor de petróleo, y la escalera de cemento para subir a la piedra no existía. A Deseado había que ir a caballo, y no tenían ni radio ni nada para comunicarse. A puro código morse hablaban esos viejos.

—Comparado con eso, es cierto que no te podés quejar —concluí.

—¿Bajamos? —dijo Pablo, al parecer sin darse cuenta de que yo seguía sacando fotos.

—Vamos —asintió Valeria.

Tadeo fue el primero en empezar a bajar. Y yo el último.

Mientras descendía por la escalera de caracol, pensaba en la vida de los fareros de principios de siglo que acababa de describir Tadeo. Pensaba en cómo, cien años antes de una sociedad completamente adicta a las comunicaciones, aquellos hombres se pasaban los días sin tener contacto con nadie. O comunicándose apenas.

La idea se me ocurrió tan de repente que la sentí como una bofetada. Miré hacia abajo y vi las cabezas de Pablo, Valeria y Tadeo, alejándose de mis pies.

—Yo ahora bajo. Saco unas fotos desde acá y voy —dije, deteniéndome junto a una de las pequeñas ventanas en el muro del faro.

—Ningún problema —la voz de Tadeo retumbó en la pared circular.

Retrocedí las fotos en mi cámara hasta que en la pequeña pantalla apareció el lacre de la carta de NN, que había fotografiado la noche anterior. Hice zoom para observar el círculo de puntos.

Punto. Espacio. Cuatro puntos formando una línea. Espacio. Punto. Más espacios, más puntos y más líneas.

—Morse —susurré.

Apagué la cámara y bajé los escalones de dos en dos para alcanzar al resto.

14 — PUNTO. RAYA.

Mientras bajaba los escalones del faro, tres pensamientos me vinieron a la cabeza. El primero fue reprocharme por qué nunca había acompañado a mi viejo al club de radioaficionados. El segundo era lo bien que me habría venido tener acceso a Google en ese momento. Y el tercero que, si realmente había un mensaje en morse en ese lacre, mi historia sobre Fabiana Orquera no cabría en El Orden aunque el director me diera las veinte páginas para mí solo.

No pude evitar fantasear ante la posibilidad de escribir mi primer libro.

Tadeo cerró con llave la puerta del faro y los cuatro nos metimos en su casa a firmar el cuaderno de visitas. Cinco minutos más tarde, Pablo, Valeria y yo bajábamos del peñón por los escalones de cemento.

Al llegar abajo, me detuve en seco y metí la mano en mi mochila simulando buscar algo.

—¡Qué tarado que soy!

—¿Qué pasó? —preguntaron Valeria y Pablo.

—Me olvidé la cámara en la casa del faro.

—¿En serio? —preguntó él, mirando derrotado los ciento catorce escalones que acabábamos de bajar.

—Sí, la debo haber dejado sobre la mesa. Al final es como dice mi vieja, no me olvido la cabeza porque la tengo pegada al cuerpo —sonreí.

Esperé un par de segundos en los que, como imaginé, ni Pablo ni Valeria se ofrecieron a volver a subir.

—Pero no pasa nada, ustedes vayan con Carlucho y Dolores, que yo subo a buscarla y en un rato estoy ahí.

No les tuve que insistir. Ellos continuaron hacia la casa del guardahilos y yo volví a subir al faro. Ni siquiera Bongo, mi amigo más fiel, quiso acompañarme. Moviendo la cola, se echó a esperarme al pie de la escalera con su cara llena de cicatrices apoyada sobre las patas delanteras.

Cuando estuve junto al faro, Tadeo volvió a salir de su casa sin que yo tuviera que golpear la puerta.

—¿Qué te olvidaste?

—No, nada. En realidad te quería hacer unas preguntas. ¿Tenés cinco minutos?

—Tengo seis días —respondió, soltando una pequeña risa—. Entremos a la casa que preparo unos mates.

—Qué paz —dije cuando, al entrar, el sonido del viento desapareció como por arte de magia.

—Vidrios dobles —respondió Tadeo, dándole unos golpecitos con los nudillos a una ventana desde la que sólo se veía el mar.

El farero señaló una silla y se sentó en otra.

—Vos dirás —dijo.

—¿No tendrás por acá algún libro con el alfabeto morse?

Tadeo me guiñó el ojo y, estirándose hacia atrás, abrió un cajón junto al horno.

—Anotá —me dijo, tirando sobre la mesa un cuaderno y un lápiz.

—A: punto, raya. B: raya, punto, punto, punto. C:...

—Pará, pará —lo interrumpí—. Cuando estábamos arriba del faro me dijiste que no lo usabas.

—En la Armada uno estudia cien mil cosas que después no se usan para nada.

—En cualquier carrera, me imagino —comenté, recordando mis clases de *Historia general de la educación* durante el profesorado.

—De todos modos —agregó Tadeo agachando la cabeza para mirarse la parte baja del torso—, de las cosas que tengo y no uso, el alfabeto morse es la que menos me preocupa.

Reímos y el farero me dictó el alfabeto entero.

—Vamos a comprobar qué tan bien lo recuerdo —dijo tras recitar la raya, raya, punto, punto de la zeta, y se metió por un pasillo que, supuse, daría a las habitaciones y al baño.

Al volver a la cocina, puso sobre la mesa un libro gordo titulado *Historia de las comunicaciones electrónicas*. Cuando encontró la página con el alfabeto morse, lo comparamos letra a letra con el que me acababa de dictar.

Sólo se había equivocado en la Q. Raya, raya, punto, raya.

—¡Qué maestro! —exclamé—. Una memoria prodigiosa. Vos tendrías que ir a uno de esos programas de la tele.

—No es para tanto, hombre.

Iba a despedirme cuando recordé el libro de visitas de la

Cabaña, donde había encontrado el segundo mensaje de NN. Sin mucha fe en que me fuera a llevar a ningún lado, le pedí a Tadeo si podía ver el libro de visitas del faro del año noventa y ocho, esgrimiendo que había sido la primera vez que yo había subido al faro. Le dije que estaba casi seguro de haberlo firmado.

Un minuto más tarde, Tadeo me trajo un volumen que cubría la segunda mitad de la década del noventa. Ubiqué rápidamente el año noventa y ocho y pasé cada una de las páginas buscando la letra apretada y larga de NN. Si había algo, lo esperaba encontrar en el mes de noviembre, que era cuando la carta y la nota del libro de la Cabaña estaban firmadas. Pero llegué hasta el noventa y nueve sin rastros de NN.

—No, che. Me debe haber jugado una mala pasada la memoria. Estaba convencido de haberlo firmado.

—A veces pasa.

—¡Ah! Casi me olvido otra vez. Vos sabés que yo tenía un tío que trabajaba para la Armada. Lo que no sé es si alguna vez lo mandaron al faro. ¿Ustedes tienen algún registro de los fareros que van pasando por esta casa?

La probabilidades de que los fareros de hacía treinta años siguieran en la zona eran mínimas. Las fuerzas armadas no solían dejar que sus empleados se quedaran en un mismo destino por más de dos o tres años. Sin embargo, si conseguía un nombre, podría intentar buscar un teléfono. Y, puestos a pedir milagros, a lo mejor lograba contactar con la gente que estaba en el faro el día que desapareció Fabiana Orquera.

Después de todo, según Carlucho el mensual no había visto ningún vehículo yendo ni viniendo entre Deseado y Las Maras aquella mañana. Si eso era cierto, la única dirección por la que podría haber llegado el asesino de Fabiana a la estancia era desde Cabo Blanco. Lo raro era que la ruta terminaba en el pueblo fantasma. Para llegar a Cabo Blanco, no había otra forma que pasar por Las Maras.

—¿En qué época laburó tu tío? —preguntó Tadeo.

—En el ochenta y tres.

Me dejó solo en la cocina una vez más. Cuando reapareció, llevaba en la mano un libro más gordo y más grande que el que habíamos firmado con Pablo y Valeria quince minutos atrás.

—Si tu tío estuvo en el faro entre el setenta y ocho y el ochenta y cuatro, está registrado acá.

Las páginas del libro estaban organizadas en filas y columnas. Cada entrada constaba de la fecha de inicio y fin del turno de los fareros, sus nombres y las actividades realizadas. También había varias columnas con códigos y abreviaturas que no entendí.

Cada veinte días, dos nuevos fareros relevaban a los anteriores. Y, según el libro que tenía en mis manos, eso había sido así por años. Por eso me sorprendí al ubicar finalmente el seis de marzo de mil novecientos ochenta y tres. El día que desapareció Fabiana Orquera no había dos ocupantes en la casa del faro, sino uno solo.

—¿Encontraste a tu tío? —me preguntó Tadeo, alcanzándome un mate.

—Todavía no, pero esto es curioso. ¿Por qué siempre hay dos fareros por turno y esta vez había solo uno?

Tadeo giró el libro sobre la mesa, orientándolo hacia él.

—Ni idea. Es muy raro, la verdad.

Quizás era una casualidad. Enorme, pero casualidad al fin.

—¿Esa no fue justo la época en que desapareció la piba? —quiso saber Tadeo.

—¿Qué piba? —disimulé.

—Una que había venido con un político a Las Maras.

—Ah sí, ya sé de quién hablás. Qué raro que sepas esa historia si hace sólo seis meses que estás en el sur.

—Es la historia más interesante de la zona. Me la contaron mis compañeros del apostadero la primera vez que iba a venir al faro. Para meterme miedo, nomás. Decían que a veces se aparecía el fantasma.

Sonreí y negué con la cabeza.

Antes de despedirme, me aseguré de memorizar el nombre del único farero de servicio el día que desapareció Fabiana Orquera.

Marco Pintaldi.

15 — LA SONRISA DE VALERIA

Cuando bajaba los primeros escalones tras despedirme de Tadeo, distinguí a Valeria sentada al pie de la enorme escalera. Acariciaba a Bongo, que seguía echado en el mismo sitio donde había decidido abandonarme. Levanté la vista hacia la playa, junto a la casa del guardahilos, y distinguí apenas las figuras de los Nievas y de Pablo junto al agua.

Valeria me esperaba sola.

Me dio la espalda hasta que estuve a cuatro escalones de distancia. Entonces se giró y, al apartarse el pelo que el viento le tiraba en la cara, me ofreció una sonrisa que yo no veía hacía mucho. Era un gesto suave, con los labios pegados y la cabeza inclinada hacia un costado.

Era la sonrisa que Valeria Nievas sólo utilizaba antes de pedirte un favor.

—¿Juntando coraje para subir otra vez? —pregunté.

—No. Esperándote —dijo, sin levantarse.

—¿En qué puedo ayudarla, señorita Valeria?

Sin reírse, me hizo un gesto para que me sentara junto a ella.

—Necesito pedirte algo.

—Me imaginaba.

—Tiene que ver con Pablo.

—Imposible. Hace años que me retiré del gremio de los asesinos a sueldo. Lo encontraste solita, librate de él solita. Aunque, la verdad es que te entiendo, la escena del coche fue un poquito exagerada...

Un puñetazo en el brazo me obligó a callarme.

—Te estoy hablando en serio. Necesito pedirte algo importante, Nahuel.

—Decime.

—Nahu, no me gusta un carajo como estás tratando a Pablo.

—¿A qué te referís?

—A que el día que lo conociste lo trataste de fascista, por ejemplo.

—Pero vos viste claramente por dónde venía la conversación. Me conocés, Valeria. Sabés la historia de mi tío Hernando. No me podía quedar callado.

—Y hoy le tomás el pelo con lo de la bombita del faro.

—Pero eso es una broma nomás. No sabés que...

—Yo lo único que sé es que Pablo ya está bastante nervioso conviviendo con mis viejos, que acaba de conocer, como para que encima vos te hagas el gracioso. Si vas a seguir tratándolo así, lo mejor sería que te vuelvas a Deseado.

Valeria dejó de hablar y, sin mirarme, se concentró en acariciar la espalda de Bongo. Sus dedos parecían enfocarse en la cicatriz del tamaño de una moneda que mi perro tenía en el hombro izquierdo.

—Me tenés que entender —se excusó—. No me siento cómoda.

Sus palabras me tomaron completamente por sorpresa. Pedirme que me fuera de Las Maras era como pedirme que dejara mi propia casa. Los Nievas eran para mí parte de mi familia. Y Valeria había sido siempre una especie de hermana. Al menos hasta hacía dos veranos.

—¿Podemos hacer borrón y cuenta nueva? Por favor, Vale. Vos sabés lo que me gusta estar acá.

Era cierto. Y más aún ahora, cuando la respuesta a uno de los misterios más grandes de la Patagonia empezaba a asomar ante mis ojos tras treinta años sin novedad.

—No sé... —respondió Valeria.

—Además, en estos días tengo que ir a Deseado. En dos días, tres a lo sumo, salgo para allá. No es tanto lo que te pido, ¿no?

—¿Sabés lo que pasa, Nahu? Pablo es muy importante para mí. Muchísimo. Y, conociéndote como te conozco, saber que no estás en buenos términos con él me da miedo.

—¿Miedo de qué?

—De tus reacciones. A vos cuando te atacan, te defendés y no te importa cuánto herís. En ese sentido sos igual al puma que le hizo esto a Bongo.

El dedo de Valeria señalaba la cicatriz en el lomo de mi perro. Esa marca y las tres cruzándole la cara las tenía del día en que se había trenzado con una hembra de puma. Ella defendía a sus cachorros y Bongo nos defendía a Valeria y a mí.

—Así como lo llamaste fascista —continuó Valeria—, tengo miedo de que en un momento de calentura de los tuyos le cuentes...

Valeria desvió la mirada, fingiendo concentrarse en la colonia de lobos marinos que tomaba el sol sobre un islote a cincuenta metros de la costa.

—Ya sabés a lo que me refiero ¿no?

Lo sabía perfectamente y a mí me costaba tanto como a ella definirlo con exactitud. Había empezado en Las Maras la noche del treinta y uno de diciembre, hacía dos años. Valeria acababa de abandonar definitivamente Córdoba, después de seis años infructuosos durante los que intentó estudiar veterinaria. Mucho después del brindis de las doce, cuando todos los demás se habían ido a dormir, nos habíamos metido en el garaje con dos vasos y una botella de Tía María sin abrir. Para cuando nos dimos el primer beso, le quedaba sólo la mitad.

Durante el resto del tiempo que estuve en la estancia aquel verano, nos escabullimos al garaje cada noche. Y a pesar de que no hubo manta capaz de aislarnos del suelo helado del rincón donde estaban ahora las cajas con revistas, el recuerdo que tenía de esas noches era cálido.

El error lo cometimos queriendo continuar lo que habíamos empezado en Las Maras. Al fin y al cabo, hasta aquel verano nuestra relación había sido casi de hermanos. Yo me sabía de memoria sus virtudes, sus defectos y sus secretos. Y ella, los míos. Las únicas sorpresas que teníamos para ofrecernos estaban en la cama, y no nos duraron ni un año.

—Te entiendo perfectamente —le dije—, pero ¿te parece que hace falta que me lo digas? A mí nunca se me hubiera ocurrido abrir la boca.

—Me imagino. Pero me quedo más tranquila si te lo dejo claro.

—¿Me puedo quedar entonces?

—*Okey*, pero si se te escapa, te mato. Me van a importar un carajo tus razones. Si le llegás a contar a Pablo, o a insinuarle algo siquiera, no te hablo nunca más en la vida.

—Les voy a contar una historia —dije exagerando una voz grave—. Comienza allá por el tiempo en que me cepillaba a Valeria Nievas.

Otro puñetazo en el hombro. Era increíble el dolor que podía causar con esa mano chiquitita.

Me clavó un par de ojos que parecían furiosos, pero inmediatamente se largó a reír.

—Sos un tarado.

Las pocas veces que habíamos intentado hablar de *lo nuestro* después de que se terminara, lo habíamos hecho adoptando una actitud relajada, como si no nos hubiese afectado. O nos reíamos. Decíamos que si al menos nos hubiéramos metido mano diez años antes, podríamos haber culpado a las hormonas de la adolescencia. Bromeábamos como un mecanismo de defensa. Una forma de convencernos de que aquello había sido un error producto de una borrachera de fin de año. Como si no nos hubiéramos seguido viendo durante casi un año entero.

—Creo que más bien me estás tratando como un tarado. ¿Cómo se te ocurre que voy a decirle a tu novio nada de tu pasado, mucho menos cuando tiene que ver conmigo? Además, estamos todo el tiempo con tus viejos. Si ellos se enteraran de lo nuestro, me moriría de vergüenza. Creo que sería mi último verano...

—Ellos ya lo saben —me interrumpió Valeria.

—¿Cómo?

Con total naturalidad, se levantó del escalón y empezó a caminar hacia la playa donde estaban sus padres y su novio. Dio unos pasos y luego se giró para mirarme.

—¿Qué? —preguntó, levantando las cejas—. Si sabés que tengo un montón de confianza con mi vieja en estas cosas. Además tanto ella como tu mamá siempre nos quisieron casar, así que supuse que se iba a poner contenta el enterarse.

Abrí la boca para decir algo, pero Valeria me ganó de mano. Sin darme la oportunidad de pronunciar palabra, volvió a hablar sobre su novio.

—Lo que pasa con Pablo —dijo—, es que es bastante celoso. Muy celoso, en realidad. Y además viene de una familia ultra católica, así que no creo que se tomara a bien que el típico amigo de la familia... bueno, ya sabés.

—¿Y qué hace una hippie como vos con un tipo celoso, religioso y que colecciona monedas?

—Qué se yo. Lo quiero. Y la mayoría del tiempo nos llevamos bien —dijo ella, y me volvió a ofrecer su sonrisa pedigüeña.

Continuamos caminando en silencio, con Bongo olfateando matas a nuestro alrededor. Cuando llegamos, Carlucho recogía la línea, que se sacudía con un pejerrey enganchado en el anzuelo. Dolores seguía sentada en las piedras con el termo a su lado y

Pablo le tiraba pedacitos de carnada a un pingüino de Magallanes.

Los cuatro se giraron al oír nuestros pasos en el canto rodado. El pingüino se asustó de Bongo y volvió al agua, y Dolores y Carlucho sonrieron. Pablo se mostró indiferente.

16 — FUEGO

—Te cedo el honor —dije, secándome el sudor de la frente con el dorso de la mano. Luego entregué a Pablo una caja de fósforos.

Ambos estábamos en cuero y en cuclillas. No hacía una hora que habíamos vuelto de Cabo Blanco y, sin embargo, San Cayetano ya nos había encontrado trabajo. Traer leña desde la casa del mensual al patio en el que nos encontrábamos ahora y prender el fuego para cocinar los quince pejerreyes que había pescado esa mañana.

Pablo encendió un fósforo de la caja y con él prendió las puntas del papel de diario que asomaba entre las maderas.

—Hacía rato que tenía ganas de hablar con vos a solas —dijo tirando el fósforo sobre el papel que empezaba a arder.

—¿Y de qué?

—De Valeria. De nuestra relación.

—Yo me considero casi de la familia, pero no tanto como para meterme en tu relación con Valeria.

Pablo soltó una risita y empezó a toser con el humo. El papel terminaba de consumirse y la madera no había prendido.

—Me refería a *nuestra* relación —dijo, señalándose el pecho con el índice y apuntándolo después hacia mí—. La que tenemos vos y yo. La que vamos a tener, mejor dicho.

—No te entiendo.

—Nahuel, con todo respeto, dejame que te pregunte una cosa. ¿Te creés que no me di cuenta de por qué te fue a hablar Valeria? Yo creo que lo más importante es que dejemos las cosas en claro de antemano.

Sin decir nada, empecé a soplar el fuego para avivarlo. Al tercer intento, apareció una llama.

—Mirá, Nahuel, sé perfectamente que Valeria te fue a buscar al faro para hablarte de mí.

A pesar de que las llamas se hacían cada vez más grandes, seguí soplando.

—El que calla, otorga —concluyó Pablo.

Dejé de soplar pero continué callado, sin quitar la vista de las llamas. Era imposible que Pablo supiera de qué me había hablado

Valeria. Imposible.

Su mano me apretó el hombro desnudo con más fuerza de la que me pareció necesaria.

—¿Qué hacés? —le dije, apartándola con un ademán brusco.

Hubo un silencio en el que ambos nos miramos sin pestañear.

—Está bien —dijo, mostrándome las palmas en señal conciliadora—. No hace falta que me digas nada. Al fin de cuentas, Valeria ya me contó todo.

—¿Qué te contó Valeria?

—Que estás celoso de mí, Nahuel. Es normal. Yo también lo estaría.

—¿Celoso, yo?

Pablo asintió con la cabeza.

—Yo en tu lugar también reaccionaría así.

—¿Me vas a decir de una vez de qué carajo estás hablando?

—Mirá, Nahuel, quiero que sepas que yo entiendo perfectamente el amor que le tenés a Valeria. Ella te considera familia, y vos a ella.

Asentí, aliviado. Era eso.

—Tenés que entender que nos criamos prácticamente juntos —dije.

—No te preocupes, yo lo entiendo perfectamente. También entiendo esa actitud que tuviste desde que nos conocimos de querer ridiculizarme. Lo de la lamparita del faro, por ejemplo.

Otro más con lo de la lamparita, pensé.

—Nahuel, yo entiendo todo eso, pero, con la edad que tenemos, me parece demasiado. Cualquiera diría que te pasa algo más con ella.

—¿Qué pelotudez estás diciendo?

—Yo lo único que quiero es que entiendas que Vale te quiere como un hermano. Como un hermano y nada más.

Esas palabras hicieron que mi cabeza se llenara de recuerdos atropellados. Valeria, yo y el Tía María en aquel rincón del garaje dos años atrás. El resto de las noches de ese verano y los encuentros esporádicos que tuvimos las veces que la visité en su casa de Comodoro. Y las fiestas de hacía un año, otra vez en Las Maras. Yo preparándome para un verano como el anterior. Valeria diciéndome, la noche de año nuevo, que había conocido a un tal Pablo. Que la cosa iba en serio. Que prefería que ya no nos viéramos.

Respiré hondo tres veces para calmarme.

No funcionó, así que con la mano derecha lo cacé del cogote.

17 — THE GREAT PRETENDER

—¿Cómo va eso? —preguntó una voz y automáticamente solté a Pablo, que me miró desafiante.

Carlucho apareció por la puerta de la cocina, vestido con camiseta blanca sin mangas y pantalón corto. Apoyada en la barriga traía una bandeja de acero inoxidable llena de pescado.

—¿Recién arrancan con el fuego? ¿Trajeron la leña cargada en tortuga o qué? Vamos, ayúdenme a sacar la mesa. Una tarde como esta no se puede desperdiciar.

En silencio, nos levantamos ambos de al lado del fuego. Pablo se masajeó el cuello con la mano.

—Seguid. Seguid con eso que ya me encargo yo de ayudar a Carlos.

La voz de la inquilina de la Cabaña nos llegó del camino que bordeaban los tamariscos. El mismo en el que, treinta años antes, Raúl Báez se había despedido por última vez de Fabiana Orquera.

—Muchas gracias —aceptó Carlucho, dejando la bandeja con el pescado sobre una maceta enorme con tierra gris y sin ninguna planta.

Se apresuró a extenderle una mano a la española, pero se arrepintió a mitad de camino.

—Mejor no, que te voy a llenar de olor a pescado. Chicos, apurando el fuego que hoy tenemos una invitada de honor. Pablo, te presento a la señora Nina, la inquilina de la Cabaña. Nina, Pablo es el novio de mi hija Valeria.

La mujer lo saludó con dos besos.

—Y supongo que a Nahuel ya lo conocerás, al menos de vista.

—Por supuesto —dijo Nina sonriéndome, y se metió a la cocina detrás de Carlucho.

Estaba a punto de reanudar mi discusión con Pablo cuando apareció Valeria trayéndonos un vaso de cerveza a cada uno, y ya no nos volvimos a quedar solos.

Una hora más tarde estábamos todos sentados a la mesa en el patio de la casa. Yo, que había pasado semanas enteras en la estancia casi cada año de mi vida, sabía que los días como éste eran una excepción. Sin viento, cielo despejado y calor. Había veranos enteros sin un solo día así en aquella parte de la Patagonia. Lo celebramos como se celebraba todo en Las Maras: comiendo en bajada y sin frenos.

Entre pejerreyes asados y puré de papas, la conversación giró en torno a las preguntas que le hacía Pablo a nuestra invitada. Qué la llevaba a quedarse un mes en un lugar como aquel y cosas por el estilo. Además de lo que ya sabía, esa tarde me enteré de que Nina tenía un hijo un poco más joven que yo; y que su marido, un capitán de la marina mercante española, había muerto hacía diez años. Fue cuando enviudó que comenzó a estudiar, nos dijo, aunque no hizo referencia a si se dedicaba a alguna otra cosa antes de eso.

Nina se desenvolvió con soltura durante el almuerzo, elogiando en cada oportunidad que tuvo la comida de Carlucho y el flan con dulce de leche que Valeria sirvió de postre. Hasta pegó un puñetazo en la mesa cuando Dolores apareció con un bizcocho de chocolate para acompañar el mate.

—Ya os lo dije en Nochevieja y lo vuelvo a repetir ahora: no tenéis derecho a tratarme tan bien. Yo de aquí no me voy sin haceros una paella.

—Lo tiene difícil para conseguir los ingredientes —rió Carlucho.

—No vas a ir al pueblo para comprar comida, si acá hay de sobra —agregó Dolores.

—Tengo una idea. ¿Por qué no hacemos una paella patagónica? —sugirió Carlucho—. En lugar de ir al pueblo a comprar langostinos, le ponemos mejillones y pejerrey de Cabo Blanco.

—Pero mi paella no lleva pescado —rió Nina—. Sólo marisco y carne.

—Pero la patagónica, que estamos inventando en este momento, sí que lleva. Lleva pejerrey, mejillón y guanaco.

—¿Guanaco? —preguntamos Valeria y yo al unísono.

Nina soltó una gran carcajada.

—Ahora sí que me niego por completo, Carlos.

—¿Cuál es el problema? —preguntó Carlucho—. Salimos un día de estos con el rifle y te das el lujo de cocinar una paella con guanaco cazado por vos misma. Con la puntería que tenés, sería pan comido.

—Ya le dije, Carlos, que soy incapaz de matar un animal.

—Matar por matar, claro que no. Yo tampoco lo haría nunca. Pero si es para comértelo, ¿qué problema hay? Vegetariana no sos —dijo, señalando el rincón del patio donde acabábamos de asar el pescado.

—Ya lo sé. Y sé que quizás para usted es ilógico, pero si para comer carne tuviera que matar yo misma al animal, entonces sería vegetariana.

—La verdad que sí, es ilógico.

Entonces Carlucho se dirigió a mí, a Pablo y a Valeria.

—El otro día invitamos a Nina a tirar un rato con el Rupestre. Puse unas latas sobre una piedra a unos cien metros y tiré un rato yo y un rato Dolores. Después le ofrecí a ella si quería probar.

—Si quería que le enseñaras —corrigió Dolores—. Fanfarrón, como siempre.

—¿Y yo qué iba a saber que ella era una tiradora profesional?

Todos miramos a Nina.

—¿Profesional? Nada de eso. Voy de vez en cuando a un club de tiro en Málaga, pero ni siquiera tengo mi propio rifle. Uso los del club.

—Bueno, semiprofesional —ofreció Carlucho—. Da igual, la cosa es que un día de estos vamos juntos a cazar un guanaco, ¿no? Justo ayer nos comimos lo último que quedaba del que traje después de Navidad.

—Que no, Carlos —respondió pacientemente Nina—. Además, de todos modos tengo que ir al pueblo dentro de poco. Me gustaría llamar por teléfono a mi hijo, que cumplió años la semana pasada, y mandar unos emails importantes a España. ¿Alguno de vosotros tiene pensado ir en estos días?

—¿Le pasó algo al Polo? —preguntó Carlucho— ¿Querés que lo mire?

—No, el coche funciona perfectamente. Pero le tengo bastante respeto a conducir por el ripio. Está bien para tramos cortos. Ir a Cabo Blanco, por ejemplo. Pero hasta Deseado, si pudiera evitarlo, mejor.

—Yo tengo que ir mañana o pasado —dije.

Era verdad. Con la cogoteada que le acababa de meter a Pablo, me tenía que ir de Las Maras urgentemente. Además, si quería avanzar con el caso de Fabiana Orquera, ya iba siendo tiempo de hablar con gente, mirar el diario de la época, buscar en Internet.

—¿A qué? —preguntó Valeria, sorprendida.

—Quiero ver cómo está mi papá y además tengo que hacer un par de cosas.

—¿Algo que ver con ese artículo que estás escribiendo? —preguntó Pablo.

Y a vos qué carajo te importa, pensé. ¿Cómo podía ser que este tipo me hablara como si nada después de que hubiéramos estado a punto de agarrarnos a las trompadas? Recordé el título de una canción de The Platters: *The great pretender*. Pablo, el gran fingidor, no era trigo limpio.

Quería caerles bien a sus suegros en la primera visita, pero parecía transformarse cuando no estaba frente a Dolores y Carlucho. Yo mismo había visto cómo había tratado a Valeria de camino a Cabo Blanco cuando la piedra dio en el parabrisas. Y cómo acababa de meter cizaña mientras prendíamos el fuego.

—¿Escribes? —quiso saber Nina.

Una pregunta llevó a la otra y nos pasamos el resto de la sobremesa explicándole a una inquilina cómo otra, treinta años antes, había desaparecido en Las Maras. Carlucho, de mal humor, intervenía de vez en cuando para señalar las diferencias entre antes y ahora, y asegurarle a Nina que estaba fuera de peligro. Nina Lomeña asentía con una sonrisa, restándole importancia, pero a mí me pareció que la conversación la había inquietado un poco.

Para cambiar de tema, Dolores trajo la guitarra que toda la vida había estado colgada en la pared del comedor de la casa. De vez en cuando algún pariente o amigo de los Nievas —mi viejo, muchas veces— la descolgaba para tocar zambas y chacareras.

—Tocate algo —dijo, entregándome el instrumento.

Toqué "Chaltén" de Hugo Giménez Agüero y todos, incluso Nina Lomeña, corearon el *"Aonikenk, Chaltén"*. Cuando terminé, hubo ronda de aplausos.

—Pablo también toca —se apresuró a decir Valeria, y me quitó la guitarra de las manos.

Su novio sonrió, cambió apenas la afinación del instrumento y luego se dirigió a Nina.

—Esto se lo dedico a nuestra invitada de lujo.

Empezó a tocar y lo odié. Que yo supiera, nunca nadie le había arrancado a esa guitarra sonidos tan limpios. Era un ritmo de flamenco que comenzaba con un arpegio lento y triste. De a poco, los acordes impecables ganaban fuerza y velocidad. Nina acompañó el rasgueo con palmas.

Cuando todavía reverberaba la última nota, todos aplaudimos con la boca abierta.

—¿Te gustó? —preguntó Pablo a Nina.

—Me ha encantado.

—Qué lindo. ¿Qué es? —quiso saber Dolores.

—Paco de Lucía —dijeron Pablo y Nina al unísono.

—No sabía que tocabas ¿hace mucho empezaste? —volvió a preguntar la futura suegra.

—A los seis años tuve mi primera clase de guitarra clásica. Y a los diecisiete obtuve el título de profesor, pero eso fue más que nada por darles el gusto a mis viejos. A esa edad, empezaron a llamarme la atención otras cosas.

Mientras decía esto último, Pablo recorrió el contorno de la caja de la guitarra con su mano derecha mirando a Valeria.

18 — MOBY DICK

Pablo continuó hablando sobre su historia musical mientras el resto lo escuchaba interesado. Después Valeria le empezó a hacer preguntas sobre sus colecciones de monedas. Patético. En cuanto tuve la oportunidad, me escabullí en el interior de la casa.

Me encerré en mi habitación y abrí el último cajón de la cómoda. Allí estaban, tal como los había dejado, el sobre y la carta.

De un bolsillo saqué el papel que me había dictado Tadeo con el alfabeto en código morse. Lo puse sobre la cómoda, junto al sobre y una pequeña libreta para hacer anotaciones.

```
A .-    B -...   C -.-.   D -..    E .     F ..-.   G --.
H ....   I ..    J .---   K -.-    L .-..   M --    N -.
O ---    P .--.   Q --.-   R .-.    S ...   T -    U ..-
V ...-   W .--    X -..-   Y -.--    Z --..
1 .----    2 ..---    3 ...--    4 ....-    5 .....
6 -....    7 --...    8 ---..    9 ----.    0 -----
```

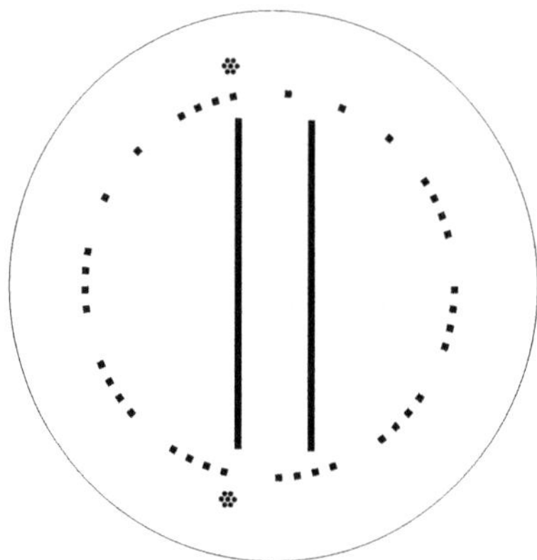

Mis ojos alternaron entre el alfabeto y el lacre hasta que, debajo de la estrella superior, reconocí cuatro puntos seguidos que, según mi teoría, formaban una raya. A su derecha había un punto. Raya y punto, pensé, anotando una N en la libreta. Continué en la dirección de las agujas del reloj y descubrí a continuación una U. Luego una O. Seguí así, descubriendo letras y escribiéndolas en la libreta frenéticamente, hasta completar el círculo.

NUOMD.

A primera vista, no tenía la menor idea de qué podrían significar esas letras. Clavé la mirada en la nariz de mi reflejo en el espejo detrás de la cómoda. Intenté concentrarme en algún posible significado para la secuencia NUOMD. O quizás era OMDNU, o DNUOM. Como el código era circular, no había forma de saber dónde empezaba la palabra. Si es que era una palabra.

Entonces me di cuenta de que estaba pasando por alto un detalle fundamental. Agrupar tres rayas en una O era una decisión completamente arbitraria. Podía ser que, de esas tres rayas, la primera correspondiera al final de una letra y las dos segundas, al comienzo de otra. O quizás eran tres T seguidas.

Decepcionado, me di cuenta de que sin saber dónde terminaba una letra y empezaba la otra, había millones de posibles combinaciones. O miles, qué más daba calcularlas. Lo importante era que podía pasarme toda la tarde generando palabras sin saber si tenían sentido.

Todo esto siempre y cuando los puntos y rayas del círculo fueran realmente morse. Después de todo, quizás las secuencias que acababa de anotar en la libreta no eran más que mis ganas de encontrar un mensaje donde no lo había.

Recordé un artículo que había leído hacía varios años. Un periodista estadounidense había publicado un libro donde revelaba mensajes ocultos en la Biblia. Predecía, entre otras cosas, el asesinato del primer ministro israelí Yitzhak Rabin. A medida que el libro ganaba popularidad, científicos de todo el mundo le saltaban al autor a la yugular, diciéndole en cartas abiertas que era posible encontrar mensajes ocultos en cualquier libro. No porque hubieran sido puestos allí a propósito, sino porque la combinatoria de letras era enorme. Ofendido, el periodista desafió a sus críticos a que encontraran mensajes ocultos en Moby Dick y siguió, como si nada, maravillando a millones de lectores con su libro. Unos meses más tarde, un matemático australiano publicó en su página web cómo la novela de la ballena predecía los asesinatos de Luther King, Lincoln, Kennedy y la muerte de Lady Di.

Un poco así me sentía yo examinando el lacre: un hombre buscando un mensaje profético en Moby Dick.

19 — GUANACOS

—¿Tienes algún problema con el coche? —preguntó Nina a mis espaldas.

Habían pasado dos días desde la tarde en que me había ofrecido a llevarla a Deseado.

—Ninguno, todo en orden —dije, introduciendo la varilla medidora de aceite con una mano y sujetando la tapa del capó con la otra.

El viento hacía rato que había levantado la tregua.

Al girarme, me encontré a Nina sonriendo detrás de unas gafas de sol. Llevaba una mochila a la espalda y en una mano sostenía lo que me pareció un equipo de mate.

—*Podría ser tu mamá* —dijo una voz adentro de mi cabeza.

—*Pero no lo es* —respondió otra.

Cerré el capó del Uno con fuerza, y el estruendo disipó esos pensamientos.

—¿Lista para el viaje? —pregunté.

—Cuando tú quieras.

—A mí sólo me falta una cosa —dije.

Llevándome los dedos anulares a la boca, solté el silbido que me había enseñado Patipalo cuando yo apenas era un niño y me la pasaba casi todo el tiempo con él, torturándolo a preguntas.

Por detrás de los tamariscos donde siempre cazábamos perdices, apareció mi perro. Vino corriendo hacia mí y apoyó sus patas delanteras en mi pecho, dejando su cara a un palmo de la mía.

—¿Dónde estabas, Bongo? —le pregunté, y me dio un lengüetazo en la cara.

Abrí la puerta del Uno y tiré el asiento del conductor hacia adelante. Como siempre, Bongo saltó para acomodarse en el de atrás.

—¿Ya se van? —preguntó Carlucho saliendo de la casa. Llevaba el Rupestre en una mano, con la culata tallada apuntando hacia arriba.

—Sí, ya nos vamos. No hace falta que nos eches a los tiros —bromeé.

—¿Se va a cazar? —preguntó Nina señalando el Máuser.

—A ver si engancho un guanaco. ¿No querés venir?

La mujer soltó una carcajada y se metió dentro del coche. Yo estaba por hacer lo mismo cuando Carlucho alzó una mano.

—Casi me olvidaba —dijo—. Vení, ayudame con una cosa.

Hice señas a Nina para que me esperara y me metí en la casa detrás de Carlucho.

Dos minutos más tarde, metíamos en el baúl de mi coche una caja de madera que apenas podíamos cargar entre los dos. Dentro había, según Carlucho, una pata de cerdo cubierta completamente con sal de la salina de Cabo Blanco.

—Es para tu viejo —dijo Carlucho—. Compramos la pata a medias y la íbamos a salar este verano acá, pero como al final él no pudo venir la preparé yo solo. Llevásela.

—No pudo venir porque tuvo un preinfarto, Carlucho —le recordé—. No puede comer esta bomba atómica.

—Por una feta o dos no pasa nada. Decile a tu vieja que se lo racione y listo.

Negando con la cabeza, cerré el baúl, me metí al coche y puse primera.

Avanzamos despacio los primeros kilómetros de camino trajinado entre la casa y la ruta provincial 91. Una vez allí, pasé de tercera a cuarta y aceleré hasta alcanzar ochenta por hora. Más, en una ruta como aquella, era suicida.

Los primeros kilómetros los hicimos en silencio. Nina Lomeña tenía un brazo echado hacia atrás y le acariciaba el cuello a Bongo, despatarrado de punta a punta en el asiento trasero.

—¿Te apetece beber un mate? —preguntó ella cuando nos acercábamos al guardaganados que separaba Las Maras de la estancia del Cholo Freile.

Dejé escapar una risita.

—¿Qué? —preguntó.

—Nada. Que me parece rarísimo que lo preguntes con ese acento y con esas palabras.

—Bueno. A ver... vamos de nuevo. Che, boludo, ¿querés tomar unos mates?

Dijo esto último con un perfecto acento argentino.

—Pues vale, tía —le respondí, pero mi intento de español me salió más cubano que otra cosa.

Riendo, Nina Lomeña, más española que las pesetas, preparó un mate amargo bastante decente.

—¡Guanacos! —gritó cuando doblamos una curva después de una subida.

En efecto, una manada de seis o siete guanacos adultos y dos o tres crías pastaban a la orilla de la ruta.

Aminoré la marcha y Nina, sosteniendo el termo entre sus piernas y entregándome el mate vacío, se apuró a buscar en su mochila una Canon grandota. Bajó el vidrio y, sacando medio cuerpo por la ventanilla, disparó decenas de fotos.

—Gracias por frenar para que hiciera las fotos —dijo cuando los dejamos atrás.

—De nada. Aunque en realidad... freno más bien por precaución. La mayoría de las veces los guanacos se alejan al ver un auto y no pasa nada. Pero si se asustan mucho pueden salir corriendo para cualquier lado y uno termina con noventa kilos de animal metiéndose por el parabrisas.

20 — EL LEONERO

—¿Sabes a qué me recuerda este paisaje? —preguntó Nina mirando por la ventanilla la meseta plana e interminable.

—¿A Marte? —arriesgué.

—Casi, pero un poco más cerca. Al desierto australiano.

—¿Estuviste en Australia? Es uno de los países que más me gustaría visitar.

—Sí, estuvimos con mi marido un par de años antes de que falleciera —dijo sin nostalgia ni tristeza—. La mayor parte de la isla es un gran desierto, que ellos llaman el *outback*.

—¿Y en qué se parece a esto?

—En mucho —dijo, entusiasmada—. En que es absolutamente plano y en que la única vegetación son matitas bajas, como éstas. La tierra también es dura y seca como la de aquí, sólo que un poco más roja.

—¿Pero el clima es completamente diferente, no?

—Completamente. Nosotros fuimos en verano, y puedes freír un huevo sobre una roca. Otra diferencia es que allí hay varias de las serpientes y arañas más venenosas del mundo. Aquí en cambio, ¿qué animal va a querer hacerte daño? ¿Un guanaco? O una de esas avestruces tan bonitas... ¿cómo las llamáis? ¿Chuques?

—Choiques —reí, pronunciando una de las pocas palabras que los patagónicos conservábamos de la extinta lengua Aonikenk.

—Choiques —repitió ella—. El caso es que aquí sólo tenéis animales majos.

—Yo sé de uno que, si pudiera hablar, no estaría de acuerdo —dije, mirando a Bongo por el retrovisor.

—¿Qué quieres decir?

—Muy de vez en cuando un estanciero se levanta y encuentra diez o quince ovejas muertas. Entonces hay que llamar al leonero.

—¿Al leonero?

—El león es una forma coloquial de llamar al puma. Y el leonero es una persona que se dedica a cazarlos cuando el estanciero considera que ya ha perdido demasiadas ovejas.

—¿Me estás diciendo que aquí, en el mismo lugar donde los pingüinos vienen a saludarte mientras estás pescando, hay gente que se dedica a cazar pumas?

—En esta zona, muy de vez en cuando —repetí—. Pero a medida que te alejás hacia la cordillera, más trabajo tienen los leoneros. Cerca del Bosque Petrificado, por ejemplo, hay campos enteros sin animales. Y por la zona de la Cueva de las Manos hace tiempo que reemplazaron las ovejas por los caballos, que son demasiado grandes para el puma.

—¿Y cómo se caza un puma?

—Durante días, el leonero le sigue el rastro a caballo con la ayuda de varios perros hasta que al final el puma se cansa y se atrinchera. Entonces lo mata a tiros.

—¿Y qué tiene que ver Bongo con todo esto?

Vi por el retrovisor que, al escuchar su nombre, mi perro levantó la cabeza por un segundo. Luego volvió a apoyarla sobre sus patas delanteras.

—La última vez que hubo que llamar al leonero en Las Maras fue un verano hace unos nueve años —dije—. Como siempre, yo estaba en la estancia con mi familia pasando las fiestas. A pedido de Carlucho, Patipalo había encerrado seis corderos en el corral que hay justo al lado de su casa. Eran para ir carneando entre navidad y año nuevo. Si pasaste las fiestas con ellos, te habrás dado cuenta de la cantidad de carne que pueden comer veintipico de personas.

—Pues este año no llegábamos a veinte y Carlos asó dos corderos para Nochebuena.

—Bueno, hace nueve años era igual de exagerado. La cosa es que al otro día los seis corderos amanecieron muertos en el corral. Todos con la panza abierta y las tripas afuera.

—¿Un puma?

—Peor que eso. Una hembra enseñando a matar a sus cachorros.

—¿Y Carlos llamó al leonero?

—Efectivamente. Pero, como te imaginarás, si ahora no tenemos teléfono, ni Internet, ni ninguna otra forma de comunicarnos, menos que menos hace nueve años. Así que Carlucho mandó el mensaje con un primo suyo que se volvía al pueblo. A las pocas horas, ya anunciaban en la radio AM que se necesitaba leonero en la estancia Las Maras.

Frené un poco el Uno para pasar un guardaganado. Un cartel

nos dio la bienvenida a la estancia La Luna. Propiedad privada. Campo envenenado. Prohibido cazar.

—A los pocos días, Valeria y yo salimos a pasear una tarde. Ella llevaba a su perro, que se llamaba Zoilo, y yo a Bongo, que ya tenía el tamaño de ahora pero todavía era un cachorro.

—Todos fuimos jóvenes alguna vez, aunque parezca mentira —dijo Nina, girándose para darle una palmadita en la pierna a Bongo.

Era la oportunidad perfecta para dejarle caer un piropo. Decirle que no se tirara abajo. Que había gente, yo por ejemplo, que pensaba que estaba como cañón. Pero decidí dejarlo pasar.

—Caminamos un par de kilómetros, desde la casa hasta un lugar al que llamamos Las Cuevas —continué—. Es un cañadón que no tiene más de quince o veinte metros de ancho.

—Ahí fue donde Carlos me llevó a practicar con el rifle. Es una caminata preciosa.

—Sin viento —acoté—. Esa tarde no había casi nada, así que con Valeria quisimos hacer lo que hacíamos siempre: ir hasta ahí, comer algo al reparo del cañadón, y después pegarnos la vuelta.

Nina me ofreció un mate.

—Cuando terminamos de comer, nos pusimos a pasear por el cañadón. Trepamos alguna que otra roca. Tiramos palos para que los perros fueran a buscarlos. Lo de siempre.

—Hasta que... —adivinó Nina.

—Exactamente. Hasta que los perros empezaron a gruñir y a subir por las rocas de una de las paredes del cañadón. Ladraban con toda su fuerza y se alejaban cada vez más de nosotros, sin hacer caso a nuestros llamados ni silbidos ni nada.

—Esto no me gusta nada.

—Se pararon frente a una cueva que había en la pared de piedra y siguieron ladrando. Yo le dije a Valeria que seguro habían encontrado una liebre o una mara. Y como los llamábamos y no venían, empezamos a subir la pared para ir a buscarlos. Fue todo demasiado rápido. Cuando llegamos junto a los perros oímos un gruñido horrible y un instante después el puma salió de la cueva, enseñando los dientes a tres metros de nosotros.

—¡Ay, no! —exclamó Nina.

—Atrás del animal aparecieron tres crías.

—La madre y los cachorritos que habían matado a las ovejas.

—Sí. Cachorritos dos veces más grandes que un gato adulto, que además gruñían.

—¿Y qué hicisteis?

—Nada. Nos quedamos petrificados del miedo. Me acuerdo como si fuera hoy de pensar que la madre estaba tan cerca que ya no tenía sentido correr. Yo tenía un palo en la mano, y lo único que atiné a hacer fue extenderlo para interponerlo entre nosotros y ella.

Hubo un momento en el que sólo se escuchó el ruido de las piedras golpeando la parte de abajo del Uno.

—A lo mejor no tendría que haber hecho eso —dije, devolviéndole el mate vacío.

—¿Por qué?

—Creo que se sintió amenazada, porque se abalanzó hacia Valeria y hacia mí sin siquiera mirar a los perros.

Estiré una mano hacia atrás y le hice una caricia a Bongo.

—Por suerte este loco sí que reaccionó. Me acuerdo que dejó de ladrar. Soltó un gruñido que nunca más le oí y saltó hacia el puma con la boca abierta. Abrazados, empezaron a rodar por el suelo convertidos en una bola de rabia.

Nina se agarró la cabeza con las dos manos.

—Zoilo, el perro de Valeria, se sumó enseguida. Nosotros empezamos a gritar, pero no sirvió de nada. Siguieron peleando durante unos segundos hasta que escuchamos un gemido agudo y Zoilo cayó hacia un lado. El puma, librándose de Bongo, se escapó trepando por las rocas con los cachorros corriendo tras él.

Nina me ofreció otro mate, que tomé antes de continuar con la historia.

—No me voy a olvidar nunca de la imagen al acercarnos a nuestros perros. Estaban completamente destrozados. Zoilo tenía la panza abierta de un zarpazo desde el pecho hasta la ingle, y por cada uno de los tres tajos que habían hecho las garras del puma salía sangre y asomaban tripas. Murió enseguida, pobrecito.

—¿Y Bongo?

—Sin poder caminar y con el hocico destrozado. Las cicatrices que tiene son de aquella vez.

—¿La del hombro también?

—También. El puma le arrancó un pedazo de carne casi tan grande como un puño. Me acuerdo que se le veía el hueso del omóplato.

—¿Y qué hicisteis allí, solos?

—Caminamos de vuelta hacia la casa cargando a Bongo un rato cada uno.

Recordar esa caminata me hizo pensar en todo lo que Valeria y yo habíamos vivido juntos. Cuando todavía éramos como hermanos, antes de cagarla bien cagada sin más motivos que una borrachera de año nuevo.

—¿Y? —preguntó Nina.

—Cuando llegamos a la casa, Carlucho agarró el Rupestre y una caja de balas y se fue con Patipalo a Las Cuevas a buscar el cuerpo de Zoilo para enterrarlo. Mientras tanto, mis padres y yo nos volvimos a Deseado para llevar a Bongo al veterinario. Me acuerdo que tuvimos que ir a buscarlo a la casa de la suegra porque era domingo. Cuando vio a Bongo le dio un veinticinco por ciento de probabilidades de sobrevivir.

Entonces Nina se giró en el asiento y estiró la mano hasta posarla en el manchón de cuero sin pelo en el hombro de Bongo.

—Qué bien tú, desafiando las probabilidades —dijo, acariciándolo.

Bongo, agradeció la caricia con un lengüetazo en la mano de la española.

—O sea que palabras más, palabras menos, Bongo te salvó la vida.

—Ni de más ni de menos —respondí—. Si no fuera por él, hoy no estaría acá. Entero, al menos.

Nos quedamos en silencio. Nina me dio un par de mates más y se giró dos o tres veces para volver a acariciar a Bongo.

—¿Y qué pasó con el puma? —preguntó unos kilómetros más adelante.

—A los pocos días apareció el leonero en la estancia. Cuando Carlucho le contó lo que había pasado, el hombre salió a caballo llevándose varios perros en dirección a Las Cuevas. Al día siguiente volvió con los cuatro cueros.

—¿También mató a las crías?

—Le pagan por eso —respondí, y frené un poco para cruzar otro guardaganado.

21 — EL FANTASMA DE FABIANA ORQUERA

Dejé a Nina en el hotel Los Acantilados y quedamos en que la pasaría a buscar dos días más tarde para volver a Las Maras. Una vez estuve solo, enfilé el Uno hacia mi casa.

Al llegar y abrir la puerta, Bongo se apresuró a entrar y hacer el reconocimiento de rigor. Primero se metió en mi habitación y luego dio una vuelta por el comedor, pasando junto a los arañazos que él mismo había hecho en la puerta a lo largo de los años. Yo siempre decía en broma que Bongo era el perro guardián que menos discriminaba en el mundo. Él ladraba a todos por igual. Cada vez que alguien tocaba el timbre, o incluso cuando yo mismo metía la llave para entrar, se abalanzaba ladrando sobre la puerta e incrustaba un arañazo más en la madera.

Satisfecho con el reconocimiento de la casa, Bongo se echó en un rincón sobre la manta llena de pelos en la que dormía desde cachorro.

Yo me saqué la campera y la colgué en un perchero en la pared, al lado de la postal enmarcada que había aparecido en Las Maras dentro de un Martín Fierro. Como lo venían haciendo hacía noventa años, los viajeros continuaban desembarcando en Deseado.

Encendí mi computadora. En tres días había recibido veintitrés correos, casi todos inútiles. Busqué en Google "Fabiana Orquera" y me sorprendí al ver aparecer miles de resultados. Entré en el primero, una página llamada "El blog de Fabiana Orquera" que daba la bienvenida al visitante con la foto de una adolescente de flequillo negro peinado hacia al costado y un escote importante. Como si fuera necesario, antes de cerrar la página leí que esa Fabiana Orquera había nacido en Caracas en los años noventa.

Refiné mi búsqueda a "Fabiana Orquera Puerto Deseado" y los resultados se redujeron a una única página. Era una noticia del archivo digitalizado del diario Reportes de Santa Cruz, el periódico más amarillista de toda la provincia. El título de la noticia era "El fantasma de Fabiana Orquera" y había sido publicada el cuatro de octubre de mil novecientos noventa y tres. Diez años después de la desaparición de la joven entrerriana.

PUERTO DESEADO – Como ya hemos adelantado en la edición del día de ayer, tras el escrutinio de varias mesas electorales, se confirma que ha sido reelecto como intendente de la localidad de Puerto Deseado don Luis Ángel Díaz, del Partido Liberal. Por su parte, Raúl Báez obtiene un magro cinco por ciento que ni siquiera alcanza para dar a su Partido Deseadense un escaño en el Concejo Deliberante de la localidad. De esta manera, Báez se queda por tercera vez sin el máximo cargo ejecutivo del pueblo.

La primera derrota del político fue en las elecciones generales de octubre de 1983. A los inicios de la campaña electoral, Báez lideraba en las encuestas del diario El Orden con una diferencia de veinte puntos sobre don Ceferino Belcastro. Sin embargo, a siete meses de los comicios, una aventura extramatrimonial con final trágico lo cambió todo. El domingo seis de marzo de 1983, la joven Fabiana Orquera, oriunda de la provincia de Entre Ríos, desapareció de la estancia Las Maras mientras pasaba un fin de semana con el candidato. Báez declaró que un golpe muy fuerte en la cabeza le hizo perder el conocimiento y que al despertar se encontró empapado en sangre, sin rastros de la joven por ningún lado. Días más tarde se confirmó que la sangre no era humana sino ovina.

Tras el escándalo político, Raúl Báez se vio obligado a retirarse como candidato del que en aquel momento era su partido, la Unión Cívica Radical. Seis meses más tarde fue sometido a juicio oral y público con la carátula de Homicidio Simple (aunque nunca se encontró el cuerpo de Fabiana Orquera), en el cual se lo halló inocente por falta de pruebas. A pesar de su absolución, la imagen pública del político sufrió un deterioro considerable en la conservadora sociedad de Puerto Deseado.

Seis años más tarde, para las elecciones de 1989, la Unión Cívica Radical volvería a apostar por Báez como candidato al mayor puesto político de la localidad. Las encuestas indicaban que la popularidad del candidato había mejorado considerablemente. Sin embargo, una mañana en plena campaña, la mayoría de las caras de Báez que empapelaban la localidad amanecieron tapadas por un cartel con las palabras FABIANA ORQUERA. MEMORIA. Finalmente, Báez perdió aquellas elecciones a manos de don Luis Ángel Díaz, del Partido Liberal, por siete puntos de diferencia.

Es por tanto la derrota del pasado domingo la tercera en la carrera de

Báez, quien esta vez se presentó a la cabeza del Partido Deseadense, fundado por él mismo al serle rechazada la posibilidad de ser nuevamente el candidato en la Unión Cívica Radical. Esta vez, durante la campaña no hubo juicio ni carteles pidiendo memoria, aunque no faltó quien en debates radiales mencionara un "pasado turbio" y hasta una "dudosa moral", confirmando que, a diez años sin noticias de Fabiana Orquera, el fantasma de su desaparición sigue sin dejar en paz a Raúl Báez.

A pesar de ser la única referencia que pude encontrar en Internet sobre la desaparición, al terminar de leer aquel artículo tuve la sensación de que había logrado encajar una pieza más en el rompecabezas.

Hasta ahora creía que la única forma de descubrir la identidad de NN era descifrando su frase ambigua sobre entender la importancia del orden y la perseverancia. Sin embargo, en la carta que había dejado en Las Maras, NN mencionaba que había llegado el momento de confesar el asesinato, ahora que Raúl estaba muerto. Eso confirmaba que, de alguna manera, el homicidio tenía que ver con Báez. ¿Y si había sido un enemigo político quien había asesinado a Fabiana Orquera para dañar la reputación de Báez?

Busqué entonces "Ceferino Belcastro" en Google. Casi todos los resultados eran de archivos de periódicos. Noticias de los seis años durante los que Belcastro había sido el intendente de Puerto Deseado. Me bastó con leer cuatro o cinco para averiguar que aquel hombre era un político argentino con todas las letras. Era amigo de las medidas populistas y bastante proclive a desautorizar, no siempre conservando los buenos modales, a cualquiera que no opinara como él. Había cambiado poco la cosa en treinta años, pensé.

Continué leyendo sobre el rival de Báez hasta que, en una noticia mucho más reciente, me enteré de que había muerto en abril del año dos mil. Saqué entonces de mi mochila la carta de NN. Estaba fechada en noviembre del noventa y ocho. Un año y medio de diferencia. ¿Podía considerarse ese tiempo "poco hilo en el carretel", como mencionaba NN en su carta? ¿Eran NN y Ceferino Belcastro la misma persona?

Por mal que me cayera Belcastro después de haber leído media hora sobre él, me costaba creerlo. Analizándolo fríamente, era poco probable que alguien fuese capaz de asesinar y hacer desaparecer el cuerpo de una persona inocente para ganar unas elecciones municipales. Poco probable, ¿pero podía descartarlo?

De cualquier modo, incluso suponiendo que Belcastro fuera NN, nada de eso explicaba el motivo para ocultar el cuerpo hasta después de la muerte de Báez. Ni siquiera cabía la posibilidad de que fuera para mantener la mala imagen de Báez y seguir ganando elecciones, como sugería "El fantasma de Fabiana Orquera". Después de todo, Belcastro y Díaz, el intendente que lo sucedió, no eran del mismo partido. De hecho, se odiaban a muerte.

Concluí que si el asesinato de Fabiana Orquera había sido para perjudicar a Báez, el objetivo era su vida personal. Una venganza, quizás. Pensé en una esposa que descubre al marido infiel y decide arruinar la vida de él y de su amante. Era extremo, pero había pasado mil veces. Me anoté mentalmente averiguar dónde había estado la mujer de Báez aquel día.

Continué navegando por Internet. Al cabo de un buen rato sin encontrar nada me convencí de que la información que necesitaba para avanzar con el caso no iba a estar en la red. Si quería enterarme de algo, tendría que indagar a la vieja usanza.

Apagué la computadora y descolgué la campera del perchero.

22 — LA CINTA

Abrí la puerta y la alarma antirrobo retumbó en el salón vacío, taladrándome la cabeza. Tapándome un oído con el hombro y el otro con una mano, me apresuré a sacar del bolsillo el pedazo de papel que me había dado Lucía Dimópulos. Siguiendo sus instrucciones, encontré un pequeño teclado numérico en la pared al otro lado de la sala. Ingresé los cuatro dígitos escritos en el papel y la alarma dejó de sonar.

Sonreí. ¿En qué otro lugar del mundo podía presentarme un domingo a las tres de la tarde en la casa de la directora de la biblioteca del pueblo y salir de allí con la llave del edificio y el código para desactivar la alarma?

Bajé a una pequeña habitación en el subsuelo y me senté frente al escritorio como lo había hecho otras tantas veces en las que, para escribir mi columna de El Orden, tuve que consultar ediciones anteriores. Abrí un cajón ancho y poco profundo y pasé la punta de los dedos por algunas de las más de doscientas cajas de cartón blanco que contenía. Apenas más grande que una de fósforos, cada caja tenía el lomo rotulado con meses y años. Ubiqué la que decía *ENE-MAR 1983* y extraje de ella un carrete de microfilm.

Encendí el proyector y la pantalla se llenó de una luz amarillenta. Coloqué el carrete y giré la manivela hasta que, después de un metro de cinta en blanco, la portada del primer sábado de enero de 1983 apareció frente a mí. Continué girando la manivela y las páginas del semanario pasaron por la pantalla como un paisaje visto por la ventanilla de un tren. Deteniéndome de vez en cuando para mirar la fecha, ubiqué la edición del doce de marzo del ochenta y tres: el sábado siguiente a la desaparición de Fabiana.

En la cuarta página, junto a una noticia que anunciaba la construcción de un acueducto desde Los Antiguos, encontré las primeras referencias a su desaparición. Era una pequeña columna con el título *Llamado a la solidaridad*.

Se necesita con suma urgencia dar con el paradero de la señorita Fabiana Orquera, Argentina, oriunda de la provincia de Entre Ríos, de veintitrés años de edad. Fue vista por última vez en la estancia Las Maras, a ochenta kilómetros de Puerto Deseado y quince de Cabo Blanco, el pasado domingo seis de marzo. Vestía una camisa a cuadros roja y blanca, y pollera de color marrón oscuro. Señas particulares: complexión física menuda; 1.50 m de altura; pelo lacio, castaño y por debajo de los hombros; ojos marrones. A quienes puedan aportar cualquier información, agradeceremos se acerquen a la comisaría de Puerto Deseado.

Atentamente.

Julián Prieto. Comisario de Puerto Deseado.

Eso era todo. No había una crónica sobre la desaparición, ni mucho menos una referencia a Raúl Báez. Hice memoria: Carlucho me había dicho que Báez había reportado la desaparición en la comisaría el domingo. El Orden salía los sábados y yo sabía, por las columnas que entregaba, que los viernes a las seis de la tarde cerraban la edición. Asumiendo que los tiempos hubieran sido similares treinta años antes, la historia había tenido casi cinco días enteros para amplificarse pasando de boca en boca. Me imaginé cómo ese sábado, mientras la gente del pueblo leía el pedido de información publicado en el semanario, comentarían los rumores de descuartizamientos, violaciones y ritos satánicos.

Avancé el microfilm hasta encontrar la portada de la edición de la semana siguiente. Unas enormes letras negras abarcaban casi media página anunciando "Trece días sin Fabiana". La otra mitad la ocupaba una foto en blanco y negro de una mujer joven que sonreía a la cámara.

Centré en la pantalla del proyector el rostro algo borroso de esa chica que sin duda había sido preciosa. Sonreí mientras buscaba mi cámara en la mochila. Acababa de obtener mi primera imagen de Fabiana Orquera.

El sonido de mi teléfono rompió el silencio de la pequeña salita en el subsuelo de la biblioteca.

—Mamá, ¿cómo andás? —atendí.

—¿Qué hacés, hijo? ¿Te pasó algo?

—Que yo sepa, no. ¿Por qué?

—Porque volviste al pueblo.

—¿Y vos cómo te enteraste?

—Hace un rato llamó el Petiso López.

El Petiso López era un amigo de mi viejo que trabajaba de sereno de barcos mercantes.

—Habló con tu padre. Dice que salía del puerto y vio tu coche entrando por la ruta. ¿Quién era la mujer que iba de acompañante?

—Veo que el Petiso no pierde ni la buena vista ni la lengua larga.

—Y vos no perdés la habilidad para cambiar de tema. ¿Quién era? ¿Valeria? —preguntó con entusiasmo.

—No, no era Valeria, ma. Es una larga historia.

—¿Y por qué no te venís a comer mañana y nos la contás? Tu papá va a hacer tallarines caseros.

—Mejor hagamos así. Voy mañana a comer los tallarines pero no te cuento nada. ¿Qué te parece?

—Me parece estupendo. Igual me voy a enterar, no te preocupes.

De eso no me cabía la menor duda, pensé mientras me despedía de mi madre. Al colgar, me guardé el teléfono en el bolsillo y me concentré en el artículo sobre Fabiana Orquera que empezaba debajo de las letras gruesas de la portada.

REDACCIÓN – Han transcurrido ya trece días desde que Fabiana Orquera fuera vista por última vez en la estancia Las Maras. Raúl Báez, conocido abogado de nuestra localidad y candidato a intendente por la Unión Cívica Radical, se encuentra detenido como único sospechoso de la desaparición de la joven.

Según fuentes cercanas a la investigación, Báez mantenía un romance extramatrimonial con Orquera desde hacía meses. La pareja se habría trasladado a la estancia Las Maras, en las cercanías de Cabo Blanco, para pasar el fin de semana... (continúa pág. 7).

Giré la manivela del microfilm con fuerza. Cuando me detuve, estaba en la sexta página. Seguí, un poco más despacio. Justo antes de pasar a la séptima, el proyector emitió un ruido que me produjo dentera. Fue un sonido a celofán arrugado, como cuando se enganchaba la cinta en los antiguos radiocasetes.

Al compás de ese chirrido aparecieron, por la derecha de la pantalla, unas letras escritas a mano con caligrafía apretada e inclinada hacia adelante. Un estilo que ya me era familiar.

A SESENTA Y CINCO DE LA TORRE. MIRÁNDOLA, HACIA LAS Y CUARTO DE CUALQUIER HORA. SIEMPRE EN LA DIRECCIÓN DEL AGUA. NN.

Mi primera reacción al descubrir aquello fue preguntarme cómo había pasado por alto algo tan obvio. En su nota anterior, casi al margen del libro de visitas de la Cabaña, NN mencionaba la importancia del orden. Sin embargo, no se me había ocurrido asociar esa frase con el nombre del periódico del pueblo —en el que yo mismo tenía una columna—. La importancia de El Orden.

Avergonzado de que se me hubiera escapado la tortuga de esa manera, intenté encontrarle algún sentido al mensaje con el que me acababa de topar.

La primera oración, *A SESENTA Y CINCO DE LA TORRE,* la comprendía a medias. La torre tenía que ser el faro de Cabo Blanco. En primer lugar, porque la casa junto al faro había sido toda la vida la casa de los torreros. Luego, el hecho de que la segunda construcción más alta en doscientos kilómetros a la redonda fuera un hotel de cuatro pisos —el único ascensor de Puerto Deseado—, ayudaba a despejar las dudas. Los *SESENTA Y CINCO,* supuse, serían distancia. Metros, quizás. O kilómetros, o leguas.

En la segunda frase me detuve un buen rato. *MIRÁNDOLA, HACIA LAS Y CUARTO DE CUALQUIER HORA*. Lo primero que se me ocurrió era que debía fijarme dónde caía la sombra de la punta del faro a las y cuarto. Pero comprendí casi de inmediato que en cada hora del día, cada día del año, la sombra estaría en un lugar distinto. Entonces me incliné por alguna rutina que sucediera en el faro a las y cuarto de cada hora. Quizás no ahora, que todo estaba automatizado, pero sí en el pasado. O a lo mejor tenía que ver con lo que hacía la luz del faro a la noche. En resumen, no tenía idea de qué quería decir aquello.

La última frase, *SIEMPRE EN LA DIRECCIÓN DEL AGUA,* me pareció la más clara de todas. Fuera lo que fuese que tenía que hacer —caminar, mirar— debía hacerlo en dirección al mar.

En definitiva, no comprendía por completo las palabras pegadas en el microfilm, pero supuse que eran instrucciones. Deseé que lo fueran. Con un poco de suerte, instrucciones para llegar a la tumba de Fabiana Orquera.

Me incliné hacia atrás en la silla y resoplé. ¿Era yo el primero en ver esto? Si la carta que había encontrado en Las Maras había sido escrita hacía quince años, el mensaje en el microfilm probablemente llevaría allí el mismo tiempo, especulé. ¿Era posible que nadie hubiera consultado esa edición en una década y media? No había forma de saberlo a ciencia cierta, porque en la biblioteca sólo se registraban los accesos al archivo en microfilm, pero no los carretes consultados. Sin embargo, no me hubiera extrañado: yo mismo de vez en cuando desenrollaba un carrete con la punta de la cinta sin el pliegue característico de haber pasado por el proyector al menos una vez.

Copié el mensaje en una hoja de papel y luego quité el carrete del proyector. Vi en el microfilm un cuadrado minúsculo pegado con cinta adhesiva transparente. Con cuidado, lo retiré y volví a unir las páginas seis y siete de El Orden para que ya nadie más se topara, de casualidad o no, con el mensaje de NN.

Mirando a trasluz el pequeño cuadrado de cinta, intenté imaginar qué habría hecho alguien que —leyendo o no sobre el caso de Fabiana Orquera— hubiese dado con el mensaje de NN antes que yo. Probablemente avisar al personal de la biblioteca, quienes lo quitarían de inmediato. Pero sabiendo lo que yo sabía después de leer la carta de NN, el mensaje entre las páginas seis y siete apuntaba a la verdad sobre lo que había sucedido con Fabiana Orquera.

El cuadradito de plástico giraba ahora entre los dedos de mi mano. Mirándolo, me pregunté por qué NN daba tantas vueltas. Era como si desde su tumba —si es que sus predicciones se habían cumplido y había muerto poco después de escribir la carta y el mensaje que tenía en mi mano— se riera de mí, haciéndome jugar al gato y al ratón. Yo podía entender que, en la víspera de su propia muerte, un asesino decidiera confesar un crimen perfecto, probablemente más por orgullo que por arrepentimiento. Pero, ¿por qué de esa manera, dejando una pista tras otra?

Miré a trasluz el cuadradito una vez más. Faltara cuanto faltara para llegar al final, ahora estaba un paso más cerca.

23 — VIDRIOS ROTOS

Detuve el Uno en una de las esquinas del pueblo que mejor conocía. Miré el reloj en mi teléfono. Las nueve de la mañana. Me bajé y observé el enorme edificio de ladrillos rojos, que ocupaba media manzana. Había pasado diecisiete años de mi vida dentro de él: siete como estudiante y diez como maestro.

Tan pronto como giré sobre mis talones y crucé la calle, sonreí. Todavía me quedaba un mes para volver a las aulas.

La chilena Edith Godoy vivía en la esquina opuesta al colegio en una casa de chapa ondulada que, a juzgar por las partes en que la pintura todavía resistía el viento y el salitre, había sido verde. Golpeé tres veces una puerta fuera de escuadra y la abrió una mujer de pelo blanco y ceño repleto de surcos.

—Buenas tardes.

—Buenas tardes, doña Edith.

Era raro no verla empujando aserrín por los pasillos de la escuela con el escobillón gigante. O tomando mate en la cocina, siempre con una mano en el bolsillo del guardapolvo azul.

—Soy Nahuel Donaire. ¿Se acuerda de mí? Yo iba al colegio cuando usted era portera —dije, señalando al otro lado de la calle—. Ahora trabajo ahí mismo, de maestro.

—¡Ni a un maestro, ni al mismísimo director! —protestó la ex portera.

—¿De qué habla, doña Edith?

—¡A nadie! No le pienso devolver una sola pelota a nadie hasta que el colegio me pague lo que me costó el vidrio.

El único vestigio del otro lado de los Andes en su forma de hablar era la manera de morderse el labio inferior al pronunciar "vidrio".

No pude evitar dejar escapar una risita, y la mujer me miró desconcertada.

—No venía a pedirle ninguna pelota, pero ya que estamos, si quiere puedo hablar con el director apenas empecemos las clases para recordarle lo de su vidrio.

—Hace cuarenta y cinco años que vivo en esta casa. Desde que llegué de Coyhaique. Cuarenta y cinco años devolviendo cada una de las pelotas que vienen a parar a mi patio. Cuando trabajaba en la escuela, siempre que me rompían un vidrio, me lo pagaban al mes siguiente. Pero ahora que me jubilé, llevo seis meses andándoles atrás.

—¿Por qué no hacemos una cosa? —dije, sacando mi billetera e intentando sonreír—. ¿Tiene la factura? Tráigamela y le pago el vidrio. Ya me encargaré yo de cobrarle al colegio.

No me resultó fácil, por el sueldo magro de mi profesión y por mi creencia religiosa: Devoto de la Virgen del Puño Cerrado. Pero al menos la estrategia dio resultado y, cinco minutos y un pedacito del aguinaldo más tarde, había logrado arrancarle una sonrisa a la mujer.

—¿Y a qué venías si no era por lo del vidrio? —preguntó Edith con tono amable mientras se guardaba los billetes en el bolsillo de su delantal.

—Quisiera hablarle de una vieja amiga suya. Fabiana Orquera.

Al oír ese nombre, se esfumó todo rastro de la sonrisa que le acababa de comprar.

24 — POR FABIANA ORQUERA

El día anterior, en la biblioteca, había encontrado una noticia de El Orden que reportaba que, a un mes de la desaparición de Fabiana, no había novedades del caso. Casi al pasar, el artículo mencionaba que la desaparecida no contaba con familia en Puerto Deseado y que el contacto más cercano era Edith Godoy, la mujer que le alquilaba una habitación en la misma casa en la que yo, treinta años más tarde, acababa de golpear la puerta.

Edith Godoy me invitó a entrar. El viento que se coló junto a nosotros hizo temblar la llama azul y amarilla de la cocina a gas. Junto a la ventana había una mesa cuadrada y diminuta con una silla de madera a cada lado. Ella se sentó en la que tenía el barniz más gastado y me señaló la otra con la mano abierta.

—Yo no tuve nada que ver —me dijo sin preámbulos.

La miré extrañado, sin saber cómo reaccionar. Abrí la boca para decir algo, pero no hizo falta.

—Yo te conozco. Compro el diario todos los sábados y de vez en cuando leo alguna columna tuya. ¿Sabés cuál fue la que más me gustó?

—¿La del póquer? —arriesgué.

—La del póquer —confirmó Edith—. Y si el tipo que destapó esa olla viene preguntando por una mujer que desapareció y de la que nunca más se supo nada, no es difícil imaginar por dónde van los tiros. Pero te aviso que a mí me podés investigar todo lo que quieras. Yo tengo la conciencia tranquila.

—Señora Edith, creo que usted malinterpreta mi visita. Sólo quiero pedirle un poco de ayuda.

—¿Ayuda?

—Fabiana vivió con usted en esta casa hasta el día en que desapareció, ¿no?

La mujer asintió y, apoyando las manos sobre la mesa, se levantó de la silla. Pasó caminando junto a mí y puso a calentar agua sobre la llama de la cocina a gas.

—Desde que llegó de Entre Ríos hasta el día en que desapareció, Fabiana vivió acá. ¿Té?

—Sí, gracias. ¿Cuándo la conoció?

—El día que llegó a Deseado. Yo vivía sola en esta casa desde que me había separado de mi marido, hacía dos o tres años. Hoy por hoy eso se dice fácil, pero en aquella época era toda una deshonra.

—Me imagino —dije, por decir algo.

—Trabajando de portera en la escuela tenía que hacer malabares para pagar la cuota de la casa y llegar a fin de mes —dijo la mujer trayendo a la mesa tazas, agua y saquitos de té—. Así que decidí poner un anuncio buscando señorita para compartir casa. En aquella época los avisos en El Orden eran carísimos y, como te imaginarás, no había Internet. Así que pegué una nota en la cartelera del club Deseado Juniors y a los dos días Fabiana me estaba golpeando la puerta.

—¿Y cómo era ella?

—Tenía un cuerpo menudo y no era muy alta, pero la cara era la de una muñeca: las pestañas más largas que vi en mi vida.

—¿Y de personalidad? ¿Era conversadora?

—Mirá, el día que llegó, habló lo justo. Me dijo que venía de Entre Ríos a buscar trabajo. Cuando le pregunté por qué a Puerto Deseado se encogió de hombros y me ofreció una sonrisa extraña, a la que me llevó tiempo acostumbrarme.

La chilena levantó su taza para llevársela a la boca, pero se detuvo a mitad de camino. Volvió a apoyarla en la mesa y se quedó mirando al vacío. En su cara había una expresión a mitad de camino entre la nostalgia y el espanto.

—¿Le pasa algo? —pregunté.

La mujer negó con la cabeza.

—No, nada. Es solo que hacía muchos años que no recordaba la sonrisa de Fabiana. Entornaba un poco los ojos y sonreía sin despegar los labios. Entonces te dabas cuenta de que te estaba clavando la vista. Era como si la boca y los ojos tuvieran estados de ánimo completamente distintos.

Después de tomar un trago de té, la mujer continuó.

—Boca sonriente y ojos amenazantes. Una expresión difícil de descifrar. Pero bueno, tratándose de Fabiana tampoco era algo tan raro.

—¿Qué quiere decir?

—Era una mujer muy poco transparente —dijo—. No hablaba de su vida. Ni de su pasado en Entre Ríos ni de lo que hacía cuando no estaba en casa. Yo, por ejemplo, me enteré del romance con Báez por una noticia que publicó El Orden cuando llevaba dos o tres semanas desaparecida.

—¿Nunca le contó nada de eso?

—Nada. Y eso que yo era lo más parecido a una amiga que tenía esa chica. Hasta le conseguí trabajo de portera en la escuela.

—¿Ni tampoco le habló nunca de su familia en Entre Ríos?

—Jamás.

—¿Pero no tenían confianza? ¿Viviendo y trabajando juntas no se hicieron compinches?

—Nos llevábamos bien, pero vivir con Fabiana era vivir con una extraña. Amable, pagadora y harto inteligente, pero extraña al fin. Es una sensación rara la de compartir tanto tiempo con alguien y llegar a conocerlo tan poco. Me parece que no te voy a poder ayudar mucho.

—Por poco que sea, cuénteme lo que se acuerde. Usted es la única persona a la que le puedo preguntar sobre Fabiana Orquera.

La mujer me hizo una seña con la mano para que esperara. Se levantó de su silla y se metió, con paso ágil, en el interior de la casa a través de un pasillo. Cuando volvió, puso sobre la mesa una caja de madera algo más grande que una de zapatos. Tenía una cerradura de metal reventada a golpes.

—Esto es lo único importante que sé de Fabiana —dijo, invitándome a abrir la caja.

Dentro encontré una pila de partituras del grosor de un libro. Estimé que habría unas cincuenta, muchas de ellas escritas a lápiz sobre papel pentagramado.

—¿Fabiana Orquera tocaba algún instrumento? —pregunté.

—Sí, la guitarra. Siempre encerrada en su habitación, por supuesto. Pero eso no es lo importante. ¿Qué dice acá? —me preguntó, señalando el principio de una de las partituras.

—Hacia el sur. Por Fabiana Orquera —leí.

Fabiana Orquera no sólo sabía leer notas sobre un pentagrama, lo que ya la ponía muy por encima de la mayoría de los guitarristas, sino que además era capaz de escribir su propia música.

—Esta canción es preciosa —agregó con nostalgia la mujer, tomando el papel entre sus manos.

—¿Usted también sabe leer música?

—No, pero sé escucharla. Un día, varios meses después de la

desaparición, le llevé esta partitura al profesor de música del colegio. Le pedí si me la podía tocar.

Edith Godoy cerró los ojos e inspiró despacio.

—Era un blues lento y triste —dijo sin abrirlos—. Todavía tengo la melodía grabada en la cabeza.

—¿Y éstas? ¿También le gustaron? —quise saber, refiriéndome al resto de las partituras que yo sujetaba en mis manos.

—No lo sé. Al oír esa música sentí que la estaba traicionando. Pensé que si ella hubiera querido que yo la escuchara, alguna vez habría tocado algo frente a mí.

—¿O sea que usted nunca la vio tocar la guitarra?

—Nunca. Me cansé de elogiarla cuando salía de practicar de su habitación, pero jamás tocó nada para mí. Todo lo que oí fue a través de una puerta.

La mujer dio un largo sorbo a su té.

—A excepción del maestro de música que me tocó esta canción, nunca le enseñé el contenido de esta caja a nadie —dijo, mirándome a los ojos.

—¿Ni a la policía?

—¡Menos!

—Pero habrán venido por acá, ¿no?

—Claro que vinieron. Unos días después de la desaparición aparecieron a registrar la casa. Se llevaron todo lo que había en la habitación de Fabiana. Ropa. Maquillaje. La guitarra. Todo.

—Menos la caja.

—Menos la caja. Yo había revisado su cuarto unos días antes de que vinieran y la descubrí en el ropero, debajo de un montón de ropa doblada. Estaba cerrada, y al moverla me di cuenta de que tenía papeles. Supuse que serían muy importantes para Fabiana para guardarlos de esa manera.

Dio otro sorbo a su té y cuando volvió a hablar lo hizo con culpa.

—Por más que busqué —dijo—, fui incapaz de dar con la llave, así que hice saltar la cerradura a martillazos. Fue para intentar encontrar alguna pista. Para ayudarla. Pero sólo encontré estas partituras.

La caja de madera estaba en el centro de la mesa. La mujer la empujó lentamente hasta dejarla junto a mí.

—Si vas a escribir sobre ella, hacele justicia. Mostrala como la persona que en realidad fue. Una mujer brillante que nadie, ni el mismo Báez creo yo, llegó a conocer del todo.

—Muchísimas gracias por confiarme esto —dije, metiendo las partituras en la caja.

Edith Godoy hizo un gesto con la mano, como restándole importancia a mis palabras. Contempló la partitura de la única canción de Fabiana Orquera que había escuchado y la metió en la caja con las otras. Luego se levantó de su silla y, con la mirada, me hizo entender que ya no tenía más para decirme. Me dio un beso en la mejilla para despedirme y puso una mano sobre el picaporte de la puerta por la que habíamos entrado a la casa.

—¿Puedo hacerle una pregunta más? —dije antes de que la abriera.

—Por supuesto.

—¿Usted qué cree que pasó con Fabiana?

—Yo creo que la mató Báez —respondió la mujer instantáneamente.

Como casi todo el pueblo, pensé.

—¿A pesar de que en un juicio se lo encontrara inocente?

—Esas cosas, este tipo de gente las puede arreglar.

—¿Este tipo de gente?

—Andaba metido en política, era abogado y tenía buenos contactos en la provincia y en Buenos Aires. Eso lo sabía todo el mundo. Hasta dicen que era íntimo amigo del jefe máximo de la Policía Federal. ¿Me vas a decir que eso no ayuda?

No supe qué decir.

—Además, ¿vos sabés cómo y cuándo murió ese hombre?

—Se ahorcó en el mismo lugar donde desapareció Fabiana, exactamente quince años después —dije.

—¿Y eso a vos no te huele raro?

—A mí me huele a tristeza —dije.

—A mí, a arrepentimiento —dijo la mujer, y me abrió la puerta.

25 — BÁEZ HIJO

Mi sueño recurrente durante toda la secundaria fue acostarme con Carmencita Ibáñez. Era una obsesión. De hecho, en un baile de la primavera en el salón del Club Ferro, simulé un tropezón para tocarle las tetas que me costó un tortazo en toda la cara.

Años más tarde, cuando volví al pueblo después de estudiar tres años en Comodoro, la vida me dio una oportunidad. Una historia con poco glamour, a decir verdad. Borrachos los dos a la salida de Jackaroe, la discoteca del pueblo, la invité a desayunar a mi casa y aceptó.

Seis años después de la única noche que pasamos juntos, Carmencita Ibáñez levantó la vista al verme entrar en la oficina de la calle Oneto.

—Buenas tardes —me saludó, profesional.

Imposible hallar en esas dos palabras rastro alguno de la cachetada con la que me dio media vuelta la cara, ni mucho menos de la noche de la culminación y muerte de mi fantasía adolescente. Ahora, cada uno jugaba un papel diferente.

—¿Cómo estás? —dije—. Necesitaría hablar con Báez.

—¿Tenés cita con el doctor?

—No.

—Puedo darte una si querés. Pero no hay nada disponible hasta dentro de dos semanas.

—No vengo a verlo como abogado. Estoy escribiendo una columna para el diario y me gustaría entrevistarlo.

—¿Y sobre qué sería la entrevista?

—Sobre su padre.

Carmencita me señaló una de las dos sillas que había en la recepción. Luego levantó el teléfono y me anunció en voz baja. Al colgar, se concentró en la pantalla de su computadora sin decirme nada.

Me senté a esperar al abogado como lo habían hecho miles durante las tres generaciones que el estudio jurídico llevaba en manos de los Báez. De hecho, el despacho estaba en una de las casas más antiguas del pueblo: techos altos, suelo de madera y fachada de piedra tallada por los mismos picapedreros yugoslavos que habían construido la estación de ferrocarril a principios del siglo veinte.

A los cinco minutos se abrió una de las puertas que daban a la recepción y la figura gorda de Sergio Báez se movió como una gelatina al sacudir la mano de un hombre boliviano bajito, que se fue con una carpeta marrón bajo el brazo.

—Pasá, Nahuel —dijo Báez.

Cerró la puerta de su oficina tras de mí y se dejó caer en una silla giratoria de respaldo tan alto que le sobrepasaba la cabeza.

—¿En qué te puedo ayudar? —dijo, tamborileando una vez los dedos sobre su escritorio de madera, vacío excepto por un bloc de papel y una lapicera.

—No sé si sabés que tengo una columna en El Orden —dije, sentándome al otro lado del escritorio.

—Todo el mundo lo sabe —rió—. Sobre todo desde que escribiste lo de la plaza y el póquer. Deseado entero habló sobre "La plaza de los otros juegos". De hecho, todavía hablan. ¿Te asesoraste legalmente con alguien para escribir eso?

—No.

El abogado levantó las cejas.

—Estuviste a punto de comerte un juicio, ¿sabías? Lo hiciste muy bien, la verdad. Si hubieras puesto un par de datos más, hoy estarías metido en un despelote importante.

Sonreí.

—Te vengo a ver porque estoy trabajando en una columna nueva y me gustaría hacerte unas preguntas.

—¿Y sobre qué estás escribiendo esta vez?

—Sobre Fabiana Orquera.

El hijo de Raúl Báez me miró sin parpadear.

—Ésa es una historia muy vieja, ¿no te parece? —dijo.

—Bastante. Veintinueve años y diez meses.

—¿Y por qué te interesa escribir sobre eso después de tanto tiempo?

—Justamente porque lleva casi tres décadas sin resolverse. Es un caso fascinante.

—Fascinante —murmuró el abogado, más para él que para mí.

Antes de volver a hablar, se rascó el cuello y deslizó el dedo índice hasta el nudo de la corbata, para aflojarlo.

—Te voy a explicar algo, Nahuel. La desaparición de esa mujer fue la tragedia más grande que sufrió mi familia. Mi madre se enteró al mismo tiempo de dos cosas: que los cuernos no le cabían por la puerta y que su marido estaba acusado de asesinato. ¿Vos tenés idea del desastre que causa algo así en una familia?

—Me imagino.

—No creo que puedas —dijo con una sonrisa cáustica—. Mejor te lo explico. Mi vieja echó a mi viejo de casa y entró en una depresión hasta terminar sin salir ni para ir a comprar. Mi papá sobrevivió un tiempo más. Siguió con este estudio y hasta fundó su propio partido político cuando no lo aceptaron como candidato en el suyo de toda la vida. Pero al perder su tercera elección quedó a la deriva. Empezó a descuidar el laburo y a desayunar whisky. Terminó hecho un borrachín mugriento y se colgó, exactamente quince años después, en el mismo lugar donde desapareció esa chica. ¿Te sigue pareciendo que te lo podés imaginar?

Fui incapaz de decir nada.

—Nahuel, yo tenía catorce años cuando pasó esto. Treinta años después, todavía sigue habiendo gente en el pueblo que cree que mi papá mató a esa chica. ¿Vos sabés todo el daño que nos podés causar a mí y a mi familia si avivás todo eso con lo que escribas en tu columna?

—Yo no pretendo hacer daño. Al contrario.

—¿Al contrario? Después del revuelo que armaste con lo de la mesa de póquer, disculpame pero no te creo. Los hijos de ese concejal ahora van a tener que cargar con el estigma de un padre corrupto toda la vida. Vos sabés cómo van estas cosas en el pueblo. De acá a cincuenta años todavía habrá alguien que, sin tener la más puta idea de si es verdad o no, les recuerde a esos pibes que su viejo se jugó una plaza pública a las cartas.

Sergio Báez hizo una pausa para tomar aire.

—Vos sabés muy bien que, como en todos los pueblos, en Deseado la imagen pública es importantísima. Todos tenemos una. Vos, yo, todos. Y la de los hijos del concejal la hiciste mierda con lo que publicaste.

—Pero si todos pensaran así, no habría periodistas. Alguien tiene que decir la verdad.

—¿La verdad? —rugió Sergio Báez— ¿O sea que lo que escribiste vos en El Orden es la verdad? ¿Estuviste ahí esa noche, jugando al póquer con ellos?

—Claro que no. Pero si leíste la columna, sabrás que presenté suficiente evidencia. Los números de registro...

—¿Evidencia? La evidencia es algo completamente sujeto a interpretación. Te lo dice un abogado, Nahuel.

—Pero...

—Mirá. Vos tenés todo el derecho a publicar lo que quieras, sobre quien quieras. Incluso sobre mi viejo. Pero dejame darte un consejo profesional. Aunque ya no se consideren delito penal, una demanda por calumnias e injurias te puede hacer un agujero así de grande.

El abogado acompañó las últimas palabras abriendo sus manos como si sostuviera una pelota de fútbol.

—Sergio. Me estás malinterpretando. Yo, de hecho, creo que tu padre no tuvo nada que ver.

Báez hijo consideró mis palabras por un instante. Luego me miró a los ojos y golpeó con el puño cerrado la mesa que nos separaba. El bloc, la lapicera y yo dimos un pequeño salto.

—Por supuesto que no tuvo nada que ver. Quedó demostrado en un juicio oral y público. Además, están las cartas...

Se paró en seco.

—¿Qué cartas?

—Escuchame bien. Opinar de lo que se te antoje en tu columnita del diario es una cosa. Venir a hablarme a mí de la inocencia de mi viejo es bastante distinto.

—¿Qué cartas? —insistí.

Ignorando por completo mi pregunta, levantó el teléfono y marcó un solo dígito.

—Carmen, hacé pasar al siguiente —dijo en el auricular.

26 — EN SILENCIO

El día siguiente lo pasé en casa de mis padres. Tal como ya había dicho mi mamá en su llamada telefónica, mi papá cocinó tallarines caseros. También probamos el jamón que me había dado Carlucho y, aunque yo lo encontré un poco salado, a mis viejos pareció gustarles.

Para cuando me largaron, después de cenar, ya llevaba oscuro más de una hora. Serían las doce de la noche.

A la mañana siguiente, temprano, pasaría a buscar a Nina por su hotel para volvernos a Las Maras, así que entré a mi casa con intención de irme directamente a la cama. Sin embargo, al cerrar la puerta tras de mí me invadió una sensación extraña, como si algo en la casa estuviera fuera de lugar. Recorrí con la vista el comedor hasta que reparé en los arañazos que Bongo había ido dejando durante toda su vida en la parte baja de la puerta.

Entonces caí. Por primera vez desde que vivíamos en esa casa, Bongo no había ladrado desde el patio al oírme entrar.

Me asomé a la pequeña ventana de la cocina y en la penumbra distinguí la silueta de Bongo recortada contra el suelo. Al verme, hizo un intento de incorporarse, pero se desplomó al instante con un quejido agudo.

Encendí la luz del patio y salí por la puerta trasera. No recuerdo si vi primero sus ojos brillantes, de pupilas contraídas al máximo, o el charco marrón sobre el que apoyaba la cola inmóvil.

—Bongo, Bonguito querido, ¿qué te pasa? —le dije, poniéndome en cuclillas junto a él y acariciándole la cabeza.

Por toda respuesta, mi perro soltó un sollozo largo que me apretó un nudo en la garganta. Intenté moverlo para sacarlo del charco de su propio excremento, pero cuando le puse una mano en la panza, me mostró los colmillos por primera vez en su vida, soltando un gruñido grave. El mismo gruñido rabioso que le había oído el día que me defendió del puma.

—Está bien, está bien —le dije, volviendo a acariciar su cabeza—. Quería moverte un poco para...

Entonces Bongo tosió echando una gran cantidad de espuma por la boca y se sacudió en el suelo como si tuviera un ataque de epilepsia.

27 — CARBODÁN

—Lo envenenaron —dijo Rolando llenando la jeringa de un líquido transparente.

El hombre había llegado a casa diez minutos después de recibir mi llamada. Era el veterinario de Bongo desde que hubo que darle la primera vacuna. El mismo al que mi papá y yo habíamos acudido cuando el puma le destrozó la cara y el hombro.

—¿Envenenarlo? ¿Por qué?

—¿Mordió a alguien últimamente?

—Que yo sepa, no.

—Entonces no sé —dijo, encogiéndose de hombros—. Generalmente los envenenan cuando atacan a alguien o cuando ladran mucho y molestan a los vecinos.

Vecinos, imposible. El patio donde siempre estaba Bongo limitaba con un terreno baldío y un [illegible] de [illegible]. No, no había sido contra mi perro, sino contra mí. Pensé a cuánta gente había disgustado con mis columnas en El Orden, especialmente con la famosa "Plaza de los otros juegos". Mis ladridos sí que molestaban a muchos.

—Sostenele la cabeza.

Hice lo que Rolando me pidió y él inyectó el líquido transparente en la pata trasera de Bongo.

—Ahora hay que esperar un poco —dijo, hurgando en su maletín hasta encontrar un estetoscopio.

—¿Se va a morir?

Sin responderme, auscultó a Bongo.

—Rolando, ¿se va a morir?

Colgándose el estetoscopio alrededor del cuello, Rolando se apartó de mi perro y me miró a los ojos.

—No sé. Hay que esperar un poco.

—¿Cómo que no sabés? Vos tenés que poder hacer algo. Si lo salvaste cuando casi lo mata el puma, tenés que poder salvarlo ahora también.

—¿Te acordás de lo que te dije ese día, cuando me preguntaste si se iba a morir?

—Que ibas a hacer lo que pudieras para que no. Y que había un veinticinco por ciento de probabilidad de que sobreviviera.

Rolando asintió.

—Esta vez sería casi un milagro, Nahuel. Tenemos que esperar.

Intentando no desesperarme, busqué hacer algo para que el tiempo pasara más rápido. Llamé por teléfono a Nina y le expliqué la situación. Le dije que debíamos posponer nuestra vuelta a Las Maras hasta saber exactamente qué pasaría con Bongo. Ella se mostró comprensiva y me dijo que esperaría todo el tiempo que fuera necesario.

—¿Con qué lo envenenaron? —pregunté a Rolando cuando corté.

—Carbodán. Seguro que es Carbodán. Tiene diarrea, miosis, convulsiones…

Se detuvo en seco, como arrepintiéndose de haber dicho demasiado.

—Es un insecticida en realidad, pero lo usan mucho los ganaderos para matar zorros.

—¿O sea que el que hizo esto tiene algo que ver con el campo?

—No necesariamente. Podés comprar Carbodán en cualquier depósito rural.

—¿Y cuándo lo envenenaron?

—En algún momento de las últimas cuatro horas. El tiempo exacto depende de la dosis. Aunque lo más probable es que le hayan tirado la carne envenenada cuando se hizo de noche, para que nadie los viera.

Calculé entonces que habría sido hacía menos de dos horas.

En ese momento, el cuerpo de Bongo se sacudió en un espasmo violento. Luego soltó un sollozo agudo y se quedó inmóvil.

Rolando se apresuró a ponerse el estetoscopio y auscultó el pecho de mi perro varias veces. Luego se giró para mirarme y supe que no iba a darme buenas noticias.

Para cuando habló, mi primera lágrima en mucho tiempo ya rodaba mejilla abajo.

—Falleció —dijo, y me dio un abrazo.

28 — INSOMNIO

Con cada vuelta en la cama, la imagen de Bongo gruñendo mientras yo le sostenía la cabeza y Rolando le aplicaba una inyección en el anca volvía a repetirse. Otra vuelta más, enredado en las sábanas con los ojos como platos, y Rolando se había ido. Otra vuelta. Yo ahora envolvía el cuerpo de mi perro con su manta preferida, sobre la que había dormido toda la vida.

Harto de girar como un trompo, me levanté y fui al comedor. De mi pequeña colección de vinos elegí un Malbec y me volví a la cama con la botella, un sacacorchos y una copa.

Prendí la tele y puse Discovery.

No sé cuántos documentales habré visto, pero para cuando se me empezaron a cerrar los ojos, al Malbec le quedaba menos de un cuarto y en la televisión un tipo con anteojos hablaba de huellas digitales.

Manoteé el control remoto de la mesita de luz. Iba a apagar la tele cuando oí que el hombre mencionaba una carta vieja. Los ojos se me abrieron un poquito.

El tipo de anteojos sostenía un papel en la mano, y a su espalda se veían microscopios, gente en guardapolvo y varias pantallas encendidas. Según contaba, el papel era exactamente del mismo tipo que el que un excéntrico conde inglés llamado Ian Callaway se hacía traer de Suecia a su casa en Londres. Contaba el hombre en la pantalla que cincuenta años después de la muerte del conde, una familia adinerada había comprado su residencia y, durante las obras para cambiar el suelo de la sala de estar, habían encontrado una caja fuerte oculta debajo de una baldosa. Dentro había algunas libras esterlinas y documentos. Uno de ellos era un sobre con el nombre del conde en el remitente.

Los nuevos dueños de la casa decidieron no abrirlo, sino ubicar al destinatario para entregarle la carta que el conde no había llegado a enviar antes de su muerte repentina, de un ataque al corazón. Y aunque pronto se enteraron de que el destinatario también llevaba muerto un buen tiempo, consiguieron entregar la carta a uno de sus hijos después de casi cincuenta años de haber sido escrita.

Resultó que en la misiva el conde afirmaba a uno de sus acreedores que pagaría su deuda cediéndole tres casas a las afueras de Manchester. Basándose en esa prueba escrita, el hijo del acreedor inició acciones legales en contra de la familia del conde reclamando esas propiedades.

Perdió el juicio y no logró nada, comentaba el hombre de anteojos con una sonrisa. Luego aclaraba con un dedo en alto que eso era un detalle menor, pues lo interesante de aquel caso era que la policía británica, cincuenta años después de que se escribiera la carta, había sido capaz de identificar la huella digital del conde en el papel. La poca rugosidad de éste y el hecho de que hubiera estado dentro de un sobre durante todo el tiempo, explicaba el hombre de anteojos, habían hecho posible revelar una huella digital de más de medio siglo de antigüedad.

Medio borracho y medio dormido, me pregunté si habría huellas digitales en la carta de NN. Ésta también había sido escrita en papel poco rugoso y había permanecido en un sobre durante todo el tiempo. Además, en este caso no habían pasado cincuenta años sino quince. Solamente quince años, pensé, y me reí solo.

Me levanté de la cama y busqué en la cocina unas tijeras y dos bolsas de plástico de esas para congelar comida. Saqué de mi mochila el sobre con la carta de NN. Intentando no manosear mucho el papel, releí la carta, que ocupaba la mitad de la página de papel fino. La corté separando la parte escrita de la que quedaba en blanco. Puse esta última en una de las bolsas de plástico y metí el sobre vacío en la otra.

El Cabezón Ferreira no sería el científico de lentes que hablaba en la tele, pero a lo mejor me podría ayudar.

29 — AMENAZA

Al otro día me desperté con la garganta seca. Cuando abrí la puerta de la habitación para salir al comedor, el aire helado me golpeó la cara. La noche anterior había entrado el cuerpo de Bongo al comedor y apagado la calefacción para que no empezara a descomponerse.

Bostecé y sentí un ligero dolor de cabeza. Vi en mi teléfono que eran las diez de la mañana y que tenía un mensaje. Era de Nina, respondiendo al que yo le había mandado poco después de hablar con ella, para contarle que Bongo había fallecido y pedirle que saliéramos ese mismo día para Las Maras. Me decía que, si me quedaba bien, la pasara a buscar a las tres de la tarde.

Recién después de poner a calentar agua para el mate tuve valor para dirigir la mirada al bulto envuelto en la manta —llena de pelos, como había estado siempre— junto a la puerta. Pensé en cómo cambiaría la casa sin él. Para empezar, ya no más ladridos que se adelantaran al timbre. Posé la mirada, casi involuntariamente, en los arañazos grabados en la madera de la puerta.

Entonces reparé en el chorizo de tela relleno de arena que me había cosido mi vieja para frenar un poco el viento que se metía por debajo de la puerta. Debajo de éste asomaba la esquina blanca de un papel.

Lo recogí. Era una hoja A4 doblada a la mitad. De un lado tenía sólo las palabras *Señor Donaire* escritas en azul. Del otro, con la misma letra mayúscula y dispar, había una pequeña nota.

Cuando uno se la pasa revolviendo mierda, es inevitable salpicarse. El pueblo eligió a su culpable hace treinta años, aunque un juez lo declarara inocente. Déjelo así. Por su bien y el de los suyos.

PD: Una lástima, era un perro precioso.

Se confirmaban mis sospechas: a Bongo lo habían matado por venganza. Por culpa mía, pero no por el artículo de la plaza como yo creía. No habían envenenado a mi perro por lo que yo había escrito, sino por lo que iba a escribir.

El pueblo eligió a su culpable hace treinta años, aunque un juez lo declarara inocente.

Raúl Báez.

Quien fuera que había matado a Bongo, lo había hecho para evitar que saliera a la luz la verdad sobre Fabiana Orquera. Mantener el *status quo*, que le dicen en latín. *No rompas los huevos*, en criollo.

Arrugué la carta en mi mano y le pegué un puñetazo a la puerta con toda mi fuerza. Uno de mis nudillos hizo *crac*. Agarrándome con la sana la mano dolorida, me dejé caer en el sofá.

Hice un recuento de quiénes estaban al tanto de mi investigación. Los Nievas y Pablo, a ochenta kilómetros y sin señal de teléfono, no contaban. Quedaban entonces Edith Godoy, Sergio Báez, mis viejos y la directora de la biblioteca. Demasiados, pensé. Bastaba con que uno de los cinco lo comentara con un pariente. Entonces éste se lo diría a un amigo, y aquél al vecino.

A esta altura, cualquiera en Puerto Deseado podría haber oído dónde estaba metiendo las narices el pesado de Nahuel Donaire. Y, evidentemente, a alguien no le había gustado.

Pero ¿a quién? Pensé en cómo había reaccionado Sergio Báez cuando le saqué el tema de Fabiana Orquera. Quizás tenía miedo de que yo encontrara algo que incriminase a su padre. Después de todo, él no había leído la carta de NN que dejaba a Raúl Báez fuera de toda sospecha. Así y todo, una cosa era que Sergio hubiera reaccionado mal a mis preguntas y otra muy diferente que envenenara a mi perro para enviar un mensaje mafioso. Me costaba creerlo, la verdad.

Consideré a quién más podía molestarle que se supiera la verdad. A NN, el verdadero asesino dispuesto a confesar el crimen por escrito, desde luego que no. Pero ¿y un pariente? O quizás un amigo. Alguien cercano que, ignorando que NN deseaba confesar el asesinato, quisiera mantener intacta la memoria de su ser querido o de su familia. Después de todo, como me había dicho Sergio Báez hacía dos días, en un pueblo como Puerto Deseado todos teníamos una imagen pública que cuidar.

La idea me convencía. Era probable que alguien allegado a NN hubiera asesinado a mi perro. Al fin y al cabo, no era la primera vez que me amenazaban por algo que yo escribía. Pero esta vez habían ido demasiado lejos. Y cuando me enterara de quién había sido, no me iba a limitar a escracharlo públicamente en mi columna de El Orden.

Me levanté del sofá de un respingo y, con la vista fija en el bulto en el que se había transformado Bongo, apreté con la mano dolorida aquel mensaje. Estaba decidido a llegar al fondo de todo aquello y descubrir la relación entre el asesino de Fabiana Orquera y el de mi perro.

—Con vos es personal, hijo de mil putas —murmuré, pensando en el segundo.

En ese momento, alguien golpeó la puerta. Al abrirla, Sergio Báez se metió en mi casa.

30 — SERGIO, VAMOS A CHARLAR UN RATO

Llevaba el mismo traje y corbata que dos días atrás, aunque ahora con una camisa de color más oscuro. En una de sus manos sostenía un maletín de cuero negro.

—Te tengo que pedir disculpas.

—¿A qué te referís?

Me miró extrañado. Como si no entendiera la pregunta.

—A cómo te traté anteayer.

—Ah... eso. No te preocupes. No tendría que haberme presentado así en tu oficina.

—¿Me puedo sentar?

—Claro, adelante. ¿Te puedo ofrecer algo para tomar? Tengo mate, té, café y coñac del malo.

—Coñac.

Del único armario que había en el comedor, saqué dos vasos y una botella a la que le quedaba un poco menos de la mitad. Serví dándole la espalda a Sergio Báez. Cuando me giré con un vaso en cada mano, el abogado tenía la mirada clavada en la manta que envolvía el cuerpo de Bongo.

—¿Y eso?

—Es mi perro. Lo envenenaron anoche.

Báez arqueó las cejas.

—¿Y tenés idea de por qué?

—Una amenaza por lo que estoy escribiendo.

—¿Lo de mi viejo?

Analicé a Báez por un segundo sin poder decidir si sus preguntas eran sinceras o no.

—Sí, por lo de Fabiana Orquera. Pero no me pienso amedrentar. Al contrario, cuando encuentre al que hizo esto no solo lo voy a escrachar por escrito sino que lo voy a colgar de las pelotas.

—Si querés puedo volver en otro momento.

Negué y hubo un silencio incómodo en el que Sergio Báez le pegó un trago al coñac. Por el gesto que hizo, supe que había probado mejores.

—¿Qué te hace pensar que mi viejo no tuvo nada que ver?

Noté una cierta complacencia en su pregunta. Como si me agradeciera por estar del lado de su padre.

—No lo sé. Es un presentimiento —mentí, para no tener que mencionar la carta de NN.

—Es obvio que no puedo ser objetivo porque era mi viejo, pero yo también estoy seguro de que era inocente.

—¿Hablaste con él del tema alguna vez?

—Una sola vez. El día que cumplí dieciocho años me vino a buscar a casa temprano para llevarme a pescar a Bahía Uruguay.

—¿Estaba separado de tu madre?

El abogado asintió.

—Mi vieja lo echó de casa cuando se enteró de todo y no lo perdonó nunca más. Le retiró los embajadores, como decía ella. Ni siquiera fue al juicio.

Después del segundo trago, hizo otra mueca. Yo probé el mío y no me pareció tan malo.

—La cosa es que cuando cumplí dieciocho el viejo me vino a buscar y fuimos a pescar. Me acuerdo hasta de la carnada que usamos ese día. Calamar. Cuando los dos tuvimos nuestras líneas en el agua, se sentó en las piedras al lado mío y me dijo "Sergio, vamos a charlar un rato".

Otro trago al coñac y una sonrisa nostálgica.

—Fue un rato de cuatro horas. Hablamos de todo. De sexo, de formar una familia, del futuro. Hasta ese día, ni siquiera me había planteado qué opinión tendría mi padre sobre todas esas cosas.

—¿Y del pasado? ¿De Fabiana Orquera?

—Ese tema lo saqué yo. No te creas que me fue fácil, era totalmente tabú. Habían pasado cuatro años y jamás había escuchado a mi viejo mencionar nada que tuviera que ver con esa parte de su vida.

Dijo esto haciendo un ademán en el aire, como quien corta algo con el canto de la mano.

—Pero ese día, pescando en Bahía Uruguay, tuve clarísimo que si no lo hablábamos en aquel momento, no lo haríamos nunca. Así que tomé coraje y le pregunté sobre Fabiana Orquera.

El hombre extendió su vaso vacío hacia mí y yo le serví otra medida.

—Se pasó media hora intentando justificarse de haberle metido los cuernos a mamá. El desgaste del matrimonio, la pasión que se va pero el amor que nunca muere y esas cosas. Recién cuando creyó suficiente la explicación me contó paso a paso cómo fue todo aquel fin de semana.

El abogado me habló de cómo su padre había recibido un golpe por detrás en Las Maras y se había despertado bañado en sangre y sin rastros de su amante por ningún lado.

—De cualquier modo, eso lo sabe todo el mundo porque está en el expediente —agregó.

Asentí con la cabeza.

—Y supongo que también estarás al tanto de lo que pasó con el otro juicio.

—¿Hubo otro juicio?

Báez hijo esbozó una sonrisa cansada.

—Eso es algo que me gusta explicar a mis clientes. En un pueblo como éste, cada juicio se termina desdoblando en dos: lo que dice el juez y lo que dice la gente.

—¿Te referís a la opinión popular?

—Exactamente. En un pueblo chico como Deseado, generalmente se reduce a un solo calificativo: el flaco Debarnot tiene un problema con el casino, Pepe Sánchez le pega a la mujer, Adriana Altamirano es más fácil que la tabla del dos, Marcelo Rosales era un pibe normal antes de ir a Malvinas, ¿sigo?

No hacía falta, Sergio Báez tenía razón. En mi cabeza, esos nombres y esas descripciones también iban de la mano.

—Me imagino que sabés cuál es el veredicto de ese juicio en el caso de mi viejo, ¿no?

Me quedé en silencio, sin querer contestar.

—Raúl Báez es un asesino —dijo el abogado.

—Yo ya te dije que creo que tu viejo...

—Y yo te creo. Pero no te estoy diciendo todo esto para hablar de lo que vos pensás. Me refiero al inconsciente colectivo. En un pueblo como el nuestro, las opiniones convergen con el tiempo.

El tono de voz del abogado había cambiado. Ahora hablaba con una cadencia casi profesional. Como si le estuviera explicando algún vericueto legal a uno de sus clientes.

—¿Qué querés decir con eso?

—Pasa algo en el pueblo. Lo de Fabiana Orquera por ejemplo. Al otro día tenés mil rumores diferentes. Gente contándole a otra gente lo que le contaron. A medida que pasa el tiempo, algunas teorías mueren y otras se hacen más fuertes. Cada vez más fuertes, hasta que una de ellas alcanza una masa crítica y ya no hay vuelta atrás. Todo el mundo repite, sin tener ni la más puta idea, que Raúl Báez mató a una piba en esa estancia. En ese momento perdiste ese juicio para siempre.

Repasando en mi mente los chismes en los que me había visto involucrado, no pude más que darle toda la razón al abogado.

—Lo peor de todo —aporté—, es que la opinión que se termina formando, el veredicto de ese juicio paralelo del que hablás, muchas veces no tiene nada que ver con la verdad.

—Ojalá fuera simplemente eso. Lo peor de todo, Nahuel, es que son tantos los que hablan, y tan convencidos, que hasta el más escéptico comienza a sospechar. Hasta el que se esfuerza por no creer, termina preguntándose por qué será que todos dicen lo que dicen.

—¿No me dijiste que estabas seguro de que tu viejo no tuvo nada que ver? —pregunté.

—Ahora lo estoy, pero cuando uno es adolescente es más vulnerable. Yo tenía catorce años cuando pasó todo esto. Al principio me agarraba a las trompadas con cualquiera que insinuase algo de mi viejo. Pero con el tiempo, empecé a tener mis dudas. Dudé de mi propio padre.

—¿Y cuándo te convenciste de que tu viejo no había tenido nada que ver?

—El día que se murió.

—¿Por cómo murió? —pregunté, recordando que se había colgado en la despensa de Las Maras.

—No. Por esto —dijo, y puso su maletín de cuero negro sobre las rodillas.

31 — QUERIDO JUAN SANABRIA

Con un movimiento perfeccionado por los años, los pulgares de Sergio Báez accionaron los pestillos dorados del maletín, que se abrieron con un fuerte *clic*.

—El día del velorio de mi viejo, un hombre al que yo no había visto jamás en mi vida se acercó para darme el pésame. Luego me entregó esto y me dijo: "Por si alguna vez alguien quiere ensuciar el nombre de tu viejo".

El abogado puso sobre la mesa un sobre grande, de papel marrón, que empujó hacia mí con la punta de los dedos.

—Hasta hoy, nunca había tenido que usarlo. Abrilo.

Dentro del sobre encontré alrededor de una docena de papeles. Leí el primero.

Puerto Deseado, 29 de marzo de 1984

Querido Juan Sanabria,

No sé si lo sabrás, pero ya ha pasado un año desde la desaparición de Fabiana Orquera. Como abogado sé que, ahora que el juicio ha concluido, todos esos papeles que tanta vida tuvieron en los últimos meses terminarán juntando polvo en algún archivo.

Pero para mí (y para muchos otros) siempre quedará la duda acerca de qué pasó con esta mujer, de cuya desaparición no dejo de sentirme responsable. Por eso quiero abusar de los años de amistad que tenemos para pedirte que, como Comisario Mayor de la Policía Federal, hagas todo lo que esté a tu alcance para que la búsqueda continúe lo más activa posible dentro de las posibilidades y los recursos a tu disposición.

Sin más, te saludo atentamente y si tuvieras cualquier información, por más mínima que fuera, estaré ansioso de recibirla.

Un gran abrazo desde el sur.

Raúl Báez.

El segundo papel también era una carta. De hecho, todos lo eran —conté diez—. Leí una detrás de otra. Todas habían sido escritas en marzo, una por año, y en las últimas dos Báez había cambiado la máquina de escribir por una impresora de matriz de puntos. En cuanto al contenido, las diez eran prácticamente iguales: Báez pidiéndole a su amigo Juan Sanabria que no dejara que la policía olvidase el caso de Fabiana Orquera.

Cuando levanté la mirada al terminar de leer la última, Sergio Báez observaba su vaso, vacío por segunda vez.

—Juan Sanabria era amigo de mi padre desde la infancia, en Rosario. Y durante los diez años posteriores a la desaparición de Fabiana Orquera, mi viejo le mandó una carta casi idéntica cada marzo. ¿Te das cuenta de por qué estoy seguro de que no tuvo nada que ver? Durante diez años le pidió a la segunda persona con más poder de la Policía Federal Argentina que hiciera lo posible para encontrar a Fabiana Orquera.

Le serví más coñac.

—La última carta es más o menos de la misma época en que mi viejo abandonó el estudio sin siquiera avisar a los clientes. La época en que se dio a la bebida y perdió el rumbo.

Cinco años antes de que, convertido en un borrachín roñoso y vagabundo, se colgara en la despensa de Las Maras el día del aniversario de la desaparición, pensé.

—Estas cartas no tienen ningún valor legal —agregó el abogado—. Y aunque lo tuvieran, mi padre ya murió y fue juzgado inocente. Sin embargo, cualquiera con dos dedos de frente se da cuenta de que demuestran que él no tuvo nada que ver con la desaparición de esa mujer.

—Por supuesto. Si tu viejo hubiera sido el culpable, ¿qué ganaba con enviar estas cartas?

—Me hice esa pregunta varias veces. Si mi viejo hubiera sido el culpable, el único motivo para escribirlas habría sido que salieran *accidentalmente* a la luz y así mejorar su imagen pública. Pero, que yo sepa, él nunca habló de estas cartas con nadie, y Juan Sanabria las conservó hasta entregármelas el día en que me dio el pésame en el funeral.

Sergio Báez vació el vaso en dos tragos seguidos.

—Fueron estas cartas las que me despejaron todas las dudas. Mi viejo no tuvo nada que ver.

Nos quedamos ambos en silencio mientras Sergio Báez guardaba los papeles en el maletín.

32 — EL PIANITO

El Cabezón Ferreira había hecho conmigo los primeros tres años de la secundaria. Después repitió y dejamos de vernos tan seguido, pero siempre seguimos teniendo buena onda. Salvo los tres meses que estuve saliendo con su hermana.

Se fue a Río Gallegos y estudió para policía, pero ahora ya hacía tres o cuatro años que había cambiado la pistola por la computadora y trabajaba en una oficina decrépita de la comisaría de Deseado. Me planté ahí mismo a media mañana, después de la visita de Sergio Báez.

—Nahuel, ¿qué hacés, papá? ¿Cómo andás? —dijo con voz aguda al verme aparecer.

Cuando se levantó de la silla para rodear el escritorio, noté que tenía al menos diez kilos más que la última vez que lo había visto. Además, ahora usaba anteojos. Caminó hacia mí meneándose con cada zancada y me abrazó, palmeándome la espalda como si me hubiera atragantado.

Al despegarse de mí, estaba serio. Dio un paso hacia atrás y me miró de arriba abajo.

—¡Estás hecho mierda! —dijo—. ¿Qué te pasó?

Abrí la boca para decir algo, pero el Cabezón se me adelantó.

—Ya sé, no me digas nada. Mujeres, ¿no?

—Mujeres y hombres por igual.

—¿En serio? No me digas que pateás para los dos lados.

—No —dije, riendo—. Son mujeres y hombres de siete años que me absorben toda la energía. Por eso estoy, según tus palabras, hecho mierda.

El cabezón largó una carcajada.

—No te quejes. ¿Sabés lo que daría yo por tener tres meses de vacaciones? Pasá. Sentate.

Señaló con la palma abierta un banquito de plástico frente a su escritorio y me senté, ahorrándome el comentario sobre las vacaciones. Era una batalla perdida. Él se dejó caer del otro lado del escritorio en una silla a la que le asomaban pedazos de goma espuma por los agujeros de la tapicería.

—Che, ¿vos desayunaste? —preguntó, señalando una taza

humeante en la que se leía "Mi papá es el mejor policía del mundo"—. Te puedo ofrecer mate cocido y unas medialunas que sobraron de esta mañana.

Decliné la oferta.

—¿Qué andás haciendo por acá? —quiso saber, sacando de un cajón un paquete con el nombre de una panadería y zampándose media medialuna de un bocado.

—Necesito pedirte un consejo profesional, Julio.

Me costó recordar su verdadero nombre. Para mí, toda la vida había sido el Cabezón. A lo sumo el Cabezón Ferreira. Pero estando donde estábamos, me pareció apropiado llamarlo por su nombre.

—¿Estás metido en algún quilombo? —preguntó, escupiendo migas.

—No, para nada. En realidad, más que un consejo es una duda que me quiero sacar, por curiosidad.

El Cabezón me miró por encima de sus anteojos de pasta y, mientras masticaba, sonrió con media boca.

—¿Más trapitos al sol en tu columna de El Orden?

—¿La leés?

—A partir del despelote que armaste con esa plaza que se jugaron al póquer, no me la pierdo. Y eso que yo no leo ni la parte de atrás de los desodorantes cuando estoy cagando.

—Un honor, entonces —dije, quitándome y volviéndome a poner un sombrero imaginario.

—¿En qué andás? Contame.

—Es algo en lo que vengo trabajando hace un tiempo y que me gustaría escribir algún día, pero no en la columna. Esto es algo más grande. Quizás mi primer libro.

—Ajá. ¿Y de qué se trata?

—Es complicado. No te puedo contar.

—Ah, no, loco —dijo el Cabezón echándose para atrás en su silla—. Sin preguntas es otro precio. Dos botellas de tinto extra, mínimo.

—Si me sacás de esta duda, más que dos botellas te regalo dos cajas enteras. ¿Se pueden extraer huellas digitales de un papel?

—Es jodido, pero a veces se puede.

Me incorporé un poco en mi silla.

—¿Aunque haya pasado mucho tiempo? —pregunté, recordando el caso del conde inglés que había visto en la tele.

—La verdad es que eso no te lo sé decir, pero te puedo averiguar. En Deseado no tenemos a nadie que levante huellas ni las analice. Lo más cerca es Caleta. Si el objeto es pequeño, lo mandamos para allá. Si las huellas están en algo grande, por ejemplo la pared de una casa, vienen ellos.

—Lo mío es bastante chiquito —dije, sacando de mi mochila las dos bolsas de plástico con el sobre y la media página en blanco que había recortado de la carta de NN.

Seguramente tendría más probabilidades de encontrar alguna huella si incluía también la otra mitad, donde NN había escrito su confesión y dejado la pista. Pero, por el momento, me parecía un precio justo que pagar para mantener la historia en secreto.

—Esto tiene años —sentenció.

Nunca había sido una eminencia el Cabezón.

—¿Y a vos lo que te interesan son las huellas del que escribió esto?

Asentí. Mirando las bolsitas por ambos lados, él aspiró entre dientes.

—No sé si se podrán levantar huellas tan viejas, che.

—Las mías, por lo menos, van a estar —dije.

—¿Lo manoseaste mucho?

—Un poco. Cuando lo encontré ni me imaginaba que necesitaría saber quién había escrito la carta.

—¿Qué carta? Si en este papel no hay nada.

—Si te respondo, te quedás con dos cajas de vino menos.

El Cabezón rió por lo bajo y le pegó un sorbo largo a su mate cocido.

—¿Y con quién querés comparar las huellas, si es que hay alguna?

—¿Cómo *con quién*? Con nadie. Yo quiero saber de quién son.

La carcajada del policía retumbó en las paredes del despacho.

—Eso sólo pasa en las películas. Levantan una huella, la meten en una computadora y al cabo de unas horas tienen un sospechoso. Pero en la realidad —hizo una pausa para señalar el techo descascarado de la oficina—, y más aún en *nuestra* realidad, las huellas solo sirven para compararlas con las de alguien en particular.

—En ese caso, no creo que tenga sentido hacer ningún análisis.

Yo no tengo ningún sospechoso.

—Todavía. Quedate tranqui, que siempre aparece uno. Mirá, yo tengo un amigo en la científica de Caleta. Si querés, le mando esto para que lo analice. Si sólo están tus huellas, mala suerte. Pero si hay alguna otra, a lo mejor más adelante te puede servir.

Me pareció una buena idea. Al fin y al cabo, no tenía nada que perder.

—Una cosa más —agregó, señalando las bolsas de plástico—. Vos no tenés especial apego por estos papeles, ¿no?

—No, ¿por qué?

—Entre los químicos que le van a echar y el polvo para revelar las huellas, van a quedar arruinados.

Eso no me preocupaba en absoluto. Tenía fotografías en buena resolución de ambos lados del sobre. Si necesitaba volver a él, especialmente al lacre, con eso me bastaría.

—No pasa nada, dale para adelante, Cabe..., Julio.

—No te dejes intimidar por esto, boludo —dijo el policía señalándose las tiras doradas en el bolsillo de la camisa.

—Te agradezco un montonazo el favor, Cabezón. ¿Cuánto te parece que van a tardar los resultados?

—¿No era que no tenés con quién comparar las huellas? —preguntó con una risa socarrona.

—¿No era que siempre aparece uno? —respondí, teniendo en cuenta todo lo que había pasado en la última semana.

—Siempre. Y por lo del análisis no te preocupes que esto va rapidísimo —dijo, haciendo un gesto con la mano como si pegara cachetadas a un culo imaginario—. Yo me encargo personalmente de decirle a mi amigo que le dé prioridad. En dos días, tres a lo sumo, tenemos novedades.

—¿Dos días? ¿En serio? —pregunté, y los ojos se me fueron directos al agujero en la tapicería sobre el hombro del Cabezón.

Me había hecho a la idea de tener que esperar al menos varias semanas.

—Posta, papá. La Policía Científica es muy diferente a... —el Cabezón apuntó el índice hacia arriba y lo hizo girar como si fuera la antena de un radar.

—Bendita sea la Científica de Caleta, entonces.

El policía rió y, del mismo cajón del que había sacado las medialunas, extrajo un papel largo con una hilera de casilleros y una pequeña caja metálica.

—Ahora te voy a hacer tocar el pianito —dijo, señalando los objetos sobre la mesa.

—¿El qué?

—Cómo se nota que nunca te mandaste una cagada ni un poquito seria, vos —dijo—. Dame la mano.

Dentro de la caja había un pequeño rodillo empapado de tinta negra. De a uno, fue embadurnándome los dedos y haciéndomelos apoyar en cada casillero del papel.

Por primera vez en mi vida, toqué el pianito.

33 — DE VUELTA

Después de la visita al Cabezón comí algo en casa y, un poco antes de las tres, me preparé para pasar a buscar a Nina y volver a Las Maras. Cargué en el Uno mi mochila con ropa limpia y la caja con las partituras de Fabiana Orquera que me había entregado Edith Godoy. Por último, recogí del comedor el cuerpo enfundado de Bongo y lo metí en el baúl del coche.

Cerré y me quedé un rato en silencio. Mis manos, apoyadas sobre la luneta, todavía tenían algunos restos de tinta. Observándome las yemas de los dedos, pensé por enésima vez si no debería haberle dejado al Cabezón la amenaza del asesino de mi perro para que intentara encontrar huellas ahí también.

Había hecho lo correcto, decidí mientras arrancaba el coche. La escueta esquela era demasiado concisa, y la amenaza *—por su bien y el de los suyos—*, evidente. Una cosa era que el Cabezón no hiciera preguntas cuando yo se lo pedía, pero otra muy diferente era que ignorara una amenaza por escrito. De advertir que yo o alguien de mi familia podría estar en peligro, el policía me habría ametrallado a preguntas.

Cinco minutos más tarde, estacioné en la puerta del hotel donde había dejado a Nina tres días atrás.

Al subirse al auto, la española repitió la misma frase tres veces, cada vez espaciando más las palabras.

—Qué hijos de puta. Qué hijos de puta. Qué hijos de puta.

La jota remarcada de su acento le daba aún más fuerza al insulto.

—Eso resume bastante bien lo que pienso. Lo quería muchísimo yo a Bongo —dije, y puse primera.

—¿Qué has hecho con el cuerpo?

—Está en el baúl.

—¿En el maletero del coche?

—Sí. Decidí enterrarlo en Las Maras. Después de todo, nació ahí y es donde más a sus anchas pudo correr.

—Pues si quieres yo te ayudo a enterrarlo —me dijo, y apoyó su mano en mi hombro derecho.

El coche se balanceó en el asfalto de izquierda a derecha de manera casi imperceptible.

—¿Tenés perros?

—Tres.

—¿Y con quién los dejaste?

—Con Gerardo, mi hijo. Tiene unos pocos años menos que tú.

Pum, la frase me cayó como un piedrazo. Mientras yo la miraba con ganas, ella me comparaba con su hijo. Se hizo un silencio en el coche, pero Nina habló justo antes de que se volviese incómodo.

—¿Y por qué alguien le haría algo así a tu perro?

—Tiene que haber sido para joderme a mí. Bongo nunca molestó a nadie.

—¿Y tú sí?

—Tanto, que me lo hicieron saber por escrito.

—¿Qué quieres decir?

—Yo a veces meto el dedo en la llaga con lo que escribo en El Orden.

Durante los siguientes veinte kilómetros comenté a Nina cómo me había ganado varios enemigos con el famoso artículo sobre "La plaza de los otros juegos".

—No era la primera vez que molestaba a alguien con mi columna, pero nunca se había armado un despelote tan grande —concluí.

—¿Y tú crees que lo de Bongo puede estar relacionado con esa plaza?

—Al principio pensé que sí, pero esta mañana recibí una nota donde me decían que lo habían matado por el artículo que estoy escribiendo ahora.

—¿Te han amenazado por algo que todavía no publicaste? ¿Y cómo se han enterado de qué va?

—Para escribir, tengo que averiguar. Y para averiguar, a veces hay que ir por ahí haciendo preguntas.

—¿Crees que ha sido alguien con quien hablaste, entonces?

—No necesariamente, los chismes se reproducen como conejos. Fulano le cuenta a Mengano, y Mengano a Sultano. Resulta que a Sultano no le gusta que yo escriba sobre ese tema y decide matar a mi perro para hacérmelo saber. Pero yo no me pienso achicar. Al contrario, ahora lo único que quiero es encontrar a quien hizo eso para enfrentarlo.

—¿Y es la primera vez que te amenazan?

—No. Cada vez que toco un tema sensible alguno promete partirme las piernas, o hacerme perder mi trabajo de maestro. Pero ya tengo el antídoto para eso. Publico lo que me dicen textualmente a la semana siguiente en mi columna. Con nombre y apellido, si sé de quién viene.

—Supongo que harás lo mismo esta vez.

Negué con la cabeza.

—El caso que estoy investigando ahora es demasiado grande para mi sección en el diario. Necesito mucho más espacio para escribir sobre él. Además, hace tiempo tengo ganas de escribir un libro.

—Pero pueden pasar meses, incluso años hasta que lo publiques.

—Es cierto. De todos modos, es muy pronto para decidir qué voy a hacer. Por el momento me voy a quedar callado, pero si la cosa se complica un poco más haré una denuncia pública en mi columna, como siempre.

—Hijos de puta —dijo una vez más mientras el Uno abandonaba el asfalto con dirección a Las Maras.

Viajamos un rato en silencio. Cuando llegamos al primer guardaganados, Nina preparó mate.

—¿Te puedo preguntar algo? —le dije.

—Lo que quieras.

—¿Es cierto que donaste bastante dinero para restaurar la casa del guardahilos en Cabo Blanco?

—Doné algo, sí. Y además ayudo a reconstruirla con mis propias manos. Me pongo ropa de trabajo y voy a pintar, a lijar o a hacer lo que haga falta.

—¿Y por qué?

—Tú sabes por qué. Te lo dije el otro día cuando viniste a buscar el libro de visitas a la Cabaña. Es lo menos que puedo hacer por mi lugar favorito en el mundo —dijo, señalando la estepa llana y estéril entre nosotros y el horizonte.

Esa mujer me turbaba. Si me hubiera llevado diez años en lugar de veinte, ya le habría tirado todos los perros. Pero ya lo había dicho el sabio de Carlucho: Nina podía ser mi mamá. Sin embargo, mi mamá no hablaba con ese acento, ni tenía las tetas operadas, ni salía a correr todas las mañanas. Todo eso me hacía olvidar, por momentos, que era una viuda de casi cincuenta pirulos.

34 — PALADAS

Al llegar a Las Maras, dejé a Nina en la Cabaña y conduje los cincuenta metros hasta la casa de los Nievas. Del baúl del coche saqué mi mochila y la caja de madera que me había dado Edith Godoy con las partituras de Fabiana Orquera. Con la única mano que me quedaba libre apoyada en la tapa del baúl, me detuve un segundo a mirar el cuerpo envuelto de mi perro. Cerré con cuidado y entré a la casa a buscar una pala.

Me llevó una hora hacer el agujero en el suelo reseco y apelmazado. Metí en él a mi perro junto con un juguete de cuero con forma de hueso que le había comprado para navidad.

Con cada palada de tierra que echaba sobre el bulto, aumentaba la rabia que tenía en la boca del estómago. Iba a encontrar al hijo de puta que había matado a mi perro. Y me iba a vengar.

Para cuando rellené el agujero completamente, había concluido que la mejor manera de dar con el asesino de Bongo era descubriendo la identidad de NN. Enterándome de quién había matado a Fabiana Orquera, obtendría la punta del ovillo para encontrar a la basura que había envenenado a mi perro.

—¿Querés tomar unos mates? —dijo una voz a mi espalda.

Era Valeria. Miraba fijamente la tierra que yo acababa de mover.

Rechacé la oferta y me encerré en mi habitación.

35 — HACIA EL SUR

Me desperté a media mañana después de haber dormido quince horas. Al salir de mi habitación para ir al baño, algo me obligó a detenerme entre la mesa y la estufa sin fuego del comedor. De algún lugar de la casa llegaba una música lenta y de notas demasiado nítidas para ser la radio.

La melodía me llevó hasta la cocina. Allí estaba Pablo, sentado solo y con la guitarra de la casa en sus manos. Tenía los ojos cerrados y sus dedos recorrían las cuerdas haciendo sonar los acordes del Verano Porteño de Piazzola.

Al entrar en la melodía triste a la mitad del tango, Pablo levantó la cabeza y me vio parado en la puerta de la cocina. Con un fuerte rasgueo, se apagaron las notas.

—Volviste —dijo sin un ápice de entusiasmo.

—Sí. Si te doy una partitura que nunca antes viste, ¿podés tocarla?

Pablo rió y negó con la cabeza.

—¿La última vez que nos vimos me quisiste estrangular y ahora venís a pedirme que te toque una canción?

—Mirá, Pablo, ¿qué te parece si intentamos dejar todo eso de lado? Creo que ninguno de los dos se comportó como adulto la última vez que nos vimos. Si te tengo que pedir perdón, te lo pido.

—Muy bien. Pedime perdón.

Intenté calmarme. Convencerme de que necesitaba hacer lo que estaba por hacer. Alguna vez había leído que una de las virtudes más valiosas de un hombre inteligente era saber meterse el orgullo en el culo. Palabras más, palabras menos.

—Perdoname —dije.

Esperaba reciprocidad, pero Pablo se limitó a asentir con la cabeza, satisfecho.

—Una partitura, me decías...

—Si te doy una partitura que nunca antes viste, ¿la podés tocar?

—Si es para guitarra y no es exageradamente difícil, seguro. Aprendí a leer música casi antes que palabras.

Reprimiendo las ganas de decirle unas cuantas, fui a mi habitación. De la caja que acababa de guardar en el ropero saqué la primera partitura. *Hacia el sur,* la única de las composiciones de Fabiana Orquera que Edith Godoy se había atrevido a escuchar. Busqué en mi mochila una goma de borrar e hice desaparecer el nombre de la compositora debajo del título.

—Acá está —dije, entregando la partitura a Pablo al volver a la cocina.

El novio de Valeria examinó las dos páginas pentagramadas en silencio.

—¿De dónde sacaste eso?

—Me la encontré en el garaje el otro día. Ya habrás visto que hay cajas y cajitas que nadie abrió en muchísimo tiempo.

—Y a vos te gusta abrir cajitas que no se abren...

—¿A qué te referís?

—A nada —dijo Pablo, mostrándome una palma abierta, y luego echó otra mirada a la partitura— Sí, es para guitarra.

—Mirá vos —respondí, fingiendo sorpresa—. ¿Entonces, la podés tocar?

—No parece muy difícil. Tiene pinta de blues.

Dicho esto, Pablo puso la partitura sobre la mesa. Apenas me senté en una silla, de la caja de la guitarra de campo salió, seguramente por primera vez, un blues lento y triste.

Al compás de los acordes de *Hacia el sur,* mis ojos se movieron hasta posarse en la ventana de la cocina. A través de esos mismos vidrios, Raúl Báez, desde el final de la hilera de árboles, había visto por última vez a Fabiana Orquera. Contemplé, treinta años después, la fila de tamariscos meciéndose en el viento. Quizás la última imagen placentera de la vida de Fabiana Orquera.

—Está bueno —dijo Pablo con el último acorde todavía reverberando—. Es sencillo, pero me gusta.

Yo tenía la piel de gallina.

—¿Me podés decir algo del compositor? —pregunté.

—¿Cómo te voy a decir algo de él si la partitura ni siquiera está firmada?

—A través de la música, me refiero. De la misma manera que un cuadro habla de su pintor, ¿vos me podés decir algo del que escribió esta canción?

—Para mí esas son boludeces. Es como decir que un vino tiene tonos frutales, o un deje de avellanas o cosas así. Para mí un vino te gusta o no y punto. Y con una canción lo mismo. Te llega o no te llega.

Para variar, una vez más Pablo y yo no estábamos de acuerdo.

—Al menos podrás juzgar si el que escribió esto era un buen músico o no. ¿O eso tampoco?

—De eso no cabe duda. Era un músico talentoso.

—Y si yo empezara hoy a estudiar teoría y solfeo, ¿cuánto tiempo me llevaría componer algo así? —quise saber.

Pablo se rió.

—Eso depende de un montón de cosas, pero sobre todo de tu talento y del tiempo que le dediques. Ésta es una canción completa para guitarra que no está nada mal. El tipo que la escribió seguro que llevaba muchos años estudiando.

La tipa, pensé.

—¿Cuántos años, más o menos?

—Qué sé yo cuantos. Varios. Diez, por decirte algo.

Diez años, pensé. Fabiana Orquera tenía veintitrés años cuando desapareció. Si llevaba diez años tocando la guitarra, había empezado a estudiar cuando era una niña.

—¿Quién lo habrá escrito, no? —preguntó Pablo.

—Yo me pregunto lo mismo.

—¿Te encontraste solamente esta partitura o había más?

—No. Había dos —mentí, sin poder resistir la tentación de escuchar otra obra de Fabiana Orquera, y volví a mi habitación.

En la caja de madera con la cerradura reventada a martillazos por Edith Godoy había unas cincuenta partituras. Pero ¿cómo elegir una entre tantas? Para mí, todas tenían el mismo aspecto. Dibujitos sobre un pentagrama. Saqué todas de la caja y empecé a pasarlas una a una con mi pulgar.

Pronto me di cuenta de que más de la mitad no eran composiciones suyas sino obras clásicas. Mozart, Bach y esas cosas.

Había algo que no encajaba en la historia de Fabiana Orquera. Era demasiado improbable que una mujer que podía tocar sonatas en una guitarra trabajara de portera en un colegio. ¿Por qué no dar clases de música, por ejemplo?

Una mirada más atenta a las partituras me reveló que todas las que eran de su autoría estaban fechadas en 1982 o principios de 1983. Fabiana Orquera las había compuesto mientras estaba en Puerto Deseado, el año previo a desaparecer.

Había pasado siete u ocho composiciones cuando llegué a una obra llamada *Tres años*. A diferencia de las otras, debajo del título no figuraba el nombre de Fabiana Orquera, sino las iniciales A.A. Sin embargo, la caligrafía era idéntica a la de las demás y la fecha era de enero de 1983. Dos meses antes de que desapareciera. Revisé los títulos de las partituras que todavía no había mirado. Todas las que estaban escritas a lápiz estaban firmadas por Fabiana Orquera a excepción de aquella.

Aparté *Tres años* de la pila, preguntándome qué tendría de especial para que la firmase como A.A. Al separar las dos hojas pentagramadas, encontré la respuesta.

36 — TRES AÑOS

Entre las páginas de la partitura encontré un papel doblado a la mitad. Al abrirlo, crujió por el pliegue.

Era una carta de letras torpes, escrita en tinta azul.

Montevideo, 11 de diciembre de 1982

Querida Ade,

Qué gran alegría recibir tu carta. Cuando me entregaron el sobre me lo quedé mirando un rato, intentando recordar si conocía a alguna Fabiana Orquera. Repasé mentalmente mis amigas de la infancia y las compañeras de colegio pero no conseguí que el nombre me sonara en lo más mínimo. Como ves, sigo siendo una tarada.

De corazón, me pone muy contenta saber que tu nueva vida (nombre nuevo incluido) marcha bien en la Patagonia. Hasta recibir tu carta nunca había oído hablar de Puerto Deseado. De hecho, con ese nombre me lo habría imaginado en el Caribe, con todo el mundo en pelotas y tomando mojitos. Ya sabés que soy media burra.

Apenas te fuiste me metieron a otra en la celda. Nada que ver con vos: ésta está todo el día quejándose. Y encima futbolera. Los domingos si gana Peñarol está más o menos tratable, pero si llega a perder (o empatar) ni se te ocurra dirigirle la palabra. Además, a ésta la buena conducta le importa un carajo: le dieron perpetua por matar a dos policías.

Ay, Flaquita, ¿sabés qué es lo que más extraño de cuando estabas vos acá? Tu música. Hace casi nueve meses que te largaron y nadie más volvió a pedir permiso para usar la guitarra. Te juro que hay veces que preferiría escuchar las porquerías desafinadas que tocabas al principio a pensar que ya no volveré a oír tu música en los seis años que me quedan adentro. ¿Vos te acordás de que cuando recién empezaste te pasabas una hora tocando las mismas tres notas? Estoy orgullosa de que hayas sacado algo productivo de los tres años que estuviste acá. No hay nada que hacerle, están los que tienen materia gris y los que no.

Hablando de eso, al cura que venía a enseñarte no lo vi más. No sé si se habrá jubilado o si a ninguna le interesa aprender música. O a lo mejor simplemente no lo vi. Ya sabés que acá tampoco es que a una la dejen pasear de un lado para el otro.

Bueno Ade... mejor dicho: señorita Fabiana (me parece rarísimo pen-

sar en que toda la gente que estás conociendo ahora te llama así), te deseo lo mejor y espero que alguna vez nos volvamos a ver. Tengo ganas de charlar con vos y de que me toques una canción. Eso sí, lo más lejos posible de este agujero.

Un abrazo enorme.

Paloma

Cuando terminé de leer, el corazón me iba a mil por hora. Casi involuntariamente, me puse a dar largos pasos en la habitación, rodeando la cama.

Para empezar, la mujer de camisa a cuadros y pollera marrón que había desaparecido de Las Maras no se llamaba realmente Fabiana Orquera. Paloma se refería a ella como Ade. ¿Adela? ¿Adelina? Aquello concordaba con las iniciales A.A. en la partitura. Cualquiera fuese su nombre real, estaba escrito en los registros de una cárcel de Montevideo.

Y fuera cual fuera el crimen que había cometido, había sido en Uruguay, pensé. Entonces me cayó la ficha. Hasta ahora, uno de los aspectos del caso que menos me cerraba era que nunca nadie se hubiera presentado a las autoridades reclamando a Fabiana Orquera. Pero la carta de la tal Paloma lo explicaba todo. Nadie denunció la desaparición de Fabiana Orquera porque Fabiana Orquera nunca existió.

De hecho, era posible que aquella mujer ni siquiera hubiera sido entrerriana, sino uruguaya. En el sur de la Argentina, la mayoría de la gente habría sido incapaz de distinguir los acentos de uno y el otro lado del río Uruguay.

Fabiana Orquera, o como fuera que se llamara en realidad, había cambiado de nombre y de país después de pasar tres años presa. Todo aquello me olía demasiado a huida. La carta de su compañera de celda, fechada en diciembre del ochenta y dos, mencionaba que Fabiana había salido en libertad nueve meses antes. O sea que se había mudado a Puerto Deseado entre uno y dos meses después de abandonar la prisión de Montevideo.

Encendí mi cámara y busqué la fotografía de Fabiana Orquera que había salido publicada en El Orden. Miré por un instante a la joven de pelo largo y lacio preguntándome qué secreto escondería detrás de la sonrisa con la que me miraba. ¿Qué había hecho esa chica preciosa para terminar en la cárcel? ¿Y de qué huyó al salir en libertad?

Dos golpes en la puerta de mi habitación interrumpieron mis pensamientos. Guardé la carta y las partituras en la caja y la escondí, lo más rápido que pude, debajo de la cama. La misma cama donde Fabiana Orquera, o como se llamara, había dormido por última vez antes de desaparecer.

—Sí —dije, en voz alta.

La puerta se abrió y en el umbral apareció Pablo, sosteniendo la guitarra en la mano.

—¿Y?

—No sé qué me pasó. Me agarró como una especie de mareo y me duele un poco la cabeza —dije, masajeándome las sienes—. Me voy a quedar un rato acostado a ver si se me pasa.

Pablo me deseó que me mejorara y se fue, cerrando la puerta tras de sí. Al quedarme solo, volví a pensar en Fabiana Orquera, en la cárcel de Montevideo, y en todo lo que me había revelado la carta de Paloma.

Tuve la sensación de que en cualquier momento me iba a empezar a doler la cabeza en serio.

37 — A SESENTA Y CINCO DE LA TORRE

Una hora más tarde, subía las escaleras del peñón de Cabo Blanco con mi mochila a la espalda. Llevaba la cámara de fotos, una libreta, una botella de agua y una pequeña navaja suiza de esas que no sirven para nada.

Al dejar atrás el último escalón de cemento, esperaba que Tadeo o su compañero, al que no habíamos visto, aparecieran de la casa. Sin embargo, todo estaba tan quieto como si allí no hubiera nadie.

Me senté a descansar al pie del faro, apoyando la espalda sobre la pared curva que alguien había levantado allí hacía casi un siglo. Cuando recuperé un poco el aliento, metí la mano en el bolsillo de la mochila y saqué un papel en el que había copiado el mensaje que encontré en el microfilm.

A SESENTA Y CINCO DE LA TORRE. MIRÁNDOLA, HACIA LAS Y CUARTO DE CUALQUIER HORA. SIEMPRE EN LA DIRECCIÓN DEL AGUA. NN.

Me puse de pie y di una vuelta completa alrededor de la base del faro. Concluí que había una única dirección en la que podía recorrer sesenta y cinco metros: por donde había venido. Si elegía cualquier otra, en no más de cincuenta terminaba despeñado en el acantilado.

Comencé a dar zancadas largas en la dirección por la que acababa de llegar, estimando que cada una era un metro. Sin embargo, al llegar al comienzo de la escalera me di cuenta de que ésta no continuaba la línea recta que había entre el faro y yo, sino que se orientaba más a la derecha.

Mirando los escalones a mis pies recordé que, cuando habíamos visitado ese lugar hacía una semana, Pablo había contado ciento catorce. Y luego, cuando subimos la escalera de caracol dentro del faro, Tadeo nos había dicho que eran noventa y ocho peldaños. Entonces me di cuenta de que la unidad de medida más lógica en aquel sitio no eran los metros ni las leguas.

Empecé a bajar por donde había subido, contando uno a uno

los escalones de cemento.

Me paré en el número sesenta y cinco, que era idéntico al sesenta y cuatro y al sesenta y seis. Probablemente, idéntico a todos los demás.

Miré el reloj en mi muñeca. Las agujas marcaban las diez menos veinte de la mañana. Me senté a esperar a que llegaran las y cuarto, como decía NN en su mensaje.

Probablemente fui la primera persona en pasar treinta y cinco minutos sentada en ese escalón. Poco antes de que se hicieran las diez y cuarto di un respingo y levanté la muñeca frente a mi cara para poder ver mi reloj y el faro al mismo tiempo.

Al llegar la hora exacta, miré a mi alrededor buscando cualquier tipo de señal. Que el sol estuviese en una posición particular, por ejemplo. Como en las películas. Pero no hubo nada de eso. La única diferencia que noté fue una ráfaga de viento que casi me despeña escalera abajo.

Resignado, me volví a sentar en el escalón. Sin que se me ocurriera otra cosa que hacer, leí una vez más la nota de NN.

A sesenta y cinco de la torre. Mirándola, hacia las y cuarto de cualquier hora.

Miré de nuevo el reloj. Diez horas, quince minutos, treinta segundos y nada especial a la vista. Había algo que se me escapaba. Algo que no estaba teniendo en cuenta.

Siempre en la dirección del agua.

Esa última frase no ayudaba para nada. A excepción del istmo por el que se accedía al cabo, cualquier dirección terminaba en el agua.

—*A sesenta y cinco de la torre. Mirándola, a las y cuarto de cualquier hora* —repetí de memoria.

Pero al bajar la mirada para releer la nota, descubrí que me había equivocado en una palabra. El papel no decía *a las y cuarto* sino *hacia las y cuarto*. ¿Quién decía *hacia las y cuarto* para referirse a una hora? Nadie hablaba así.

Entonces me giré hacia el faro y observé el reloj. El minutero apuntaba hacia mi derecha.

Miré en esa dirección. A simple vista, la roca volcánica era la misma que en cualquier otro punto del peñón. Sin embargo, noté una diferencia casi imperceptible: a mis pies, junto al escalón número sesenta y cinco, nacía una hilera de plantas algo menos marrones y más saludables que el resto de la magra vegetación del peñón. Al observarlas más de cerca, descubrí que sus raíces se enterraban en una grieta en la roca. Una grieta por la que, seguramente, bajaba el agua las pocas veces que llovía en aquella parte del mundo.

Empecé a caminar junto a la fila de plantas alejándome de la escalera. Treinta o cuarenta pasos más adelante, la pequeña rajadura en la piedra se había convertido en un pasillo lo suficientemente ancho como para que yo pudiera saltar dentro. Lo hice, y el borde de la roca por la que hasta hacía un instante caminaba me llegó a la cintura. Continué avanzando dentro de la grieta, que giraba de a poco hacia la izquierda, siguiendo el contorno del cabo.

Cuando se me ocurrió mirar hacia atrás, me di cuenta de que el faro, la escalera, la casa de los torreros y lo que alguna vez había sido el pueblo de Cabo Blanco quedaban fuera de mi vista. Y por tanto yo, fuera de la vista de ellos. Desde allí, los únicos capaces de observarme eran los lobos marinos que vivían apretujados en una diminuta isla a doscientos metros de la costa.

Continué grieta abajo, *en la dirección del agua.* El ahora pequeño cañadón comenzó a serpentear cada vez más, y yo a caminar cada vez más deprisa.

Los recovecos de la grieta eran casi idénticos a los de Las Cuevas, el lugar donde nos habíamos encontrado a la hembra de puma y sus cachorros hacía siete años. Seguí avanzando, intentando apartar de mi mente las imágenes de las ovejas con el vientre destrozado y, días después, el gruñido ronco del puma defendiendo a sus cachorros de nuestros perros. Aunque las piedras fueran parecidas, me dije, aquello había pasado en otro lugar. En el peñón de Cabo Blanco, lo más peligroso que se había visto nunca era un zorro colorado.

Apuré el paso. La pequeña gruta, cuyas paredes ahora me doblaban en altura, descendía en una curva hacia la derecha. Tras doblarla, me paré en seco.

Una roca del tamaño de mi Fiat Uno me impedía seguir avanzando. Estaba encajada entre las paredes, como si hubiera terminado allí después de rodar peñón abajo hacía miles de años.

Estaba atascada de tal manera que entre su base y el suelo de la grieta quedaba una abertura por la que podía pasar una pelota de fútbol. Me agaché y observé que del otro lado, el suelo estaba iluminado. La grieta continuaba y, si yo quería seguirla, tendría que escalar una pared porosa y abrasiva de tres metros de altura.

Los hoyos en la superficie de la roca eran casi todos demasiado pequeños para que me cupiera la punta de un pie. Igualmente, decidí intentarlo. Apoyé como pude un pie en la pared y estiré los brazos hacia arriba, hasta aferrarme con dos dedos de cada mano. Cuando me elevé del suelo, sentí cómo los bordes afilados de la roca me lastimaban los dedos.

Tanteé con el pie que me quedaba en el aire hasta dar con un saliente que no tenía más de un par de centímetros. Lo pisé y me impulsé hacia arriba, alcanzando con una mano la parte superior de la roca que me obstruía el paso.

Del otro lado, la piedra era menos empinada pero tenía más irregularidades. Bajaba hasta una especie de terraza apenas más grande que una cama de matrimonio. A un lado había una pequeña cueva. Al otro, veinte metros de precipicio que terminaban en el agua estrellándose con furia contra unos islotes escarpados.

Comencé a bajar con la panza sobre la piedra. Moví uno de mis pies en el aire hasta encontrar una roca en forma de cuña encastrada en una grieta. Cuando le apoyé todo el peso del cuerpo, cedió, y mis dedos fueron incapaces de soportar el dolor de la piedra afilada.

Resbalé los tres metros raspándome contra la roca y caí tumbado en la pequeña terraza tan cerca del precipicio que un brazo me quedó colgando en el vacío.

Me incorporé intentando no mirar hacia abajo, y noté un ardor intenso en el muslo derecho. Tenía un tajo de unos veinte centímetros en el pantalón, que dejaba ver entre hilachas un corte profundo en la carne. Cuando di el primer paso, sentí un dolor punzante y un borbotón de sangre tibia hizo que la tela se me pegara a la piel.

Ver la sangre extendiéndose me provocó un ligero mareo, y decidí que sería prudente alejarme del precipicio. Sólo había un lugar hacia donde ir: la cueva.

Me adentré con cautela. Como la mayoría de las cuevas de la zona, no era demasiado profunda. Seis o siete buenos pasos cojos y ya estaba en el fondo. Me senté en el suelo, apoyando la espalda contra la roca para recuperar un poco el aliento.

La sangre continuaba manando del tajo. Intenté relajarme y con la hoja desafilada de la pequeña navaja que traía en la mochila corté el pantalón varios dedos por encima de la herida. Improvisé una venda con la tela y me incorporé de a poco, aliviado al comprobar que podía aguantar el peso de mi propio cuerpo.

Al levantar la mirada, algo me llamó la atención. Sobre la entrada de la cueva, apoyada en un saliente de la roca había una especie de vasija de barro que me resultó familiar. Era de dos colores: blanca desde la base hasta algo más arriba de la mitad y marrón desde allí hasta el pico.

Ignorando el dolor, me acerqué y reconocí que se trataba de una botella de whisky Ye Monks, un escocés muy popular en Argentina, sobre todo en los años ochenta.

La botella era tan bonita que mucha gente la conservaba en su casa como adorno. Mi viejo, sin ir más lejos, tenía una en el armario del comedor. Y en la casa de Las Maras había una en la cocina y tres o cuatro juntando polvo en el garaje. Recordaba perfectamente cada detalle de la botella de Ye Monks: los dos colores de la cerámica, las letras exóticas de la etiqueta y el tapón de madera pulida unida por un cordón a un lacre rojo con la cara de un monje sosteniendo una copa.

Me pregunté cómo esa botella había terminado en una cueva en el medio de la nada. Sobre las puntas de mis pies, estiré el brazo todo lo que pude, largando un gruñido de dolor. La rocé con los dedos, pero sólo logré moverla unos centímetros hacia el costado. Me estiré de nuevo y volví a rozarla, esta vez con demasiada mala suerte. La botella se tambaleó en su pedestal y, un segundo más tarde, el sonido de la cerámica haciéndose añicos retumbó en la cueva.

Distinguí ente los trozos un papel enrollado. Hubiera apostado mi Fiat Uno a que sabía quién lo firmaba.

38 — QUERRÁS SABER QUIÉN SOY

Al agacharme a recoger el pequeño rollo de papel entre las esquirlas de cerámica, sentí una punzada en el muslo. Me miré y descubrí que la sangre me pegaba las hilachas del pantalón rajado a la herida. Lo más prudente sería meterme el papel en la mochila y volver a Las Maras para desinfectarme cuanto antes.

Sin embargo, la curiosidad pudo más. Sobre todo cuando noté que en el lacre que unía el tapón a un trozo de botella no había un monje y una copa, sino un círculo de puntos encerrando dos líneas paralelas.

Recostándome un poco contra la roca, desenrollé el papel y reconocí la letra de NN.

Noviembre, 1998

A estas alturas querrás saber quién soy, y te lo merecés

Soy el rival del inocente a quien todos culpan, y mi único objetivo fue quitarlo del medio. La historia sería otra si yo no lo hubiera hecho.

Y aunque no haya sido con mis propias manos, en épocas como ésa tuve muchas dispuestas a ayudar. Lógicamente utilicé la más fuerte, pero esos son detalles que a nadie deberían importar.

En cuanto a ella, para encontrarla hay que empezar en la estrella invisible. La que completa el triángulo más grande (232132).

NN

No había nombres ni referencias concretas en la carta. Alguien que se hubiera topado con el contenido de la botella de Ye Monks por casualidad, sin saber lo que yo sabía, habría sido incapaz de descifrar el mensaje. Yo sin embargo había hecho los deberes y, sabiendo que la carta estaba vinculada a Fabiana Orquera, su significado me resultaba obvio. El inocente que todos culpaban era Raúl Báez, a quien el pueblo jamás perdonó la desaparición de Fabiana Orquera.

En cuanto a la identidad de NN, en la carta éste se autodefinía como el *rival*. No el enemigo, sino el rival. Un rival con muchas manos dispuestas a ayudar en una época como aquella. Época de elecciones, pensé, donde cada candidato político tiene un séquito de tocabombos siempre listos con tal de recibir una adjudicación en un plan de viviendas, un terreno o un puesto en la municipalidad.

Si mi interpretación era correcta, Ceferino Belcastro, el rival político de Báez en las elecciones del ochenta y tres, había hecho desaparecer a Fabiana Orquera. La ausencia del cuerpo le aseguraba que el juicio se dilataría hasta después de las elecciones, dejando totalmente fuera de juego a Báez incluso si éste no hubiera decidido, como lo hizo, renunciar a la candidatura.

La carta que acababa de encontrar, además, demostraba que yo era un pelotudo. Al toparme con la primera, debajo de la cómoda, me había convencido de que políticos de poca monta como Belcastro eran incapaces de borrar del mapa a una persona con tal de ganar una elección. Los había creído con límites. Corruptos, impresentables y acostumbrados al amiguismo, sí. Pero no unos asesinos.

Me había equivocado. Lo demostraban estas cartas que, un año y medio antes de morir, Belcastro había decidido escribir para confesarlo todo.

Sin embargo, el rival de Báez no había matado a Fabiana Orquera *con sus propias manos*, sino dado la orden. De hecho admitía que alguien como él, un candidato en época de elecciones, tenía numerosas manos dispuestas a ayudar. Aparentemente, hasta el punto de matar a una persona.

El hecho de que NN mencionara un autor material del crimen le daba sentido a la nota que había recibido el día después del envenenamiento de Bongo. Hasta ahora, había descartado la idea de que fuera el asesino de Fabiana Orquera quien me había amenazado, porque lo asumía muerto y porque había querido confesar el crimen en sus cartas. Sin embargo, a Fabiana Orquera no la había matado una persona, sino dos. Una había dado la orden y la otra la había ejecutado.

El autor intelectual, Ceferino Belcastro, quiso confesar antes de morir dejando las cartas firmadas como NN. Por otra parte, el autor material, de quien pronto esperaba saber el nombre, se había sentido amenazado al enterarse de que alguien podía poner al descubierto el secreto que él había logrado esconder por casi treinta años. Además, el mensaje mafioso que me había dado con lo de Bongo pegaba perfectamente con el *modus operandi* de un matón dispuesto a borrar por encargo una persona de la faz de la tierra.

Apoyé la carta sobre mi regazo ensangrentado y la releí, preguntándome a qué se referiría con que para encontrarla había que empezar en la estrella invisible que completaba el triángulo más grande.

Una idea me vino a la mente de inmediato.

Recogí el pedazo de botella que tenía pegado el lacre de NN. Al observarlo descubrí que no era exactamente igual al de la primera carta. En el que sostenía ahora en mis manos, todos los puntos del círculo estaban a la misma distancia de sus vecinos. Otra forma de asegurarse de que el mensaje sólo le sirviera a aquel que había encontrado la primera carta.

Saqué de mi mochila la cámara de fotos y miré en la pantalla la imagen del primer lacre, que ahora estaba en poder del Cabezón Ferreira o su amigo de la Policía Científica de Caleta. Observé las dos estrellas junto a una de las líneas rectas y ubiqué dónde iría una tercera para formar el mayor triángulo posible. Ahí, supuse, tenía que empezar a leer el mensaje en morse. En cuanto al número 232132, imaginé que sabría cómo interpretarlo una vez descifrado el mensaje.

Recostando la cabeza en la roca, sonreí a pesar del dolor. Ya sabía quién había matado a Fabiana Orquera, y cuando llegara a Las Maras, probablemente me enteraría de dónde estaba enterrada. Eso resolvía gran parte del enigma, aunque seguía sin entender por qué tanto misterio. Si Ceferino Belcastro estaba dispuesto a confesar lo que había hecho —o mandado hacer— ¿por qué había escrito una serie de cartas anónimas publicadas como NN? Aquello continuaba sin tener ningún sentido.

El dolor en el muslo aumentaba y la sangre empapaba cada vez más la tela de mi vendaje improvisado. Tenía que volver, me dije, y me puse de pie apoyándome en la pared.

Di un paso y una punzada en la herida me hizo ver las estrellas. Continué avanzando hasta la entrada de la cueva, con el dolor obligándome a cerrar los ojos a cada paso. Luego, no sé de dónde saqué fuerzas, pero volví a poner un pie sobre la roca para empezar a desandar el camino hacia la escalera.

Aunque iba a tardar un buen rato en llegar hasta el Uno, estacionado debajo del peñón, eso me daría suficiente tiempo para pensar en una explicación para mi pierna destrozada con la que volver a Las Maras.

39 — LA ESTRELLA INVISIBLE

Una hora más tarde, abrí la puerta de la casa de Las Maras todo lo lento que pude. Sonreí al encontrar el comedor vacío. Las voces de Carlucho y Valeria me llegaban amortiguadas desde la cocina.

Soportando el dolor que me producía dar cada paso, me metí en mi habitación con intención de cambiarme el pantalón, falto de una pierna, y quitarme la venda empapada en sangre.

Sin embargo al sentarme frente al espejo de la cómoda, casi instintivamente abrí el cajón donde había dejado el alfabeto morse que me había dictado Tadeo en la casa del faro. Saqué de mi mochila la cámara y, mirando la imagen del lacre, volví a identificar a la derecha del círculo el lugar donde una tercera estrella formaría con las otras dos el triángulo más grande.

Si comenzaba en el sentido de las agujas del reloj, el mensaje empezaba con seis rayas seguidas. Por un momento pensé que volvía a tener el problema de no saber dónde terminaba una letra y empezaba otra, pero entonces me di cuenta de que los dígitos del número 232132, que había escrito NN en su última carta, eran todos menores que cuatro. Y las letras del alfabeto morse estaban formadas por grupos de entre uno y cuatro símbolos.

Interpreté cada dígito como la cantidad de símbolos que componían cada carácter. Así, escribí en mi libreta la letra correspondiente a las dos primeras rayas: una M. Luego la de las tres siguientes: una O. Las dos que seguían, una N. El punto solo, una E. La raya y dos puntos, una D. Y lo que quedaba, una A.

Leí la palabra que se había formado en mi libreta.

MONEDA.

—Moneda —dije en voz alta.

Sonreí y lo entendí todo. Ignorando el dolor en el muslo, me puse de pie de un respingo.

Acababa de encontrar a Fabiana Orquera.

40 — LA MONEDA

Eufórico por haber descifrado el mensaje, abrí la puerta de la habitación y salí al comedor. Oí un grito y luego el ruido de un plato haciéndose añicos contra el suelo.

Era Dolores.

—Nahuel, por Dios, ¿qué te pasó? —me preguntó mirándome la pierna.

Alertados por el grito, Carlucho y Valeria aparecieron corriendo desde la cocina.

Miré a los tres y ofrecí una sonrisa pícara, intentando contener la mueca de dolor que empujaba para asomar. Con la emoción, me había olvidado de la herida y de cambiarme el pantalón.

—¿Por esto lo decís? —dije chasqueando la lengua y señalándome el muslo empapado en sangre—. Me pasó que no aprendo más. Eso me pasó. Fui a Cabo Blanco, me trepé a una roca para sacar una foto a los lobos marinos y me resbalé.

—Ay, nene —dijo Dolores—, sos peor que cuando eras chico. Carlucho, ayudalo a ir a la cocina, que ahí tengo el botiquín.

—No hace falta, puedo caminar solo.

Ignorándome, Carlucho me agarró de la muñeca y apoyó mi brazo izquierdo sobre sus hombros. No me soltó hasta que estuve sentado en la cocina. Dolores sacó de un armario una caja de madera enorme pintada de blanco y una cruz roja en la tapa.

Miré por la ventana. Arrodillado en el suelo, Pablo soplaba en el lugar equivocado una pila de maderitas que apenas humeaban. Como asador, era un gran guitarrista.

—Carlucho —pregunté, haciendo un gesto de dolor mientras Dolores me metía una gasa con desinfectante en la herida—, ¿te acordás del día que encontré esa moneda en la salina?

—Uhhhh, eso fue hace añares, pero claro que me acuerdo ¿por qué?

—¿Qué pasó con esa moneda?

Antes de que su padre pudiera responder, Valeria vació en la mesa el contenido de una lata de yerba Taragüi que había estado encima de la heladera desde que yo tenía memoria. En la pequeña montaña de objetos distinguí lápices, un rosario, hebillas para el pelo, una llave demasiado grande para cualquier cerradura de la casa y monedas. Muchas monedas.

Algunas eran vigentes, pero la mayoría pertenecía a épocas anteriores: australes, pesos de los viejos, pesos ley, pesos de los más viejos. Todas las debacles políticas y económicas del país habían quedado representadas en esa lata.

No me costó encontrar la que yo buscaba. *Mi* moneda. La sostuve un instante entre el pulgar y el índice, para mirarla de ambos lados.

—Ahora sí. A ese fuego no hay quien lo pare —comentó Pablo al entrar a la cocina.

—Mirá esto, Míster Fuego —dijo Valeria, arrebatándome la moneda y entregándosela—. Seguro que ésta no la conocías.

Pablo la puso sobre su palma mugrosa y la miró durante unos instantes, moviendo de vez en cuando la cabeza afirmativamente. Luego la levantó a la altura de los ojos entre el índice y el pulgar para examinarla.

—GRANDES SALINAS, CABO BLANCO, S. CRUZ —leyó en voz alta e hizo una pausa para darla vuelta—. L. PARMEGGIANI Y CIA. 20.

—Lucio Parmeggiani y Compañía era la empresa que explotaba la salina —explicó Carlucho—. Pagaba a sus empleados en parte con estas monedas, que se podían gastar en el almacén de ramos generales de Cabo Blanco.

—Que obviamente era de la misma empresa —agregó Dolores.

—Esa la encontró Nahuel cuando era chico, un día que fuimos a cazar.

—¿Me la puedo quedar para mi colección? —preguntó Pablo.

—A mí no me preguntes, es de Nahuel.

—Pero hace mil años que está abandonada en el fondo de esa lata —intervino Valeria.

Pablo giró hacia mí y, levantando la moneda en alto, repitió la pregunta sin abrir la boca.

Lo lógico habría sido decirle que sí. Al fin y al cabo, Valeria tenía razón: yo había encontrado esa moneda hacía años y luego la había dejado olvidada en el fondo de la lata de yerba. Además, dársela habría sido una buena manera de firmar una tregua.

En cualquier otro momento lo hubiera hecho, pero no ese día.

—Es que para mí tiene un valor especial —dije, extendiendo la mano para que me la devolviera.

—Tampoco es que sea la única que hay en la casa —dijo Dolores al terminar de pegar con cinta adhesiva una gasa cuadrada sobre mi herida—. Yo tengo tres más, por lo menos.

Se perdió en el pasillo que daba al resto de la casa y al poco tiempo volvió con una pequeña cajita de madera cuyo contenido vació sobre la mesa. Otra pila de objetos pequeños, mayormente anillos y pulseras de metal ennegrecido.

—Miren, acá hay otra —dijo, revolviendo el nuevo montículo con los dedos—. Y otra.

Buscó un poco más.

—Pensaba que había más en esta cajita. Pero bueno, acá tenés dos, Pablo.

—Muchas gracias, Dolores. Éstas están incluso mejor conservadas que la de Nahuel.

—Cerca de la salina se suelen encontrar varias —intervino Carlucho—, aunque la sal las carcome tanto que el relieve de la superficie queda irreconocible.

—Sí, pero por algún lado de la casa tenemos una que está nuevita —agregó su esposa, que seguía hurgando en ambos montones de chatarra diminuta—. Si aparece te la doy.

Después de que Pablo volviera a agradecerle, Dolores agarró una escoba y se fue al comedor a barrer los restos de vajilla que habían quedado desparramados en el suelo. Valeria la siguió con una nueva pila de platos para poner la mesa.

—Parece que sí que había quién parara tu fuego —dijo Carlucho, señalando por la ventana.

La pila de maderas chamuscadas ya no soltaba ni humo.

Ambos se fueron a arreglarlo y yo me quedé solo en la cocina, con un parche de gasa enorme en el muslo y la moneda de la salina girando entre mis dedos.

La observé con detenimiento. Las palabras GRANDES SALINAS CABO BLANCO formaban un círculo. Las primeras dos arriba y las otras debajo, separadas por un par de asteriscos. O mejor dicho, estrellas. Más hacia el centro, un círculo de puntos encerraba dos líneas paralelas dentro de las que se leía S. CRUZ, el nombre de la provincia donde estaban Deseado, Cabo Blanco y la salina.

Renqueando, volví a mi habitación y comparé la moneda con la imagen del lacre de la primera carta que Ceferino Belcastro había firmado como NN.

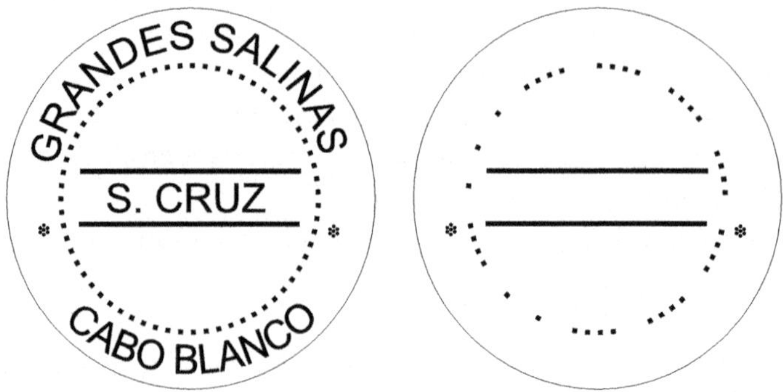

Entonces entendí por qué el lacre me había resultado tan familiar el día que encontré el sobre asomando debajo de la cómoda. Como sello, NN había usado una moneda idéntica a la que yo tenía ahora en mis manos a la que le había limado las letras y algunos de los puntos del círculo para formar el mensaje en morse.

En su última carta, la que me había costado el tajo en la pierna, Ceferino Belcastro insinuaba que para encontrar a Fabiana Orquera, había que descifrar el mensaje en el lacre. Yo lo había hecho, y eso me había llevado a la moneda que ahora sopesaba en mi mano.

Fabiana Orquera estaba enterrada en la salina de Cabo Blanco.

41 — LA HERIDA

Había estado esperando desde el mediodía el momento en que Carlucho apagara el generador y todos se fueran a dormir. Sonreí al quedarme por fin a oscuras, mirando el fuego, que llevaba un buen rato encendido. La temperatura máxima, según la radio, había bajado diez grados en dos días.

Atiborré la estufa con leña —sospechaba que sería una noche larga— y cojeé hasta mi habitación para hacerme con mi mochila, un paquete de velas y un cenicero. Con cada paso, un dolor punzante me atravesaba la pierna desde la rodilla hasta la ingle.

Celebré por partida doble al sentarme de nuevo en el comedor. Junto a la estufa se estaba mucho mejor que en mi habitación, que parecía un frigorífico, y la pierna me agradeció que dejara de caminar.

Encendí cuatro velas y las pegué al cenicero. Después saqué de la mochila la carta de NN que había encontrado en la cueva de Cabo Blanco. La releí un par de veces a la luz de la llama y me enfoqué en la última frase.

En cuanto a ella, para encontrarla hay que empezar en la estrella invisible.

Y yo lo había hecho. Esa estrella me había llevado a la palabra moneda, y esa palabra a descubrir el sello que Ceferino Belcastro había usado para lacrar su primera carta. Del bolsillo de mi pantalón saqué la moneda de la salina. Fabiana Orquera tenía que estar enterrada en algún lugar de aquella enorme extensión de sal. ¿Pero dónde?

Hice girar la moneda sobre la mesa. Cuando paró, yo ya había sacado de mi mochila "Cabo Blanco: historia de un pueblo desaparecido", de Carlos Santos.

Pasé las páginas hasta encontrar un mapa de la salina. Superpuestos sobre él se veían cuatro pequeños cuadrados que correspondían al área que Lucio Parmeggiani y Compañía, los mismos que habían acuñado la moneda, habían explotado durante la primera mitad del siglo veinte.

Eran cuatro kilómetros cuadrados, y representaban apenas la tercera parte de la extensión de la salina. Me pregunté por dónde carajo iba a empezar a buscar.

—¿No te vas a dormir? —preguntó una voz, sobresaltándome.

Valeria estaba parada del otro lado de la mesa. Tenía un camisón que no le conocía: largo, de algodón y con estampados de Minnie. No supe cuánto tiempo llevaba ahí.

—No tengo sueño todavía.

—Yo tampoco —respondió, acercándose a la estufa.

Separó una silla de la mesa y se sentó junto a mí.

—¿Qué estás haciendo? —preguntó, extendiendo el índice para señalar el libro.

—Nada, leo.

—¿Y cómo va el artículo ese sobre Fabiana Orquera? —preguntó, como si fuera lo primero que le había venido a la mente.

—De a poco voy avanzando, pero ya sabés cómo son estas cosas. Hay que hablar con gente, leer archivos, unos dicen una cosa, otros dicen otra. La mayoría de la gente está convencida de que fue Báez quien mató a Fabiana Orquera, y eso hace las cosas más difíciles.

—Si fuera un caso fácil, no llevaría treinta años sin resolverse. ¿No es justamente lo difícil del caso lo que resulta interesante?

La palabra interesante no le hacía justicia, pensé. No sólo acababa de averiguar quién había matado a Fabiana Orquera, sino que además sabía que ese no era su verdadero nombre y probablemente por eso nunca nadie había denunciado su desaparición. Además, con un poco de suerte daría con el cuerpo enterrado en sal. Pero todavía no era momento de discutir nada de aquello con nadie. Ni siquiera con Valeria.

—Tenés razón —me limité a responder.

Iluminada por el resplandor de las velas, vi que la expresión en su cara era una mezcla de ternura y lástima. Movió su silla hasta dejarla casi tocando con la mía.

—No te desanimes, Nahu. Yo sé que vos, con lo perseverante que sos, algo vas a encontrar en todo esto.

Luego, acentuó un poco la sonrisa, y de todos los lugares de mi cuerpo donde me podría haber dado una palmadita de aliento, eligió el muslo derecho.

Hice un movimiento involuntario con la pierna y no pude reprimir un gemido de dolor.

—¿Qué te p...? Uy, *sorry*, me había olvidado. Perdón, Nahu, no me di cuenta.

—No pasa nada.

—Nahuel, estás sangrando.

Distinguí un alargado manchón rojo en la tela de mi pijama.

—Ah, eso no es nada. Se debe haber abierto un poquito la herida.

—¿Un poquito? Ese pedazo de mancha no es un poquito. Sacate los pantalones que te cambio la gasa.

Sin darme tiempo a responder, agarró una vela y desapareció en la oscuridad de la casa, en dirección a la cocina. La escuché abrir la puerta de una alacena y luego volvió a aparecer con el botiquín de madera.

—¿Qué estás esperando? Sacate los pantalones.

—No pasa nada, Valeria. Dejame que yo me lo desinfecto solo.

—No señor. ¿Quién se la pasó seis años estudiando veterinaria? *Me*. Y aunque no tenga el título, soy la más indicada en esta habitación para curar a un animal herido.

Solté una carcajada lo más silenciosa que pude.

—¿Te da vergüenza?

—¡Qué me va a dar vergüenza! Si lo que hay ahí ya te lo conocés de memoria. Sólo que no entiendo tanta insistencia en verme en calzoncillos. Cualquiera diría que tenés ganas.

Valeria me pegó un puñetazo en el hombro.

—Sacate los pantalones o el frasquito de desinfectante te lo meto en el culo.

—Como usted mande, señorita Valeria.

Me quité los pantalones, dejándolos sobre la mesa. Valeria me arrancó la gasa empapada en sangre y empezó a limpiarme la herida con una nueva, mojada en desinfectante.

—No seas maricón —repitió varias veces mientras yo aspiraba aire ruidosamente entre los dientes cada vez que la tela mojada me tocaba la carne.

En un momento, hundió la gasa demasiado en la herida, y no pude evitar soltar un gruñido.

—Perdón, perdón —dijo, levantando la mirada.

Inclinó la cabeza y me tocó un costado de la cara con la mano que tenía libre.

Entonces, sin pensarlo demasiado, tomé su mano en la mía y acerqué mi cara a la suya lentamente. Cuando estuvimos lo suficientemente cerca como para que no cupieran dudas sobre mis intenciones, ella abrió la boca para decir algo, pero no le di tiempo.

Fue un beso tierno que no duró mucho. La boca de Valeria era tan suave como la recordaba. Y la presión agradable en el estómago, la misma que la primera noche que le saqué la ropa en el garaje helado a diez pasos de donde nos besábamos ahora.

Cuando nuestros labios se despegaron, sentí un ruido en el pasillo que daba a las habitaciones. Vi alejarse, sin decir nada, una sombra que no reconocí.

—Pablo —dijo Valeria y no supe si se dirigía a mí o a él.

Se levantó de su silla y se fue tras él sin mirarme.

42 — CONSECUENCIAS

A la mañana siguiente, abrí los ojos y vi una figura sentada al pie de mi cama. Me incorporé de golpe.

—Valeria, me vas a matar de un susto.

Valeria me ofreció una sonrisa forzada.

—Estuve pensando toda la noche —dijo.

Como si eso fuera todo lo que tenía que decir, bajó la vista y, empezó a arrancarse con las uñas de una mano pequeños trocitos de piel de los dedos de la otra. Tenía ese tic desde que yo podía recordar.

—¿En qué?

—No sé por dónde empezar a decirte esto. Tengo miedo de haber tomado la decisión equivocada.

Noté cómo mi corazón empezaba a latir algo más fuerte.

—Quiero pedirte que te vayas de la estancia.

—¿Que me vaya? ¿Otra vez me estás echando?

—Para mí no es fácil, Nahu, *sorry*. Yo te quiero un montón, y vos lo sabés. Echarte de mi casa es como echar a un hermano.

—Vale, yo puedo hablar con Pablo y explicarle que lo de anoche fue un malentendido. Que fue culpa mía. Si querés voy ahora mismo y le digo...

—Ni se te ocurra. Bastante me costó calmarlo anoche y convencerlo de que no se fuera a Comodoro en plena madrugada.

—Pero, Valeria, tiene que haber otra solución. No me podés hacer esto justo ahora que estoy avanzando con la investigación de Fabiana Orquera.

—No me podés hacer esto. Estoy avanzando con la investigación —me imitó con voz ronca—. No seas exagerado, Nahuel.

—No exagero. Esto es muy importante, Vale.

—¡No! —dijo Valeria con tono violento, pero sin alzar la voz—. Lo que es importante es la cagada que te mandaste anoche. ¿En qué mierda estabas pensando?

Agaché la mirada. Era una buena pregunta.

—Te lo voy a dejar claro, Nahuel. Es imposible que Pablo y vos pasen un día más juntos en esta casa. Y como soy yo la que está en el medio, soy yo la que decide quién se queda.

Se levantó de la cama y caminó hacia la puerta. Antes de abrirla, se giró para mirarme.

—En un par de días Pablo y yo nos vamos a Comodoro. A partir de ahí podés venir y quedarte todo el tiempo que quieras, pero ahora te vas. Nosotros en quince minutos salimos para Cabo Blanco a pescar. Cuando volvamos, al mediodía, espero no ver tu coche.

Salió de la habitación cerrando la puerta suavemente. Sin portazo.

43 — EXPULSADO

Por encima de mis dos manos sobre el volante, la ruta gris y perfectamente recta, continuaba hasta perderse en el horizonte. De vez en cuando una piedra levantada por las ruedas del Uno avanzando a ochenta por hora golpeaba bajo mis pies.

Me había mandado la cagada del siglo. ¿En qué estaba pensando cuando me quise hacer el galán de telenovela? Ya lo habíamos intentado con Valeria, y ambos habíamos decidido que no funcionaba. *Somos como hermanos*, nos habíamos dicho, convencidos. Me pregunté qué fue lo que me llevó a darle ese beso ahora que ella tenía novio.

Golpeé el volante con toda mi fuerza, casi avergonzado de la respuesta obvia. Puros celos y envidia, como si fuera un adolescente.

Volví a golpear el volante y el Uno se balanceó sobre el ripio, describiendo eses alargadas en el camino recto. Mejor dejar de pensar en aquello si no me quería poner el coche de poncho.

¿Pero justo ahora tenía que ser? Ahora que sabía dónde encontrar el cuerpo de Fabiana Orquera, o al menos dónde empezar a buscarlo, el boludo de Nahuel tenía que meter la pata hasta el fondo.

Al menos me volvía a Deseado con un nombre, pensé. Ceferino Belcastro, rival político de Raúl Báez en las elecciones de 1983. Alias, NN. Autor intelectual confeso del asesinato de Fabiana Orquera.

Aminoré un poco la marcha al ver una manada de guanacos pastando a ambos lados de la ruta. Sabía de primera mano lo peligroso que era atropellar uno.

Una extraña asociación de ideas de esas para las que sobra el tiempo cuando uno viaja en la Patagonia —guanacos atropellados, animales muertos, mi perro— me hizo pensar en el hijo de puta que envenenó a Bongo para amenazarme. Lo que más me interesaba averiguar al llegar a Deseado era quién había sido el autor material del asesinato de Fabiana Orquera. Eso me llevaría al asesino de mi perro.

A pesar de que NN se considerara el único responsable, mi trabajo no estaría completo hasta saber quién la había matado y enterrado con sus propias manos en la salina de Cabo Blanco. Supuse que entre el archivo de El Orden y lo que recordara la gente en el pueblo, no sería difícil enterarme de quién había sido la mano derecha de Belcastro en las elecciones del ochenta y tres.

Cuando faltaban menos de treinta kilómetros para llegar a Deseado, me sonaron cuatro mensajes en el teléfono. Aproveché para mirarlos al detenerme para abandonar el ripio e incorporarme en el asfalto de la ruta 281.

Tres eran llamadas perdidas del Cabezón Ferreira. El cuarto era un mensaje de texto, también de él, enviado apenas un par de horas atrás.

ME LLAMÓ MI AMIGO DE LA CIENTÍFICA. HAY NOVEDADES. PASÁ POR LA COMISARÍA CUANDO PUEDAS. TRAÉ MEDIALUNAS (HOY ME VOY A UN CURSO A CALETA. VUELVO EL LUNES)

Al final, tenía razón el Cabezón. La Policía Científica de Caleta laburaba rápido.

44 — BRAILLE

Era viernes. Tendría que esperar tres días hasta que el Cabezón volviera de su curso. Apenas recibí su mensaje lo llamé al celular para que me adelantara de qué se trataban las novedades, pero las tres veces que intenté me atendió el contestador. De cualquier modo, tenía suficientes cosas que averiguar como para no aburrirme.

Al entrar al pueblo, apenas pasé el puerto puse rumbo a Punta Cascajo. Estacioné el Uno al principio de la costanera. A mi derecha, la marea movía el agua de la ría hacia el océano. A mi izquierda, del otro lado de la calle, el único hospital en doscientos kilómetros a la redonda estaba tan quieto que parecía abandonado.

Me miré la pierna. La mancha de sangre había atravesado la gasa que Valeria había dejado a medio pegar la noche anterior y me dibujaba una forma roja y alargada en la tela del pantalón. Me bajé de coche, abrí el baúl y revolví en el bolso donde tenía las mudas de ropa que me había llevado a Las Maras hasta encontrar un jean limpio.

Una hora después, salía del hospital con una gasa nueva y la herida esterilizada. La médica que me hizo las curaciones me dijo que el tajo estaba para darle por lo menos nueve puntos, pero ya no se podía coser porque había pasado demasiado tiempo y nos arriesgábamos a una infección. Lo único que se podía hacer era mantenerla limpia y vigilar que curara bien.

Al mirar hacia ambos lados de la costanera para cruzarla y subirme a mi auto, distinguí a mi izquierda la construcción baja y ancha, de ladrillos a la vista y techo verde a unos cien metros de la salida del hospital. Era el asilo de ancianos del pueblo, donde compartían techo la viuda de Ceferino Belcastro y el hombre que había sido mensual de Las Maras cuando Belcastro había hecho desaparecer a Fabiana Orquera.

Contraviniendo la orden de la médica de caminar lo menos posible, me dirigí hacia el asilo.

Entré a un gran salón en forma de ele. Había una mesa ocupada por seis hombres jugando a la baraja española y unos sillones en un rincón donde un grupo de mujeres tomaba té sin hablar. Junto a la ventana, una señora casi sin pelo tenía la mirada perdida en la ría. Un hilo de baba le colgaba del mentón. En la mesa de al lado, un maestro al que reconocí guiaba la mano de un anciano de ojos lechosos por un papel escrito en braille. Y contra una pared, tres hombres, dos mujeres y una persona cuyo sexo no pude distinguir habían sido estacionados en perfecta fila en sus sillas de ruedas.

Pegué la vuelta, decidido a desaparecer de ahí inmediatamente, pero una mujer regordeta vestida de uniforme violeta me interceptó justo antes de la puerta.

—¿Buscás a alguien? —me preguntó con las manos en los bolsillos.

Me quedé en silencio, pensando en decir que no y salir corriendo.

—¿Te puedo ayudar en algo? —insistió.

—Eh... sí —dije finalmente—. Vengo a visitar a Alcides Muñoz y a Liliana Belcastro.

—No sabía que Alcides y Liliana tenían familia en común.

—No, en realidad no soy familia de ninguno de los dos.

Por la mirada extrañada de la mujer, supuse que los ancianos no recibían demasiadas visitas más allá de los parientes.

—¿Y para qué querés verlos?

—Una entrevista.

—Vos sos Donaire, el que escribe en El Orden, ¿no?

—Sí. Precisamente vengo a verlos por una crónica que estoy escribiendo para el diario.

—¿Y los querés entrevistar juntos?

—No, por separado.

—Mirá, Liliana ahora me parece que está durmiendo la siesta —dijo la mujer pasando revista al salón—. Podés empezar por Alcides si querés. Ya tiene que estar por terminar la clase.

Una de las manos de la mujer salió del bolsillo del uniforme y señaló al hombre joven junto al anciano ciego. Le agradecí y me acerqué a ellos.

—El viernes empezamos con las consonantes, don Alcides. Ahora lo dejo que tiene visita —alcancé a escuchar mientras el maestro joven ordenaba varias hojas escritas en braille y las guardaba en un maletín.

El viejo respondió que no había problema y el maestro se acercó hacia mí.

—¿Cómo andás Nahuel? —dijo, extendiéndome una mano.

No trabajábamos en la misma escuela pero nos conocíamos. Se llamaba Eugenio y me caía bien. Intercambiamos unas cuantas frases y se quejó de tener que estar trabajando en vacaciones.

—¿Y vos? ¿Venís a verlo a él? —preguntó, señalando a su alumno.

—Sí.

—¿Sos pariente?

—No. Vengo a hacerle una entrevista. ¿Qué le enseñás?

—A leer en braille.

—¿Y qué tal va?

—Es jodidísimo el tema. Se quedó ciego de viejo, y encima nunca aprendió a escribir, así que le tengo que enseñar braille y a leer al mismo tiempo. Encima laburó toda la vida en el campo y tiene las manos curtidísimas. Le cuesta un huevo distinguir el relieve en el papel.

Después de cruzar unas palabras más, me despedí de Eugenio y me acerqué al viejo.

—Buenas tardes, ¿don Alcides?

—Muñoz —dijo el hombre extendiendo una mano en mi dirección.

Los ojos apuntaban directamente a mi hombro izquierdo. Estreché su mano grande y áspera y me senté donde había estado el maestro.

—Mi nombre es Nahuel Donaire y también soy maestro, como Eugenio.

—No voy a aprender más porque me pongan dos.

—No se preocupe —dije riendo—. No vengo a enseñarle nada.

—¿Y a qué viene entonces?

—A hacerle una entrevista.

—¿Y para qué?

—Porque estoy escribiendo un libro.

El hombre se quedó en silencio. No supe si me había escuchado.

—Estoy escribiendo un libro —repetí—. Es sobre Fabiana Orquera, y me gustaría hacerle unas preguntas.

—Yo no conozco a ningún Orquera.

—Fabiana Orquera —expliqué—. Es la mujer que desapareció hace treinta años de la estancia Las Maras. Según me contaron, usted era peón allá en ese tiempo. ¿Es cierto que fue usted quien se encontró a Raúl Báez dentro de la casa de Las Maras desmayado y bañado en sangre de cordero?

—Sí. Juí yo, sí.

Esperé unos instantes por si el hombre quería hacer memoria y agregar algo, pero al parecer esos monosílabos eran toda su respuesta.

—¿Y qué hizo cuando encontró a Báez así?

—Cuando lo vi por la ventana tiráu en el suelo, pensé que estaba muerto. Patié la puerta, me metí a la casa y lo zamarreé hasta que se despertó.

—¿Y recuerda qué hizo Báez apenas volvió en sí?

—¿Cómo no me voy a acordar? Descubrió que estaba empapado en sangre y se empezó a tocar todo el cuerpo desesperado. Se sacó la camisa y el pantalón y me pidió que le mirara la espalda y le dijera si tenía algún corte, pero no tenía ni un rasguño. La sangre no era de él.

—¿Y qué hizo Báez después de eso?

—Me preguntó si había visto a la mujer que estaba con él en la estancia. Cuando le dije que no, se puso como loco y salió corriendo para su auto. Pero le habían tajeado las cuatro ruedas, así que me pidió que juera a Cabo Blanco para llamar a la policía y una ambulancia.

—¿Y usted le hizo caso?

—Más vale. Me subí al caballo y me juí pa' Cabo Blanco. Ahí le avisé al del faro que llamara por radio y me volví a la estancia.

—¿Y alguno de los fareros fue con usted?

El hombre negó con la cabeza.

—En esa época no tenían en qué moverse. Ni auto ni caballo ni nada. Los dejaban ahí y ahí se quedaban por dos semanas. Además, ese día había uno solo. Me dijo que no podía dejar el faro solo.

Recordé lo que había visto en el libro de servicio del faro. El día que habían matado a Fabiana Orquera sólo había un farero en Cabo Blanco. Un detalle mínimo, de no ser porque esa había sido la única vez que había sucedido en los diez años de registros que me había mostrado Tadeo.

En ese momento, una mano se posó sobre el hombro del anciano.

—¿Cómo vamos don Alcides?

—Bien.

—Liliana ya se levantó —dijo dirigiéndose a mí y señalando a una viejita de rulos grises—. Es esa que está ahí.

—¿Tiene alguna pregunta más? Tengo que ir al baño —dijo el hombre.

—Sí. ¿Cuánto tardaron la ambulancia y la policía en llegar?

—Unas cuatro horas.

—¿Cuatro horas? ¿Está seguro?

El viejo asintió en silencio.

Eso era raro. Se tardaba como mucho una hora y media de Deseado a Las Maras.

—¿Y el hombre del faro hizo el llamado por radio enfrente suyo? ¿Usted oyó la comunicación con la policía?

—Creo que no, que el tipo me dejó en la cocina y me dijo que tenía la radio en otra parte de la casa. Pero eso fue hace muchísimo tiempo. No me acuerdo bien.

—No se preocupe, es un detalle nada más. Me ha resultado muy útil hablar con usted, don Alcides. ¿Cómo se lo puedo pagar?

—No hay nada que pagar. Pero si me trae una botella de ginebra no se la voy a despreciar.

—¡Qué ginebra ni qué ginebra, don Alcides! —intervino la mujer del uniforme violeta tomando al hombre de la mano—. Usted sabe perfectamente que no puede tomar nada de alcohol. Vamos que lo llevo al baño.

La mujer se fue con Muñoz y yo me acerqué a la viuda de Belcastro preguntándome si ella sabría que, treinta años atrás, su marido había hecho desaparecer a Fabiana Orquera.

45 — NO SOMOS NADA

Me detuve junto a la mesa de la anciana. Le habían traído un té con leche y tres rodajas de pan con dulce de leche.

—¿Señora Liliana?

—Sí, soy yo —dijo, depositando con sus manos frágiles la taza de té sobre la mesa.

—Mi nombre es Nahuel Donaire. Soy periodista y estoy escribiendo sobre antiguos intendentes de Puerto Deseado. Me interesaría hacerle una entrevista sobre su marido.

Una sonrisa se dibujó en su cara.

—Ay, sí, nene. Yo encantada de la vida, pero me tengo que ir a arreglar, no puedo salir en la tele con esta pinta.

—No se preocupe que es prensa escrita. No tengo cámara.

—Ah, bueno —respondió la mujer, un poco desilusionada—. Sentate, nene, y decime qué querés saber de Ceferino.

Aparté una silla y me senté frente a ella.

—Me interesa más que nada saber cómo organizaron la campaña electoral cuando se postuló para intendente. ¿Recuerda esa época? —pregunté.

—Como no me voy a acordar, si fue la vez que más nerviosa estuve en mi vida.

—¿Ah, sí?

—Ay, nene, vos no sabés lo que era la casa. Gente entrando y saliendo a todas horas para hablar con Ceferino. Venían a ofrecerle ayuda, a pedirle un favor para cuando ganara, a decirle que lo iban a votar. No podíamos ir a comprar al supermercado tranquilos. Salíamos a cualquier lado y alguien se le ponía a hablar. Quince minutos con uno, media hora con otro. Era desesperante. Pero bueno, fue peor aún cuando ganó.

La anciana mojó un trozo de pan con dulce de leche en su té y se lo llevó a la boca. Masticó lentamente con la mandíbula temblorosa.

—¿Y quiénes fueron los que más lo ayudaron durante la campaña?

—Uy, hubo muchísimos. El gallego Vara, Juan Azcuénaga, el Tano Pintaldi, Lucilo...

—¿Pintaldi dijo?

—Sí, Marco Pintaldi. Nosotros toda la vida le dijimos "el Tano".

No hizo falta que lo confirmara mirando la carpeta "borradores" en mi teléfono. Marco Pintaldi era exactamente el nombre que yo había copiado del libro que me había enseñado Tadeo en el faro. El nombre del único farero que había en Cabo Blanco el día que desapareció Fabiana Orquera. El que, ante la noticia de la emergencia dada por Alcides, se había encargado de llamar por radio a la ambulancia y a la policía.

Y ambas habían tardado cuatro horas en recorrer un camino que se hacía en una y media.

—¿Y eran muy amigos Pintaldi y su marido?

—Y... se criaron juntos prácticamente. Fueron al colegio de los curas toda la primaria. Después Ceferino continuó con la secundaria pero el viejo de Pintaldi, un italiano borracho y vago, puso a su hijo a trabajar de albañil. Apenas cumplió la edad mínima, lo metió de cadete en la armada.

—¿Trabajaba en el apostadero de Deseado, no?

—Sí —dijo—. Siempre fue de rango muy bajito. De hecho, de vez en cuando lo mandaban al faro de Cabo Blanco.

—Y usted dice que Pintaldi ayudó a su marido en la campaña del ochenta y tres.

—Uff, lo ayudó muchísimo. El Tano siempre tuvo mucha capacidad para mover gente. Algunos dicen que era medio patotero y otros lo califican directamente como un matón. Pero yo que lo conocí durante muchos años sé que en el fondo es un tipo de buen corazón, incapaz de matar una mosca.

No según la carta de su marido, pensé.

—Pobrecito, ahora está muy mal de salud. Fumó muchísimo toda la vida y tiene los pulmones a la miseria.

La mujer echó un vistazo a su alrededor, deteniéndose por un instante en la fila de ancianos en sillas de ruedas.

—Cuando se muere alguien, la gente siempre dice que no somos nada. Pero para mí no hace falta estar en un velorio para darse cuenta. ¿Vos podés creer que todos estos viejos fuimos jóvenes alguna vez? Jóvenes y, muchos de nosotros, felices. Y miranos ahora.

Entonces, sin pensarlo, tomé una de sus manos de piel fina y arrugada entre las mías.

—No se me deprima, doña —le dije.

—Lo extraño mucho a Ceferino. Lo extrañé desde el día que murió. Pero ahora que estoy acá, lo extraño mucho más.

—Bueno, hábleme de él si quiere. De sus cosas buenas. Eso seguro que le levanta un poco el ánimo.

—Ay, querido. Ceferino era una persona preciosa. Muy querido en el pueblo, ¿sabés? Sobre todo por sus orígenes humildes. Era un hombre de la gente. Para que te des una idea, después de terminar la secundaria, sólo se puso una corbata una vez en la vida.

A Liliana le brillaban los ojos.

—Déjeme adivinar. El día que se casaron.

—Exactamente —asintió la anciana, que ahora aferraba ambas manos a las mías—. Ni siquiera el día que lo nombraron intendente se volvió a poner una. Era más peronista que Perón, decía él.

Hablamos un rato más. Mayormente, acerca de lo sola que se sentía. Belcastro y ella no habían tenido hijos, y la poca familia que le quedaba —una cuñada y un par de sobrinos—, la visitaban en el asilo tres o cuatro veces por año.

—Ay nene, espero que lo que te dije te haya servido para algo.

—Me sirvió un montón. Se lo aseguro.

—Y decime, querido, ¿dónde vas a publicar la entrevista?

—Eso todavía no lo tengo claro. Si logro reunir suficiente material, entonces será parte de mi primer libro. Si no, la sacaré en mi columna de El Orden.

—¡No me digas que tenés una columna en El Orden! ¿Y sobre qué escribís, nene?

—Hago periodismo de investigación. Historias del pueblo, muchas veces olvidadas. Historias de antiguos intendentes, por ejemplo.

—¿Y la tenés hace mucho?

—Sí, hace ya como dos años.

—Ah, entonces no la conozco. Yo dejé de comprar el diario hace muchísimo. Desde que Ceferino dejó la política, prefiero leer novelas.

—Hace bien. Como dice mi madre, *para lo que hay que ver...*

—Así que una columna en El Orden... —repitió la mujer—. Mirá vos qué casualidad.

La cara se le había iluminado con una sonrisa.

—¿Casualidad? ¿Por qué?

—Ceferino también tenía una columna en El Orden cuando era joven.

—¿En serio? —pregunté incrédulo.

Yo había revisado el archivo de El Orden varias veces buscando información y nunca había dado con nada escrito por Ceferino Belcastro.

—Sí, la tuvo durante varios años. Era una columna de acertijos.

—¿De acertijos?

—Sí. Cada semana había un acertijo auspiciado por un comercio. Ceferino publicaba unas pistas y escondía el regalo del anunciante en algún lugar del pueblo. La respuesta al acertijo indicaba dónde estaba escondido el premio, que generalmente era un vale para gastar en el negocio auspiciante.

—¿Y qué tipo de acertijos eran?

—Uy, eso fue hace muchísimo tiempo. Tanto, que ya me los olvidé casi todos. Pero me acuerdo que uno era algo así como *veintisiete grados entre las piedras y el cemento.* ¿Sabés dónde estaba escondido el regalo?

—Ni idea.

—En el muelle de Ramón, donde se junta el pedregullo de la playa con el cemento del muelle. Forman un ángulo de exactamente veintisiete grados.

—Es curioso —dije.

—¿Qué cosa?

—He leído varias veces los archivos de El Orden y soy bastante amigo de Mario, el director. Sin embargo, nunca supe que su marido tenía una columna.

—A lo mejor es porque usaba un seudónimo —dijo la mujer bajando la voz—. En esa época, muy pocos sabíamos que era él.

—¿Y cuál era ese seudónimo?

—Norte Nómada.

Una pregunta menos, sonreí. Aquello explicaba por qué Belcastro había escrito las cartas en clave de acertijo y firmado como NN. Había elegido confesar a su manera: dejando una serie de pistas para que alguien las descifrara.

Ceferino Belcastro y Marco Pintaldi, pensé mientras me despedía de la vieja Liliana. Uno la mano derecha del otro, tanto en la campaña del ochenta y tres como en el asesinato del mismo año.

46 — EL TANO Y EL TANITO

En Deseado, hasta los barrios tenían sobrenombre. La preferencia del deseadense a la hora de rebautizarlos eran los números, sobre todo si se trataba de planes de viviendas construidas por el Estado. El uso de los verdaderos nombres quedaba relegado casi exclusivamente a formularios, trámites y deneís. De entre casa jamás hablábamos de Aviso Sobral, Costanera o Beauvior, sino de las ochenta, las sesenta y cuatro o las ochenta y dos viviendas.

Al llegar a las trescientas treinta, estacioné el Uno en una calle completamente rodeada por los edificios de tres pisos del barrio. A excepción del color de los techos, algunos azules y otros verdes, los bloques eran idénticos unos a otros y la gente los llamaba escaleras. Las "Tres Treinta" eran, con diferencia, el plan de viviendas más grande de Puerto Deseado y, según mis cálculos, el gobierno lo había adjudicado menos de un año después de la desaparición de Fabiana Orquera.

Entré a la escalera número cinco, que por algún motivo estaba a dos calles de la cuatro pero frente a la doce. Subí con cuidado los escalones de cemento, intentando no cargar mucho peso en mi pierna derecha. Cuando por fin llegué al primer piso, golpeé una puerta de chapa que todavía conservaba la mayor parte de la pintura original, de color azul.

Un minuto después de mi llamado, la puerta se abrió violentamente de par en par, revelando la figura alta y de hombros anchos de uno de los personajes más problemáticos del pueblo.

Tendría cinco o seis años más que yo y era camionero. Yo lo conocía de la noche y no tenía idea de cuál era su nombre o apellido. Todo el mundo se refería a él simplemente como el Tanito. Cuando entraba a algún lugar a tomarse una cerveza, lo hacía sacando pecho, caminando con las piernas separadas y mirando con desprecio a todo lo que no tenía tetas.

Empinaba bastante el codo y se ponía pendenciero. Dos por tres se agarraba a las trompadas con alguien. Recordé una noche que estábamos en Jackaroe con unos amigos. De repente pararon la música y subieron las luces. El Tanito se había trenzado en una pelea con no me acuerdo quién y tres empleados de seguridad se lo llevaban para afuera con los pies en el aire. A las seis de la mañana Jackaroe cerró y cuatrocientas personas se quedaron en la puerta, algunos charlando y otros intentando no irse a dormir solos. De repente se oyeron dos estruendos, que yo creí petardos, pero les siguieron gritos y gente corriendo a esconderse detrás de los coches estacionados. Miré calle arriba y vi el camión del Tanito detenido y con la puerta del conductor abierta. Su dueño estaba parado sobre el asfalto, de cara a la gente y con un revólver apuntando hacia arriba.

Por suerte la cosa no pasó a mayores. Luego de los dos disparos, que según me enteré tiempo después habían sido al aire, se subió al camión y se fue, metiéndose en contramano por la calle Gregores.

El hombre que me acababa de abrir la puerta en las Tres Treinta era, como decíamos en Deseado, un tipo áspero.

Por todo saludo, el Tanito hizo un gesto rápido hacia arriba con la cabeza.

—Hola, ¿acá vive Marco Pintaldi? —pregunté.

—Está ocupado, ¿para qué lo querés?

—Quería pedirle una entrevista.

—¿Sobre qué?

—Preferiría hablarlo directamente con él.

Los ojos marrones me fulminaron, y por un segundo tuve miedo de lo que podía hacer con una de sus manos enormes. O ambas. Pero antes de que pudiera siquiera abrir la boca, una figura encorvada se asomó por detrás de su hombro.

—¿Me buscan? —dijo con una voz apenas audible un hombre canoso y flaco al que jamás había visto en mi vida.

—Sí, papá —respondió el Tanito sin quitarme los ojos de encima— ¿Qué hacés así, levantado? Volvete al sillón.

El viejo alzó la mano para callar al hijo y me miró con el entrecejo fruncido. Luego habló con un tono altivo, que no pegaba con su aspecto débil ni su respiración agitada.

—¿Vos no sos el de la columna de El Orden? —preguntó.

Asentí, empezando a odiar mi pequeña fama.

—¿Qué querés?

—Estoy escribiendo un artículo sobre los intendentes más populares que tuvo Deseado. Y me mencionaron que usted trabajó con Ceferino Belcastro durante la campaña del ochenta y tres.

El viejo soltó un soplido que podía interpretarse apenas como una risita. Luego negó con la cabeza y me sonrió, mostrándome un colmillo partido en su dentadura amarillenta.

—El que te dijo eso, se queda corto. No solo *lo ayudé* en la campaña del ochenta y tres. Ceferino era casi un hermano para mí. Nos criamos juntos, y cuando él se metió en política, yo me convertí en su mano derecha.

—Algo así me habían dicho —dije, forzando una sonrisa—. ¿Podríamos charlar un rato sobre él?

—Dejalo pasar —dijo Pintaldi a su hijo.

47 — BELCASTRO, PINTALDI, ORQUERA

La casa olía a tabaco rancio y a sudor. Dándome la espalda, el viejo caminó arrastrando los pies con pasitos cortos hasta un sillón en la esquina del comedor. Sobre el tapizado gastado había una manguera como las que se conectan a los aireadores de los acuarios.

Mientras su hijo se perdía en el interior de la casa, el Tano Pintaldi se desplomó en el sillón con un gemido. Luego se metió en la nariz dos pequeños tubos que salían de la manguera de plástico, enganchándosela detrás de las orejas. El pecho se le infló y desinfló varias veces antes de volver a hablar.

—No puedo estar ni cinco minutos sin esta mierda —dijo con una voz ahora más nasal, señalando una pequeña garrafa verde junto al sillón. Sobre ella pude leer "aire enriquecido: oxígeno 35%".

Decidí que el hombre vencido que respiraba con dificultad frente a mí no podía ser el asesino de Bongo. Mano derecha de Belcastro en su momento, quizás sí. Asesino de Fabiana Orquera, también. Pero imaginármelo tirando carne envenenada por encima del paredón de mi casa y dejándome una nota por debajo de la puerta en plena madrugada era demasiada actividad para alguien que necesitaba respirar por una manguera.

—Encima estos tubos hay que traerlos de Comodoro. Por suerte mi hijo cuando viaja con el camión me trae.

—Menos mal —dije mientras me quitaba el abrigo y me sentaba en una silla destartalada.

—Igual, siempre hay un quilombo nuevo. Ahora, por ejemplo, tienen el compresor roto en Comodoro y hay que traerlos de Trelew. Decí que a Miguel le salió un viaje a Buenos Aires y ayer volvió con tres llenos.

Quise preguntarle cuánto le duraban, si tenía que usarlos para dormir, o qué pasaba si no los usaba. Pero no me atreví.

—¿Qué querés saber de Ceferino?

—Una de las cosas que más me gustaría destacar en mi artículo son las diferencias entre los políticos de antes y los de ahora —mentí.

—Las diferencias son miles. Antes los políticos no compraban los votos tan evidentemente. La gente los votaba porque los quería. Y los que los apoyaban, como yo a Belcastro, lo hacíamos porque estábamos convencidos de que era la mejor opción.

—Pensaba que lo apoyaba porque se habían criado juntos.

—Eso también, pero si yo no hubiera estado convencido de sus propuestas, no le habría sido lo fiel que le fui. Y mucho menos, desinteresadamente.

—¿O sea que usted no recibió nada a cambio de apoyar a Belcastro durante su campaña del ochenta y tres? —pregunté, intentando no mirar con descaro las paredes de la casa donde estábamos.

—Nada —negó apenas con la cabeza—. Ahora ofrecen terrenos, o trabajo en la municipalidad. Todos los que ayudan para la campaña terminan con algún puesto, aunque apenas sepan leer y escribir.

Le seguí el juego por un rato, haciéndole preguntas sobre la vida personal de Belcastro, a quien él pintaba como un gran tipo, honrado y dispuesto a darlo todo por su pueblo.

—¿Y qué pensaba él de Báez? —pregunté en un momento.

—¿De Raúl Báez? Lo respetaba como rival político, pero no coincidía con su ideología. Báez era un oligarca encubierto y Belcastro era más... más popular.

—Hablando de popularidad, por lo que estuve leyendo, la de Belcastro creció bastante después de que a Báez lo acusaran de asesinato. Antes de eso, en una encuesta que hizo El Orden, Báez le sacaba veinte puntos.

Dije esto mirándolo a los ojos, pero no observé otro signo de asombro que una inspiración larga y ruidosa por los pequeños tubos. Al cabo de un instante, en su cara se dibujó una expresión triste que no se me antojaba demasiado sincera.

—Lo que le pasó a Báez fue una desgracia.

Hubo un silencio que duró tres respiraciones de Pintaldi.

—Tenés razón al decir que Belcastro no habría ganado si no le pasaba eso a Báez. Pero cuando asumió, Ceferino no defraudó a nadie. Incluso hoy, treinta años después, la gente lo sigue recordando. Si no, no me estarías haciendo esta entrevista.

—¿Y usted qué opina de aquello de que Belcastro pudo tener algo que ver con la desaparición de Fabiana Orquera justamente para dar vuelta el resultado de la elección?

—¿De dónde sacaste ese disparate?

—Rumores. ¿Usted qué opina? —insistí.

—Que no son más que eso. Habladurías. ¿Sabías que el día que desapareció esa piba había carreras de Fiat 600 en Deseado, y que Belcastro estuvo ahí? Hasta salió una foto en el diario de él con el Chueco Dávila, que ganó la carrera y salió campeón. El Chueco era otro amigazo, mío y de Ceferino.

—¿Y a usted no lo sacaron en la foto? —pregunté.

—Yo no estaba ese día.

—¿Se perdió ver salir campeón a su amigo?

Pintaldi se inclinó levemente sobre la garrafa de aire para abrirla un poquito más.

—Tuve que viajar a Comodoro. Si no, hubiera ido de cabeza.

Mentira, pensé. En el libro del faro que me había mostrado Tadeo figuraba su nombre como el único farero el día que había desaparecido Fabiana Orquera.

—Bueno, pibe —dijo el hombre dándose una palmada en la rodilla—, yo tengo cosas que hacer, así que si no te molesta, vamos a tener que ir cerrando.

Dijo esto mostrándome una sonrisa a medias, enseñándome de nuevo el colmillo partido por la mitad.

—¿Puedo hacerle una última pregunta?

—Dale, rapidito.

—¿Usted habló con Belcastro de la desaparición de esa chica alguna vez?

El hombre levantó una mano del apoyabrazos del sillón para dar un golpe, pero se detuvo a mitad de camino.

—¿Quién te metió en la cabeza que nosotros tuvimos algo que ver?

—Yo en ningún momento acusé a Belcastro de nada. Y mucho menos a usted.

—¿Y entonces por qué hacés esas preguntas? —dijo, levantando la voz.

—No entiendo a qué se refiere. Le hago preguntas porque esto es una entrevista. Estoy en su casa en calidad de periodista.

Entonces en hombre se levantó lentamente del sillón.

—¿Periodista, vos? Vos lo que sos es un payaso. Un maestrucho al que le gusta meterse donde nadie lo llama. Y si no te vas de mi casa ahora mismo, te voy a instalar una zapatería en el culo. Aunque me veas así hecho mierda, conmigo no se jode, pibe. Puedo hacer que te muelan a palos mañana mismo si quiero. Periodista, lo único que me faltaba...

El Tano Pintaldi no llegó a completar la frase. Mientras se desplomaba sobre el sillón, se llevó la mano al pecho. Quedó sentado con la cabeza hacia un lado, inmóvil y con los ojos apenas abiertos.

Sin animarme a tocarlo, llamé al hijo de un grito.

—¿Qué pasó? —dijo el Tanito apareciendo en el comedor.

—Tu viejo. Le dio algo.

En dos zancadas, el Tanito estaba sobre su padre, pegándole unas cachetadas desproporcionadamente suaves para el tamaño de sus brazos.

—Papá, despertate. ¡Papá! —dijo, y sin girarse para mirarme agregó:— Llamá a la ambulancia.

Saqué el teléfono de mi bolsillo y marqué el 107. Mientras pedía la ambulancia, el Tanito continuaba zamarreando a su padre, pidiéndole por favor que se despertara.

48 — SHOCK

Cuando los enfermeros cargaron a Pintaldi, su hijo se subió con él en la ambulancia y yo los seguí en mi Uno al hospital. Me quedé con el Tanito los veinte minutos que tardaron en empezar a llegar amigos y parientes.

Un *shock* emocional le había causado un desmayo, dijeron los médicos. Y vista su condición delicada, el Tano Pintaldi se tendría que quedar un par de días en el hospital.

Pasé esa noche en vela, preguntándome si había ido demasiado lejos con mis preguntas. Si aquel hombre había terminado en el hospital por culpa mía. Pero para cuando asomó la primera luz del día, había decidido que no. Estaba claro, me dije, que el desmayo y la internación no habrían sucedido si yo no lo hubiera ido a entrevistar. Pero también era cierto que nada de aquello habría pasado si el hombre hubiese sido inocente.

Y no lo era. En primer lugar, me había mentido. Había dicho que estaba en Comodoro el día de la desaparición, cuando yo sabía perfectamente que había sido asignado al faro de Cabo Blanco. Después, Belcastro decía en su carta que alguien de confianza había sido el autor material del asesinato. Y su viuda me había confesado unas horas atrás que Pintaldi era la mano derecha de Belcastro en aquella época. Eso unido a que estuviera en Cabo Blanco y fuera la única vez en años que un farero estaba asignado sin compañero, eran demasiadas coincidencias.

Además estaba lo que Alcides Muñoz me había contado en el asilo de ancianos. La ambulancia y el coche de policía que Pintaldi había llamado cuando fue avisado por el mensual habían tardado cuatro horas en llegar. Más del doble del tiempo que normalmente se necesitaba para recorrer los ochenta kilómetros entre Deseado y Las Maras. Pintaldi había demorado el llamado por radio para ganar tiempo para algo que yo todavía no había descubierto.

Concluí que era lógico que se hubiera agitado con mis preguntas. Seguramente, después de treinta años el hombre estaría convencido de que la verdad del caso de Fabiana Orquera ya nunca saldría a la luz.

Entonces un maestrucho metía las narices.

Pensé en Bongo. Si alguien tenía motivos para envenenar a mi perro para asustarme, ese era el Tano Pintaldi. Sin embargo, además de motivos se necesitaban medios para hacer algo así. Si Pintaldi apenas podía caminar sin estar conectado a un tubo, ¿cómo podía haber tirado un pedazo de carne envenenada por encima de un paredón de casi dos metros de alto?

Pensé en el Tanito. Con esos brazos, me podría haber tirado un capón entero en el patio. Sin embargo, el viejo había mencionado que su hijo acababa de llegar de Buenos Aires el día anterior. Eso significaba que había estado al menos cuatro días fuera de Deseado.

Manoteé el teléfono de la mesa de luz y busqué en Facebook a Miguel Pintaldi. Teníamos treinta y seis amigos en común y su perfil era público. Retrocedí en su biografía hasta tres días atrás, cuando había muerto Bongo. El Tanito había subido desde su teléfono una foto de él en Puerto Madero, a dos mil kilómetros de mi casa.

¿Quién carajo había sido entonces?

49 — FIEBRE

El sábado amaneció espléndido, y mi viejo me invitó a pescar a Punta Norte. Iba a decirle que no, pero cambié de opinión a último momento. Me vendría bien despejarme un poco y olvidarme por un rato de Fabiana Orquera.

A la hora de comer, volvimos con las manos vacías. Mi vieja nos preparó unas pizzas y después del postre yo me fui derecho a la biblioteca del pueblo a seguir buscando información sobre el caso de Fabiana Orquera en el archivo de El Orden. La búsqueda fue tan infructuosa como la pesca de la mañana.

Serían las seis de la tarde cuando salí de la biblioteca. El sol todavía estaba alto y el viento llevaba todo el día sin aparecer. Sonriendo, empecé a caminar hacia la casa de mis viejos, donde había dejado el Uno.

Estaba a punto de llegar cuando sentí tres bocinazos cortos a mi espalda. Al girarme, vi a Nina Lomeña saludándome detrás del volante de su Polo rojo.

—Qué sorpresa —dije al acercarme a su ventanilla—. Te hacía en Las Maras.

—Y yo a ti. He venido esta mañana.

Nina sonreía pero tenía cara de cansada.

—¿Te pasó algo?

—He tenido que venir al hospital.

—¿Estás bien?

—Sí. Bueno, ahora estoy bastante bien, pero no he podido dormir en toda la noche. He amanecido con mucha fiebre, dolor de garganta y tenía la cabeza como si me fuera a explotar.

—¿Y qué te dijo el médico?

—Que es una infección en la garganta y me ha recetado antibióticos. También me ha recomendado que hiciera reposo en el pueblo durante unos días para asegurarme de estar mejor antes de volver a Las Maras.

—¿Necesitás algo? ¿Te puedo ayudar de alguna manera?

—No, estoy bien —dijo con una sonrisa.

—¿Y viniste manejando? —dije, dando dos golpecitos en el techo de su coche.

—Claro que no. Si me da miedo conducir en el ripio en condiciones normales, imagínate con fiebre. Uno de los voluntarios que había ido a trabajar a la casa del guardahilos se ofreció a traerme en mi coche.

Nina levantó el dedo índice y lo apuntó directamente a mi cara.

—¿Y tú qué haces en el pueblo? ¿Vuelves a Las Maras o has decidido partirme el corazón y marcharte sin despedirte de mí?

A pesar de que dijo esto último en tono jocoso, no pude evitar sonreír pensando que en cada broma hay algo de verdad.

—Me vine porque me di cuenta de que necesito hacer más entrevistas en el pueblo antes de ponerme a escribir.

—¿Escribirás un libro al final?

—Creo que sí. Últimamente encontré mucha información interesante. Demasiada para que quepa en mi columna de El Orden.

—¿O sea que nos volveremos a ver en Las Maras?

—Por supuesto. ¿Cómo me voy a ir sin despedirme de una mujer tan especial?

No me importaba si la frase era buena o mala. Sólo quería dejarle claras mis intenciones. Tarde o temprano te voy a soltar los perros, y esta es tu excusa para salir corriendo.

Nina me miró como sopesando las consecuencias de su reacción.

—Sube que te llevo —dijo, sonriendo.

—Me encantaría, pero tengo el auto ahí —dije, señalando la casa de mis padres, a cincuenta metros de donde estábamos.

—Pues me he quedado sin hacer la buena acción del día —respondió encogiéndose de hombros—. Bueno, Nahuel, te dejo, que tengo que ir a meterme en la cama.

—Nos vemos.

Nina puso primera y empezó a alejarse en el Polo rojo. Sin embargo, vi las luces de freno encenderse a diez metros.

—Un día de estos deberíamos hacer algo —dijo, asomando la cabeza por la ventanilla.

—Claro. Por supuesto. ¿Algo como qué?

—Pues irnos a tomar unas copas, por ejemplo.

—Cuando quieras.

—¿Qué te parece el lunes? ¿Estarás por aquí o te vuelves a Las Maras pronto?

Mi plan para el lunes hasta ese momento era ir a ver al Cabezón para que me diera las novedades que mencionaba en su mensaje de texto y volverme lo más pronto posible a Las Maras. Pero si Fabiana Orquera había estado enterrada durante treinta años, podía esperar un día más.

—El lunes sigo acá seguro —dije.

—Vale, ¿qué te parece si nos tomamos algo en el bar de mi hotel y de ahí vemos para dónde vamos?

Le dije que sí, evitando mencionar que no había demasiadas alternativas en Deseado para ir a tomar algo un lunes a la noche. Mejor, pensé. Podría jugar la carta "no hay nada abierto, pero en mi casa tengo una pequeña colección de vinos".

Nos despedimos con dos besos y me fui a casa sonriendo. Al final, la pesca del día no había sido tan mala.

50 — HUELLAS

El lunes, el despertador sonó a las ocho. Ocho y media yo ya estaba en la oficina del Cabezón Ferreira.

—¿Así que hay novedades? —dije sin preámbulos, sentándome frente a él—. ¿Qué te dijo tu amigo de la Científica?

—Me llamó por teléfono y me adelantó algunos resultados del análisis, pero llegás tarde para eso.

—¿Cómo que llego tarde?

El Cabezón se inclinó hacia un lado de su escritorio. Del cajón donde aparentemente guardaba todo, sacó un sobre de papel madera.

—Porque ya no tiene sentido que te cuente lo que hablamos. Esta mañana llegó el reporte completo.

El Cabezón vació el contenido sobre la mesa. Un CD, una carpeta que suponía un informe y las mismas dos bolsas de plástico que yo le había entregado cinco días atrás. Tanto el sobre como el pedazo de papel de la primera carta de NN estaban ahora llenos de marcas negras, como si los hubiera manoseado un mecánico.

—Como podés ver, hay un montón de huellas —dijo el policía entregándome ambas bolsas—. La mayoría tuyas.

Observé que algunas de las impresiones estaban encerradas con líneas rojas o azules.

—¿La mayoría? ¿O sea que hay huellas de otra persona?

—Afirmativo —dijo, exagerando el tono policial.

Se puso los anteojos y abrió la carpeta con el informe. Luego deslizó el dedo por el papel escrito hasta llegar casi al final de la página y leyó en voz alta.

—*Los rastros papilares encerrados en un círculo rojo en los objetos analizados se corresponden de forma indubitable con dígitos de la ficha dactiloscópica decadactilar a nombre de Ricardo Méndez. Por otra parte, los rastros papilares encerrados en azul resultaron aptos para establecer su NO CORRESPONDENCIA con el individuo.*

—¿Quién es Ricardo Méndez? —pregunté.

El Cabezón me extendió el papel con las huellas que me había tomado una semana atrás para comparar. El nombre Ricardo

Méndez estaba escrito al dorso.

—Sos vos —me dijo—. No sé en qué estarás metido, pero me pareció mejor no dar tu nombre real.

—Gracias, seguís sumando botellas de vino.

El Cabezón levantó un pulgar y continuó leyendo.

—*En conclusión, las impresiones dactilares encontradas en ambas muestras sugieren que más de un individuo ha estado en contacto con ambas caras de los dos objetos analizados.*

—¡Espectacular! —exclamé—. ¿O sea que tenemos las huellas del autor de la carta?

—No —dijo el Cabezón acomodándose en su silla—. El viernes, cuando hablé por teléfono con el tipo que hizo el análisis, me dijo que había algo raro. Yo le había comentado que buscábamos huellas viejas, y él me dijo que las que encontró fueron demasiado fáciles de revelar. Incluso las que no son tuyas.

—¿Cómo que demasiado fáciles?

El Cabezón me miró por encima de sus lentes, blandiendo el reporte en la mano.

—El proceso de dejar una huella digital es como sellar un papel. Tu dedo es el sello y la grasa que hay en él, la tinta. Hablando en fino, sustancia sebácea. La cosa es que siempre tenemos cierta cantidad en las manos, porque es una zona que transpira bastante. A medida que pasa el tiempo, esa grasa se degrada y pierde adherencia, entonces cuesta más usar polvos para poder revelar las huellas. Hay que usar métodos más avanzados. Pero el tipo me dijo que en este caso no hizo falta. Levantó las huellas con polvos normales, y eso a él le parece rarísimo.

—¿Y por qué no lo pone en el informe?

—Porque no existen estudios exactos que determinen la edad de una huella. Esto es simplemente en base a su experiencia. Dice que aunque no te lo puede firmar, a él le extrañaría mucho que las impresiones tuvieran más de un año.

—No puede ser, Cabezón. Este sobre estuvo cerrado desde noviembre de mil novecientos noventa y ocho, y este pedazo de papel estaba adentro.

—¿Y eso a vos te consta? —preguntó el Cabezón—. Mirá que este tipo es uno de los mejores peritos de la Argentina, ¿eh?

¿Me constaba? La caligrafía de la carta y el sobre era la misma, y el papel de ambos estaba igual de amarillento por los años. Pero

¿me constaba que el sobre hubiese estado cerrado desde el noventa y ocho? No, y de hecho si lo que decía el amigo del Cabezón era cierto, había permanecido abierto hasta hacía no más de un año.

¿Quién había guardado la carta durante todo ese tiempo? ¿Y qué lo llevaba a cerrar el sobre ahora?

—¿Por qué no me decís en qué andás? —sugirió el Cabezón.

—Ahora no, pero te prometo que te lo voy a contar —dije, recogiendo todo lo que había sobre el escritorio y levantándome de la silla—. Cuando te traiga todas las botellas de vino que te debo.

51 — EL TANITO

Hice el recuento final del contenido de mi mochila y concluí que tenía todo para volver a Las Maras. Pasara lo que pasara aquella noche con Nina, me prometí que al día siguiente volvería a la estancia. Después de lo que me había dicho el Cabezón en la comisaría tenía que volver y hablar con Carlucho. Preguntarle quiénes en el último año habían tenido acceso a la habitación donde yo había encontrado la carta, y quizás también contarle toda la verdad.

Además, el Tano Pintaldi, la única persona en Puerto Deseado con quien estaba seguro de que todavía tenía algo que hablar, seguía en el hospital. Si quería progresar con el caso de Fabiana Orquera, debía volver a Las Maras.

Miré el reloj. Casi la una del mediodía. A esa altura, Pablo y Valeria ya llevarían un día de vuelta en Comodoro. Sonreí. Podría concentrarme en encontrar el cuerpo de Fabiana Orquera sin distracciones.

Sonó el timbre.

Abrí la puerta como siempre, sin preguntar quién era ni mirar por la mirilla. Entonces la figura robusta del Tanito Pintaldi se abalanzó sobre mí soltando una especie de gruñido. Sentí un golpe seco en el pecho y una fuerza brutal me empujó hacia atrás. Caí al suelo, aplastado por el cuerpo del Tanito.

Antes de que pudiera reaccionar, vi un puño alejarse para tomar envión y luego acercarse a mi cara a toda velocidad. Un dolor tremendo al costado de la nariz me obligó a cerrar los ojos, y sentí como la sangre me cruzaba la mejilla.

—Vos no tenés códigos, hijo de re mil putas —dijo, poniéndose de pie.

Por entre las lágrimas que me habían inundado los ojos después del puñetazo, vi un movimiento brusco y alcancé a llevarme las manos a la cabeza justo a tiempo para que mis antebrazos amortiguaran una patada. Iba directa a mis dientes.

—Mi viejo me acaba de contar que lo amenazaste.

—No, yo no...

Tuve que dejar de hablar cuando la punta del pie del Tanito se incrustó en uno de mis riñones.

—¿Qué le dijiste, hijo de puta? ¿Por qué no me amenazás a mí?

—Yo no lo amenacé. Le pregunté por Belcastro, nada más.

Con un movimiento brusco, se agachó y me agarró con ambas manos del pelo.

—Se mea, hijo de puta. ¡Se mea encima! —gritó sacudiendo mi cabeza de arriba abajo—. Hace dos días que está con pañales.

Cuando dejó de sacudirme, vi la cara desencajada acercarse hasta quedar a menos de un palmo de la mía. Pude sentir su aliento a alcohol.

—Como me entere que mencionás el nombre de mi viejo en tu puta vida, hablando o por escrito, te juro que te abro la garganta de oreja a oreja —dijo y me hizo rebotar la cabeza contra el suelo.

No sé si estuve tirado cinco minutos o media hora, pero cuando me levanté, con la sangre pegoteándome la cara a las baldosas frías, el Tanito Pintaldi ya no estaba.

52 — TOKIO

Antes de bajarme a abrir la última tranquera, me miré una vez más en el retrovisor. El ojo izquierdo me había quedado en compota y tenía la nariz tan hinchada que sólo podía respirar por la boca. Había hecho bien en cancelar la cita con Nina.

Sentí un alivio al no ver el Clio blanco de Pablo estacionado junto a la puerta de la casa de Las Maras. La camioneta gris de los Nievas tampoco estaba, con lo que supuse que el matrimonio habría ido a Cabo Blanco a pescar o, más probable aún, que Carlucho había encontrado alguna tarea que atender en la estancia. Miré, casi por reflejo, hacia la Cabaña. Obviamente el Volkswagen Polo rojo tampoco se veía por ningún lado.

Encontré la puerta de adelante de la casa de los Nievas cerrada con llave. Rodeé la vivienda y comprobé que la de la cocina también lo estaba. Pegando las manos al vidrio, miré por la ventana. Quietud absoluta.

Moví con el pie el trozo de tronco petrificado junto a la pared y comprobé que debajo de él estaba, como siempre, la llave de la casa. Entré en la cocina y puse agua a calentar para preparar unos mates.

Volví a pensar en la relación entre los Pintaldi, la muerte de Fabiana Orquera y la de mi perro. Desde que había salido de Deseado, una hora y media atrás, en mi cabeza no había lugar para otra cosa.

En primer lugar, yo al Tano Pintaldi no lo había amenazado. Admitía que mis preguntas incómodas le habían causado una descompensación, pero de ahí a amenazarlo había un trecho.

En todo caso, él me había amenazado a mí. Me había dicho que si él quería, podía hacer que me molieran a palos. Me pregunté si se refería a manipular al hijo diciéndole que yo lo había molestado. Me sentía tan furioso que incluso dudé que su incontinencia fuera cierta.

Acababa de tomarme el primer mate cuando oí un coche al otro lado de la casa. Fui a la puerta delantera y puse mi mano en el picaporte, deteniéndome a pensar qué le diría a Dolores acerca de mi ojo morado. Antes de que se me ocurriera nada, oí el sonido de la llave en la cerradura y vi aparecer a Valeria.

—Nahuel, ¿qué hacés acá?

Pablo todavía estaba en el coche. Al verme, fingió hurgar en la guantera de su Clio, que había estacionado tan pegado al Uno como si estuviéramos en Tokio y no en la Patagonia.

—¿Cómo que qué hago acá? —respondí alternando la vista entre Valeria y su novio—. ¿Qué hacen *ustedes* todavía acá?

—Nahuel, por si no te acordás, esta es la casa de mis viejos.

—Me acuerdo. También me acuerdo de que me dijiste que podía volver en dos días porque ustedes se iban.

—Es una forma de decir, Nahuel. Un par de días. ¿Te tenemos que dar explicaciones?

—No, claro. Y supongo que querrás que me vuelva al pueblo, ¿no?

—Ya mismo, si puede ser.

—Valeria, por favor, necesito estar acá, en Las Maras. Es muy importante para mí. Sé que me mandé una cagada la otra noche, pero somos grandes.

—No, Nahuel —dijo Valeria meneando la cabeza.

—Me puedo levantar temprano y desaparecer hasta la noche. Puedo ir a Cabo Blanco, o cuando Nina vuelva de Deseado, visitarla en la Cabaña.

Valeria juntó las manos ruidosamente.

—¿Cómo puede ser que no entiendas? Te estoy diciendo que no. Es mi última palabra.

En ese momento, Pablo se bajó del coche y se dirigió hacia Valeria sin mirarme.

—¿Algún problema, amor? —dijo.

—Vos no te metas, esto es entre Valeria y yo.

—¿Algún problema, amor? —repitió, ignorándome, y agarró a Valeria por la cintura.

—Estamos grandes para esas pelotudeces, Pablo. Estoy acá, me podés hablar.

Pablo se giró y me miró con desprecio de arriba abajo.

—¿Algún problema? —preguntó a Valeria por tercera vez—. ¿Te sigue rompiendo las bolas este tarado?

Sin pensarlo, tomé a Pablo por la camisa y lo empujé contra la pared de la casa.

—El horno no está para bollos —dije—. No me busques porque

te voy a...

Antes de que pudiera terminar la frase, el puñetazo de Pablo me dio de lleno en la oreja, dejándome un zumbido constante. Instintivamente, le solté la camisa y aprovechó la oportunidad para darme otro golpe. Me aterrizó en la nariz, en el mismo lugar que un rato antes me había machucado el Tanito.

Me abalancé sobre él y caímos con un sonido seco al suelo gris lleno de piedras. El dolor y la rabia me hicieron ver todo rojo. Con una mano le apreté el cuello contra el suelo y con la otra descargué en su cara toda la bronca que venía acumulando en aquellos días. El rostro asustado de Pablo ya no era para mí el del idiota del novio de Valeria. En ese momento, representaba al Tanito, al Tano, a Belcastro, al asesino de Bongo. A todos los hijos de puta del mundo.

Levanté el puño una vez más, pero sentí que me sujetaban la muñeca.

—Basta, pelotudos. ¿Se volvieron locos? —era Valeria, que con ambas manos se aferraba a mi antebrazo—. ¿Qué tienen, quince años cada uno, idiotas?

Pablo y yo nos quedamos inmóviles. Él contra el suelo con la boca sangrando y yo arrodillado en su estómago, con el puño en alto y un dolor intenso en toda la cara que se hacía más agudo en la nariz.

Nos levantamos sin quitarnos los ojos de encima. Cuando estuvimos ambos de pie, Valeria tomó la mano de su novio y empezó a caminar hacia adentro de la casa. Antes de entrar por la puerta, se giró y me miró con ojos furiosos.

—Nahuel, en cinco minutos voy a volver a salir, y si todavía estás acá, te rompo todos los vidrios del auto. Te lo juro.

—Y yo te rompo la cara —agregó Pablo antes de que ella se lo llevara para adentro.

Cuando me quedé solo, me apoyé en el Uno y, cerrando los ojos, me tomé la nariz entre los dedos. Permanecí un rato así, quieto y medio aturdido, hasta que una risita nerviosa me salió de dentro.

A mí, que ni siquiera en la adolescencia me había metido en peleas, me acababan de llenar la cara de dedos por segunda vez en el mismo día.

53 — GRANDES SALINAS DE CABO BLANCO

Me subí a mi Fiat Uno y encaré hacia Cabo Blanco. Unos kilómetros antes de llegar, tomé la huella de la izquierda, hacia la salina.

Conforme avanzaba, las matas crecidas entre las dos zanjas poco transitadas por donde yo llevaba las ruedas se hacían más altas. Empecé a notar cada vez más el sonido de las hojas de coirón rascando el chasis. Dos o tres veces, cuando la huella se hizo más profunda, fueron piedras las que tocaron la panza del Uno.

Recorrer esa huella en la camioneta de Carlucho, como había hecho tantas veces, era muy distinto a hacerlo en mi Uno. Decidí frenar y seguir a pie antes de perder el cárter.

A mi izquierda ya se veía la planicie blanca, más desierta aún que la meseta que la rodeaba. Doce kilómetros cuadrados que habían sido durante los primeros treinta años del siglo veinte las "Grandes Salinas de Cabo Blanco". La razón de ser de un pueblo que ya no existía.

Conocía el espejismo, pero así y todo lograba engañarme cada vez: la vista te decía que la sal empezaba del otro lado de una ondulación en la meseta. Sin embargo, al superarla habría otra, y luego otra. Desde donde estaba, y considerando el tajo en mi muslo, calculé que tendría que caminar una hora hasta pisar sal. Miré el reloj: las cuatro de la tarde.

Con las manos en los bolsillos y el viento aplastándome los pelos de la nuca, empecé a caminar hacia el horizonte blanco. Después de un buen rato, mis pasos crujieron al romper una fina capa de sal y mis pies se enterraron en el barro gris.

Descubrí pronto que mis huellas no eran las únicas sobre la superficie blanca. Reconocí los dos dedos abiertos de las pezuñas del guanaco, y las impresiones de la oveja, más pequeñas y cerradas. También había, marcadas en la sal, las patas de un pájaro que no fui capaz de identificar. Después de mirar por un buen rato, me alivié de no encontrar las pisadas de un gato grande.

Continué avanzando y noté cómo el suelo se volvía más y más

blanco. Si había interpretado bien el último acertijo de NN, Fabiana Orquera estaba enterrada en algún lugar de esa salina. Sin embargo, ese dato era tan útil como que te aseguraran que en el fondo del Atlántico había un galeón hundido con oro en la bodega.

Me pregunté en qué estado estaría el cuerpo, recordando el jamón que me había dado Carlucho para mis padres. Después de dos meses cubierta de la misma sal que yo pisaba ahora, la pata de cerdo había quedado dura y seca. ¿Qué le pasaría a la carne humana después de treinta años del mismo proceso? Me imaginé a Fabiana como esos cuerpos que, después de miles de años congelados en el Himalaya, aparecen en la tapa del National Geographic.

Caminé un rato más, hundiéndome hasta un palmo por encima de los tobillos. El sol se reflejaba en los cristales de la superficie dando la sensación de que alguien había desparramado en el suelo un puñado infinito de diamantes. Había leído que en ciertas partes la capa de sal tenía más de diez metros.

Cuando el muslo herido me pidió un descanso, me detuve, cerré los ojos y abrí los brazos. Encontrarme así, en el medio de la nada, me hacía sentir en paz. Por eso, verano tras verano, independientemente de mis viejos o de cuánto me odiara Valeria, volvería siempre a aquel lugar.

Entonces escuché un estruendo a mis espaldas. Un disparo. Había ido a cazar demasiadas veces como para confundirlo con cualquier otro ruido. Al girarme vi una figura humana en el borde de la salina, a no más de doscientos metros de mí.

Incrédulo, miré alrededor buscando un guanaco, un choique, o cualquier otro bicho al que fuera dirigida la bala que acababa de disparar. Pero no había a la vista más que sal, tierra gris y una figura vestida completamente de negro que caminaba hacia mí sujetando un rifle con ambas manos.

Dio dos pasos más y se detuvo. Levantó el rifle despacio, apuntándome.

Quise salir corriendo, pero solo logré tirarme al suelo. Llevaba segundos cuerpo a tierra cuando oí el segundo disparo y un puñado de sal explotó a cinco o seis metros a mi derecha.

Mis piernas y brazos, extendidos sobre el suelo blanco, temblaban violentamente. Despegué apenas el mentón de la sal húmeda y descubrí que la figura seguía ahí, con el rifle en alto y apuntándome. Llevaba un sombrero ancho y tenía la cara cubierta con un pañuelo o un pasamontañas.

Entonces tuve la certeza de que aquella tarde iba a morir.

54 — PERDIDO POR PERDIDO

Iba a morir sin saber a manos de quién, y no podía hacer nada para defenderme. Ni siquiera había una puta roca detrás de la que refugiarme. Pura sal y planicie en kilómetros a la redonda.

Debía alejarme de allí. Correr salina adentro y rezar para tener suerte. Porque si me equivocaba y terminaba en una zona donde la capa de sal fuera demasiado fina, ésta cedería a mis pies y me hundiría en el barro hasta las rodillas. Además, ¿qué tan lejos podría huir con la herida que tenía en la pierna?

Todavía acostado en el suelo, saqué de mi bolsillo el teléfono, esperando un milagro.

Sin servicio.

Me quedé paralizado, odiándome por no poder hacer nada más que esperar otros disparos hasta que uno terminara por alcanzarme.

Si me ponía de pie para salir corriendo, me convertía en un blanco más grande y fácil para el encapuchado. Pero si me quedaba tirado allí, era cuestión de tiempo hasta que éste se acercara o volviera a disparar.

Sin embargo, no sucedió ni una cosa ni la otra. Mi verdugo, inmóvil, me seguía apuntando pero no se acercaba. ¿Por qué no me perseguía?

Volví a levantar la cabeza y a ver una vez más la figura con la cara cubierta.

El pasamontañas, pensé. Quien fuera que me acababa de disparar dos veces, había elegido cubrirse el rostro y mantener la distancia para evitar que lo reconociera. Pero, si estaba decidido a matarme, ¿qué importaba que le viera la cara unos segundos antes de que me volara la cabeza de un balazo? Era todo circo, intenté convencerme. No podía ser más que una pantomima para darme un buen susto.

¿Pero y si me equivocaba y el encapuchado realmente quería emplomarme? Qué más daba, me dije. Si el tipo quería matarme, yo no tenía forma de impedírselo. Así que, basándome en esa lógica apurada, tomé una de las decisiones más absurdas de mi vida.

Me levanté y empecé a correr con todas mis fuerzas directamente hacia el arma que me apuntaba.

Di un paso detrás del otro preguntándome cuál sería el último. Cuando llevaba recorrido un tercio de la distancia que nos separaba, vi un fogonazo y me tiré al suelo antes de que el estruendo llegara a mis oídos.

Pero mi reacción fue puro instinto. Había notado claramente cómo el individuo desviaba el rifle hacia arriba y a la izquierda antes de disparar. Quería asegurarse de no darme.

Con algo más de confianza, me volví a poner de pie y corrí otra vez en dirección a él lo más rápido que me dieron las piernas.

El encapuchado se quedó inmóvil, apuntándome durante la primera parte de mi carrera. Pero cuando estuve lo suficientemente cerca como para reconocerle la cara si no hubiera llevado un pasamontañas, la figura dio media vuelta y echó a correr, escapándose hacia donde yo había dejado mi coche.

Lo vi tropezarse después de unos cien metros, y el rifle y él terminaron en el suelo. A pesar de que se levantó enseguida, agarró el arma y continuó corriendo, yo pude acortar un poco la distancia. Lo suficiente como para distinguir una escena de caza aborigen grabada en la madera de la culata.

Llevaba el Rupestre de Carlucho.

55 — PERSECUTA

Continué persiguiendo al encapuchado. Nos dirigíamos hacia mi coche, ahora junto a una camioneta blanca. Lo vi subirse al vehículo y salir a toda velocidad dejando detrás una nube de polvo.

Cuando por fin llegué al Uno, aceleré todo lo que la huella me permitía, intentando conservar mi auto en una sola pieza. De reojo, vi una mancha de sangre extendiéndose en mi pierna derecha. Se me había abierto la herida otra vez, pero la adrenalina me impedía sentir ningún dolor.

La camioneta, más alta y mejor preparada que mi Uno para esos caminos, se alejaba cada vez más. Para cuando llegué a la intersección de la huella y la ruta principal —que conectaba Cabo Blanco con la civilización—, apenas distinguía un punto blanco detrás de una polvareda, alejándose del faro.

En el ripio compacto y parejo de la ruta, las ruedas anchas de la camioneta le proporcionaban mejor tracción, dejando a mi coche prácticamente fuera de combate. Así y todo, aceleré hasta que el velocímetro marcó ochenta kilómetros por hora, la máxima velocidad antes de que el ripio suelto debajo de las ruedas volviera al Uno tan incontrolable como si anduviese sobre una pista de patinaje sobre hielo.

Mis ojos alternaban entre el velocímetro y la nube de polvo que tenía delante cuando reparé en un trozo de papel enganchado en el limpiaparabrisas. A ochenta kilómetros por hora, la hoja azotaba el vidrio con fuerza, amenazando con volarse en cualquier momento.

La camioneta se perdió tras una curva. Con la mirada fija en el camino, bajé el vidrio y me estiré todo lo que pude, sacando el hombro y la cabeza por la ventanilla hasta tocar el papel.

Lo sujetaba apenas con la punta de mis dedos. Involuntariamente, bajé la vista hacia ellos por una fracción de segundo pero un rugido bajo el coche me obligó a mirar para adelante y poner ambas manos sobre el volante. El Uno se me había ido un poco hacia la derecha, y ahora las ruedas del acompañante pisaban la peligrosa pila de guijarros sueltos amontonada al costado de la ruta.

Muchas de esas piedras golpeaban con fuerza bajo mis pies, causando un ruido ensordecedor dentro del coche. Un volantazo mal dado o una pisada repentina del freno y el Uno saldría dando tumbos hacia un costado de la ruta.

Hice lo que, hasta donde yo sabía, era la única alternativa para salir de ahí con vida. Aceleré para ganar tracción y sujeté el volante con mano firme, girándolo apenas hasta que las ruedas volvieran a la huella de pedregullo compacto.

Funcionó. Recobré el control y pude permitirme mirar de nuevo hacia adelante. La nube seguía ahí, a la misma distancia.

Continué a ochenta y cinco por hora, con ambas manos en el volante e ignorando el papelito que aleteaba sobre el parabrisas. Cuando la camioneta llegó a la siguiente curva, vi encenderse la luz de freno antes de que se perdiera detrás de una ondulación en el camino.

A regañadientes, levanté un poco el pie del acelerador sobre el final de la recta. Cuando giré, lo que vi casi me hizo perder el control del Uno.

Menos de cien metros delante de mí, la camioneta blanca estaba apoyada sobre el techo a un costado de la ruta, con las ruedas todavía girando en el aire. Parecía una enorme cucaracha moribunda.

Una manada de guanacos se alejaba a todo galope, dejando atrás a uno de ellos que estaba tirado en el medio de la ruta dando coces al aire.

Clavé los frenos para no embestirlo y el Uno comenzó a deslizarse sobre el pedregullo, girando lentamente sobre sí. Sin responder a mis volantazos, el coche avanzaba de lado hacia el guanaco. Justo antes de cerrar los ojos, me di cuenta de que no llevaba puesto el cinturón de seguridad.

Pam. Un golpe seco en el costado del Uno me arrancó del asiento, y sentí un dolor fuerte en la espalda.

Cuando abrí los ojos, estaba sentado del lado del acompañante, con los hombros contra la ventanilla y los pies sobre el volante. Al despejarse un poco la polvareda, descubrí que mi coche había dado un giro de noventa grados y ahora estaba cruzado en la ruta, apuntando al medio del campo. Tosí y sentí un dolor agudo en la espalda, a la altura del pecho. Lentamente, salí del coche.

No tenía ninguna herida nueva a la vista. Sólo el dolor cuando respiraba hondo. En cuanto al coche, el zócalo del lado del acompañante se había incrustado en la panza del guanaco, que ya no se movía.

Levanté la vista hacia la camioneta volcada sin distinguir ningún movimiento alrededor de ella. Fui hacia allí lo más rápido que el dolor en la espalda me lo permitió, esquivando matas negras, coirones y pedazos de paragolpe. A medida que me acercaba al vehículo aplastado, todas las preguntas en mi cabeza fueron desapareciendo hasta que sólo sobrevivió una. ¿Vivo o muerto?

Para cuando llegué, casi corriendo, y vi más de cerca las condiciones en las que había quedado la camioneta, me pareció que sólo había una respuesta posible. El techo estaba tan hundido en la parte de adelante que la abertura del parabrisas había quedado reducida a una hendija por la que apenas cabía una mano.

Nadie pedía auxilio.

Me apresuré a echar un vistazo al interior de aquel amasijo de hierro y plástico. Dentro no había nadie, ni vivo ni muerto.

Entonces el viento me trajo un lamento apenas audible y distinguí, a casi diez metros de la camioneta, un pie descalzo asomando tras una mata negra.

Corrí.

La figura yacía inmóvil en el suelo, emitiendo un quejido monótono. La ropa negra estaba rasgada y manchada de sangre y tierra. Aún tenía el rostro cubierto.

—Los guanacos —dijo una voz familiar.

Me arrodillé a su lado y le levanté con cuidado el pasamontañas.

Era Nina Lomeña.

56 — UN MAL SUEÑO

El domingo seis de marzo de 1983, Fabiana Orquera se despertó gritando en la casa de la estancia Las Maras. Había tenido otra vez la misma pesadilla.

Sueña que está sentada en el sofá de su casa en Montevideo, con los ojos fijos en un televisor que proyecta una película en blanco y negro. De vez en cuando saca una cucharada de helado del bol que tiene en el regazo y la chupa lentamente. El frío le alivia el dolor del labio hinchado.

Justo antes de que termine la película, cuando el protagonista engominado besa a la rubia, la puerta de su casa se abre bruscamente, dando un gran estruendo al chocar contra la pared. Un hombre entra dando tumbos. Camina sonriendo, con la vista fija en el suelo y murmura algo que ella no alcanza a entender.

El tipo se detiene junto a ella y la mira con curiosidad. Sonríe, se lleva las dos manos al cinturón y lucha un poco con la hebilla —un águila dorada—, hasta desabrocharla. Después se baja la bragueta.

—¿Qué estás haciendo? —le pregunta ella.

—¿Qué te pensás que estoy haciendo? —responde él, sonriendo.

Ella clava los ojos en el televisor. La película acaba de terminar y ahora la imagen es en color.

Él da un paso al costado, interponiéndose entre ella y el aparato. Por la bragueta abierta del pantalón azul se ve la tela del calzoncillo. El mismo que ayer.

Avanza hasta que las rodillas de ambos casi se rozan. Instintivamente, ella hunde la espalda en el sofá. Él, de pie frente a ella, se baja los pantalones.

Ella cierra los ojos, aprieta los dientes y presiona con fuerza la lengua contra el paladar. Está acostumbrada al olor a mugre y hace años que aprendió a disimular las arcadas.

Con una mano pesada, el hombre la agarra de la nuca y la acerca a sus genitales. Ella se libra con un movimiento rápido y vuelve a pegarse al respaldo del sofá.

—¿Hoy también estás exquisita?

—Ya te dije que estos días no me siento bien.

El hombre se golpea con las palmas los muslos desnudos.

—¿Y para qué carajo tengo mujer yo, entonces? ¿Me querés decir? —pregunta, subiéndose de nuevo los pantalones.

No responde. Sabe que no hay nada que pueda decir que vaya a mejorar la situación.

—Porque sos mi mujer, ¿sabés, no?

Ella calla y mira al suelo. El hombre suelta un gruñido y de un manotazo le agarra la mandíbula, forzándola a mirarlo.

—¿Sabés o no sabés, carajo?

Los dedos gruesos le presionan con tanta fuerza las mejillas que cree que en cualquier momento le va a explotar una muela. Siente gusto a sangre y comprende que se le ha vuelto a reventar el labio hinchado.

Pese al dolor, no responde. Está tranquila.

—Contestame —dice el hombre, alargando la última sílaba.

Ella calla y él reacciona con un golpe de mano abierta detrás de la oreja. Un golpe seco, ensayado mil veces, que le deja zumbando el oído.

Si para algo es bueno aquel tipo, es para dar palizas. De hecho, se gana la vida golpeando. Es parte de su trabajo como policía de Montevideo.

—¿Me vas a contestar ahora? ¿Sos o no sos mi mujer?

Sabe que se tiene que callar. Pero no puede. Ya es demasiado tarde.

—No soy *tu* mujer. Vivimos juntos, pero no soy tuya.

—Claro, me olvidaba de que las putas no se enamoran —dice él soltándole por fin la mandíbula.

Ahora ella puede levantarse y correr. Intentar alejarse. Pero no lo hace. Está decidida a no abandonar ese sofá por nada del mundo.

—No. Son los hijos de puta los que se enamoran de las putas.

El siguiente golpe es con el puño y le cierra el ojo derecho. Va a tardar dos días en volver a abrirlo.

—Si al final va a tener razón el Flaco Méndez: las putas nacen y se mueren putas. ¿Así es como me pagás? A mí, que te saqué de esa ratonera donde abrías las piernas por dos pesos.

—La diferencia es que ahora abro las piernas por un peso con cincuenta, y encima te lo tengo que dar a vos.

El hombre se queda en silencio durante un momento y luego tira del águila dorada, quitándose el cinturón con un zumbido.

—Yo te voy a enseñar a respetarme, hija de mil...

Para ese momento ella no escucha más. Todo lo que le importa en el mundo es el metal frío que su mano toca bajo el almohadón del sofá. Se lo ha prometido: esta noche es la última vez que ese hijo de puta le pone una mano encima. Ser prostituta por cuenta propia ya era horrible, pero tener que hacerlo para un policía corrupto es insoportable.

Las manos de ambos se mueven al mismo tiempo. Pero la hebilla del cinturón, por más forma de águila que tenga y más pesada que sea, no tiene ninguna posibilidad contra la nueve milímetros limpia y aceitada de un policía.

Bam.

De todos los recuerdos horribles que Fabiana Orquera llevaba acumulando en sus veintitrés años de vida, ese estruendo era el único que conseguía despertarla por las noches.

Un par de brazos fuertes se ciñeron sobre ella.

Su primera reacción fue forcejear para librarse, pero en seguida entendió que estos brazos eran de otro hombre muy distinto. Sentado en la cama junto a ella, Raúl Báez la apretaba contra su torso desnudo mientras le acariciaba el pelo con una mano.

—Ya está. No pasa nada, Fabi. Fue una pesadilla, nada más. Quedate tranquila.

Sin decir una palabra, Fabiana hundió la cabeza en el pecho de Báez. Se quedó allí, inmóvil, hasta que el frío de la noche patagónica le heló la espalda empapada de sudor, obligándola a refugiarse de nuevo bajo las cuatro mantas.

—Tenés razón —dijo finalmente, abrazando a Báez dentro de la cama—. Fue una pesadilla. Nada más.

57 — VEINTE MIL HECTÁREAS

Se sentó en el borde de la cama cuando la primera claridad del día se dejó distinguir en los bordes de los postigos cerrados. A su lado, Raúl Báez dormía profundamente.

Como cada día de su vida, preparó mate para desayunar. Como cada día desde que estaba en Argentina, Fabiana encontró el sabor del primer amargo un tanto desilusionante. Hacía poco más de un año que había cruzado el Río de la Plata y todavía no se acostumbraba a que, de este lado, el mate no sabía a yerba marca Canarias. Era lo único que extrañaba de Uruguay.

Báez se levantó una hora más tarde. Cuando apareció en la cocina, ya se había duchado, afeitado y llevaba ropa de jugador de polo.

—Madrugadora la entrerriana —dijo, abrazándola por detrás.

—Buen día —respondió ella.

Él le empezó a dar pequeños besos en el cuello que le hacían cosquillas. Riendo, ella se dio cuenta de que Báez era el primer hombre que conocía —y había conocido muchos— que usaba una loción para después de afeitar que no le daba ganas de vomitar.

—Estuve pensando —dijo ella mientras le ofrecía un mate—, que hoy me gustaría decirle a don Alcides que me enseñe a andar a caballo.

—Me parece perfecto. Pero lo más probable es que tengas que esperar hasta después del mediodía.

—¿Por qué?

—No sé cómo será en Entre Ríos —respondió Báez después de besarla—, pero acá los peones se levantan antes de que amanezca, desayunan un buen pedazo de carne, se suben al caballo y no vuelven hasta las dos o tres de la tarde.

—¿Desayunan carne? —preguntó ella arrugando la nariz.

Báez se encogió de hombros.

—Yo tampoco lo entiendo. Ellos lo llaman "churrasquear". Churrasquean y después salen a arriar ovejas, revisar un alambrado, asegurarse de que los molinos funcionen para que los animales tengan agua. Cosas así. Este campo tiene como veinte mil hectáreas.

—¿Una hectárea es como una manzana, no?

—Exactamente. Cien metros por cien.

Casi sin darse cuenta, Fabiana pensó por primera vez en mucho tiempo en su ciudad natal. Desde Lezica hasta Carrasco y de Toledo Chico a la Ciudad Vieja. Las Maras, concluyó, era tan grande como toda Montevideo.

—¿En qué estás pensando? —preguntó Báez devolviéndole el mate.

—En todo el trabajo que debe tener este hombre.

58 — SÓLO UN PULGAR

El resto de la mañana transcurrió sin sobresaltos. Fabiana Orquera y Raúl Báez pasearon por los alrededores de la casa de Las Maras y se sentaron reparándose del viento detrás de unos tamariscos. Charlaron, volvieron a la casa, tomaron más mate y, finalmente, hicieron una escala en la cama.

—Tengo hambre —dijo ella mirando el techo, cuando su pecho desnudo volvió a subir y bajar a un ritmo normal.

—El mensual me dijo que nos dejaba carne en la carnicería y que cortemos lo que queramos. Si querés voy a buscar un pedazo.

—Genial. Yo me quedo preparando algo para picar —dijo ella levantándose de la cama y poniéndose una pollera marrón oscuro y una camisa a cuadros blancos y rojos.

Cinco minutos más tarde, Fabiana empuñaba un cuchillo enorme. Cortaba un trozo de queso Mar del Plata en cuadraditos junto a la ventana de la cocina. Por ella veía a Raúl Báez alejarse camino de la casa del mensual.

Observó como Báez se frenaba al final de la hilera de tamariscos, daba media vuelta y le tiraba un beso. Sonriendo, dejó el cuchillo sobre la tabla de madera en la que cortaba y le devolvió el gesto con ambas manos. Entonces él giró a la derecha y se perdió tras los árboles junto a los que habían estado sentados esa misma mañana.

Fabiana todavía miraba por la ventana cuando notó un brazo fuerte ciñéndose a su vientre y tirando hacia atrás. Al mismo tiempo, una tela húmeda le cubrió la nariz y la boca. Sintió un olor intenso y dulce que le quemó las fosas nasales. Estiró la mano para alcanzar el cuchillo, pero los brazos que la agarraban la habían alejado demasiado de la tabla.

Todo lo que pudo ver de su atacante antes de quedar inconsciente fue un pulgar enfundado en un guante de látex.

59 — MAL DESPERTAR

Cuando Fabiana Orquera volvió a abrir los ojos, se encontró con el techo de la habitación en la que había dormido con Báez. Estaba en el centro de la cama y tenía las piernas y los brazos abiertos. Intentó moverse, pero sus extremidades estaban atadas a la fuerte cama de hierro.

Con el corazón a mil, dejó escapar un grito intentando pedir ayuda.

Unos pasos rápidos se acercaron y la silueta de un hombre se perfiló en la puerta. Tenía la cabeza cubierta con un pasamontañas negro que sólo dejaba ver un par de ojos marrones y una boca de labios gruesos.

—¿Qué pasa? —preguntó ella.

Sin responder, el hombre se giró, dándole la espalda.

—¡Se despertó! —gritó de cara a la puerta por la que acababa de entrar.

Entonces Fabiana oyó más pasos y otro hombre, también encapuchado, entró en la habitación.

Era más bajo y gordo que el primero. Caminó con paso tranquilo hacia ella y se sentó al pie de la cama.

Sin sacarle la vista de encima, Fabiana arqueó el cuerpo para apartarse de él todo lo que las ataduras en las muñecas y los tobillos se lo permitieron.

—¿Quiénes son ustedes? —preguntó.

El hombre se puso de pie sin responder. Dio dos pasos y se llevó la mano detrás de la cintura. Del bolsillo trasero del pantalón extrajo unas tijeras para cortar tela, de hojas largas y puntas afiladas.

—Eh. ¡Pará! ¿Qué vas a hacer? —gritó ella, retorciéndose en la cama.

Las correas le cortaban la circulación en las manos y los pies.

—¿Quién carajo son ustedes? —insistió.

El encapuchado no dijo palabra. Se acercó aún más y cuando su cara quedó a dos palmos de la de ella, sonrió mostrando un colmillo partido. Olía a sudor y a tabaco rancio.

Al sentir el metal frío en las venas de la muñeca, Fabiana Orquera cerró los ojos.

60 — ZING

Oyó el "zing" de las tijeras al cerrarse y su mano izquierda quedó libre. Sin decir una sola palabra, el hombre repitió la misma operación en las otras tres extremidades.

—¿Me vas a decir lo que está pasando? —insistió ella, sentándose en la cama y frotándose las muñecas y los tobillos una vez liberada.

—Tranquilizate, piba. Te lo vamos a explicar todo —dijo el hombre del colmillo partido, sentándose de nuevo en la cama junto a ella—. Y no tengas miedo, que si te portás bien no te vamos a hacer nada. Te lo prometo.

La promesa le entró por un oído y le salió por el otro. La vida le había enseñado a no confiar en nadie.

—¿Que me tranquilice? ¿Es una broma?

—No, no es ninguna broma. ¿Querés tomar algo?

—No.

—Bueno, entonces vení que te voy a mostrar algo —dijo el tipo levantándose de la cama.

Siguió al hombre fuera de la habitación y atravesaron el comedor. El otro encapuchado caminaba detrás de ella.

La cocina estaba casi exactamente igual que cuando la habían atacado. El sol entraba ahora un poco más de lado por la ventana a través de la cual Báez le había tirado un beso. De hecho, en la mesada de mármol todavía estaba el queso a medio cortar sobre la tabla de madera. El cuchillo, sin embargo, había desaparecido.

Los hombres se ubicaron a cada lado de la puerta que comunicaba la cocina con la despensa.

—Lo que vas a ver ahora no te va a gustar, pero no grites que no queremos escándalo acá, ¿eh? —dijo el del colmillo partido, poniendo su mano enguantada sobre el picaporte.

Lentamente, la puerta se abrió crujiendo por las bisagras y Fabiana sintió cómo la respiración se le aceleraba con cada centímetro de la imagen que iba revelando. Para cuando estuvo abierta de par en par, le faltaba el aire.

Antes de que las piernas le dijeran basta, pudo reconocer el cuerpo de Raúl Báez tendido en el suelo. Una enorme mancha de sangre le cubría el pecho y se extendía, formando un charco, a cada lado de su cuerpo. Entre sus piernas, Fabiana distinguió el gran cuchillo de mango blanco con el que había estado cortando queso. Varios hilos de sangre cruzaban la hoja plateada y afilada.

Entonces, por primera vez en su vida, Fabiana Orquera se desmayó.

61 — LA ÚNICA ALTERNATIVA

Cuando volvió en sí, los encapuchados la miraban en silencio. Estaba acostada sobre una superficie dura y fría. Al girar la cabeza reconoció, a un palmo de sus ojos, las patas del banco de madera de la cocina.

Ignorando las manos abiertas que le tendían los encapuchados, se incorporó apoyando sus propias palmas en las baldosas frías. Sentada en el suelo, miró la puerta de madera de la despensa, que ahora estaba cerrada.

—Llévenlo al pueblo, que se va a morir —dijo, intentando ponerse de pie y correr hacia la puerta—. Si perdió toda esa sangre, lo tiene que ver un médico urgente. Llévenlo...

Las manos del encapuchado más grande la asieron fuertemente por ambos hombros.

—Está muerto, Fabiana. Fiambre —dijo el otro.

Muerto, pensó. El primer hombre en toda su vida que había logrado hacerla sentir cómoda. El hombre que le había enseñado que una relación iba más allá del cortejo, la cama y las palabras bonitas. El que le había hecho entender, a pesar de lo furtivo de sus encuentros, que podía haber apoyo y compañerismo en una pareja. Y, por sobre todas las cosas, el primer hombre que jamás rompería una promesa, porque nunca le había hecho una. Ese hombre, el que le había hecho sentir lo más parecido al amor que ella conocía, estaba muerto.

Se puso de pie lentamente, y esta vez ninguno de los encapuchados se lo impidió.

—Fabiana, tenés que... —dijo el único que le hablaba.

La frase quedó a medias. Ella lo empujó con toda la fuerza de sus brazos y el hombre dio dos pasos hacia atrás, hasta detenerse contra el mármol de la mesada.

—¿Por qué, hijos de puta?

Se abalanzó sobre él, dándole puñetazos en el pecho. La mano del grandote la agarró por la cintura, pero antes de que tirara hacia atrás, Fabiana alcanzó a soltar un rodillazo con toda su fuerza. El hombre contra el mármol hizo una mueca de dolor, y se inclinó hacia adelante agarrándose los genitales con ambas manos.

—¿Por qué? —gritaba Fabiana dando patadas al aire mientras el otro la sujetaba fuertemente.

Siguió pataleando y gritando hasta que empezaron a faltarle las fuerzas. Cuando dejó de forcejear, el hombre al que había atacado se volvió hacia ella.

—¿Ya está? —dijo— ¿Ahora podemos hablar como gente civilizada?

Si hubiera tenido un cuchillo a mano, pensó Fabiana, se lo clavaba en el pecho. Como gente civilizada.

—Así me gusta —dijo el hombre tras el silencio de ella y le hizo un gesto con la cabeza a su compañero.

Fabiana sintió cómo los brazos que la sujetaban se aflojaban.

—Sentate.

Ella le hizo caso.

—No te puedo contar por qué. Son órdenes, ¿me entendés? Sólo puedo decirte que Raúl Báez era uno de los hijos de puta más hijos de puta que hay en este mundo. Y si supieras las barbaridades que hizo ese tipo, capaz que hasta nos terminabas dando las gracias.

Esas palabras le cayeron como un balde de agua helada. Tenía que ser mentira. Báez la trataba bien y parecía tan bueno como un pedazo de pan. ¿Qué cosas tan horribles podían venir de alguien como él? De los ojos le salieron lágrimas de rabia.

—¿Y qué van a hacer conmigo?

El hombre miró el suelo.

—Lo que te voy a decir ahora no te va a gustar, flaca.

Entonces Fabiana entendió que la iban a matar. Se abalanzó sobre la puerta de la cocina a toda velocidad. Giró el picaporte y tiró de él con toda su fuerza, pero no logró abrirla.

—No te asustes. Ya te dije que si te portás bien no te vamos a hacer nada.

Fabiana permaneció en silencio.

—Te cuento cómo sigue la cosa. Cuando vuelva el mensual, en un par de horas, se va a sentar a tomar mate en su cocina y de vez en cuando estirará el cogote para mirar para acá, preguntándose por qué no se ve ningún movimiento. Al salir a darle de comer al caballo o a los perros, el tipo se hará la misma pregunta. Y a la noche, cuando vea que no se enciende ninguna luz, empezará a sospechar, porque el coche de Báez está estacionado en la puerta.

El hombre señaló con el pulgar hacia el frente de la casa e hizo una pausa larga.

—Pero como tiene instrucciones del dueño de la estancia de no molestar a los inquilinos, lo más probable es que la primera noche se quede en el molde y se vaya a dormir con la duda. Eso sí, a la noche siguiente va a venir de cabeza a ver qué pasa.

El encapuchado levantó un dedo y señaló la pequeña ventanita en la puerta de la cocina.

—Y cuando se asome por ahí, encuentre a Báez muerto y descubra que vos no estás por ningún lado, intentará avisar a alguien. Supongo que se subirá al caballo e irá hasta Cabo Blanco para que los fareros llamen por radio al pueblo. A más tardar, dentro de dos días la policía tiene un cadáver y una persona que no se sabe dónde está, lo cual es bastante sospechoso ¿no te parece?

Fabiana no respondió.

—Pero eso no es todo —exclamó el hombre—. Además, cuando analicen el cuchillo que le clavaron en el pecho al pobre Báez, encontrarán huellas. ¿Y qué hace la cana cuando encuentra deditos marcados? Los compara con los de los sospechosos. Pero resulta que la principal sospechosa, la que pasaba el fin de semana con el muerto, no aparece por ningún lado.

El hombre se despegó de la mesada y empezó caminar de un lado a otro de la cocina.

—Entonces ¿qué hace la policía? Busca en sus registros y concluye que Fabiana es una chica buena que no tiene antecedentes en ninguna comisaría de la Argentina. Después de todo, sólo existe desde hace un poco más de un año.

—¿Cómo dijiste? —preguntó ella.

—Entonces la policía —continuó el hombre ignorando su pregunta—, que para esta altura solo piensa en un crimen pasional, centrará todos sus esfuerzos en encontrar a Fabiana Orquera para interrogarla y comparar sus huellas con las del cuchillo. Probablemente le pasen el caso a la Federal, así se aseguran de no dejar un solo rincón del país sin buscarla.

Fabiana inspiró hondo y abrió la boca para decir algo, pero el hombre se adelantó.

—Lo bueno es que es una historia con final feliz, nena —dijo con tono alegre—. Porque Fabiana Orquera va a estar viviendo muy lejos de Puerto Deseado y todo el mundo la conocerá por otro nombre. ¿Nuevamente Adelina Arteaga, quizás? Quién sabe. Lo importante es que estará contenta. ¿Ves que tiene final feliz, Adelina?

Su propio nombre le sonó extraño. Hacía ya más de un año que nadie la llamaba así.

—Adelina, ¿no? ¿Adelina Arteaga? Al menos así figurás en los registros de la cárcel de Montevideo.

Sintió que el mundo se le venía abajo.

—No sé de qué me están hablando.

—Con vos no es la cosa, uruguaya. Tuviste la mala suerte de acostarte con el tipo equivocado, nada más. Aunque bueno, considerando tu historia, te habrás acostado con más de uno equivocado, ¿no?

Al grandote, que estaba junto a la pared, se le escapó una risita apenas audible. Adelina no respondió.

—¿Y qué piensan hacer conmigo? —fue todo lo que atinó a decir.

—¿Nosotros? Acompañarte a la salida y abrirte la puerta, como toda dama respetable se merece.

—¿De qué estás hablando?

—Te llevamos hasta Fitz Roy, te subís al primer colectivo que pase para el norte y chau, nos vemos. El sur no te lo recomiendo. Son todos pueblos chiquitos como Deseado y te van a terminar encontrando. Con toda la policía atrás, yo no me sentiría seguro ni siquiera en Ushuaia o en Gallegos.

Fabiana se quedó en silencio, mirando la puerta que la separaba del cuerpo de Báez. ¿Por qué tomaban el riesgo enorme de dejarla ir? ¿No habían pensado en qué pasaría si algún día ella decidía volver y contar toda la verdad? No entendía por qué, pero tampoco iba a darles razones para no dejarla ir.

—¿En qué estás pensando, uruguaya?

—En nada.

—Mentirosa, mentirosa —exclamó el hombre entonando las palabras como si fueran parte de una canción—. Estás pensando en por qué no te limpiamos a vos también. Y la respuesta es que no hace falta, porque la evidencia te hunde. Hay huellas tuyas por todos lados y a nosotros nadie nos vio.

Dijo esto último mostrando sus dos palmas enfundadas en

látex.

—Y ni hablemos de si aparece una denuncia anónima revelando la verdadera identidad de Fabiana Orquera y contando que estuvo presa en Uruguay por matar a un policía.

Al oír esta última frase, Fabiana clavó la mirada en los ojos del hombre y maldijo al muy hijo de puta que sonreía mostrando un colmillo partido detrás del pasamontañas.

—¿Un consejo? —dijo el hombre—. Pasaje de ida, bien lejos. Salvo que tengas ganas de pasar otro tiempito guardada.

62 — DESPUÉS DE FITZ ROY

—Tenían razón, y no me quedaba otra opción que hacerles caso —dijo Nina Lomeña.

Estábamos sentados uno a cada lado de una pequeña mesa en el café del hotel Los Acantilados, en Deseado. Por la ventana se veía la parte nueva del puerto, ocupada por un barco enorme de contenedores. Más atrás, el muelle viejo estaba atiborrado de tangoneros de casco rojo que esperaban, amarrados en varias andanas, que se levantara la veda del langostino. Sus sombras se recortaban en el resplandor claro y anaranjado del atardecer.

Eran las nueve de la noche. A los ojos de los demás, éramos ella y yo sentados a la mesa. Pero a los míos, tenía enfrente a tres personas. Adelina Arteaga, la prostituta que dejó atrás su país después de tres años en la cárcel; Nina Lomeña, la española entusiasta y benefactora de Cabo Blanco; y la mismísima Fabiana Orquera.

Todas ellas eran la misma persona, y se tomaban ahora un café conmigo.

Habían pasado tres días del vuelco al salir de la salina. Tres días desde que, al verme aparecer junto a su cuerpo tirado a diez metros de la camioneta con las ruedas hacia arriba, me dijera *perdón,* y luego *me duele la espalda.* Tres días desde la media hora eterna que tardé en llegar desde el lugar del accidente al faro, subir las escaleras, hablar con Tadeo y volver para sostenerle la mano y consolar a la mujer que me acababa de disparar con un rifle. Tres días desde que le había pedido que aguante, que ya llegaba la ambulancia.

—No me quedaba otra opción que ir hacia el norte, como ellos me decían —repitió.

Nina tomó un sobre de edulcorante con la mano izquierda, lo abrió con los dientes y lo echó en el tercer café de la tarde. Los dedos de la derecha asomaban por un yeso que le llegaba hasta el hombro. Diez centímetros más arriba, un collar cervical de color piel le obligaba a tener la cabeza erguida.

La tercera silla de nuestra mesa la ocupaba un bastón de madera. Yo mismo lo había puesto ahí dos horas antes, cuando la ayudé a sentarse. Era la primera oportunidad que tenía de hablar con ella a solas. Durante las cuarenta y ocho horas que estuvo en el hospital, Carlucho y Dolores se alternaron para acompañarla día y noche. Y durante el horario de visita, la habitación se llenaba de miembros de la Asociación de Amigos de Cabo Blanco. Todos querían apoyar a una de las grandes benefactoras de la asociación en un momento difícil.

Ninguno de ellos sospechaba en lo más mínimo la historia que la mujer me acababa de contar. Ninguno podía imaginarse que Nina Lomeña era Fabiana Orquera. Ni que su verdadero nombre era Adelina Arteaga.

—Me dieron cinco minutos para coger mis cosas. Cuando salimos de la casa, me hicieron subir a un Peugeot 504 de color blanco. Dentro estaba reluciente y olía a nuevo, no me voy a olvidar nunca en mi vida.

—¿Y te llevaron de Las Maras directamente a Fitz Roy? —quise saber.

—Creo que no. Bueno, en realidad no lo sé. Al subirme al coche, me ataron las manos detrás del asiento del acompañante y me vendaron los ojos. Cuando me quitaron la venda estaba donde se juntan la carretera de ripio y el asfalto. Sólo estábamos el grandote y yo en el coche.

—¿Pero el otro no se había subido con ustedes en Las Maras?

—Sí, pero a los quince o veinte minutos, más o menos, se bajó. No pude ver dónde, pero por lo que averigüé después...

—...era el faro de Cabo Blanco.

—El faro —repitió ella, asintiendo.

Nina había llegado a la misma conclusión que yo. El encapuchado que hablaba era el Tano Pintaldi, único farero en Cabo Blanco ese día y mano derecha del candidato Ceferino Belcastro.

—En el asfalto giramos a la derecha e hicimos los cien kilómetros a Fitz Roy sin que el grandote dijera una sola palabra. Se dejó puesto el pasamontañas todo el tiempo. Cada vez que nos cruzábamos un coche, el tipo bajaba el parasol y se llevaba la mano a la boca, para disimular que iba encapuchado.

—¿Y al llegar a Fitz Roy? ¿Tampoco se descubrió la cara?

Nina negó con la cabeza.

—Me dejó a unos quinientos metros de la primera casa del pueblo. Apenas cerré la puerta, aceleró dejándome atrás. Me acuerdo que intenté mirar el número de matrícula del coche, pero no tenía.

—¿Y qué hiciste al quedarte sola?

—Esperé un par de horas en la estación de servicio de Fitz Roy hasta que llegó un autobús que iba a Comodoro. Dos días más tarde estaba en Buenos Aires. Llegué un mediodía y esa misma noche crucé el río para volver a Montevideo.

Con la mano izquierda, Nina se terminó su café con leche.

Nos quedamos un rato en silencio. Yo tenía tantas preguntas para hacerle que no sabía por cuál empezar. Cuando estaba a punto de decidirme, Nina se movió un poco en la silla y me pareció notar que inspiraba fuerte antes de hablar.

—A la semana de estar en Uruguay, encontré un trabajo limpiando en una peluquería. Unos días más tarde supe que esperaba un hijo de Raúl Báez.

63 — FABIANA Y EL FANTASMA DE FABIANA

—¿Un hijo de Raúl Báez? —pregunté, bajando la voz.

Nina asintió con la cabeza todo lo que el collar cervical le permitía.

—Y... ¿qué pasó con ese bebé?

—Un milagro —contestó sonriendo.

En ese momento llegó el mozo con un café con leche que me acababa de pedir. Le dije que me lo cambiara por un Baileys.

—De a poco me fui haciendo amiga de las peluqueras. Para cuando tenía la barriga a punto de explotar, una de ellas me había enseñado lo suficiente como para tener mi primer cliente.

No entendí qué tenía que ver aquello con lo que yo le había preguntado.

—Mi primer corte oficial se lo hice al capitán de un barco mercante español que había parado a descargar en Montevideo. El pelo le quedó fatal, pero entre mis nervios y la barriga que no me permitía acercarme bien a él, nos reímos un montón.

Nina me ofreció una sonrisa cargada de nostalgia antes de tomar un poco del agua con gas que le habían servido con el café.

—Al poco tiempo tuve a Gerardo, mi niño. Por mucho tiempo, no pasó un solo día desde que me fui de Deseado que no pensara en Raúl. En cuáles habían sido las cosas tan terribles que, según esos cabrones, él había hecho. En por qué la vida me daba un hijo suyo.

Miré alrededor. Un grupo de sesentonas daban pequeños sorbos a sus tés. Dos hombres de mi edad pero con ropa mucho más cara que la mía parecían planear un negocio. Un señor gordo y de bigote rubio leía el diario, y uno con cara de preocupado trabajaba en su computadora portátil. Ninguno de ellos podía ni empezar a imaginarse lo que estaba pasando en mi mesa.

—Gerardo tendría un año cuando Javier volvió a la peluquería. A pesar del desastre que le había hecho la primera vez, pidió que fuera yo quien le cortara. Dijo que había valido la pena.

—Todo un galán.

Nina asintió.

—Mientras le cortaba el pelo, me preguntó por el niño. Y después, sin rodeos, por el padre. Le dije que había muerto. Luego debemos haber hablado de muchas cosas, no me acuerdo. Lo cierto es que, para cuando terminé y se levantó de la silla, me invitó a cenar.

El mozo llegó con mi Baileys y se lo quité de las manos sin darle tiempo a apoyarlo en la mesa.

—Pero dije que no, porque Gerardo ya pasaba durante el día demasiadas horas sin su madre como para dejarlo también a la noche. Me respondió con una sonrisa y me dijo "pues vamos los tres entonces". El día que se cumplió un año de esa cena, Javier y yo nos casamos en Málaga.

—¿Y Gerardo sabe que Javier no es su verdadero padre?

—Gerardo sabe lo que tiene que saber. Sabe que su padre es Javier Lomeña. El hombre que le enseñó a contar hasta diez, a escribir su nombre y a montar en bicicleta. Javier fue el mejor papá que Gerardo pudo tener.

Pegué un trago al Baileys y me eché hacia atrás en mi silla, observando a la mismísima Fabiana Orquera. Habiéndola imaginado entrerriana primero y sabiéndola uruguaya después, me resultaba difícil asociarla al fuerte acento español que le habían dado los casi treinta años al otro lado del charco.

—¿Y cómo te enteraste de la verdad? —quise saber—. De que Báez no había muerto aquel día en Las Maras.

—Fue hace unos cinco años. Un día Gerardo me vino a visitar a casa y me mostró un blog donde elogiaban la actuación de su banda de rock en un bar de Barcelona. Estaba contentísimo porque había encontrado la página de casualidad, buscando su propio nombre en el Google.

Nina hizo una pausa para pedirle al mozo más agua con gas.

—Aquella noche, como siempre, me conecté a Internet para mirar el correo. Y luego, a modo de juego, puse mi nombre en Google. Desilusionada, comprobé que no parecía haber ningún rastro de mí en la red. Entonces, no sé muy bien por qué, probé con Fabiana Orquera. Entre otras cosas, encontré una noticia de un diario que se llamaba Crónicas de Santa Cruz, o Reportes de Santa Cruz o algo así. La noticia se titulaba...

—"El fantasma de Fabiana Orquera" —me adelanté.

—¿Tú también la leíste?

Asentí, recordando el artículo donde relacionaban el fracaso político de Báez elección tras elección con la desaparición de la mujer que tenía ahora enfrente.

—Fue una de las peores noches de mi vida. Peor aún que cualquiera de las que pasé en la cárcel. ¡Raúl Báez estaba vivo! Después de veinticinco años, casi sin querer, mi hijo me hizo descubrir que su padre biológico no había muerto aquella tarde como yo pensaba.

—¿Qué sentiste?

Nina se dudó por un instante.

—Me sentí engañada. Me pasé toda la noche repasando minuto a minuto aquel día en Las Maras. Levantarme, estar con él, preparar el almuerzo. Me pregunté mil veces cómo podía ser que Raúl estuviera vivo si yo misma lo había visto inmóvil con una cuchillada en el pecho.

—Supongo que con el tiempo te habrás enterado de que en realidad no tenía ni un rasguño y que la sangre era de cordero.

—Por supuesto que me enteré. Pero todo eso lo supe mucho después. Aquella noche, tras leer ese artículo, lo primero que hice fue intentar averiguar si Raúl seguía vivo. Fue un golpe durísimo encontrar otra noticia que describía cómo había muerto. Me imagino que tú sabrás lo que pasó.

Asentí sin decir palabra. Báez, desahuciado y convertido en un vagabundo, se había ahorcado en la despensa de la casa de Las Maras el día que se cumplían quince años de la desaparición de Fabiana Orquera. Un ejemplo claro de cómo la vida se puede ir a la mierda en un abrir y cerrar de ojos.

Me terminé el Baileys de un trago y pedí otro.

—Esa noche no sólo me enteré de que el padre de mi hijo no había muerto veinticinco años atrás como yo pensaba, y como esos hombres encapuchados me habían hecho creer. Me enteré también de que aquel día en Las Maras, la vida de ese hombre, cuya cara había visto durante veinticinco años reflejada en la de mi hijo, se había arruinado tanto como la mía.

Nina tenía la mirada ausente.

—A partir de entonces, sólo pude pensar en averiguar qué había pasado aquella mañana en la estancia —dijo, levantándose de la silla.

Apoyada en su bastón, se fue lentamente hacia el baño.

64 — VEINTISÉIS AÑOS DESPUÉS

Aunque era casi imposible, intenté ponerme en su lugar. Pensé en lo que habría significado descubrir que, durante catorce años, padre e hijo habían vivido sin saber el uno de la existencia del otro. Y en lo duro que habría sido enterarse de cómo Báez había pasado sus últimos días e imaginar el sufrimiento que lo había llevado a ahorcarse en la fecha y el lugar en que lo hizo.

—Espero que realmente sea sólo por un par de semanas, como dijo el médico —comentó Nina al volver, apoyando de mala gana el bastón en la silla vacía—. Parezco una anciana andando con esto. ¿Dónde nos habíamos quedado?

—En que cuando te enteraste de que la muerte de Báez había sido falsa, te obsesionaste con saber la verdad.

—Obsesión, exactamente. Esa es la palabra. Tanta que no paré hasta comprarme un vuelo Madrid-Buenos Aires. En 2009, hace cuatro años, volví a Puerto Deseado después de veintiséis años.

—¿Nunca antes habías pensado en volver?

—Ni a Deseado ni a Montevideo —respondió ella inmediatamente—. Todos los recuerdos que tenía de este lado del charco eran una mierda. En España, por el contrario, la vida me había sonreído desde el principio. Gerardo creció junto a un padre maravilloso, que además fue un excelente compañero, y cumplí el sueño de llevar una vida normal. Además me enamoré de España, de su gente, del sol de Andalucía. Sentí que había encontrado mi lugar en el mundo. Ya lo ves, si hasta hablo como ellos.

—Pero después de enterarte de lo de Raúl, decidiste volver a Argentina.

—Fue la necesidad de saber la verdad. Leer, preguntar, escuchar. Vine por tres semanas y me la pasé días enteros en la biblioteca leyendo el archivo del diario El Orden. Hasta conseguí una copia de la declaración de Raúl en el juicio.

—¿Y nadie te reconoció en todo el tiempo que pasaste en el pueblo?

—Viví en Deseado apenas un año. Y me hice famosa justamente cuando ya no estaba. La mayoría de la gente sólo me había visto en la foto con la que hicieron los carteles pidiendo información sobre mí. Conocían a la Fabiana Orquera de veintitrés años, que no llegaba a pesar cincuenta kilos y tenía pelo largo y castaño. Era imposible asociarla con la cincuentona española de pelo corto y teñido de negro para tapar las canas.

Tenía razón, pensé. Ni siquiera yo había podido relacionar la foto en el diario con la mujer que tenía enfrente. Y eso que, por diferentes motivos, había mirado a ambas con detenimiento en los últimos días.

—Por supuesto que, para asegurarme evité cualquier encuentro con Edith, la señora con quien viví mientras estuve en Deseado.

—Y fue en esa primera visita cuando se te ocurrió inventarte a NN y sus cartas —adiviné.

Nina negó con la cabeza e hizo una mueca de dolor al girar el cuello entablillado.

—Eso vino después —dijo.

65 — A FUEGO LENTO

—Cuando volví a España después de aquel primer viaje, intenté superar el golpe. Quise convencerme de que podía volver a ser feliz, como lo había logrado ser mientras creí que Báez había muerto en el ochenta y tres. Pero fue inútil, descubrir algo así te cambia.

—Me imagino.

—Lo dudo mucho. No creo que entiendas lo que sentí al enterarme de que el padre de mi hijo se había ahorcado en Las Maras exactamente quince años después de mi desaparición.

—¿Te estás culpando de lo que pasó?

—Por supuesto que no. Al menos en una gran parte, yo no tuve nada que ver. Es cierto que me metí, sabiéndolo, con un hombre casado y padre de familia. Y también es cierto que mi pasado facilitó las cosas a los hijos de puta que causaron todo esto.

—¿Cuándo te enteraste de quiénes eran los encapuchados y por qué hicieron lo que hicieron?

—Durante aquella primera visita. Eso fue lo más fácil de todo. Sabiendo cómo le había afectado mi desaparición a la carrera política de Báez, me bastó con enterarme de que Pintaldi, la mano derecha de Ceferino Belcastro, tenía un colmillo partido. Recuerdo esa dentadura horrible asomando por el agujero del pasamontañas como si el día en que me forzaron a irme hubiese sido ayer.

Yo había llegado a la misma conclusión, a excepción de que creí que Pintaldi había *matado* a Fabiana Orquera por orden de Belcastro.

—¿Y por qué decidiste vengarte de esta manera?

Nina soltó una risa cansada y negó con la cabeza.

—¿Vengarme? No has entendido nada. A estas alturas la venganza ya no vale la pena —dijo Nina señalando a su alrededor—. Belcastro y Gómez llevan años muertos.

—¿Gómez?

—Danilo Gómez. El grandote que no hablaba. El que me llevó a Fitz Roy en el Peugeot. Murió en un accidente de tráfico en los noventa.

—Pero Pintaldi sigue vivo —dije.

—A Pintaldi le quedan dos telediarios. Ya has visto cómo está. Llegué demasiado tarde para la venganza.

—Y entonces, ¿para qué lo hiciste?

—Pues para que todo el mundo supiera la verdad. Para disipar todas las dudas de que Báez tuvo algo que ver con mi desaparición.

—Pero... ¿por qué no saliste en la radio o en la televisión explicándolo todo? De esa manera también habrías podido reivindicar al padre de tu hijo.

—Estuve a punto de hacerlo. Mil veces. Y las mil veces me arrepentí. Fui incapaz de superar la cobardía.

—¿Miedo a qué tenías, se puede saber? Si sabías que los que te amenazaron estaban todos muertos, o casi.

Noté que su mano izquierda estaba cerrada en un puño. De tanto apretar, los nudillos se le habían puesto blancos.

—No tiene nada que ver con ellos. Es otro tipo de miedo. Imagínate que te has pasado treinta años de tu vida intentando ocultar tu pasado. Treinta años queriendo arrancarle un pedazo a tu propia historia. Y treinta años viendo como ella se resiste y contraataca. Te bombardea con nombres, recuerdos, olores. Con cicatrices cuando te miras al espejo. Con gestos de tu hijo.

Nina hizo una pausa y abrió lentamente la mano para agarrar el vaso de agua y beber un trago.

—Tuve pavor de que Gerardo supiera lo que le oculté toda su vida. Terror de que, después de haberle mentido durante treinta años sobre su padre y el pasado de su madre, se enterara de la verdad. Temí perder lo más bonito que tuve nunca en esta vida, ¿entiendes? Por eso no podía ser yo quien contara la historia de Fabiana Orquera.

—Y entonces te inventaste una historia falsa a través de las cartas póstumas de NN.

—No del todo falsa. Belcastro y su gente mataron aquel día a Fabiana Orquera cuando me obligaron a subirme al bus en Fitz Roy.

—Pero en las cartas de NN prometías la ubicación del cuerpo de Fabiana.

Nina se encogió de hombros.

—Supongo que esa es la parte del enigma que jamás ibas a poder descifrar.

66 — ¿POR QUÉ A MÍ?

A medida que el sol se ponía al otro lado de la ría, yo iba entendiendo un poco más a la mujer que tenía sentada enfrente. Ante la necesidad de hacer pública toda la verdad, Adelina Arteaga se había sentido acorralada. Y, una vez más, había hecho lo que llevaba haciendo toda su vida. Encontrar una salida.

De a poco me la empezaba a imaginar escribiendo cartas y firmándolas como NN. Me la figuraba en la Cabaña, limando la moneda de la salina para sellar el lacre y sonriendo al retroceder las páginas del libro de visitas de Las Maras y encontrar un hueco casi en el margen donde meter una nota de letra pequeña y comprimida. De golpe, tenía sentido que una española tomara tanto mate y se hubiera pasado dos veranos ayudando en Cabo Blanco. Y que hubiera una huella digital reciente en la carta de NN.

—¿No fue casualidad que haya sido yo quien encontró la primera carta, no? —quise saber.

—Por supuesto que no.

—¿Y por qué me elegiste a mí para este juego?

—Porque nadie hubiera sido más indicado que tú para esto. Estás sentimentalmente involucrado con Las Maras y no tienes miedo a publicar una buena historia aunque eso te ponga a medio pueblo en contra.

—Además de buenas, me gusta que las historias que escribo sean *verdaderas*.

—Pues la que yo te di tiene más de verdad que de mentira —dijo Nina subiendo la voz.

El hombre calvo que trabajaba en su computadora portátil a dos mesas de la nuestra se giró al oírla, pero volvió a lo suyo cuando Nina retomó el tono bajo y calmado.

—A Fabiana Orquera no la hizo desaparecer Báez como cree medio Deseado. Fue la gente de Belcastro para ganar una elección. No les importó arruinarle la vida a dos personas para quedarse con el poder del pueblo.

—¿Me vas a decir ahora que mentiste sólo en los detalles?

—Por supuesto que sólo fue en los detalles. Belcastro nunca habrá escrito esas cartas dejando pistas, ni puesto el mensaje en el microfilm, pero ese hijo de puta hizo desaparecer a Fabiana Orquera por ambición política. Ese era el mensaje que yo quería transmitir.

—El mensaje que quisiste que *yo* transmitiera, querrás decir.

—Nahuel, entiendo que no quieras aceptar mis razones para no dar la cara. Pero créeme que inventarme la confesión póstuma de NN fue la manera más inofensiva que encontré de que se supiera la verdad. Piensa que si hubiera salido bien, no habría habido perjudicados.

—¿Te parece que no hay perjudicados? —dije, derramando un poco de Baileys al apoyar de golpe el vaso sobre la mesa—. ¿Y mi perro, por ejemplo? ¿O haberlo matado también te parece simplemente un detalle?

Antes de volver a hablar, agachó la vista y revolvió mecánicamente su café con leche.

—Yo no maté a tu perro.

—¿Cómo que no? ¿Entonces quién me escribió esa nota amenazándome para que dejara de investigar el caso de Fabiana Orquera?

—La nota la escribí yo. Pero no envenené a Bongo. No tuve absolutamente nada que ver con eso.

—No entiendo.

—Me aproveché —dijo finalmente, sin levantar la mirada—. Cuando me avisaste que Bongo había muerto y me pediste que postergáramos la vuelta a Las Maras, vi una oportunidad única para involucrarte personalmente en el asunto. Entonces se me ocurrió escribir la nota para que creyeras que lo habían envenenado porque investigabas el caso de Fabiana Orquera.

—Me dijiste que adorabas a los perros.

—Claro que los adoro. Y no le hice nada a Bongo. Habría sido incapaz.

—¿Cómo te pudiste aprovechar de algo así?

Nina miró por la ventana. Se estaba haciendo de noche y los barcos amarrados en el puerto ahora brillaban iluminados por potentes luces eléctricas. Se giró hacia mí y me miró con un gesto de dolor que parecía genuino.

—He venido del otro lado del mundo para hacer esto, Nahuel. Estaba decidida a usar todos los medios posibles para limpiar la memoria de Raúl, y el asesinato de tu mascota como mensaje mafioso encajaba perfectamente con el perfil de matón de Pintaldi. Además, estaba convencida de que una amenaza así, lejos de espantarte del caso, te acercaría más a él. Sabía que no pararías. Que eres el tipo de persona a quien las amenazas no detienen, sino empujan.

—¿Cómo podés decir eso, si apenas me conocés?

—Nahuel, hace más de tres años que vengo planeando esto. El año pasado, cuando me enteré de quién eras, empecé a averiguar sobre ti. He leído todas tus columnas en El Orden, incluyendo aquellas en las que denuncias públicamente las amenazas que recibes. Amenazarte era la manera más segura de que publicaras la historia. Y no me equivoqué. Me lo confirmaste tú mismo con lo que me dijiste el día que murió tu perro.

—¿Y entonces quién lo mató?

Se giró con esfuerzo para alcanzar su cartera, colgada en el respaldo de la silla. Revolvió en el interior hasta sacar un papel doblado en cuatro.

—La noche en que murió Bongo, antes de deslizar mi nota por debajo de tu puerta, quité esto. Estaba clavado con chinchetas a la altura de la mirilla —dijo Nina, poniendo el papel sobre la mesa y empujándolo hacia mí.

Al desdoblarlo, reconocí la imagen de inmediato. Era una impresión a color de uno de los cuadros más reproducidos en el mundo. Siete perros de diferentes razas estaban sentados en sillas alrededor de una mesa de paño verde. Algunos fumaban y otros tomaban whisky. Todos tenían cartas en la mano, y en el centro había un montón desordenado de fichas de colores.

En una de las esquinas del papel había unas letras diminutas y pixeladas.

Reproducción. De la serie, "Perros jugando al póker". Original óleo, 1903, Cassius Marcellus Coolidge (Antwerp, New York, 1844 – New York City, New York, 1934).

—Perros jugando al póker —murmuré.

Seguro que se apostaban una plaza.

67 — EN LA DIRECCIÓN CONTRARIA

—Ya ves —dijo Nina tras un momento de silencio—. No le hice daño a nadie. Es más, si todo hubiera salido bien, tendrías una gran historia para publicar.

Meneé la cabeza de un lado a otro.

—Esto es de no creer. Si seguimos hablando te voy a terminar dando las gracias por haberme disparado con un rifle en la salina.

—Era obvio que no iba a lastimarte. Demasiado obvio quizás. Tanto que te pusiste a correr y mi plan se fue a tomar por culo.

—¿O sea que no te bastó con hacerme creer que habías matado a mi perro? Tenías que dispararme para asegurarte.

—Al día siguiente de la muerte de Bongo, cuando volvíamos de Deseado, me dijiste que el tema daba para un libro y que no escribirías nada en El Orden a menos que la cosa se pusiera más peligrosa. Yo me tenía que ir en poco tiempo, y no podía esperar a que terminaras tu libro. No podía exponerme a que por cualquier problema no llegaras a publicarlo y todo mi esfuerzo quedara en nada. Poniéndote en peligro, te obligaba a escribir una denuncia pública y empezar a hablar del caso. Tú mismo me lo dijiste aquel día.

—¿Cómo conseguiste el rifle de Carlucho?

Nina me miró extrañada, como si la pregunta fuera demasiado simple.

—Lo cogí del armario del garaje. Él mismo me dijo que siempre lo dejaba ahí. Las balas las compré en el pueblo.

Recordando lo que había pasado en la salina, metí la mano en el bolsillo y saqué el papel que Nina había dejado en mi parabrisas. Era una nota escrita con la misma letra mayúscula y despareja que la amenaza después de la muerte de Bongo.

PUERTO DESEADO HACE TREINTA AÑOS QUE TIENE UN CULPABLE. LA LENGUA MORDAZ DEL PUEBLO NO PERDONA A NADIE, Y ES MÁS FUERTE QUE EL VEREDICTO DE CUALQUIER JUICIO ¿POR QUÉ NO LO DEJAMOS ASÍ?

—¿O sea que si todo salía bien, tu plan era devolver el rifle, volver a Deseado y reaparecer en Las Maras fingiendo no tener ni idea de lo que había pasado?

—Ese era el plan. No contaba con que salieras corriendo hacia mí cuando te empecé a disparar. En una situación así, la gente normal huye en la dirección contraria.

La gente normal sí, pensé. Pero los locos de mierda como yo después de dos palizas en un mismo día, no.

EPÍLOGO

Mientras veíamos aterrizar por la ventana el avión que se la llevaría a Buenos Aires, nos dijimos las últimas palabras con un café de por medio en el bar del aeropuerto de Comodoro.

—Una vez más, perdón —me dijo, sin levantar la vista de su taza.

Había pasado una semana desde nuestra larga charla en el bar de su hotel, cuando me confesó que había intentado usarme como un títere para limpiar la imagen de Báez sin ensuciar la suya.

—Supongo que hiciste lo que tenías que hacer.

—¿Y qué harás tú, Nahuel?

—¿A qué te referís?

—¿Qué vas a escribir sobre Fabiana Orquera?

Yo mismo llevaba una semana haciéndome esa pregunta.

—No lo sé todavía.

Sonó entonces un mensaje por la megafonía del pequeño edificio. Aerolíneas Argentinas anunciaba la salida de su vuelo con destino a la ciudad de Buenos Aires y rogaba a los pasajeros dirigirse a la única puerta de embarque del aeropuerto.

Ella insistió en pagar el café y yo en acompañarla a la cola del control de seguridad.

Media hora después del abrazo torpe con el que nos despedimos, el avión despegó llevándose de la Patagonia a Fabiana Orquera, a Adelina Arteaga y a Nina Lomeña. Cuando el Boeing 737 ya no era más que un punto en el cielo, me separé de la ventana y volví al bar.

Elegí la mesa en la que acabábamos de desayunar. Para cuando el mozo me trajo el café con leche, yo ya había escrito la primera página de esta historia. Después de todo, uno nunca sabe cuánto hilo le queda en el carretel.

Fue así como decidí contar dónde encontré a Fabiana Orquera.

FIN

AGRADECIMIENTOS

Hubo muchísima gente que me ayudó a escribir este libro, y quiero agradecer a cada uno de ellos.

En primer lugar a Trini, mi compañera de viaje. Gracias por la paciencia infinita, el apoyo constante, los comentarios en rojo y por ser una fuente inagotable de buena onda. Sin ella, me hubiera costado el doble terminar el libro. O no lo hubiera terminado nunca, quién sabe. Prefiero no imaginar nada sin ella.

A toda la gente que me ayudó con cuestiones técnicas, compartiendo conmigo conocimientos de sus áreas de interés (las imprecisiones que puedan haber sobrevivido son culpa exclusivamente mía). A Rolando Martínez Peck por sus mates charlando sobre perros envenenados. A Hugo Giovannoni por su clase magistral sobre fusiles patagónicos. A Renzo Giovannoni, Grato Coccoz y César Vera por la información sobre los barrios de Deseado. A Fabiana López por contarme cómo vive un farero en Cabo Blanco. A Celeste Cortés por su paciencia ante mis preguntas sobre huellas digitales. A Marta "Tata" Segundo Yagüe, mi doctora favorita, por explicarme cuándo se cose una herida y cuándo no. Y a Vanesa Vera por el asesoramiento legal de último momento.

A Verónica Naves Manildo por diseñar la tapa de la novela, que me encanta. A Jorge Combina por las fotos espectaculares de Cabo Blanco que Vero usó en la portada y contraportada. Y a los dos por ayudarme sin pedir nada a cambio.

A todos los que leyeron el manuscrito y me dieron comentarios para mejorarlo: Gerardo Mora, Norberto Perfumo, Renzo Giovannoni, Javier Debarnot, Mónica García, Clelia Poaty Luque, Celeste Cortés, Dora Manildo López, Analía Vega Uceta, Julio Braslavsky, Sebastián Cárdenas, Stephen Logan (el irlandés que más español sabe en este mundo), Cecilia Mora, Ana Barreiro Diéguez, Mariana Perfumo, Rolando Martínez Peck, Marta Segundo Yagüe, Trini Yagüe, Nicolás Reyes, Fabiana López y María Serón.

A todos los lectores de *El secreto sumergido*, mi primera novela, por animarme a escribir otra. Y en particular a Mariano Rodríguez y Pablo Reyes por ser espectaculares embajadores de esa historia.

Y por último, a mi Puerto Deseado querido y todos los habitantes de ese rincón maravilloso del mundo.

NOTA DEL AUTOR

¡Muchísimas gracias por leerme! Espero que hayas disfrutado con esta historia. Me tomo el atrevimiento de pedirte que me ayudes a llegar a más lectores compartiendo tu opinión. Podés hacerlo hablando del libro con personas de carne y hueso, publicando algo en redes sociales o, si lo compraste por internet, dejando una reseña en la web donde lo adquiriste. A vos sólo va a llevarte un minuto, pero el impacto positivo que tiene para mí es enorme.

Por último, me gustaría invitarte a formar parte de mi círculo más cercano de lectores dándote de alta en mi lista de correo. La uso para enviar cuentos inéditos, adelantar capítulos, compartir escenas extras de mis libros que quedaron fuera de la versión final y avisar cuando publico algo nuevo. No suelo escribir más de un correo por mes, así que no te preocupes porque no te voy a llenar la bandeja de entrada (y nada de SPAM, lo prometo). Para darte de alta, encontrarás un botón en mi página web.

Una vez más, gracias por estar ahí. Leyéndome, le das sentido a lo que hago.

SOBRE EL AUTOR

Cristian Perfumo escribe *thrillers* ambientados en la Patagonia Argentina, donde se crio.

El primero, *El secreto sumergido* (2011), está inspirado en una historia real y lleva ya ocho ediciones, con miles de copias vendidas en todo el mundo.

En 2014 publicó *Dónde enterré a Fabiana Orquera*, que agotó varias ediciones en papel y en julio de 2015 se convirtió en el séptimo libro más vendido de Amazon en España y el décimo en México.

Cazador de farsantes (2015), su tercera novela con frío y viento, también agotó la primera tirada.

El coleccionista de flechas (2017) ganó el Premio Literario de Amazon, al que se presentaron más de 1800 obras de autores de 39 países, y está siendo adaptada a la pantalla.

Rescate gris (2018) fue finalista del Premio Clarín de Novela 2018, uno de los galardones literarios más importantes de Latinoamérica, y más tarde fue publicado por la editorial Suma de Letras.

En 2020 publicó *Los ladrones de Entrevientos*, una novela de atracos que ha sido definida por la crítica como «*La casa de papel* en la Patagonia».

En 2021 publicó *Los crímenes del glaciar*, una novela negra ambientada por partes iguales en la Patagonia y los alrededores de Barcelona que se convirtió en best-seller en Amazon. Recientemente ha publicado *Los huesos de Sara* (2022), un *thriller* de misterio que traslada al lector a una excavación paleontológica en uno de los rincones más desconocidos y particulares de la Patagonia.

Sus libros han sido traducidos al inglés, al francés y editados en formatos audiolibro y braille.

Tras vivir años en Australia, Cristian está radicado en Barcelona.

Más novelas de Cristian Perfumo

LOS HUESOS DE SARA

Hay secretos que deberían permanecer enterrados para siempre

El cráneo del dinosaurio carnívoro más grande del mundo ha desaparecido del remoto sitio de la Patagonia donde estaba siendo excavado. Teresa Estévez, la paleontóloga que lidera la expedición, descubre que el ladrón ha dejado en su lugar una falange humana y una críptica nota con una única interpretación posible: el hueso pertenece a su mentora, Sara Lombardi, desaparecida en ese mismo lugar cuatro años atrás.

Con la ayuda de un periodista, Teresa se embarcará en una peligrosa carrera por recuperar uno de los fósiles más valiosos del planeta al mismo tiempo que descubre qué pasó con Sara Lombardi.

No te pierdas este thriller de misterio que te hará descubrir un rincón único de la Patagonia a través de la adictiva pluma de Cristian Perfumo, ganador del Premio Literario de Amazon y escritor best-seller en España y Latinoamérica.

DÓNDE ENTERRÉ A FABIANA ORQUERA

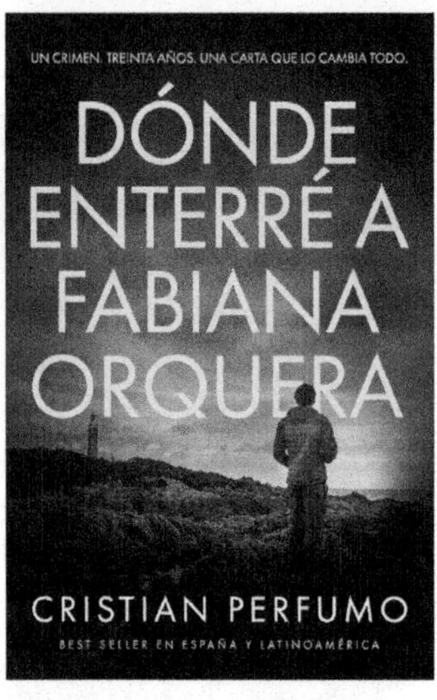

Verano de 1983: En una casa de campo de la Patagonia, a quince kilómetros del vecino más próximo, un político local despierta en el suelo. No tiene ni un rasguño, pero su pecho está empapado en sangre y junto a él hay un cuchillo. Desesperado, busca a su amante por toda la casa. Viajaron allí para pasar unos días juntos sin tener que esconderse. Todavía no sabe que ya nunca volverá a verla. Ni que la sangre que le moja el pecho tampoco es de ella.

Verano de 2013: Nahuel ha pasado casi todos los veranos de su vida en esa casa. Por casualidad, un día encuentra una vieja carta cuyo autor anónimo confiesa haber matado a la amante del candidato. El asesino plantea una serie de enigmas que prometen revelar su identidad y la ubicación del cuerpo. A medida que descifra pistas, Nahuel descubre que, incluso después de treinta años, hay quien prefiere que nunca se sepa la verdad sobre uno de los misterios más intrincados de aquella inhóspita parte del mundo.

¿Qué pasó con Fabiana Orquera?

LOS LADRONES DE ENTREVIENTOS

Durante años, trabajó para ellos. Ahora va a desvalijarlos.

Entrevientos no ha cambiado. Sigue siendo una de las minas de oro más remotas de la Patagonia y del mundo. Sin embargo, para Noelia Viader se ha convertido en un sitio totalmente diferente. Hace un año era su lugar de trabajo y hoy es una cruz roja en el mapa sobre el que repasa los detalles del atraco.

Tras catorce años alejada del mundo criminal, Noelia retoma el contacto con un mítico ladrón de bancos al que le debe la vida. Juntos reúnen a la banda que planea llevarse de Entrevientos cinco mil kilos de oro y plata.

Tienen dos horas antes de que llegue la policía. Si lo logran, los diarios hablarán de un robo magistral. Y ella habrá hecho justicia.

«Como *La casa de papel*, pero en la Patagonia»

www.cristianperfumo.com

EL COLECCIONISTA DE FLECHAS

La calma de una pequeña localidad patagónica se rompe cuando uno de sus vecinos aparece muerto con signos de tortura en su sofá.

Para la criminóloga Laura Badía, este es el caso de su vida: además de la brutalidad del asesinato, de la casa de la víctima han desaparecido trece puntas de flecha talladas hace miles de años por el pueblo tehuelche y cuyo valor es incalculable.

Con la ayuda de un arqueólogo venido de Buenos Aires, Laura se embarcará en la resolución de un misterio que no solo la llevará al glaciar Perito Moreno y a los enclaves más remotos de la Patagonia, sino también a recorrer el lado más oscuro de la mente humana, un lugar donde las mentiras y la codicia se esconden en cada recodo del camino.

Ganadora del Premio Literario de Amazon

www.cristianperfumo.com

LOS CRÍMENES DEL GLACIAR

El cuerpo de un turista aparece congelado en el glaciar más grande de la Patagonia. Murió sobre el hielo, de un disparo en el vientre, hace treinta años.

Pero tú, que te llamas Julián y eres de Barcelona, ignoras que esto te cambiará la vida.

Para entenderlo, primero deberás saber que tu padre tenía un hermano del que nunca te habló. Después, que ese hermano acaba de morir. Y, por último, que en su testamento figuras como único heredero de una misteriosa propiedad en El Chaltén, un idílico pueblo de la Patagonia.

Viajarás hasta allí para venderla, pero cometerás el error de hacer demasiadas preguntas. Entonces comprenderás que, treinta años después del crimen, en El Chaltén se esconde alguien dispuesto a borrarte del mapa con tal de que no llegues a la verdad.

www.cristianperfumo.com

RESCATE GRIS

Puerto Deseado, Patagonia Argentina, 1991. Raúl necesita dos trabajos para llegar a fin de mes. Cuando apaga el despertador para ir al primero de ellos, sabe que algo va mal. Su pequeño pueblo ha amanecido cubierto por la ceniza de un volcán y Graciela, su mujer, no está en casa.

Todo parece indicar que Graciela se ha ido por voluntad propia... hasta que llega la llamada de los secuestradores. Las instrucciones son claras: si quiere volver a verla, tiene que devolver el millón y medio de dólares que robó.

El problema es que Raúl no robó nada.

No te pierdas este thriller psicológico ambientado en una de las épocas más convulsas e inolvidables de la historia de la Patagonia: los días de la erupción del volcán Hudson.

Finalista del Premio Clarín de Novela

www.cristianperfumo.com

EL SECRETO SUMERGIDO

Marcelo, un joven buzo aficionado, busca en las aguas heladas de la Patagonia el lugar exacto del hundimiento de la Swift, una corbeta británica del siglo XVIII. Cuando la persona que más sabe del naufragio en todo el país aparece asesinada con un mensaje extraño en el regazo, Marcelo descubre que su inocente pasatiempo constituye una amenaza enorme para cierta gente. No sabe a quién se enfrenta, pero sí que compite con ellos por reflotar un secreto que, después de dos siglos bajo el mar, podría cambiar la historia de aquella parte remota del planeta. Encontrarlo será difícil. Seguir con vida, aún más.

Basada en una historia real. ¡Miles de ejemplares vendidos en todo el mundo!

www.cristianperfumo.com

CAZADOR DE FARSANTES

"Si estás viendo esto, es porque estoy muerto", dice a la cámara el periodista Javier Gondar pocas horas antes de que le peguen un balazo en la cabeza. En el video, Gondar señala como culpable de su asesinato al Cacique de San Julián, uno de los curanderos más famosos de la Patagonia.

Tras una experiencia difícil, Ricardo Varela se inicia en un extraño hobby: filmar con cámara oculta a chamanes y brujos de su ciudad y exponer sus trucos en Internet. No sabe si existe la brujería, ni le interesa demasiado. De lo que sí está seguro es que su ciudad está llena de farsantes sin escrúpulos dispuestos a prometer salud, dinero y amor a cualquiera que quiera creer. Y pagar.

Para Ricardo, enfrentarse al Cacique es la única forma de cerrar una herida que lleva dos años abierta. Sabe que tendrá que poner en riesgo su vida, y no le importa. Lo que no se imagina es que ese brujo no es más que el primer eslabón de una macabra trama que lleva años cobrándose vidas en nombre de la fe.

www.cristianperfumo.com

EL SECRETO SUMERGIDO

EL SECRETO SUMERGIDO

Cristian Perfumo

Esta novela es una obra de ficción.

Edición: Trini Segundo Yagüe
Diseño de portada: Angela Budden

www.cristianperfumo.com

A Mónica y a Norberto

Los hechos y personajes del siglo XVIII que describo en esta obra son reales (en el noventa por ciento de los casos).
Los de la década del 80, en cambio, son producto de mi imaginación (a excepción de los que no lo son).

PARTE I
LA CORBETA SWIFT

1

La primera vez que Marcelo Rosales oyó hablar de la corbeta Swift no sabía que por ella había muerto gente, ni que aún quedaba alguien más por morir. Tampoco se sentía la nariz.

—Buenos días, alumnos —dijo el profesor Garecca.

Todavía estaba oscuro cuando Marcelo y el resto de los estudiantes de quinto año, el último de la secundaria, se enfrentaron a la primera clase después de las vacaciones de invierno. Aquel lunes de julio se anunciaba uno de los días más fríos de 1981 en plena Patagonia argentina.

—Espero que hayan tenido un buen receso y se encuentren con todas las energías para comenzar esta segunda mitad del ciclo lectivo.

Más que energías, Marcelo tenía sueño. Los quince minutos de viento helado durante el trayecto de su casa al colegio lograban congelarle la cara, pero no despertarlo.

—Durante el resto del curso estudiaremos funciones cuadráticas, cúbicas y exponenciales.

Pero todos, Garecca incluido, sabían que no empezarían hablando de matemáticas. Bastaba una mínima distracción.

—Durante las vacaciones —dijo un chico sentado contra las ventanas empañadas— estuve en el campo de mi abuelo. Me contó que en los sesenta desapareció una familia completa en la casa donde hoy viven los Lozada. Me dijo que el matrimonio y las tres hijas están enterrados en el patio. ¿Es verdad, profesor?

Garecca era una enciclopedia de las leyendas del pueblo, y no había mito en Puerto Deseado que se le resistiera. Parecía disfrutar mucho más hablando de casas embrujadas que de logaritmos. Y sus alumnos —especialmente Marcelo—, más aún.

—Está *comprobadísimo* —dijo, devolviendo a la canaleta debajo del pizarrón la tiza que acababa de agarrar— que eso no es más que uno de los tantos mitos que circulan por este pueblo. Yo, de hecho, estuve interesado en comprar esa casa hace muchos años. Al final no cerramos la operación, pero conozco la historia a la perfección.

—Los Dietrich —prosiguió— vendieron todo antes de mudarse al norte en el año sesenta y cuatro. La casa la compró el finado Leonardo Belizán, un prestamista que nunca la habitó ni quiso alquilarla. Alguien de los muchos que no le tenían simpatía hizo correr el rumor de que Belizán tenía sus motivos para dejarla vacía. A partir de ahí la leyenda se fue transformando hasta generar cinco muertos enterrados en un jardín. No hace falta que yo les explique cómo mutan los rumores en este pueblo, ¿verdad?

El profesor hizo una pausa para recuperar el aliento.

—La casa pasó por dos dueños más hasta que a fines de los setenta la compró Don Lozada. Fin de la historia. Nada de cementerios en el patio.

—Pero eso es siempre igual —intervino la única alumna con la cara maquillada—, en este pueblo se inventan todo. Supuestamente, a mí cada dos por tres me encuentran besándome en algún rincón con fulanito o menganito. Lo más divertido es que nadie da la cara y dice "yo la vi", sino que todos escucharon la historia contada por otra persona.

Un murmullo inundó el aula.

—Mariela tiene razón —dijo Pedro Ramírez desde el fondo, sin atreverse a levantar la vista—. En este pueblo siempre tenemos alguien o algo de qué hablar. El otro día, por ejemplo, estábamos en un asado y mi tío, a la cuarta copa de vino, empezó a hablar de un barco que traía un tesoro y naufragó por una tormenta cerca de Deseado y no sé que otros delirios más. Por suerte, ya lo conocemos. Mi mamá dice que lo hace para llamar la atención.

Fue así, de casualidad, como Marcelo Rosales oyó hablar de la Swift por primera vez, sin saber siquiera su nombre. O si era solo un rumor.

2

La casa de Marcos Olivera era la única en todo el pueblo que tenía un mástil en el patio. En lo alto, hecha pedazos por años de viento, ondeaba una bandera argentina.

—Buenas tardes, ¿don Olivera? —preguntó Marcelo a la figura fornida que le abrió la puerta.

El hombre asintió mientras se ponía unos anteojos que llevaba en el bolsillo de la camisa. Cuando pareció tener una imagen nítida, arqueó las cejas y se acarició una barba blanca prolijamente recortada. La mirada perdida daba la sensación de que estuviera intentando encontrar algo en su memoria. Tras unos instantes, no sin cierta duda, le preguntó.

—¿Vos no sos hijo de Diego Rosales?

A Marcelo la pregunta le cayó como un bloque de cemento en el estómago. Era lo último que se esperaba. Trató de disimular la incomodidad con una sonrisa y respondió afirmativamente con un gesto educado.

—¡Sos igualito a tu papá! Yo hice el servicio militar con él. En la cuadra teníamos las camas casi al lado. Además, éramos compañeros de imaginaria.

—Ah, no sabía. No hablo mucho de estas cosas con mi padre.

En realidad no hablaba de eso ni de nada con él desde hacía más de dos años. El último contacto no lo habían tenido en una fecha cualquiera, pero de haberlo sido, Marcelo recordaría aquel día y aquel padre con el mismo odio.

—Es que de esto hace mil años —respondió el viejo restándole importancia—. La verdad es que ni siquiera recuerdo la última vez que nos vimos. Puede que haya sido en el servicio militar, realmente salgo muy poco por el pueblo.

La probabilidad de que dos personas de las dos mil quinientas que vivían en Puerto Deseado pasaran mucho tiempo sin verse era remota. Tarde o temprano todos se terminaban cruzando con todos. En el supermercado, en el banco, en el correo, en misa o en algún entierro. Era cuestión de tiempo hasta toparse cara a cara con cualquiera. Sin embargo, don Olivera era una de las pocas excepciones. Se había pasado casi toda su vida navegando, y cuando estaba en el pueblo prefería descansar en casa y disfrutar de la compañía de su familia.

—Me llamo Marcelo.

—Marcelo, ¿qué te trae por mi casa?

—Esta mañana en el colegio, un compañero habló de un barco hundido en Deseado, y el profesor Garecca dijo que él también había oído esa historia. Cuando terminó la clase, le pregunté qué más sabía, y me mandó a hablar con usted.

El viejo sonrió y lo invitó a pasar.

—Esperame un momento. Sentate si querés —dijo señalando un sofá de cuero negro—. Voy al cuartito del fondo a ver si encuentro algo que creo que te puede interesar.

Las paredes del salón estaban repletas de cuadros. En tres de ellas no había orden aparente en la mezcla de óleos de pájaros, acuarelas de paisajes y antiquísimos retratos de personas, quizás antepasados. La cuarta, que era lo primero que se veía al entrar a la casa, era diferente. La recorría una chimenea de piedra que ayudaba a olvidarse del frío que hacía afuera.

Sobre el tiraje había cinco cuadros como los cinco puntos en la cara de un dado. Los de las esquinas eran nudos marineros hechos de soga y enmarcados sobre un terciopelo azul. En el centro, un Olivera al menos veinte años más joven posaba en blanco y negro junto a una bella mujer morena frente al glaciar Perito Moreno.

—Esa pared —dijo Olivera mientras dejaba sobre una pequeña mesa una caja polvorienta— representa mi vida entera. Los nudos que tuve que hacer millones de veces durante mi carrera como marino y en el centro mi mujer, el único motivo para desear volver a tierra firme cuando estaba embarcado. De eso ya no queda nada, ahora estoy jubilado y viudo.

—¿Y no tiene hijos? —preguntó Marcelo arrepintiéndose al instante. Si los tuviera, estarían en la foto del centro.

—Es lo único que nos faltó a Margarita y a mí para que la felicidad fuera completa —dijo el viejo ofreciendo una sonrisa rendida—. Pero bueno, de vez en cuando algún compañero me visita y nos pasamos largas horas recordando viejas historias de altamar. ¿Un amargo? —ofreció, dándole un mate de metal que tenía pintada una bandera argentina de colores mucho más vivos que la que flameaba en el patio.

—De la Swift —continuó el hombre— casi nunca hablo con nadie. No porque yo no quiera, sino porque no suele salir el tema. Muy poca gente cree en la historia.

—¿Y usted cree?

—Eso es lo que menos importa —dijo indicándole con la cabeza que se acercara a examinar la caja.

—Como verás —continuó, tras quitarle con la mano el polvo de la tapa— esto está guardado hace mucho. Al recibirlo pasé varios meses escuchando el relato e imaginando cómo habrían sido las cosas en aquel momento. Después decidí guardar la caja hasta que alguien se interesara por el tema. Si no, tenía pensado donarla a la biblioteca cuando fuera un poco más viejo.

—¿*Escuchar* el relato? —preguntó Marcelo devolviéndole el mate.

—Te enterarás en un segundo. Pero antes de empezar ¿por qué te interesa la historia?

—Soy buzo —dijo Marcelo sin dejar de mirar la caja— y si hay un barco hundido en la ría y sabemos dónde está, podríamos hacer algunas inmersiones para intentar encontrarlo.

—Ojalá fuera tan fácil —suspiró el viejo, abriendo la caja.

Dentro había una antigua grabadora del tamaño de una máquina de escribir. Uno de los carretes de la cinta tenía una etiqueta blanca con la palabra *AUSTRALIANO.*

—¿Y esto qué tiene que ver con el barco?

—Una de las pocas desventajas de ser joven es la falta de paciencia —dijo Olivera y desenrolló lentamente el cable del aparato, conectándolo a un enchufe en un rincón de la habitación.

Cuando los carretes comenzaron a girar, se oyó un leve zumbido y luego una voz femenina dijo:

—Informe de la pérdida del barco de guerra de Su Majestad, Swift, en una carta a un amigo.

En el momento en que el corazón de Marcelo comenzaba a galopar de la emoción, Olivera pausó el aparato presionando un botón.

—¿Es éste el barco al que te referís?

—Supongo que sí —titubeó Marcelo. Y aunque no lo fuera le daba igual. Quería escuchar lo que seguía.

El ex marino reanudó la reproducción con el mismo botón.

—Querido señor, habiéndole mencionado frecuentemente algunas circunstancias sobre la pérdida del barco de guerra Swift en las costas de la Patagonia...

La voz de mujer comenzó a narrar la aventura vivida por noventa y un hombres británicos cuyo barco se hundió el martes trece de marzo de 1770 en las costas de Puerto Deseado. El relato estaba en primera persona y lo redactaba Erasmus Gower, teniente de la Marina Real Británica a bordo de la corbeta de guerra Swift.

La Swift había partido de Puerto Egmont, el único apostadero británico en las islas Malvinas en aquel entonces, con el objetivo de explorar el litoral de la desierta Patagonia. Pero seis días después de zarpar, una gran tormenta agotó las fuerzas de la tripulación, forzándolos a parar en *Port Desire*, para recuperar energías y secarse las ropas.

Port Desire era como el corsario británico Thomas Cavendish había rebautizado —en homenaje a su nave, el *Desire*— al estuario de la costa patagónica que Magallanes llamó Bahía de los trabajos, tras tener que recalar en él para reparar sus naves. Figuraba en todas las cartas náuticas, sí, pero en 1770, cuando la Swift se adentraba en él por primera vez, faltaban veinte años para que los españoles construyeran un fuerte y una planta de aceite de ballena que no sobreviviría más de dos décadas. Ni hablar del pueblo en el que vivía ahora Marcelo: Puerto Deseado se fundaría ciento catorce años más tarde y heredaría, deformado, el nombre de la nave de un pirata. Los hombres de la Swift se encontraban aquella mañana con una costa tan desierta como el resto de la Patagonia.

Al entrar en la ría, el barco encalló en una roca no cartografiada. Tras deshacerse de todo lo que los lastraba, incluyendo gran parte del agua potable, lograron liberarse. Pero la alegría duró solo unos minutos: el viento desplazó la embarcación hasta golpearla contra una segunda roca. Y esta vez fue fatal, para la nave y tres de sus tripulantes.

A las seis de la tarde de aquel martes trece de marzo, la corbeta Swift, armada con catorce cañones y doce pedreros, se hundía en el fondo de lo que Marcelo y todos los habitantes del pueblo conocían como la Ría Deseado.

3

Lo más desesperante de la situación, según relataba el teniente Gower en la voz de aquella mujer, era que al zarpar no habían dado un parte detallado del itinerario planeado al capitán de la Favourite. Eso significaba que la única otra embarcación británica en Malvinas no sabía cuándo ni dónde empezar a buscarlos. Dicho de otra manera, dependían solo de ellos mismos y su suerte en uno de los rincones más áridos y hostiles del planeta.

Para procurar un refugio a la tripulación en aquella tierra sin árboles ni gente, se ordenó que algunos de los marinos nadasen hacia los mástiles, todavía visibles después del hundimiento, para recuperar parte de las velas e intentar construir toldos con ellas.

Pero eso resolvía solo una parte del problema. Gower describía las peripecias del día a día en la Patagonia mientras se decidían entre intentar ir por tierra a Buenos Aires o volver con uno de los pequeños botes a Malvinas: las ratas diezmaban las pocas provisiones que habían podido salvar, los animales que intentaban cazar se volvían más huidizos y el invierno se cernía sobre ellos, amenazando con congelarles la vida.

Cuando se les acabó la munición, usaron piedras para disparar con sus mosquetes a los pocos lobos marinos y cormoranes que se les ponían a tiro. Pronto, también se quedaron sin agua potable, y el único pozo que fueron capaces de encontrar solo les proporcionaba un líquido turbio y podrido.

Finalmente, los carpinteros reforzaron una de las chalupas, un pequeño bote de siete metros de largo por dos de ancho, para enviar siete personas en un viaje suicida a las islas Malvinas, a casi seiscientos kilómetros. Pero la noche del día que zarparon, se desató una tormenta lo suficientemente fuerte para robar toda esperanza a los ochenta y un hombres que se habían quedado en tierra.

Bastaron unos pocos días para que se terminaran de convencer de que el milagro no sucedería, y decidieron que el mismo Gower y otros cuatro hombres bordearían la costa hasta Buenos Aires para intentar pedir auxilio. Pero la mañana en que se preparaban para partir, aparecieron las velas de la Favourite en el horizonte. Los siete hombres que creían muertos habían logrado llegar a las Malvinas con poco más que una brújula.

Veintiocho días después del naufragio, la tripulación de la corbeta Swift iniciaba el retorno a Puerto Egmont, sana y salva.

Todos excepto los tres que se habían hundido con la nave, y de los cuales solo habían podido enterrar a uno cuando el agua llevó su cuerpo hasta la orilla. El cocinero.

Un mes y medio después de volver a Malvinas, una fragata española entró a Puerto Egmont para pedir agua. Tres días más tarde se le unieron otras cuatro: habían llegado para expulsarlos, reclamando las islas como parte del Reino de España. Tras forzarlos a esperar casi un mes, los españoles obligaron a todos los británicos en la fortificación —es decir a la tripulación de la Swift y la Favourite— a retornar a Inglaterra, donde arribaron luego de sesenta y ocho días de navegación.

Dicho esto, la voz de la mujer anunció el fin del relato.

—Hay algo que no me queda nada claro —dijo Marcelo mientras daba involuntarios golpecitos al suelo con su pie izquierdo—. Estamos hablando de un naufragio hace más de doscientos años de un buque inglés. ¿Cómo puede ser que exista una cinta con una grabación? ¿Y cómo puede ser que esté en castellano?

—¿Y cómo puede ser que hagas estas preguntas? —bromeó Olivera—. Hablando en serio, yo creo que alguien que tenía en su poder una copia del relato original, en inglés, lo tradujo a nuestro idioma. Esa misma persona, o quizás otra posteriormente, grabó la traducción en esta cinta. Esa es mi teoría.

—¿Su teoría? ¿Me está diciendo que desconoce la procedencia de esta cinta?

—Sé de dónde viene. Lo que no sé es quién la grabó.

No hizo falta que Marcelo le dijera que no estaba entendiendo nada.

—Hace unos dos años, el director de la radio LRI 200 vino a mi casa con esta grabadora. Fuimos juntos al colegio y sabe que colecciono todo lo que tenga que ver con el mar. Me dijo que la habían encontrado haciendo una limpieza del archivo y me la regaló.

—¿Y esa etiqueta? —preguntó Marcelo señalando la palabra *AUSTRALIANO*.

—Lo mismo le pregunté yo al director. Según él, es probable que corresponda con lo que estaba grabado antes del relato. Me dijo que es muy común reutilizar estas cintas para abaratar costos. Además, Australia no se conocía como tal en 1770.

—A mí la voz —dijo Marcelo— me resulta muy familiar. No sé dónde, pero estoy casi seguro de haberla oído antes.

—Eso sería una gran ventaja. Si dieras con quien sea que grabó esto, podrías preguntarle de dónde lo sacó y determinar si es una crónica verdadera o no.

Marcelo se quedó callado, la mirada clavada en la cinta. ¿Podía haber un barco hundido en el fondo de la ría en la que había buceado tantas veces? ¿O se trataba de una versión más elaborada de otro de los tantos rumores falsos?

—Me encantaría quedarme charlando —dijo Olivera—, pero tengo que estar en media hora en el médico. A mi edad uno se pasa la mitad del tiempo entre consultorios y farmacias. Si te interesa, podés venir cuando quieras y copiarla en papel ¿Mañana a la misma hora, por ejemplo?

—Genial.

Durante los siguientes tres días, Marcelo fue religiosamente a la casa del viejo a las tres de la tarde. Mientras él transcribía el relato, Olivera resolvía crucigramas a una velocidad de casi una revista al día.

Cada uno se dedicaba a lo suyo en silencio junto a dos pequeños vasos de anís. Bebían el licor lentamente con la intermitente voz de la cinta de fondo.

Cuando llegaba la hora de despedirse, el hombre enjuagaba los vasos y los guardaba junto a la botella de anís y la grabadora en el gran aparador de algarrobo del comedor hasta el día siguiente.

El jueves, Olivera acompañó a Marcelo hasta la puerta. Los tres días anteriores lo había despedido en su sillón junto al fuego.

—¿Ves este adoquín? —preguntó, tocando con la punta del pie el empedrado que bordeaba la casa.

Marcelo asintió. La piedra era completamente igual a todas

sus vecinas.

—Debajo del décimo a partir de éste hay una copia de la llave de la casa —dijo el viejo señalando otro adoquín dos metros hacia la derecha—. Si algún día tengo que ir al médico y querés venir a escuchar el relato, te doy mi autorización.

Marcelo miró la piedra gris incrustada en el suelo. Apenas se notaba más floja que el resto. Se preguntó qué posibilidades tenía un acto de confianza como aquel en una ciudad grande. No pensaba en cualquier ciudad. Pensaba en Bahía Blanca.

—Gracias, aunque no creo que sea necesario. Ya no me queda mucho. De hecho quizás lo termine de transcribir mañana y ya no lo molesto más.

—Para mí no es una molestia, al contrario. ¿Te vas a acordar que son diez los que tenés que contar?

—Claro, como el número de Maradona.

—No, como Kempes —dijo el viejo guiñándole un ojo—. El día que ese Maradona gane más torneos que El Matador, entonces recién ahí se merecerá que rebautice el adoquín.

Marcelo rió y comenzó a caminar hacia su casa. Eso de contar diez adoquines era demasiado sofisticado. Todos en Puerto Deseado tenían un escondite para las llaves, pero nadie se tomaba la molestia de levantar un empedrado. En general las guardaban debajo de una piedra suelta o dentro de un tronco hueco. Además, ¿qué sentido tenía esconderlas si al fin y al cabo la gente terminaba dejando la puerta abierta casi siempre? *Animales de costumbres*, pensó, y apuró el paso para combatir el frío.

4

—Lo más importante debajo del agua es respirar, Cabeza.

Así había empezado la primera clase de submarinismo de Marcelo Rosales, cuando todavía no había cumplido dieciséis años. Ni él ni Claudio Etinsky, su instructor, podrían haberse imaginado entonces que esas primeras palabras determinarían el sobrenombre de Marcelo para el resto de una relación que, poco a poco, se convertiría en amistad. Era febrero y el agua estaba a catorce gloriosos grados.

Ahora, más de dos años y medio después, Marcelo flotaba en la superficie tras su inmersión número ciento cuatro. Junto a él, Claudio nadaba de espaldas con la máscara todavía sobre los ojos.

—La peor visibilidad en mucho tiempo —dijo Marcelo, poniéndosele a la par.

—Malísima. En un momento estiré el brazo y no me veía la mano. Se supone que en invierno se tiene que ver mejor, si no para qué nos exponemos a una hipotermia metiéndonos en agua a… cinco. No, cinco y medio —dijo mirando el termómetro que llevaba junto a la brújula en su muñeca izquierda.

Claudio Etinsky tenía treinta años y había buceado por primera vez a los trece. Su padre era un pionero del buceo en la Argentina, y había entrenado al primer cuerpo forense de la Policía Federal especializado en investigaciones submarinas. En ese entonces, los Etinsky vivían en Bahía Blanca, *una ciudad con todas las letras*, como la llamaba Claudio cuando se quejaba de que Deseado era pequeño y aburrido.

Claudio y Marcelo buceaban juntos al menos una vez cada fin de semana. Al principio Marcelo le pagaba por las clases, pero con el tiempo las salidas se convirtieron en una actividad entre amigos.

—Menos mal que no vino Ariel —dijo Marcelo mientras se subía a la Piñata, que era como llamaban al bote de Claudio.

—Cuando le contemos se va a poner contento de haberse resfriado.

Ariel era la única otra persona del pueblo interesada en el buceo con menos de sesenta años de edad. Tenía diecisiete e iba al mismo colegio que Marcelo, solo que un curso por debajo de él. Había empezado a bucear ocho meses atrás, también como alumno de Claudio, y desde hacía cuatro no se perdía una sola inmersión con él y Marcelo los fines de semana. Pero ese día estaba resfriado.

Los resfríos eran uno de los mayores enemigos de un buzo. Impedían compensar la presión en los oídos al descender, causando un agudo dolor y, en casos extremos, lesiones graves en los tímpanos.

Una vez sobre la Piñata y ya sin la máscara, aletas, chaleco, botella de aire y cinturón de plomo, Marcelo comenzó a recoger el ancla. Claudio, también desprovisto de su equipo, tiraba de una cuerda para intentar arrancar el motor fuera de borda, mientras intentaba que las olas no le hicieran perder el equilibrio.

Cuando llegaron al club náutico, de donde habían salido una hora atrás, Ariel los esperaba en la orilla. Su cuerpo, más flaco aún que el de Marcelo, estaba enfundado en una gruesa chaqueta y una bufanda roja le envolvía el delgado cuello. Aunque su pelo rubio, lacio y extremadamente fino hacía que, visto desde atrás, pareciera una mujer, la boca enorme y su voz gruesa rompían rápidamente el espejismo.

—¿Qué tal anduvo? —les preguntó, con palabras más nasales de lo normal.

—Un desastre —dijo Claudio.

—¿Es para tanto o es éste que se queja como siempre? —le preguntó a Marcelo, mostrando un diente partido al sonreír.

—Un desastre —ratificó Marcelo—. Mucho viento, y no se veía nada. A ver si la semana que viene hay más suerte. Che, ¿qué hacen esta tarde? ¿Tomamos unos mates en casa o tienen otro plan? Tengo algo para mostrarles.

—Yo no tengo nada que hacer —dijo Ariel—, pero para mí mejor un té con miel.

—Yo no sé, Cabeza —dijo Claudio—. La verdad es que preferiría ir al cine, o al zoológico, o meterme al agua y secarme al sol con este tiempo tan agradable.

Marcelo y Ariel ignoraron la ironía y comenzaron a caminar hacia el coche de Claudio, estacionado a solo unos metros de la orilla. Los dos, como buenos patagónicos, sujetaron las puertas al abrirlas, para que el viento no las embolsara. A Claudio, sin embargo, una ráfaga lo sorprendió desprevenido, arrancándole la suya de las manos y abriéndola bruscamente de par en par.

El Renault 12 modelo 1972 que Claudio llamaba el Coloradito estaba impecable tanto por fuera como por dentro. La única modificación desde que había salido de la fábrica era la bola de acero en el paragolpes trasero que le permitía remolcar a la Piñata, un bote inflable de la marca Zodiac.

—¿No cerraste con llave? —preguntó Claudio cuando Marcelo abrió la puerta de su casa con un simple giro del picaporte.

—Claudio, estamos en Puerto Deseado, no en Bahía Blanca. Acá somos pocos y nos conocemos mucho.

La casa de Marcelo no se parecía en nada al resto de las de su pueblo, en general de chapa y con piso de madera. La de él era de ladrillo y, aunque solo tenía una planta, había sido erigida sobre una enorme roca que la ponía a la altura de un cuarto piso.

En el centro del comedor había una mesa de madera y seis sillas, aunque solo una se usaba regularmente. En un rincón, junto a una estufa y la caja para la leña, una enorme mecedora de mimbre miraba directamente a la ventana del comedor. A través de ella se veía el agua azul de la ría en la que acababan de bucear.

Muy pocos en Puerto Deseado tenían el privilegio de disfrutar de aquellas maravillosas vistas cada día, pues la zona residencial del pueblo estaba inexplicablemente alejada de la costa.

La pared opuesta a la ventana estaba pintada de verde pistacho, el color favorito de Marcelo, y colgados en ella había dos mapas. El más pequeño, de medio metro de largo, era un planisferio sobre el que Marcelo había dibujado el itinerario del viaje que algún día haría alrededor del mundo. El otro era una enorme carta náutica de la Ría Deseado, el estuario sobre cuya margen norte se ubicaba el pueblo.

—¿Qué era lo que nos querías mostrar, Marcelo? —preguntó Ariel, apresurándose a adueñarse de la mecedora.

—Supongamos que encontráramos un barco hundido —dijo Marcelo mientras echaba leña a la estufa—, ¿qué equipo se necesitaría para reflotarlo?

—Algunos globos —respondió Claudio sin dudar.

—Para reflotarlo, no para festejarle el cumpleaños.

Los tres soltaron una carcajada y a continuación Claudio Etinsky contó una de las historias de su buzo favorito: Claudio Etinsky padre.

—Cuando vivíamos en Bahía Blanca, a mi viejo una vez lo contrataron para reflotar una lancha de aluminio de un pescador hundida en una tormenta. Yo insistí en acompañarlo y al final me dejó formar parte del equipo. Todo lo que tuvimos que hacer al bajar fue atarle varios globos e inflarlos para que empezara a subir lentamente. Técnicamente se llaman globos reflotadores y te puedo asegurar que teniendo la cantidad adecuada se puede hacer subir hasta el Titanic. ¿A qué viene la pregunta? ¿Algún tesoro escondido? Me vendría bien, necesito cambiarle el escape al Coloradito.

Marcelo negó con la cabeza al tiempo que sonreía. Lo que más admiraba de Claudio era su simpleza. Nunca usaba palabras difíciles cuando había una sencilla disponible. Dejaba los tecnicismos para situaciones en los que eran completamente imprescindibles. Eso, a los ojos de Marcelo, lo convertía aún en más grande.

Mientras preparaba mate y un té para Ariel, puso a sus amigos al corriente de lo que había averiguado en casa de don Olivera.

—Hay algo que no me queda claro —dijo Claudio tras escucharlo—. El viejo te hace escuchar un relato grabado en cinta sobre un barco hundido en Deseado hace más de doscientos años.

—Exacto.

—¿Y vos te lo creés?

—No es que me lo crea. Es que me parece una historia demasiado interesante como para ignorarla.

—Entre los tres tendremos unas… setecientas inmersiones en la ría, ¿no te parece que lo tendríamos que haber visto?

—Claudio, la ría es inmensa y la descripción de la ubicación es vaga. Cientos de puntos podrían coincidir con el que se describe en el relato. Dicen que chocaron contra una roca luego de entrar a la ría. Hay un montón de rocas que hundirían un barco. La de los mejillones, por ejemplo, o la roca del diablo. Seguro que hay muchas más que ni siquiera conocemos.

Sus dos amigos miraban la ría por la ventana.

—Además —continuó Marcelo— puede ser que esté enterrado. No hace falta que te explique cómo se mueve el sedimento con cada subida y bajada de la marea. ¿O sí?

—Si se hundió hace doscientos años no se puede reflotar, Cabeza. La madera estará completamente podrida, a lo sumo se podrían rescatar algunos objetos metálicos, por ejemplo los cañones.

—¿Y no te parece desafío suficiente? —intervino Ariel tras dar un ruidoso sorbo a su té— Reflotar cañones que vieron la luz por última vez hace más de dos siglos. No me digas que no sería una de las inmersiones más interesantes de tu vida.

—Pero ¿por dónde empezaríamos? —dijo Claudio tras un breve silencio.

Marcelo sonrió: los tres empezaban a hablar en plural. Fue corriendo a su habitación.

—Leyendo esto —dijo al volver, y puso sobre la mesa el borrador de la transcripción de la cinta—. Me falta pasarla en limpio, pero se deja leer.

Treinta minutos más tarde se habían terminado la primera tanda de mate y Ariel iba por el segundo té. Tanto él como Claudio acababan de leer por primera vez la transcripción y ninguno de los dos daba crédito a aquel relato surrealista.

—¿Y esto es verdad? —preguntó Ariel tras volver de la cocina con más agua caliente.

—No lo sé. Es casi imposible demostrar que es mentira, así que la única opción que tenemos es buscarla. Si la encontramos es porque es verdad.

—¿Y si no? —preguntó Claudio.

—Y si no lo único que podemos afirmar es que no la encontramos. Pero eso no probará que es mentira.

Los tres se quedaron en silencio, arrebatándose el uno al otro la copia del relato para corroborar algún detalle. Finalmente, Marcelo comenzó a hablar.

—Erasmus Gower —dijo como si estuviera exponiendo un caso de asesinato— era teniente de navío de la corbeta Swift en el momento del hundimiento. En su relato describe que parten de Puerto Egmont, en Malvinas, el día 7 de marzo de 1770. Según explica, la idea del viaje era explorar y descubrir las costas de lo que ellos llamaban "el continente Patagonia". El día martes 13 de marzo, después de una gran tormenta, buscan refugio en Port Desire, es decir, Puerto Deseado, que ya en esa época era conocido por los navegantes como un buen puerto natural al reparo de las tempestades de altamar. El problema fue que se toparon con una roca no cartografiada y el barco se dañó. Tras muchas horas de trabajo intentando quitar el agua y rescatar la nave, sobrevino el hundimiento.

—Según esto —dijo Ariel— el barco no se dañó ni hundió al chocar con la primera roca. Es decir, quedaron encallados pero el casco no sufrió ninguna avería. De hecho al subir la marea la corbeta quedó liberada. El problema fue que la corriente los arrastró hasta una segunda roca, esta sí la responsable del hundimiento. Nosotros buscaríamos la segunda, que es la que mandó el barco a pique.

—Si existe el barco —acotó Claudio.

—Si existe —respondió Marcelo restándole importancia—. Y lo que sabemos es que cuando encalló, la roca estaba a cuatro metros, pero en la popa la profundidad era de dieciséis. Teniendo en cuenta que se hundió deslizándose hacia atrás, el pecio debe estar a unos dieciocho metros, con marea alta.

—¿El qué? —preguntó Ariel.

—Pecio, animalito de Dios —dijo Claudio dándole una suave palmada en la cabeza—, es como se le llama a un barco hundido.

—Dicho en criollo, la corbeta —retomó Marcelo—. Gower dice que cuando bajaba la marea podían ver los mástiles. De hecho, agarrándose de éstos, algunos marinos bucearon para recuperar algunos objetos. ¿Se imaginan lo que debe haber sido eso? Sin ningún equipo, ni siquiera protección térmica, los tipos se sumergieron en un agua que en esa época del año está a trece grados. Sin máscara, la visibilidad es nula.

—Ese me parece un punto muy interesante del relato —dijo Ariel—. Gower describe que los tripulantes apenas tenían comida, que estaban débiles, que las ratas se estaban comiendo sus reservas. Sin embargo los envían a bucear, con el agotamiento que eso produce.

—Bueno —dijo Claudio—, pero la grabación también dice

claramente que los tipos lo hicieron para recuperar las velas y utilizarlas como carpas y ropaje.

—Otro dato curioso —expuso Marcelo— es que no avisaran a la Favourite, la otra nave apostada en Malvinas, hacia dónde se dirigían. En esa época no había radio ni ninguna manera de comunicación que no fuera el acuerdo, previo a zarpar, de los lugares donde podrían encontrarse esperando rescate en caso de que algo fuera mal.

Continuaron discutiendo la narración por más de dos horas. Habían descolgado el gran mapa de la ría de la pared y sobre él imaginaban los posibles derroteros que podría haber tomado la Swift.

—Según el relato —dijo Marcelo—, las coordenadas del hundimiento son cuarenta y siete grados cuarenta y siete minutos latitud sur y sesenta y seis grados diez minutos longitud oeste.

—Eso es aproximadamente por acá —Ariel se apresuró a señalar en el mapa.

Su dedo estaba sobre un punto en el mapa tierra adentro, a unos tres kilómetros de la costa más cercana.

—¿Se dan cuenta? Esos datos son lo mismo que la nada para nosotros —dijo Claudio.

—Pero ¿por qué? —preguntó Marcelo.

—En primer lugar, no son para nada precisos porque Gower solo menciona grados y minutos, pero no segundos. Esa omisión significa que la búsqueda la tendríamos que llevar a cabo en un área de dos kilómetros cuadrados.

—Pero eso no es tanto —dijo Ariel.

—¿No viste dónde tenés el dedo? —retrucó Claudio—. En la época de este barco no existían los medios para determinar la posición exacta, sobre todo la longitud. El error puede ser de más de diez kilómetros.

Las coordenadas de Gower no les servirían para reducir el espacio de búsqueda. Se enfrentaban a tener que explorar toda la ría y la única forma de acotar ese radio era estudiando cuidadosamente las descripciones de los accidentes geográficos de los que daba cuenta el relato e identificar posibles lugares.

—Mañana voy de nuevo a la casa de Olivera para darle la última repasada a la cinta —dijo Marcelo—. Luego voy a pasar el relato en limpio por triplicado con papel carbónico. Así cada uno puede tener una copia y estudiarla a fondo.

Sus compañeros asintieron sin levantar la cabeza del mapa. Ariel seguía con el dedo en las coordenadas inútiles de Gower.

—Además —agregó Marcelo— alguien tiene que encargarse de extraer los datos concretos. Medidas, profundidades, distancias, tiempos, todo aquello que podamos expresar con números. Así nos será más fácil hacernos una ficha técnica y no tener que buscar toda esta información una y otra vez en el relato.

—Yo me encargo —dijo Claudio—. En cuanto me des una copia, lo hago.

—Considerando tu letra de médico, hacelo a máquina o intentá recordar algo de las clases de caligrafía de cuando ibas al colegio. ¿Existía la caligrafía en aquella época? —sonrió Ariel, mostrando su diente partido.

Claudio le dio un puñetazo en el hombro y prometió una letra decente. A la una de la tarde dieron por concluida la primera reunión.

—Una última cosa, chicos —dijo Claudio—. Ya todos sabemos cómo corren los rumores en el pueblo. Si este barco no existe, o no podemos encontrarlo…

—No hace falta pensar en eso ahora, Claudio —dijo Marcelo.

—Yo trabajo de esto, Cabeza, y necesito que se me respete como buzo.

Claudio se ganaba la vida en el puerto. Era el único capaz de soldar o limpiar el casco de un pesquero debajo del agua, o liberar algo enredado en las enormes hélices de un mercante.

—Mantengamos esto en secreto —continuó— y si algún día encontramos algo, entonces lo damos a conocer con bombos y platillos.

Claudio tenía razón, pensó Marcelo. Quien más quien menos, todos en Puerto Deseado habían sufrido alguna vez un dolor de cabeza causado por los rumores, ciertos o no. Mantener aquello en silencio era mantenerse a salvo de las lenguas afiladas.

5

Finalmente sus amigos se fueron. La transcripción manuscrita del relato descansaba sobre la mesa y junto a ella, el mapa de la ría. Marcelo lo devolvió a su sitio en la pared del comedor y, una vez colgado, limpió con el puño de su pulóver la huella digital de Ariel. Luego se sentó en la mecedora de mimbre. Era su lugar favorito en la casa. Desde allí contempló por un largo rato la verdadera ría, enmarcada en la ventana del comedor y tras ella la meseta que solo acaba en el horizonte.

Con solo dieciocho años, Marcelo no solo era dueño de aquella residencia sino también de una pequeña casita no muy lejos de ahí. La alquilaba a un matrimonio de maestros de escuela primaria y con el dinero del alquiler hacía llegar a fin de mes su austera vida de estudiante.

Para cualquiera de sus compañeros de colegio aquello habría sido un sueño. Sin embargo, nadie le envidiaba ni por un segundo la manera en que había terminado siendo el único propietario de esas dos casas a los dieciocho años. El pueblo no olvidaría nunca que tan solo tres años atrás, en la casa de la roca vivía el matrimonio Rosales con su hijo flaco y de ojos azules. Tampoco se cansarían de especular, aunque jamás cuando él estuviera presente, cuánto debía haber sufrido el pobre Marcelito con la muerte de su madre y lo que pasó después con su padre.

Era por eso que tenía que encontrar la corbeta. Quería empezar ese mismo día. Necesitaba demostrarse que podía ponerse metas importantes y alcanzarlas. Que lo sucedido dos años atrás lo había dejado solo, sí, pero no desprovisto de sueños ni de la fuerza necesaria para hacerlos realidad. Si lograba convencerse a sí mismo, lo que dijera el resto ya no importaría.

Se dirigió a su habitación y abrió el tercer cajón de la cómoda. Sobre una pila de ropas que ya no usaba había un cuaderno de tapas de cuero marrón con su nombre grabado en relieve. Los hilos dorados que le cruzaban el lomo le daban un aspecto de libro sin título y las hojas blancas y sin renglones invitaban a llenarlas de letras. La única página escrita era la primera. La leyó por segunda vez en dos años.

Marcelito,

Las páginas en blanco son un desafío a la creatividad. Espero que puedas llenar éstas con historias interesantes.

Feliz cumple.

Abu

El cuaderno que Marcelo sostenía en sus manos había sido uno de los dos únicos regalos para su cumpleaños número dieciséis. Tres meses antes de morir, su abuelo se lo había enviado por correo desde Buenos Aires, donde vivía con su tercera esposa desde antes de que Marcelo hubiera nacido.

El segundo regalo no había llegado por correo, aunque tampoco se lo entregaron en persona. Era una carpeta marrón de parte de su padre. Contenía el golpe más fuerte que se le podía pegar a un hijo.

Dolía. Cada día un poco menos, pero dolía.

Volvió a leer la dedicatoria de su abuelo, concentrándose en el regalo que sí le había causado ilusión. Por aquella época Marcelo estaba fascinado por la idea de ser escritor. De hecho, le habían publicado uno de sus cuentos y se sentía orgulloso. Soñaba con que las palabras que él escribiese fueran leídas por personas que no conocía ni conocería jamás.

Con el tiempo, el buceo se convirtió en una pasión a tiempo completo y fue dejando de escribir sin llegar nunca a estrenar aquel regalo. Nunca hasta aquel día.

Sentado en su cama, escribió en él por primera vez.

Domingo, 26 de julio de 1981

Hace tres días que vengo recolectando información sobre una supuesta corbeta inglesa hundida en las costas de Puerto Deseado en 1770. Hay datos muy claros sobre todos los sucesos previos y posteriores al naufragio gracias a una grabación de procedencia desconocida que me facilitó don Marcos Olivera. La pregunta a responder es si se trata de un relato real o simplemente una creación literaria. Si fuera lo primero, existe cierta posibilidad de encontrar los restos hundidos en algún lugar de la ría. Vamos a bucear con Claudio y Ariel en los puntos que coincidan con la descripción del relato para dar con el pecio.

Al párrafo introductorio le seguían tres páginas completas con todos los detalles de lo que Marcelo había ido conjeturando a lo largo de aquellos tres días.

6

La semana siguiente transcurrió con normalidad. Marcelo asistía al colegio durante la mañana y luego se dedicaba a atender los quehaceres domésticos, jugar al básquet y estudiar el relato de Gower. Su diario totalizaba quince páginas con bocetos de mapas, frases y conjeturas.

Aunque creía haber copiado el relato fielmente, lo oiría una vez más para corroborar que fuera correcto y que, entre sesión y sesión, no se hubiera olvidado ningún trozo. Al fin y al cabo, le había tomado cuatro visitas a la casa del viejo hasta acabar la cinta. Algo se podría haber traspapelado.

Olivera lo había visitado en su casa para avisarle que recibiría parientes de Comodoro Rivadavia que lo tendrían ocupado hasta el jueves. Se verían el viernes.

Marcelo fue el último de quinto año en abandonar el colegio tras la última clase de la semana. Como todos los días a la misma hora, tenía un hambre voraz. Se dirigía a la casa del marino sin pensar en el relato ni en la corbeta. Solo podía imaginarse los ñoquis que el viejo había prometido amasar. Según sus propias palabras, "ñoquis a la marinera".

Desde la esquina de la casa del marino pudo ver, como las otras veces, la bandera deshilachada ondeando en el viento patagónico. Al llegar a la verja tuvo una sensación extraña. Algo estaba fuera de lugar, pero no podía precisar de qué se trataba.

Golpeó la puerta pero no oyó la voz pronta del marino indicándole que entrase. Intentó otra vez, y otra vez hubo silencio. Tuvo que bloquear el reflejo del sol con las dos manos para mirar hacia adentro por la ventana baja del comedor. Entonces se dio cuenta. Las cortinas estaban cerradas y no le permitían ver absolutamente nada. Siempre, desde el primer día, habían estado abiertas de par en par.

Todo permanecía en absoluta quietud a excepción de la bandera que luchaba contra el viento. Tanteó el picaporte, no sin cierta duda, y la puerta cedió con un suave empujón.

Soltó un grito.

Olivera estaba sentado en su sillón, frente a la chimenea. La cabeza, inclinada hacia un lado, se apoyaba sobre el respaldo como si durmiera una siesta. Pero no respiraba. Un hilo amarronado le atravesaba la cara, uniendo el orificio en la frente con la mancha de sangre que había cuajado a un lado de la barba blanca.

Había sido un disparo. El agujero de salida, en algún lugar detrás de la cabeza, no se veía, pero la sangre había teñido casi toda la butaca y formaba en el suelo un charco coagulado de color granate. Olía a hierro oxidado.

Aunque no cabía duda, se acercó y le tocó el arrugado cuello con su dedo índice. Estaba frío y rígido. Lo que quedaba de Marcos Olivera tenía la boca y los ojos abiertos, y sobre el regazo yacía boca abajo su inseparable revista de crucigramas.

7

Volvió a mirar la sangre oscura y luego a su alrededor. En un rincón del comedor había una pequeña mesita con un teléfono negro. El número de la policía era el 7777.

Se dirigía hacia el aparato cuando notó un pequeño bulto en la madera del suelo, a unos tres metros del cadáver. Se puso en cuclillas y descubrió, enterrada entre astillas, una bala de color cobrizo. Prefirió no tocarla, porque era lo que había visto en películas y porque un escalofrío le recorrió la espalda al pensar que ese objeto le había quitado la vida a un hombre.

Se incorporó y marcó el 7777. Un agente escuchó atentamente la historia de Marcelo y le indicó que no abandonara el lugar ni tocara nada. Enviaban un patrullero inmediatamente.

Al colgar el auricular, tuvo un presentimiento que no pudo reprimir. Se acercó con miedo al armario de algarrobo donde el viejo atesoraba el anís. Improvisando un guante con la manga de su guardapolvo abrió una de las pequeñas puertas y se le detuvo el corazón en seco por unos instantes.

Desde aquel primer encuentro en el que Olivera le reveló el contenido de aquella caja polvorienta, el viejo había guardado la grabadora en el armario de los licores.

Al abrir la puertita, Marcelo vio por primera vez el aparato sin la cinta. Revisó el resto de las puertas y los cajones, e incluso echó una breve mirada en la habitación del viejo. Ni rastro de la cinta.

Olivera nunca la había sacado de la grabadora. Incluso dentro de la caja olvidada durante años, la cinta y el aparato habían sido siempre una sola cosa.

Pensaba en esto cuando la silueta de un hombre corpulento se dibujó en el umbral de la puerta, que había permanecido abierta desde que Marcelo había entrado.

—Buenas tardes, soy el oficial Debarnot, ¿es usted quien llamó por teléfono a la comisaría?

—Sí, soy yo. Lo acabo de encontrar así —respondió Marcelo señalando a Olivera.

—¿Su nombre? —preguntó el policía mientras examinaba el

cadáver.

—El mío, Marcelo Rosales. El de él, Marcos Olivera.

—¿Hace cuanto llegó usted a la casa?

—Aproximadamente, unos treinta minutos.

—¿Es usted pariente de la víctima?

—No, simplemente un amigo. Últimamente venía seguido a conversar con Olivera sobre aventuras marinas.

—¿Tiene una copia de la llave?

—No, la puerta estaba abierta. Me pareció raro que las cortinas estuvieran cerradas y entré para ver si todo estaba...

Debarnot no lo dejó terminar. Descolgó de su cinturón una radio negra y dijo en tono rutinario.

—Llamando Debarnot. Atención, homicidio con arma de fuego en calle Estrada número ciento quince. Repito, homicidio, Estrada ciento quince.

—Adelante Debarnot. Aquí comisaría —Marcelo creyó reconocer la misma voz con la que había hablado por teléfono.

—Necesito al menos un agente más para comenzar la inspección del domicilio. El cuerpo fue descubierto por un joven que se encuentra actualmente en el recinto, necesito que sea trasladado a la comisaría y que se le tome declaración. ¿Pueden enviar a alguien a buscarlo?

—Afirmativo, Debarnot. Enviamos a Moreira inmediatamente.

—Espere un momento afuera por favor —dijo el policía volviendo a dirigirse a Marcelo—. Lo van a venir a buscar en breve y lo llevarán a la comisaría para que dé su testimonio.

Marcelo se sentó en el escalón de la puerta, cerrándola tras salir. Estaba helado. Improvisó un asiento con su carpeta de geografía y perdió la noción del tiempo mientras pensaba en lo que acababa de ver. ¿Quién le había pegado un tiro al viejo marino? ¿Qué había pasado con la cinta? ¿Estaba una cosa relacionada con la otra?

La sirena del coche de la policía lo devolvió al mundo real. Del vehículo se bajó una rechoncha y familiar figura. Marcelo conocía al oficial Moreira de toda la vida. De hecho, eran casi vecinos. Solo dos casas separaban a Marcelo de la pequeña vivienda prefabricada donde el policía vivía con su esposa y sus tres pequeños hijos varones.

—¿Qué hacés Marcelito? ¿En qué lío te metiste?

—No sé, no entiendo nada. Llegué y me encontré al viejo con un tiro en la cabeza. Yo creo que lleva varias horas muerto porque está tieso y la sangre completamente coagulada.

—Esperame un segundo, ahora vuelvo y vamos a la comisaría así te tomo una declaración formal —dijo Moreira palmeándole la espalda y se metió a la casa.

Al cabo de quince minutos, Moreira ya no tenía una sonrisa amable debajo del bigote.

—No hace falta que te explique el procedimiento de prestar declaración formal, ¿o sí?

—No, —respondió Marcelo— me acuerdo de la otra vez.

—Me imaginaba —dijo el policía abriendo la puerta del coche.

Evidentemente, en la comisaría los rumores corrían tan o más rápido que en el pueblo. Siete meses atrás, en una de sus pocas salidas de noche, un compañero del colegio se había visto involucrado en una pelea callejera. En el momento en que Marcelo empezaba a intervenir para separarlos, apareció la policía quién sabe de dónde. Por ser menores de edad, a los dos pendencieros los tuvieron que ir a buscar sus padres. Él, en cambio, había podido irse a casa solo, aunque también tenía diecisiete años.

Cuando llegaron a la comisaría, Moreira lo condujo a su oficina. Era un pequeño cuartito de paredes beige con un escritorio sobre el cual descansaba una máquina de escribir Olivetti de color verde. Dos sillas, una a cada lado, completaban el mobiliario.

Moreira se sentó en la más cómoda y puso la gorra azul sobre la mesa. Invitó a Marcelo a tomar asiento y de uno de los cajones del escritorio sacó una hoja en blanco que introdujo en la máquina. A pesar de utilizar solo sus dedos índices, escribía rápidamente. Durante los primeros minutos, mecanografió en silencio. Finalmente levantó la cabeza y comenzó con las preguntas.

—¿Nombre completo?

—Marcelo Alejandro Rosales.

Mientras transcribía la respuesta, pronunciaba la siguiente pregunta.

—¿Fecha de nacimiento?

—Ocho de julio de mil novecientos sesenta y tres.

—Estudiante, soltero y argentino nativo, ¿no?

—Sí —respondió Marcelo, aunque el policía conocía de memoria esos y muchos otros datos más. De hecho, cualquier persona de Puerto Deseado conocía vida y obra de cada uno de sus vecinos.

Pasado aquel preámbulo monótono, Moreira por fin le indicó que contara todos los hechos con el mayor nivel de detalle posible. Explicó todo lo sucedido, poniendo énfasis en cómo había abierto el armario y descubierto la desaparición de la cinta una vez avisada la policía.

Aquello llevó a otra serie de preguntas sobre su relación con la víctima. Explicó que había estado yendo a la casa del marino para transcribir el relato y que aquel día completaría la tarea. También se explayó en cómo, junto a un par de amigos, comenzarían a buscar el naufragio del que hablaba la cinta ahora desaparecida.

Moreira retiró la tercera hoja de la máquina de escribir y la puso detrás de las dos anteriores, empujándolas con los dedos hacia el otro lado del escritorio. Marcelo las leyó y firmó al pie de cada una.

—¿Ahora me puedo ir? —preguntó a su vecino en rol de policía.

—Todavía no. Tenés que esperar a que venga Debarnot de la casa de la víctima. Seguramente querrá leer tu declaración y hacerte más preguntas.

La espera se prolongó por varias horas. Técnicamente Marcelo tendría que haber aguardado a Debarnot en la sala de espera de la comisaría, pero Moreira le permitió quedarse en su oficina e incluso le trajo un sándwich y un vaso con agua.

Finalmente apareció Debarnot, llevando en la mano lo que Marcelo reconoció como la declaración que acababa de firmar. Rodeó el escritorio y se sentó donde unas horas atrás había estado Moreira. Debarnot no se quitó la gorra.

—¿Marcelo Rosales?

—Sí.

—Aquí usted declara —dijo señalando los papeles que tenía en la mano— que la relación que lo une a la víctima es la práctica del submarinismo.

—No exactamente.

—¿No exactamente? —preguntó Debarnot inquisidor.

—Lo que digo es que yo soy submarinista y que mi relación con don Olivera nace de esta actividad. Él tiene... bueno, tenía, conocimiento sobre el hundimiento de un barco inglés en las costas de Puerto Deseado. En ningún momento digo que don Marcos sea buzo o practicase submarinismo.

Debarnot levantó la cabeza con una sonrisa de labios apretados.

—Entonces no me negará, señor Rosales, que si un policía encontrara una referencia al buceo en la escena del crimen, sería lógico preguntarle a usted qué sabe del tema. ¿No le parece?

—Sí, pero ¿de qué está hablando? No lo entiendo —dijo Marcelo incorporándose en la silla.

—Estoy hablando de esto.

Debarnot metió su mano peluda en uno de los bolsillos del uniforme y extrajo una pequeña revista. La tiró sobre el escritorio y miró a Marcelo a los ojos.

—Ábrala en la página diecisiete.

Era la revista de crucigramas que el viejo había estado resolviendo en su último encuentro. De la página diecisiete, Olivera sólo había completado la mitad de las palabras.

Pero Debarnot no se refería a lo que estaba escrito dentro del crucigrama, sino fuera de éste. Al leer la frase garabateada al margen, Marcelo sintió un frío como si lo tiraran a la ría sin traje de neopreno:

CUIDADO CON LOS OTROS BUZOS.

Sin duda era la letra del marino. Sin embargo, aunque estaba escrito en imprenta, todos los trazos estaban conectados, como si no hubiera tiempo para levantar el bolígrafo.

—¿Se da cuenta a lo que me refiero, Rosales?

Marcelo asintió con la cabeza sin dejar de mirar aquellas cinco palabras que no estaban cruzadas.

—¿Hay algo que quiera agregar a su declaración? —preguntó amigable Debarnot.

—Todo lo que sé está escrito en esas páginas. No tengo ni la menor idea de si Olivera se refiere a nosotros o a alguien más con el término *otros buzos*.

—Tampoco existe forma alguna de averiguar cuándo exactamente fue escrita esa frase. Aunque considerando que todas las páginas posteriores están en blanco, me jugaría una buena suma a que fue una de las últimas cosas que escribió.

Y por el trazo lo había escrito bastante apurado.

—Sinceramente lo que más quisiera es ayudarle, pero no sé cómo —dijo Marcelo.

—No se aleje de la localidad por algunos días. Es probable que conforme avance la investigación necesitemos hacerle algunas preguntas más.

—¿Debería preocuparme? —preguntó Marcelo.

—Por ahora no. Llegado el caso, nos contactaremos con usted en su domicilio. Ahora si me disculpa, necesito terminar varias formalidades. Puede irse.

Sin saber bien por qué, agradeció al oficial antes de retirarse.

Llegó a su casa alrededor de las seis de la tarde. Se sacó el guardapolvo, que había llevado puesto todo el día, encendió la estufa y se sentó en la mecedora de mimbre junto al fuego. Sus ojos, fijos en el mar, solo veían al Olivera inmóvil con un charco de sangre a sus pies.

Cuidado con los otros buzos.

¿El viejo habría escrito esa frase para Marcelo? Si era así, ¿quiénes eran los otros buzos? Marcelo sólo conocía a dos personas en el pueblo que bucearan, además de él: Claudio y Ariel. Era imposible, pensó, que Olivera se refiriera a alguno de ellos.

Claudio era para él casi un hermano mayor, y había estado a su lado incondicionalmente, sobre todo desde su nefasto cumpleaños número dieciséis. La relación con Ariel, por otra parte, no era tan cercana. Sin embargo, se conocían de toda la vida y aunque no pondría por él las manos en el fuego como lo haría por Claudio, de ahí a pensar que era capaz de pegarle un balazo en la cabeza a alguien había un largo trecho.

Olivera tenía que haberse referido a alguien más, pensó Marcelo. ¿Pero a quién? Quien fuera, había matado a quemarropa y se había llevado una cinta que no le pertenecía.

Permaneció allí hasta que se hizo de noche. Quizás, se dijo, lo mejor sería irse a la cama e intentar descansar un poco. Pero ¿quién podía dormir después de un día como aquel? No importaba, las otras opciones eran cenar o salir a caminar, y no tenía ni hambre ni ganas de encontrarse con nadie.

Una vez en la cama, estiró la mano y apagó la única luz que quedaba encendida en la casa. Cerró los ojos resignado a una gran batalla contra el insomnio. Cinco segundos más tarde los volvió a abrir. Encendió la luz que acababa de apagar y caminó hacia el comedor.

Junto a la puerta de entrada a la casa, un jarrón de cerámica ocre descansaba sobre un mueble de madera de pino. Lo vació sobre la mesa y entre los pequeños objetos que quedaron desparramados, escogió una llave. La introdujo en la cerradura de la puerta y le dio dos vueltas por primera vez en su vida.

8

Cuando se despertó ya era de día y alguien golpeaba la puerta como si la quisiera tirar abajo. Se puso la ropa del día anterior que había colgado en una silla a los pies de la cama y fue al comedor. Giró el picaporte helado pero la puerta permaneció inmóvil. Tras ver a Claudio y Ariel redondeados por la mirilla, giró la llave y abrió.

—Dale, Cabeza, que vamos al llegar tarde para la pleamar. ¿Te quedaste dormido?

Evidentemente, desde la tarde anterior sus amigos no habían ido al supermercado ni al correo ni a ningún otro lugar donde la conversación entre cliente y empleado habría empezado con la pregunta *¿Te enteraste de quién se murió?*

—Mataron al viejo Olivera —dijo Marcelo sin anestesia, mirando a Ariel y luego a Claudio.

—¿Cómo? —preguntaron los dos al unísono.

Marcelo los hizo pasar y les relató todo, desde la salida del colegio hasta el final de las largas horas en la comisaría. Cuando terminó, sus compañeros permanecieron en silencio. Ariel tenía las dos manos sobre su cara y entre los dedos se veían sus ojos negros más abiertos que nunca. Solo se movió para servirse un vaso con agua, pero no pronunció palabra. Fue Claudio, que estaba cruzado de brazos y miraba fijamente al suelo, quien rompió el silencio.

—Qué amargura, che. Tener que encontrarte con algo así sin tener nada que ver. Debe haber sido horrible.

—Fue realmente horrible. Aunque lo que más me atormenta es, justamente, que no estoy seguro de no haber tenido nada que ver.

Ariel se atragantó con el agua y empezó a toser sin parar.

—¿Qué estás queriendo decir, Marcelo? —dijo cuando se compuso.

—No me pregunten por qué —respondió Marcelo mostrando las palmas de las manos—, pero mientras esperaba a la policía pensé en el relato. Me sentí una porquería, pero no pude resistir la tentación de abrir el mueble donde Olivera guardaba la cinta. No estaba. Estaba la grabadora, pero faltaba la cinta.

—¿Y eso qué tiene que ver? —dijo Ariel— A lo mejor el viejo la guardó en otro lugar. O quizás quería limpiar el aparato. Hay mil razones para sacar una cinta de su grabadora, Marcelo. No tiene por qué estar relacionado con un asesinato.

—Quizás estoy un poco paranoico, no lo niego, pero el viejo jamás sacó la cinta de la grabadora enfrente de mí. Y me acuerdo perfectamente que el primer día que fui a su casa, la trajo en una caja polvorienta que dijo que hacía años nadie tocaba. Cuando la abrió, la cinta estaba puesta en la grabadora. O sea que si es por guardarla, el viejo prefería guardarlas juntas.

—Insisto —dijo Ariel— en que no tiene por qué haber una conexión entre una cosa y la otra.

—Es que eso no es todo. La policía encontró en la revista de crucigramas que Olivera estaba resolviendo la frase *cuidado con los otros buzos*. Estaba escrita al margen, con trazo apurado.

—¿Qué querés decir? —preguntó Ariel.

—El viejo era fanático de resolver crucigramas. Cada uno de los cuatro días que fui a su casa, se la pasó enfrascado en las palabras cruzadas mientras yo copiaba el relato. Y cada día empezaba una revista nueva porque se había acabado la anterior. ¿Entienden lo que quiero decir?

Las expresiones de Claudio y Ariel no afirmaban ni negaban.

—La policía —siguió Marcelo— encontró la frase en un crucigrama a medio resolver. Todos los de las páginas anteriores estaban completos y todos los de más adelante completamente vacíos.

—¿Estás pensando que el viejo escribió esa frase poco antes de morir? —preguntó Ariel.

—Yo diría —retrucó Marcelo— que la escribió *justo* antes de morir. Trazo apurado, crucigrama sin terminar, tiene sentido. Me pregunto qué significa esa frase y dónde está la bendita cinta.

Claudio le puso una mano firme en el hombro y lo miró a los ojos antes de hablarle.

—Cabeza, realmente esto es muy fuerte para cualquier persona. Yo creo que no deberías sacar conclusiones apresuradas por ahora. Además, para investigar está la policía. Basta con que les digas toda la verdad y ellos se van a encargar del resto.

—Pero Claudio, no me digas...

—Además el viejo era marino —continuó Claudio— y la vida de altamar es muy diferente a la de tierra firme. A mí esto me huele a vendetta. En el agua hay reglas que si no respetás, tarde o temprano te lo hacen pagar. ¿O no te acordás de lo que le pasó al Pucho?

—Por supuesto que me acuerdo de lo de Pucho —dijo Marcelo.

En enero, Jesús "Pucho" Arancibia había sido asesinado de cuatro disparos en el pecho a la salida de un local nocturno. Después de una semana, la policía había logrado detener al autor. Tanto el verdugo como la víctima habían trabajado juntos en varias oportunidades en un barco pesquero de la compañía Argenpesca.

Las declaraciones del asesino todavía daban que hablar en las colas del supermercado. Si bien había alegado estar ebrio al matarlo, admitió que en todo momento sabía lo que hacía. El motivo, dijo, fue que Arancibia no le había pagado una deuda contraída en altamar. A pesar de las obvias sospechas de que se trataba de un caso de narcotráfico, el acusado declinó revelar detalles y asumió los cargos del caso.

—Pero no vas a comparar —intervino Ariel—. Este tipo estaba retirado, tenía una carrera de toda una vida, ¿por qué va a estar metido en algo turbio?

—¿Qué tiene que ver una cosa con la otra? —respondió Claudio alterado— ¿O te tengo que nombrar a los *respetables* del pueblo que todos sabemos que no son trigo limpio?

—Al menos en algo Claudio tiene razón —dijo Marcelo en un tono considerablemente más calmado que el de sus amigos—, estoy bastante sobresaltado y es demasiado pronto para sacar conclusiones. ¿Por qué no vamos a bucear? En honor al viejo, hoy empezamos oficialmente la búsqueda de la Swift.

—¿Estás seguro, Cabeza?

Marcelo asintió. Un poco de agua fría le vendría bien para aclarar sus ideas.

La corriente ría adentro confirmaba que la marea estaba subiendo. Por las marcas de verdín sobre las rocas, Marcelo estimó que la pleamar sería en una hora y media. Luego, como siempre, el nivel del agua se mantendría por poco más de quince minutos para comenzar a bajar entre cuatro y seis metros.

Las mareas eran decisivas en las inmersiones. La corriente hacia afuera durante la bajante arrastraba sedimento desde ría adentro reduciendo la visibilidad a menos de dos palmos. Con marea alta, en cambio, el agua limpia del océano inundaba la ría de claridad.

Habían decidido que comenzarían la búsqueda con una serie de diez inmersiones alrededor de la isla Chaffers. A pesar de su nombre, dos veces por día era isla y dos veces, península. Todo dependía de la marea.

La isla Chaffers era el último punto de la margen sur de la ría, totalmente deshabitada. Más al este, el mar abierto se extendía por decenas de miles de kilómetros y una línea recta paralela al ecuador no encontraría tierra hasta llegar al extremo sur de Nueva Zelanda. Y si bien el relato de Gower parecía indicar que el hundimiento había sido en la margen norte, no era lo suficientemente claro como para descartar la costa sur, tan llena de peligros sumergidos como la otra.

Al momento de tirar la Piñata al agua, Claudio se dio cuenta de que había olvidado inscribir el viaje en el libro que el club náutico llevaba como control. En el caso de no volver a la hora prevista que apuntaban en el libro antes de zarpar, el club daba aviso a la prefectura para que los fueran a buscar a donde habían declarado como destino.

Mientras Ariel completaba esa formalidad y Marcelo daba la última mirada al equipo de buceo, Claudio acercaba el coche hasta la orilla marcha atrás, sumergiendo poco a poco el remolque en el que llevaba la embarcación hasta que ésta comenzó a flotar. Cuando finalmente estuvo todo listo, se metieron en el agua hasta la cintura y saltaron a bordo.

Una vez rodearon Punta Cascajo, apareció a lo lejos la isla a la que se dirigían. Ariel notó algo extraño.

—¿Y esa lancha en la Chaffers? No la había visto nunca.

—Debe ser el viejo Cafa que anda pescando. Le gusta salir temprano los sábados —respondió Marcelo.

—Imposible, —intervino Claudio— el bote de Cafa es rojo, de madera y mucho más grande. Éste es inflable y de color naranja, como el nuestro.

Los restantes quince minutos de navegación transcurrieron sin que nadie pronunciase palabra.

Al llegar a la isla, Claudio detuvo el motor dejando entre la Piñata y aquel bote forastero no más de cinco metros. Las tres personas a bordo tenían puestos los mejores equipos de submarinismo que Marcelo había visto nunca.

Cuidado con los otros buzos.

PARTE II
LOS OTROS BUZOS

9

La primera en hablar fue una mujer.

—Precioso día para una inmersión, ¿verdad? —dijo con un inconfundible acento español.

—Lindo, sí —fue todo lo que pudo decir Marcelo.

—Mi nombre es Diana, ellos son Pablo y Leandro.

Los otros dos buzos saludaron sin derrochar simpatía. Porteños, no solo el acento los delataba. Ni siquiera se habían quitado las máscaras para dejarse ver las caras.

—Marcelo, Ariel y Claudio —dijo Marcelo señalándose y señalando luego a sus amigos—. Encantados.

—Llegamos la semana pasada —explicó la española— y ésta es nuestra tercera inmersión en la ría. No teníamos idea de que había otros buzos en la zona. De hecho, sería muy bueno para nuestra investigación poder hablar con alguien con experiencia en estas aguas.

—¿Son arqueólogos? —preguntó Ariel.

Claudio y Marcelo lo fulminaron con la mirada. Marcelo estaba a punto de decir algo para intentar cambiar de tema pero la española le ganó de mano.

—¿Qué te hace pensar que somos arqueólogos?

—No sé —titubeó Ariel, su enorme boca reducida a un orificio por el que apenas lograban salir las palabras—, me lo imaginé cuando mencionaste una investigación.

—Pues no, somos biólogos —dijo ella—. Estudiamos el comportamiento de los tiburones en la ría.

—Interesante tema de estudio —dijo Marcelo.

Se hizo un silencio incómodo, de esos que obligan a despedirse. Marcelo les deseó, estrictamente por protocolo, una buena inmersión y que disfrutaran de la estancia en el pueblo. Luego le hizo señas a Claudio para que continuaran el viaje.

Solo pudo aguantar con la boca cerrada el tiempo justo para alejarse y no ser oídos.

—Esto va más allá de una coincidencia. Es imposible que después de lo que pasó, aparezca de la nada un grupo de buzos que nos miente sobre sus propósitos y no haya ninguna relación entre las dos cosas. Tienen algo que ver, se cae de maduro.

—¿Nos mienten sobre sus propósitos? —preguntó Ariel.

—La fiesta de la pesca del tiburón —expuso Marcelo— es en febrero. Los tiburones llegan en noviembre y recién estamos en agosto. No hay un solo tiburón en la ría ni lo habrá por al menos tres meses.

Su argumento era irrefutable. Tanto Ariel como Claudio sabían perfectamente que los tiburones, que podían alcanzar los dos metros y superar los noventa kilos, todavía estaban muy lejos de la ría.

—Además —continuó— el tiburón gatopardo es un animal extremadamente huidizo. ¿Acaso alguno de nosotros ha visto alguna vez uno?

Sus amigos negaron en silencio.

—Estos tipos no tienen ningún interés en los tiburones. Están buscando otra cosa. Además, ¿qué hacían con esos globos? ¿Qué es eso tan pesado que un científico de tiburones necesita reflotar?

Claudio, que se había sacado la capucha de neopreno y se rascaba la incipiente barba enérgicamente, levantó la mano como si pidiera permiso para hablar.

—Me parece que no nos lo deberíamos tomar tan a la tremenda, Cabeza. Incluso imaginando lo peor: suponiendo que al viejo lo mataron por la cinta y que fueron estos tres, ¿te parece que se van a poner a buscar el barco al otro día? Sería demasiado evidente.

—Sería evidente —contestó Marcelo— si alguien pudiera establecer la conexión entre el asesinato y la corbeta. Pero te recuerdo que lo más probable es que el asesino, o los asesinos, no sepan de esa frase al margen del último crucigrama.

—Es verdad —intervino Ariel—. Si el que mató a Olivera se hubiera dado cuenta del mensaje en la revista, la habría hecho desaparecer.

Se quedaron los tres sin hablar, acunados por el vaivén de las olas al ritmo del sonido del agua contra el bote. Marcelo repasaba mentalmente los hechos y concluía una y otra vez que aquello era demasiado para una coincidencia. El asesinato, la cinta y aquellos buzos tenían que estar relacionados de alguna manera. Necesitaba pensar en ello tranquilamente, pero aquel no era el momento ni el lugar.

—Buceemos —dijo, y sus amigos parecieron despertar del letargo—, que ahora más que nunca nos vendrá bien un poco de agua fría.

—¿Pero adónde? —preguntó Claudio—. Se supone que el primer punto de inmersión era exactamente donde estaban ellos.

—Vamos del otro lado de la isla y empecemos con alguno de los otros que teníamos planeados —dijo Marcelo sin despegar los ojos de los forasteros que todavía no se tiraban al agua.

Tras rodear la isla, tiraron la pequeña ancla a unos treinta metros de la costa y esperaron en silencio a que tocara fondo. No podían verlos ni oírlos, pero no estaban a más de doscientos metros de los nuevos buzos. Los *otros buzos*.

Al caer, Marcelo sintió cómo el agua helada se le metía en el traje. Era el momento más desagradable de la inmersión. En pocos minutos, esa misma agua se calentaba al nivel de su temperatura corporal y lo protegía de la pérdida de calor, veinte veces más rápida que en la superficie. Sin traje, sufriría una hipotermia casi de inmediato.

Bajaba lentamente agarrado al cabo del ancla. Compensaba la presión del agua en los oídos tapándose la nariz y soplando suavemente. Al contrario de lo que la mayoría de la gente creía, eran los primeros metros del descenso y no los últimos los que causaban la mayor molestia en los oídos.

La recompensa de ser el último en bajar era que le permitía nadar entre las burbujas que soltaban sus compañeros. Las cosquillas que le hacían en la cara le recordaban la primera vez que había buceado. Había sido una gran sorpresa descubrir la verdadera forma de las burbujas. No eran redondas, sino semiesféricas, como medusas nadando rápidamente hacia la superficie.

Sus compañeros lo esperaban en el fondo junto al ancla de la Piñata. La visibilidad era excelente. Probablemente, unos quince metros. Claudio permanecía inmóvil observando algo en una roca a un palmo de su nariz. Ariel intentaba volver a ponerse una de las aletas que se encaprichaba en salirse de su sitio.

Aferrado a la soga, todavía a cinco o seis metros del fondo,

Marcelo vio una rápida sombra entre las dos columnas de burbujas que exhalaban sus compañeros. Otras dos se unieron a la primera.

10

Con una de las sombras nadando directamente hacia él, sintió un chorro de agua salada colársele garganta abajo. Notó que su respiración se aceleraba e intentó tranquilizarse, repitiéndose a sí mismo una de las frases célebres de Claudio: *la mejor característica de un buzo, Cabeza, es tener un témpano de hielo en lugar de cerebro.*

De a poco, la mancha negra fue revelando también partes blancas, hasta transformarse en una imagen nítida y cercana. Marcelo no pudo evitar reírse de sí mismo al comprobar que no tenía nada que ver con lo que se había imaginado. Después de tantas inmersiones, lograba verlas.

No recordaba dónde ni de quién había escuchado por primera vez que la tonina overa era el delfín más bonito del mundo, pero era verdad. A su juicio, ni siquiera los rosados del Amazonas, que solo había visto en documentales, podían competir en belleza con los que habitaban su ría. De hecho, eran el motivo por el que había empezado a bucear.

No solo él las encontraba adorables. Los pocos turistas que recibía el pueblo quedaban maravillados al descubrir que en aquel rincón del planeta había delfines casi enanos de color blanco y negro.

Tres toninas nadaban ahora sobre él, y le parecía que jugaban con sus burbujas. Miró hacia abajo y descubrió que sus compañeros también contemplaban, inmóviles, el espectáculo. Parecía que cualquier movimiento fuese a romper la frágil magia de tenerlas tan cerca y, si hubiera podido dejar de respirar para no espantarlas, lo habría hecho.

Incluso habiéndolas visto cientos de veces nadar junto a la Piñata o surfear las olas que producía la embarcación a su paso, nada podía compararse con esto. Ahora compartía con ellas el agua y si estiraba el brazo las podría tocar. Había soñado con algo así desde el primer día en que se había calzado el traje de buzo.

Ellas también parecían felices. Alternaban entre jugueteos con las burbujas de Marcelo y descensos en picada hasta donde estaban Ariel y Claudio. Con toda esa gracia, además de maravillarlos, les dejaban claro cuan torpes eran ellos, los humanos, dentro del agua.

Se fueron sin anunciarlo, como habían llegado.

Marcelo permaneció estático por casi un minuto, esperando que regresaran, pero no lo hicieron. Finalmente, continuó el descenso hasta unirse a sus compañeros.

Mediante señas poco estándares pero efectivas, quedó claro que los tres estaban igualmente sorprendidos. Ariel se acercó a Marcelo y le arrebató la pizarra sumergible, un pedazo de plástico blanco unido a un lápiz mediante un hilo.

—*LA MEJOR INMERSIÓN DE MI VIDA* —escribió.

—*TODAVÍA NO HA LLEGADO* — le contestó debajo Marcelo.

Después de tamaño comienzo, todo iría, indefectiblemente, a menos. La comunión con las toninas solo podría superarse encontrando una corbeta que ni siquiera sabían si existía. En lugar de eso, solo vieron tres centollas.

Al salir, Ariel no pudo esperar a subir al bote para resumirlo todo con una palabra.

—¡Increíble!

—Se mueven más rápido de lo que yo creía —dijo Claudio—. ¿Las dos más grandes serían una pareja y la chiquita, la cría?

—¿Hace cuánto que vivís en Deseado, Claudio? —preguntó Ariel— ¿Cómo puede ser que no sepas distinguir un macho de una hembra?

—Discúlpeme, licenciado. Le recuerdo que soy buzo y no aspirante a biólogo como usted.

—Si alguien va a tu casa y le gusta un cuadro colgado en la pared, querrá saber quién lo pintó o de qué año es. Y si no le podés explicar lo básico, pensará que sos un ignorante, ¿no te parece? Esto es lo mismo. Deseado y la Ría son ahora, te guste o no, tu casa. Y tendrías que empezar a conocer al menos los cuadros más importantes que tenemos colgados.

—Perfecto, poeta.

—¿Encima me tomás el pelo? Cuando te ponés así me dan ganas de pegarte una patada en el culo y que aterrices en tu querida Bahía Blanca. No te digo que seas un experto, pero tenés que saber lo básico. Las dos más grandes eran hembras. Primero, porque eran más grandes, y segundo, porque la mancha en la panza tenía forma de herradura. La de los machos es como una lágrima ¿Tan difícil es? —dijo escupiendo el agua que las olas le metían en la boca.

Mientras sus dos compañeros discutían flotando, Marcelo se había subido al bote y quitado todo el equipo, menos el traje. Estaba sentado con la mirada fija en la costa, intentando en vano ignorar el frío que le hacía castañetear los dientes.

Después de un rato, sintió una mano en el hombro.

—Disculpanos, Cabeza. Vos pasando por un momento así y nosotros peleándonos como nenes.

—Es verdad, perdón —agregó Ariel.

Marcelo los miró, asintió silencioso y empezó a levantar el ancla. De camino al club náutico vieron la lancha de Diana y los dos porteños completamente vacía. En la superficie se distinguían tres grupos de burbujas.

Nadie lloraba en el velatorio de Marcos Olivera. En el aire, mezclado con el humo de cigarrillos negros, flotaba la rabia de los marineros que hablaban en voz baja alrededor del féretro. Marcelo conocía a casi todos.

A los pies del cajón cerrado descansaba una única corona de flores cuyas letras doradas decían: "TUS AMIGOS DEL MAR". Se sentó en un largo banco junto a ella, y un minuto después tenía a su lado a uno de los amigotes del finado, dándole el pésame como si Marcelo fuese un familiar y preguntándole detalles del momento en que había descubierto el cadáver. Al rato se les sumó uno más, y después otro.

Media hora más tarde, el humo del tabaco y el hartazgo de tener que responder cien veces a las mismas tres preguntas lo habían obligado a abandonar la sala. Caminó hasta su casa con el viento empujándolo por la espalda.

Aprovechó el resto del sábado para limpiar. No era muy amigo del orden, pero cuando el nivel de suciedad había ido más allá de lo aceptable no paraba hasta dejar todo reluciente. Además, le ayudaba a pensar.

Quizás Ariel y Claudio tuvieran sus dudas, pero él no. Al tercer escobazo decidió que no se creía ni un décimo del cuento de los estudiosos de tiburones sin tiburones.

Fregó y barrió hasta que su cuerpo dijo basta. Se acostó muy temprano, molido. La vida en Puerto Deseado no lo tenía acostumbrado a tantos acontecimientos en un solo día. Con todo su esfuerzo logró olvidarse del encuentro con los otros buzos y el ataúd de Olivera para concentrarse en el recuerdo, todavía fresco, de las toninas nadando a su alrededor.

Una de ellas se le acercaba y lo empujaba con la cabeza. Luego, se ponía delante de él, como si quisiera que lo siguiera. Él se dejaba llevar, abandonando a sus dos compañeros y quebrantando así una regla de oro: nunca bucear solo. Pero no le importaba. Nadaba por horas sin preocuparse por la brújula, el profundímetro o el aire que le quedaba en la botella. Estar junto a ella le proporcionaba la seguridad de que nada malo podía pasarle.

El pequeño delfín lo llevaba hasta una gran roca. Al rodearla, veía tres grandes mástiles desplegando unas velas que hacía doscientos años habían flameado con el viento. Ondulaban ahora debajo del agua, tan impolutas como el primer día fuera del astillero. La madera del casco tampoco denotaba el paso del tiempo y, en lugar de peces, vio marinos fregando la cubierta. Hundida, la Swift seguía navegando. Desde la proa, con un extraño sombrero de capitán en la cabeza, el viejo Olivera lo saludaba con la mano.

Se despertó trece horas más tarde. A través de la ventana se filtraba la luz de una farola de la calle y las agujas de centro fosforescente del despertador marcaban las seis en punto. De la mañana, supuso.

Puso agua a calentar y esperó el silbido frotándose las manos junto a la hornalla. Se preparó un té con un chorro de leche y sacó de la alacena las últimas dos galletas que le quedaban. Desayunó de pie sobre la mesada de la cocina. Jamás se sentaba para hacerlo, herencia de aquel padre, ahora ausente.

Masticó y sorbió con la mirada perdida en el rincón del comedor entre la mecedora de mimbre y la estufa. No hubiera querido despertarse de aquel sueño y, al no poder continuarlo, lo repasaba una y otra vez, proyectándolo en su cabeza.

11

Decidió que no iría al entierro de Olivera y se pasó la mañana trabajando en una monografía sobre la revolución industrial para la clase de historia. Al mediodía, el hambre y la alacena vacía lo obligaron a hacer un viaje al supermercado.

Milagrosamente, ninguno de los empleados ni clientes del local le preguntaron acerca del marino y lo sucedido dos días atrás. Mejor, pensó, así se ahorraba tener que dar explicaciones a quien no tenía por qué. Volvió a su casa cargado con dos bolsas en cada mano y después de comerse una polenta con tomate se volvió a sumergir en la máquina de vapor y el nacimiento de la burguesía.

La única compañía que tuvo durante toda la tarde fue su mate amargo. Para la tercera vez que se levantó a calentar más agua, se había hecho de noche. Al terminar con la monografía no se sentía cansado, pero así y todo planeaba irse a dormir. Si se quedaba despierto sin nada en que ocupar la mente volvería a pensar en Olivera y la Swift, y la verdad era que necesitaba un descanso de todo aquello.

A las nueve en punto, cuando se había levantado de la silla para irse a su habitación, golpearon la puerta. Se acercó con sigilo y al otear por la mirilla solo vio un círculo de oscuridad.

Quien fuera que estuviese del otro lado volvió a llamar, esta vez tocando el timbre. Marcelo bajó la mirada y sintió un ligero alivio al ver la llave puesta en la cerradura. Le había dado dos vueltas al volver del supermercado.

—¿Quién es? —preguntó con voz más fuerte y grave de lo normal.

—Una napolitana y una hawaiana.

Reconoció a Claudio y soltó un largo suspiro recordándose que tenía que cambiar la bombilla de la luz de afuera. Al abrir la puerta vio que su amigo traía en las manos dos cajas de la pizzería El Gato que Pesca.

—Pensé que no tendrías ganas de cenar solo, Cabeza. Espero que no hayas comido porque hay una para cada uno —dijo mirando las cajas.

Marcelo había ido descubriendo con los años que detrás del personaje bruto y ordinario que Claudio se empeñaba en venderle al mundo, había una persona que entendía mejor que nadie el significado de la palabra amistad. En menos de dos meses Claudio le había confirmado tres veces que era un amigo hecho de la mejor madera.

El tercer domingo de junio de aquel año se había aparecido por su casa temprano con la Piñata enganchada al Coloradito. Tras forzarlo a desayunar, lo había subido al coche y llevado a casa de Claudio Etinsky padre para desearle juntos feliz día. Pasaron el día pescando a bordo de la Piñata, comiendo y tomando mate como si aquella fuera su familia. Aquel día del padre, Claudio le había prestado al suyo para que no se sintiera tan solo.

Dos semanas más tarde del día del padre, cuando Marcelo cumplió dieciocho años, Claudio lo había invitado a comer a su casa. Le había preparado un asado y con amigos y compañeros de colegio y, sabiendo que a Marcelo le encantaba observar los pájaros de la ría, le había obsequiado unos pequeños binoculares marca Eyeflex.

Ahora eran las pizzas la manera que Claudio elegía para demostrarle que él siempre estaría ahí en los momentos difíciles. Y eran precisamente aquellas actitudes las que hacían que Marcelo siguiera siendo su amigo, tolerándole con humor, entre otras cosas, que se siguiera quejando del pueblo y elogiando a su Bahía Blanca natal después de tantos años en Deseado.

Antes de sentarse a comer, Marcelo puso un casete de Pappo's Blues no tanto porque fuese fanático del grupo, sino para que hubiera algo sonando de fondo. Los ruidos que hacía Claudio al masticar con la boca abierta eran intolerables estando en silencio.

Al terminar de comer, Claudio liberó todos los gases que tenía acumulados en el estómago dejando escapar un rugido asqueroso. Luego, se inclinó sobre la mesa y le dio una palmada en el hombro a Marcelo que casi le disloca el brazo.

—Vámonos a tomar una cerveza al Caribe —dijo mientras se quitaba con la uña del meñique restos de comida entre los dientes.

—No estoy para ir a ningún bar, Claudio.

Su amigo lo miró y negó con la cabeza. Se sacó el dedo de la boca y esbozó la sonrisa que pone un profesor cuando un alumno consulta una duda y él se sabe conocedor de la respuesta perfecta.

—No te lo estoy preguntando. Te estoy informando.

Marcelo prefirió no responder. Aquella era una pelea perdida desde antes de subirse al ring.

—Me pregunto si debería avisar a la policía de los otros buzos —dijo Marcelo cuando cada uno tuvo enfrente una cerveza.

—Eso va en cada uno. Obligado no estás —dijo Claudio dibujando con el dedo en el vidrio empañado de su vaso.

—No, pero ¿vos qué harías?

—Yo no les diría nada. A mí los milicos nunca me cayeron bien, así que mientras menos contacto, mejor. Ahora, en tu caso es diferente. Vos te hacés la cabeza un montón y seguro que si no hablás te vas a sentir culpable.

—Es que me siento de alguna manera en la obligación ¿me entendés? Si hay algo a mi alcance para hacer justicia por el viejo, yo lo tengo que hacer.

—Cabeza —dijo Claudio levantando la mirada de su vaso—, yo te apoyo. Si necesitás que te salga de testigo, decime dónde hay que firmar. Aunque sinceramente…

Claudio dejó aquella frase colgada.

—¿Sinceramente qué?

—La verdad —dijo poniéndose la mano junto a la boca como quien cuenta un secreto—, yo preferiría que esos tres fantasmas fueran inocentes. Sobre todo ella.

—¿Y eso por qué? —preguntó Marcelo deteniendo la cerveza a medio camino entre la mesa y su boca.

—Sería una lástima que un bombón así tuviera algo que ver con un asesinato. ¿Viste cómo está? Yo diría que al menos es una ciento diez —Claudio dibujaba con sus manos dos esferas a la altura del pecho.

Marcelo no pudo menos que soltar una carcajada.

—Definitivamente lo tuyo es un problema. ¿Cómo hacés para imaginarte un par de tetas debajo de veinte kilos de equipo de buceo?

—Justamente. Si está así de buena con el neopreno puesto, entonces no me quiero ni imaginar lo que debe ser vestida de civil. Encima con ese acento, ¡por dios!

—Esto es como hablar de los abdominales de Amstrong habiendo visto sólo el momento del alunizaje —observó Marcelo.

—Es muy diferente, Cabeza. Uno: ésta es una mina. Dos: la vimos en persona a escasos metros. Tres: reconozco una mina que está buena si la veo a escasos metros.

Lo que siguió fue una serie de teorías en torno a las mujeres, que eran su tema favorito después del buceo. Recurrió una y otra vez a frases hechas y a clichés. Remataba cada conclusión pidiendo dos cervezas más y pronunciando una sentencia que al parecer consideraba reveladora.

—Es todo muy complejo —decía.

A la hora de cerrar, el gallego que regenteaba el Caribe los invitó a retirarse y Claudio le propuso a su amigo que continuaran la conversación en El Pescadito.

—Ni loco, Claudio. Mañana tengo que ir al colegio y ya estamos medio mamados. Vámonos cada uno a su casa y la seguimos otro día.

—Dale, Cabeza, nos tomamos la última allá para coronar la noche. Pago yo.

—No es por la guita. Además solamente decís "coronar la noche" cuando estás en pedo.

—Por eso.

—¿Por eso qué?

—¡Por eso vamos! Vos sabés que cuando yo me propongo levantarte el ánimo soy imparable —le dijo y le dio un beso enérgico en la frente.

Evidentemente era demasiado tarde para intentar encontrarle lógica a las palabras de su amigo. Aunque estaba cansado y hubiera preferido mil veces irse a dormir, la tortilla se estaba dando vuelta y ahora era él quien sentía la obligación de estar junto a Claudio, no del todo en condiciones.

—Bueno, pero una sola y me voy a dormir ¿está claro?

—Como el agua mineral.

A pesar de su pequeño tamaño, Puerto Deseado contaba, fiel a su naturaleza portuaria, con un buen número de burdeles. Marcelo había estado en todos, y no porque fuera partidario de pagar por sexo. De hecho, solo había tenido relaciones sexuales en contadas ocasiones. Dos, concretamente. Ambas con chicas de su edad que no podían ser más diferentes, para bien y para mal, de una prostituta.

La razón por la que él conocía todos los puticlubs de Puerto Deseado era una de las mayores causas de divorcio en el pueblo: se trataba de los únicos sitios donde se podía tomar una copa con amigos a partir de ciertas horas.

De todos, El Pescadito era el más antiguo y el de menos categoría.

Al entrar, el oscuro aire viciado por el humo de mil cigarrillos y otros tantos perfumes de mala calidad se clavaba en la nariz mientras una canción de José Luis Perales intentaba sin éxito darle un tinte romántico a aquel antro en penumbras. Antes de que se le acostumbraran los ojos y los pulmones, dos mujeres con minúsculas ropas interiores clavándose en carnes no del todo tersas se les acercaron con miradas que ofrecían un trato tácito pero claro. Ellos pagarían un precio razonable por las copas que consumieran mientras que las que invitaran a cualquiera de las *chicas* a cambio de mimos y compañía valdrían bastante más. Luego de compartir algunos tragos, si se terciaba, se podía arreglar un encuentro más íntimo.

Claudio, que según sus propias palabras iba *adobadito,* accedió a pagar por un rato de las mujeres ignorando las miradas afiladas de su compañero.

—No me hagas quedar mal, Cabeza —le dijo al oído tras liberarse de las manos traviesas de la mayor, una morena entrada en años y caderas que sonreía mostrando un diente de oro.

Aquello, en jerga nocturna, significaba que prestara atención a la chica más joven, que esperaba jugueteando con los hielos de su vaso.

Dijo llamarse Abril y no tendría más de veinticinco años. Después de presentarse preguntó a Marcelo su nombre.

—Renzo, qué nombre más bonito. Suena como a italiano, ¿no?

—Es japonés —respondió Marcelo.

—Pero esos ojos preciosos son bien redondos —insistió ella.

Marcelo pegó un sorbo a su cerveza, cinco veces más barata que la aguada copa de ella, y la miró sin pronunciar palabra. Entonces Abril, o como fuera que se llamase, continuó con un guión pulido a base de repetición.

—¿Y a qué te dedicás, Renzo?

—Estudio.

—Qué casualidad —exclamó ella, pareciendo entender que aquel Renzo no era de lengua muy suelta—, yo también estudio.

—No me digas. ¿Y qué estudiás?

—Psicología, en la Universidad de La Plata. En un par de meses tengo que dar una materia. Durante el día estudio para alguna vez llegar a ser una profesional y no tener que hacer más esto.

—Eso está muy bien —sugirió él—. ¿Y cómo se llama la materia que estás preparando?

—Personalidad —dijo ella seriamente.

Marcelo pensó por un instante en cómo se llamaría el resto de las asignaturas del plan de estudios que la muchacha se acababa de inventar: Locos 1, Locos 2, Infancias traumáticas, Adolescencia.

La conversación continuó por otros diez minutos entre nombres, carreras y pasados inventados hasta que Claudio, creyendo que su amigo comenzaba a disfrutar de la compañía, se ofreció a pagar otra ronda. La negativa de Marcelo fue rotunda, evitando sacar a colación que tenía que irse a dormir porque en cuatro horas estaría vestido de blanco entrando a un colegio. Sin duda Abril pensaba que Marcelo sería un estudiante de universidad y no un simple adolescente terminando la secundaria. O eso quería creer él. Intentó arrastrar consigo a Claudio pero su amigo consultó el reloj y le soltó otra de sus frases nocturnas.

—Después de las tres de la mañana no hay vuelta atrás, Cabeza. Da lo mismo que te acuestes a las tres y cuarto que a las siete.

Sin entender la lógica por segunda vez en la noche, se despidió del filósofo y al intentar hacer lo propio con Abril, ésta le dijo:

—Espero que nos volvamos a ver prontito. No te olvides de que te llamás Renzo. Me gusta demasiado ese nombre.

Él abrió la boca para contestar pero ella se la silenció con un pulgar pintado con esmalte verde. Le guiñó un ojo y se dio media vuelta para pavonearse suavemente hasta un viejo que tendría la edad de Olivera. Se sentó junto a él y a escasos cinco o seis metros de Marcelo comenzó a hablarle con el mismo interés con el que se había dirigido a él.

Al salir de El Pescadito, una ráfaga helada y limpia le inundó la nariz borrándole de un plumazo todo rastro de aquel aire viciado y turbio. Empezó a andar con las manos en los bolsillos y la boca tapada con la bufanda.

Le pareció escuchar que alguien caminaba detrás de él, pero al girarse no vio a nadie. Apuró el paso, convenciéndose a sí mismo de que lo hacía para combatir el frío.

Después de cerrar con llave la puerta de su casa, reavivó el fuego y atiborró la estufa con leña. Tras una breve ducha se metió a la cama para dormir las tres horas y media que le quedaban antes de que sonara el despertador.

Pasó la mañana en el colegio sin prestar atención a una sola palabra de las historias de Garecca ni de las clases de Lengua o Historia. En los recreos, alumnos y profesores se le acercaban a preguntarle sobre el episodio del viernes anterior pero se desembarazó de todos con fría cortesía, alegando que la policía le había prohibido hablar del tema.

12

El martes se multiplicaron por dos las preguntas del lunes, y así cada día. Cuando salió del colegio el viernes, la sensación de fin de semana le hizo revivir el fallido encuentro con Olivera exactamente siete días atrás. Desde entonces, la policía no había vuelto a contactarlo y las dudas crecían en su cabeza tanto como las preguntas en el colegio.

Después de unos fideos con atún y una siesta, se dispuso a resolver algunos ejercicios para la clase de Garecca. Una hora más tarde, no había terminado siquiera el primero. La Swift y Olivera no le permitían concentrarse.

Se abrigó y salió a caminar.

No había viento. Marcelo no recordaba la última vez que había paseado sin que las ráfagas le arrancaran lágrimas de los ojos, le llenaran la boca de tierra y dieran a su pelo, de por sí rebelde, el aspecto de un voluminoso montón de paja.

Los pies lo llevaron sin que él se enterase a Punta Cascajo, una pequeña península junto al club náutico que ofrecía algunas de las mejores vistas de la ría. A la izquierda, el océano Atlántico continuaba hasta convertirse en horizonte; y a la derecha, el puerto.

Decenas de barcos pesqueros descansaban después de semanas en altamar mientras enjambres de estibadores les vaciaban las bodegas. En cuestión de días, poco más del cuarenta por ciento —el resto era festín de gaviotas— de cada una de las toneladas de merluza, abadejo o mero volvería a ese mismo puerto, después de haber sido procesada en una de las cinco plantas pesqueras del pueblo. Los mismos estibadores cargarían, en turnos de dos horas para no congelarse en las bodegas, las cajas con filetes y otros productos en barcos mercantes destinados a Estados Unidos, Brasil, España, Rusia o Japón. Además del pescado, estos países compraban la producción entera de langostino y calamar.

Pero de todos los paisajes que podía ver desde Punta Cascajo, Marcelo prefería el del otro lado del estuario. La tierra casi desierta le transmitía una sensación de paz tan grande como su extensión.

Se sentó en la playa, abrazándose las rodillas. La marea, en su punto máximo, dejaba una franja de solo un metro entre el agua y la calle sin pavimentar. El sol ya se había escondido detrás del horizonte, aunque todavía quedaba un rato de claridad. El aire olía ligeramente a sal y el arrullo leve del agua, que de tan quieta parecía aceite, solo era interrumpido por algún coche paseando familias, enamorados o solitarios melancólicos. Un atardecer así adelantaba la primavera.

Fijó sus ojos azules en el agua planchada. Había ido a ese mismo lugar la primera vez que le había dolido el estómago al pensar en una chica y, por supuesto, tras descubrir el sobre marrón que le había dejado su padre para su cumpleaños número dieciséis. Ahora meditaba sobre el extraño asesinato de Olivera. La desaparición de la cinta y el mensaje en la revista de crucigramas no podían ser casualidad. No eran casualidad.

Miró al otro lado de la ría. La piedra Toba y a la izquierda una casa sola, impertinente, eran todo lo que se erigía en la inmensa estepa. La roca, con forma de horqueta, era una de esas formaciones naturales que el ser humano se resiste a creer que son producto del azar, o de la erosión. En medio de una inmensa planicie, parecía que alguien la hubiera puesto allí adrede, apuntalándola con piedras más pequeñas para que pudiera resistir miles de años de viento. Marcelo había estado a sus pies infinitas veces y estimaba que tendría al menos unos quince metros de altura. Era raro que Gower no la mencionara en su relato.

A un poco más de un kilómetro hacia el este, sobre la costa, una casa completaba el paisaje de cada día de los deseadenses. Hacía años que nadie la habitaba de forma permanente, pero en otro tiempo había sido la residencia principal de la estancia La Cantera. Las tierras pertenecían a don Ceferino Cafa, la única persona del pueblo que se ganaba la vida con la pesca artesanal. Era raro, pensó Marcelo intercalando miradas al puerto y a aquella vivienda, que aunque el motor de la economía del pueblo era la industria pesquera, solamente había en Puerto Deseado una pescadería y un único pescador que la proveía. Al fin y al cabo, se dijo, por algo su país se jactaba de ser el mayor consumidor de carne del mundo.

Comprando las tierras que miraba ahora Marcelo con el dinero de una herencia, Cafa no solo se había convertido en un terrateniente sino que había pasado a ser parte del puñado de afortunados que podían ir a su campo y volver cada día. El hombre se dedicaba durante las horas de sol a la pesca y a atender la estancia, y volvía por las noches a descansar en la comodidad de su hogar en el pueblo junto a su familia. Sin dudas, un tipo afortunado.

Marcelo, Claudio y Ariel se lo solían cruzar de camino a alguna inmersión. El hombre de la eterna boina verde, que siempre iba solo en su barca roja, saludaba con una mano en alto mientras con la otra sujetaba el timón.

Igual que con la piedra Toba, Marcelo había visto de cerca la casa de don Cafa infinitas veces. Era en realidad más pequeña de lo que parecía, como si tanta nada alrededor la engrandeciera. Estaba tan deshabitada como la iglesia del pueblo a la hora de la siesta.

Una vez, después de una inmersión junto a uno de los precipicios de la costa sur, él y Claudio habían comido a la sombra del alero del techo. Al recostarse junto a la puerta, Marcelo había descubierto la llave de la casa debajo de una maceta sin planta. Tras dudarlo por unos instantes, decidieron no meterse en problemas.

Un cormorán interrumpió la quietud del agua y su pensamiento. El pájaro aprovechaba la poca claridad que quedaba para pescar, o al menos eso le pareció a Marcelo al verlo zambullirse y salir varias veces. Se quedó mirando al bicho trabajar hasta que la oscuridad privó a uno del alimento y al otro del espectáculo.

Al ponerse de pie para irse, vio que una luz brillaba en la casa del otro lado. Probablemente, pensó, el viejo Cafa habría tenido demasiado trabajo y se quedaría a dormir en la vivienda solitaria para no tener que navegar de noche.

Marcelo volvió a su casa, se cambió de ropa y se fue al entrenamiento de básquet, el único deporte que realizaba además de esporádicas excursiones en kayak.

Como jugador estaba muy por debajo de la media, y en los torneos contra equipos de otras localidades siempre era de los que estaban más minutos en el banco que en la cancha. Entrenaba porque le gustaba hacer ejercicio y porque se divertía, pero sabía que su juego solo podía mejorar marginalmente. Nunca podría cruzar esa línea que dividía al grupo en dos: los que tenían talento y los que no.

Al finalizar la práctica, alargó su ducha como de costumbre para no llegar demasiado temprano a la redacción de El Orden, el periódico semanal de Puerto Deseado. Salía oficialmente los sábados, pero podía conseguirse los viernes a partir de las once de la noche si uno no tenía inconvenientes en acercarse a la redacción.

Le gustara o no, Marcelo había heredado de su padre un hábito que no concordaba nada con sus dieciocho años. Los sábados por la mañana —cuando no se quedaba dormido y lo despertaba Claudio a bocinazos— se sentaba con una taza de café con leche a leer El Orden en su sillón de mimbre junto a la estufa hasta que su amigo lo pasaba a buscar para ir a bucear.

Cuando llegó al pequeño edificio del semanario en la calle Don Bosco, los tres o cuatro adolescentes más jóvenes que él que hacían el reparto a domicilio por el pueblo aguardaban en la puerta para recibir sus periódicos. Él y el viejo Pigassi, sereno del hotel Sur, eran los únicos que se tomaban la molestia de comprar el diario del sábado los viernes.

A diferencia de Pigassi, que se lo llevaba para que le hiciese compañía durante su jornada nocturna en el hotel, Marcelo no leía el diario los viernes. Lo compraba un día antes simplemente para asegurarse que a la mañana siguiente, una vez el desayuno estuviera listo, podría dedicarse a leerlo sin depender de que el reparto llegara a tiempo.

La rutina se había visto interrumpida el viernes anterior a causa del asesinato.

Al recibir su ejemplar de las manos manchadas del impresor —también dueño y jefe de redacción—, Marcelo supo que esta sería la segunda semana consecutiva que no lo leería el sábado, café con leche en mano en su sillón de mimbre. Al ver una pequeña columna en la portada al pie de página que anunciaba *Misterioso asesinato en la localidad (pág. 3)*, lo abrió para comenzar a leerlo mientras caminaba hacia su casa.

La tercera página de El Orden estaba compartida por dos artículos absolutamente inconexos. En la parte superior había una entrevista, foto incluida, a una mujer peruana que estaba de visita en el pueblo en su recorrido por Sudamérica vendiendo artesanía inca. Fue la segunda mitad, obviamente, la que leyó Marcelo a la escasa luz de las farolas de la calle.

> *REDACCIÓN — En la mañana del viernes 9 del corriente agosto, el marinero don Marcos Olivera fue hallado asesinado en su residencia de la calle Estrada. Se descarta el robo como motivo del crimen ya que la billetera de la víctima, encontrada en su bolsillo trasero, contenía una cantidad considerable de dinero.*
>
> *Fue un joven de nuestra localidad, amigo del ex marino, quien lo encontró con un disparo en la frente en el sillón de su casa. Las pericias forenses estiman la hora del homicidio entre las ocho y las nueve de la mañana.*
>
> *Restos de proyectil hallados en la vivienda fueron enviados a la subsecretaría provincial de balística en la ciudad de Caleta Olivia para un análisis científico. A pesar de que todavía no se dispone de los resultados, todo parece indicar que el arma que ejecutó a M. Olivera se trata de una pistola, ya que la vaina de la bala homicida fue encontrada en el recinto.*
>
> *La policía local arrestó al día siguiente al señor Roberto Maidana, de profesión marinero, como presunto autor del crimen. Según fuentes cercanas a la comisaría, la víctima había realizado una denuncia policial contra Roberto Maidana por amenaza de muerte un año atrás. Tras ser interrogado, Maidana confirmó haber amenazado a Olivera por un altercado de larga data en altamar. Sin embargo, el sospechoso negó cualquier tipo de relación con el crimen. Mientras se realizan análisis de huellas dactilares en la escena del crimen y se intenta dar con el arma que ejecutó al marino retirado, Maidana se encuentra detenido en la comisaría local.*

Al llegar a su casa, calentó agua y se sentó a tomar mate en la mecedora de mimbre con el diario en el regazo. Aunque en ningún momento la policía le había dicho explícitamente que lo consideraran sospechoso, era un alivio leer que los forenses estimaban que el asesinato se había producido a una hora en la que sus treinta compañeros de clase y varios profesores lo habían visto en el colegio.

Aquella, sin embargo, era su menor preocupación. Para él, que el robo —de dinero, al menos— hubiera sido descartado como móvil del crimen no era ninguna novedad. Además, su instinto le aseguraba que ese tal Maidana no había tenido nada que ver: no encajaba ni con el extravío de la cinta ni con la frase junto al crucigrama.

Por otro lado, pensó, si la policía había detenido a Maidana debía ser porque habían encontrado indicios suficientes tras una investigación apropiada. ¿O no? En cualquier caso, una denuncia por amenaza de muerte no podía considerarse poco.

¿Y si todo era fruto de una enorme casualidad? Quizás Claudio tenía razón y el viejo había quitado la cinta. A lo mejor aquella frase garabateada al margen de la revista no era más que un ayuda memoria, o una frase de alguna película, o vaya uno a saber qué. Lo cierto era que si el asesino no se había llevado la cinta, ésta tenía que estar todavía en la casa.

Solo había una forma de saber la verdad.

Se levantó de la mecedora y abandonó el mate y el periódico sobre la mesa del comedor. Echó en la estufa tanta leña como cupo y se metió en la cama.

El despertador sonó tres horas más tarde. En el comedor el fuego todavía ardía proyectando sobre las paredes sombras ondulantes. Fue a la cocina y puso el agua a calentar para prepararse unos mates. Abrió el cajón de los cubiertos y eligió el cuchillo más grande, aquel que solía utilizar su padre para cortar la carne en los asados de los domingos cuando tenía una familia. Lo envolvió con un trapo que colgaba de la puerta del horno.

Cambió de idea sobre los mates y quitó el agua del fuego. Se enfundó en una larga chaqueta de paño y metió el cuchillo en uno de los bolsillos internos. Antes de salir de su casa, pasó por su habitación y del primer cajón de la mesita de luz sacó una pequeña linterna a pilas. Eran las tres y cuarenta y cinco de la madrugada.

13

Caminó durante diez minutos con las manos en los bolsillos y el cuchillo contra el pecho, mirando hacia atrás en cada esquina. Al llegar a la casa de Olivera, la única sin humo en la chimenea, vio que alguien había arriado la bandera a media asta. Atravesó la verja de madera que rodeaba la casa hasta llegar a la puerta donde había hablado por primera vez con el marino.

Se agachó y gateó, contando diez adoquines. A simple vista, el décimo no parecía haber sido movido recientemente, pero la iluminación era pobre y no quería encender la linterna fuera de la casa. Desenvolvió el cuchillo e hizo palanca hasta levantar la piedra gris. Tal como el viejo le había dicho, debajo estaba la llave.

La casa estaba tan helada como el exterior. Sacó del bolsillo su pequeña linterna plateada que, al encenderse, proyectó un haz de luz amarillento, y volvió a guardarse el cuchillo.

Enfocó hacia donde había descubierto el cadáver de Olivera, frente a la chimenea, como si necesitara confirmar que no seguía aún allí. Se lo habían llevado, y también al sillón donde lo había encontrado. Un rápido repaso por el resto del comedor corroboró que alguien se había deshecho de aquella butaca. Probablemente, demasiadas manchas de sangre como para limpiarla.

Abrió el pequeño mueble de los licores y vio una vez más la grabadora sin cinta. Otra confirmación innecesaria, pensó. Se adentró por el pasillo en la parte de la casa donde no había estado nunca.

Eligió una puerta y, al atravesarla, se encontró en una habitación presidida por una enorme cama matrimonial. Las mesas de luz que la flanqueaban estaban atiborradas de fotos del marino y su esposa. En los cajones de ambas mesitas encontró algunas alhajas, una biblia y un pequeño pastillero con siete compartimentos, cada uno etiquetado con un día de la semana.

Se disponía a revisar el ropero en busca de la cinta cuando le pareció sentir un crujido en el suelo de madera. Se quedó inmóvil, pero solo oyó silencio. Meneó la cabeza intentando sacudirse el miedo que empezaba a invadirlo y abrió las puertas del ropero liberando un fuerte olor a naftalina.

Entonces sintió el crujido una vez más. Esta vez más claro, más cercano. Luego otro. Y otro. No era paranoia, alguien caminaba sobre el suelo de madera.

Apagó la linterna y se pegó a la pared, junto a la puerta. Los pasos se detuvieron por unos instantes, solo para reanudarse, cada vez más fuertes. Se dirigían hacia él.

Durante el tiempo que tardó la primera gota de sudor frío en recorrerle la espalda, se maldijo por no haber cerrado la casa con llave. El temblor de piernas apenas le permitía tenerse en pie y el estómago se le había encogido al tamaño de una nuez. Al llevarse la mano al corazón, en un intento vano de desacelerarlo, sintió el cuchillo contra el pecho. Lo sacó del abrigo y, en silencio, le quitó el trapo que lo envolvía. Al empuñarlo, vio reflejarse en la hoja la luz de la luna que se colaba por la ventana.

Los pasos estaban cada vez más cerca. Tres o cuatro metros calculaba Marcelo, que apenas respiraba por no hacer ruido. Aunque tenía en la mano un arma con la que defenderse, la sola idea de tener que usarla le daba más miedo que seguridad.

Otra vez, el silencio. Quien fuera que hubiese entrado a la casa se había detenido. Marcelo hubiera jurado que era capaz de escuchar la respiración del intruso. Tan intruso como él, pensó, al tiempo que sentía cómo se reanudaban los crujidos hasta detenerse frente a la puerta del dormitorio. No hay otra alternativa, se dijo, aferrando el cuchillo con firmeza.

14

Marcelo sintió que el alma le volvía al cuerpo al descubrir que los pasos no entraban a la habitación en la que se encontraba él, sino en la contigua. Es ahora o nunca, se animó en silencio, y echó a correr.

Se lanzó con todas sus fuerzas en dirección a la salida, pasando a un metro de la puerta por la cual se acababa de meter quien fuera que lo persiguiese. Una vez fuera de la casa corrió todo lo que sus piernas le permitieron hasta llegar a la calle. Miró hacia atrás y vio una silueta fornida y masculina saliendo detrás de él. Giró hacia la derecha, donde la calle era más oscura y no se volvió a dar la vuelta hasta llegar a la esquina.

La siguiente vez que se volvió para mirar no había nadie, pero siguió corriendo. Continuó en zigzag por las calles oscuras y heladas de Puerto Deseado hasta llegar a la suya. Miró hacia atrás una vez más. Al parecer solo la luna había podido seguirlo.

Una vez dentro de su casa, dio dos vueltas a la llave y se apoyó contra la puerta sin animarse a cerrar los ojos. Podía escucharse el corazón y su saliva tenía un ligero gusto a sangre, como las pocas veces que el entrenador de básquet lo hacía jugar un partido entero. Su respiración, en grandes bocanadas, parecía estar fuera de control y, a pesar de que los termómetros seguramente marcaban bajo cero, estaba empapado en sudor.

Permaneció así hasta recobrar parte del aliento. Cuando pudo volver a moverse, se arrastró hasta su habitación y se desplomó en la cama. No iba a dormir aquella noche, eso estaba claro, pero acostado sería más fácil recuperarse del susto y la carrera.

Mirando el techo, intentó reconstruir la imagen de su perseguidor en base a la fracción de segundo durante la que había visto su silueta, pero solo pudo recordar a un hombre de constitución física robusta. Quien quiera que fuese, lo había seguido: no se podía coincidir un viernes a las cuatro de la mañana en la casa de un muerto por pura casualidad.

15

Se despertó con el sol tan alto como cuando por fin había podido dormirse. Miró el despertador: faltaba media hora para la reunión con sus compañeros de buceo. Aquel día no harían inmersiones porque unos geólogos de Comodoro Rivadavia habían alquilado la Piñata, con Claudio incluido como timonel, para que los llevara a recoger muestras de ostras petrificadas a un estuario ría adentro conocido como los Miradores de Darwin.

Se arrancó como pudo de la cama y, tras cepillarse los dientes e intentar en vano arreglarse un poco el pelo, salió hacia el club náutico.

No parecía haber nadie en la botera, el gran galpón donde los socios del club guardaban sus kayaks y veleros. No le extrañó que Raúl, el encargado, no estuviese allí. Caminó los treinta metros hasta el bar y, al entrar, lo vio sentado junto a la barra de madera que imitaba el lado estribor de un galeón. Jesús, el barman del eterno trapo al hombro, le servía una cerveza cerca de la popa.

Raúl vivía en una de las pequeñas cabañas dentro de las instalaciones del club. Las otras cinco se alquilaban a los pocos turistas que se animaban a desviarse los casi ciento treinta kilómetros que separaban a Deseado de la principal ruta patagónica. Por lo visto, su contrato de trabajo no le impedía pasarse la mayoría del tiempo en El Galeón, el pequeño bar del club, haciéndole compañía a Jesús, que de otra manera pasaría días enteros sin servirle bebidas a nadie.

—Siempre lleno de mujeres este antro —dijo Marcelo saludando con la mano en alto tras cerrar la rechinante puerta del bar.

Raúl y Jesús, que en otro momento habrían contraatacado con algún comentario no apto para menores, le hicieron gestos para que se callara. Sus muecas, idénticas, le recordaron al cuadro de la enfermera que había en la sala de espera del hospital del pueblo. Estuvo a punto de decir algo al respecto, pero se limitó a preguntar qué les pasaba.

No hizo falta que le respondieran. Entendió todo de golpe cuando, al abrirse la puerta del baño de damas, se encontró ante la inusual imagen de una fémina entre las paredes amarillentas del tugurio.

Tardó un microsegundo en llevar a cabo el análisis de rigor: un nueve sobre diez. La chica —a Marcelo le pareció que no tenía más de veintiséis años— lo miró de costado y se le acercó blandiendo una sonrisa.

—Marcelo, ¿verdad? —dijo y acompañó sus primeras palabras con dos besos que desparramaron olor a cereza. Era la primera vez que alguien pronunciaba su nombre así.

La buzo española estaba irreconocible sin los siete milímetros de neopreno y desprovista del chaleco, la botella, el regulador, la máscara y el resto de la parafernalia. El pelo negro de rizo fino ya no se escondía debajo de la capucha, sino que ahora caía hasta los hombros. Tendría que pedirle perdón a Claudio: sin duda su amigo era capaz de verle los abdominales a un astronauta.

—Exactamente. Y tu nombre era... —respondió Marcelo fingiendo no recordar.

—Diana. Diana Carbonell.

—Diana, es verdad. Perdoname, soy muy malo para los nombres.

—No pasa nada. Es normal que no te acuerdes, si solo nos vimos dos minutos ese día en la isla Chaffers. Es que yo tengo muy buena memoria.

La mención del encuentro hizo que el hechizo se esfumara como el rastro de cereza que habían dejado sus dos besos. Verla tan distinta y sin la escolta de sus dos antipáticos compañeros hacía difícil relacionarla con las otras versiones de sí misma. La mentirosa, porque el cuento de los tiburones se lo podía ir a vender cualquiera, menos a él. Y probablemente la criminal, porque ellos eran los "otros buzos".

—¿Y qué estás haciendo por acá? —preguntó él, intentando que el tono de voz no le cambiara tanto como los ojos con los que la veía.

—Pues vivo aquí. Alquilamos dos cabañas y le confiamos el bote a Raúl, ¿no es cierto que tú nos lo cuidas de maravilla? —preguntó en voz alta guiñándole un ojo al encargado.

Raúl respondió con una sonrisa y un monosílabo tímido. Inmediatamente, volvió a refugiarse detrás de su cerveza.

—¿Vivís con los otros dos que estaban con vos ese día?

—Pablo y Leandro, sí. No son muy simpáticos de entrada, pero en confianza son muy majos.

Eso es porque te quieren hincar el diente, pensó Marcelo. Aunque, si alquilaban dos cabañas para tres personas, quizás ella y uno de los porteños eran pareja.

Aunque intentó recordar si alguno de los dos era corpulento, no logró hacerse con una imagen nítida. Pero ya habría tiempo para averiguar sobre ellos. Ahora no quería dejar pasar la oportunidad de intentar que Diana tropezara con su propia mentira.

—¿Y por qué una mujer española tan bonita estudia tiburones en un pueblito remoto de Argentina? —preguntó fingiendo el flirteo que cualquiera en su lugar habría intentado.

—¿Y por qué no?

Una forma elegante de desembarazarse, sí, aunque no la clase de respuesta que Marcelo quería oír.

—No sé, me parece extraño. Irte tan lejos de tu casa para ver unos bichos así de feos. ¿Qué es exactamente lo que estudiás de los tiburones?

—Su alimentación durante el proceso migratorio —dijo ella riéndose de lo de los bichos feos—. Básicamente, con qué peso se van cuando abandonan la ría y con cuánto vuelven al año próximo. Los primeros comenzarán a llegar en un par de meses, pero para entonces nosotros tendremos todo listo y los estaremos esperando.

Sonaba mucho más convincente que Abril y sus materias de psicología. Al menos, su excusa estaba bien pensada.

—Qué interesante —mintió Marcelo, sin arriesgarse a seguir preguntando—. Avisame si te puedo ayudar en algo.

—Gracias —dijo ella pronunciándolo diferente—. Es un trabajo interesante…

Cortó una frase destinada a ser más larga. A Marcelo le pareció que seguía un *pero* y luego alguna confesión, cierta o no, que él hubiera preferido oír. Sin embargo, ella se limitó a disculparse por tener que marchar y se despidió con otros dos besos y una sonrisa dedicada a Raúl y Jesús.

Cuando Diana Carbonell apenas había puesto ambos pies fuera del bar, el encargado y el barman se le acercaron y se arrodillaron a sus pies, alabándolo.

—¿Qué hacen, tarados? —dijo Marcelo riendo incómodo— Levántense, a ver si vuelve y los ve haciendo este papelón.

—No te mueras nunca, Marcelito —dijo Raúl y, tras incorporarse, le palmeó la espalda.

—Está muerta por vos —agregó Jesús—. Yo llevo días haciéndome el simpático y para lo único que se me acerca es para pedirme el café con leche a la mañana.

El rechinar de la puerta petrificó a los tres. Jesús todavía estaba de rodillas en el suelo y Raúl lo abrazaba como a quien acaba de meter un gol. Marcelo se giró, intentando improvisar una explicación que lo librara de esa humillación.

No hizo falta, era Ariel.

—¿Quién es ese camión con acoplado que acaba de salir? —preguntó frotándose las manos.

—La novia de tu amiguito —respondió Jesús dándole a Marcelo dos besos exageradamente ruidosos en cada mejilla.

Tras librarse de ese par, que parecían el eslabón perdido entre el hombre y el perro en celo, Marcelo se llevó a Ariel a la mesa más alejada de la barra y le explicó quién era. Los primeros comentarios de su amigo hicieron alusión a lo diferente que se veía cuando no estaba enfundada en un traje de buceo.

Claudio llegó minutos más tarde.

—¿Por qué tenés esas ojeras, Cabeza? —fue lo primero que dijo al unírseles en la mesa.

Marcelo culpó al café por una noche de insomnio y evitó comentar el episodio de la madrugada anterior en la casa de Olivera. No quería ocultarles nada, pero tampoco deseaba quedarse solo buscando la corbeta.

Sin darle tiempo a arrepentirse, Claudio puso sobre la mesa las tres copias de la ficha con los datos técnicos extraídos del relato. No era nada que no supieran, pero resultaba mucho más útil tener todas las medidas, distancias y demás información numérica concentrada en una sola hoja en lugar de buscarla entre quince páginas escritas a mano.

Marcelo miraba los números sin verlos. Era imposible centrarse en lo que tenía a un palmo de su nariz, porque su cabeza todavía no había salido de la casa de Olivera. Las voces de sus amigos se convertían en un murmullo lejano y sobre el papel que le acababa de dar Claudio no podía más que proyectar la silueta corpulenta que lo había obligado a huir con el corazón saliéndosele por la boca.

Diana Carbonell y sus amigos tenían algo que ver.

—¿Dónde te parece que puede estar enterrado? —le preguntó Ariel, asiéndolo del brazo como si fuera fuerza física lo que se necesitaba para traerlo de nuevo a la mesa en El Galeón.

—¿El qué? —preguntó Marcelo con la poca lucidez de quien se acaba de despertar.

—¿De qué estamos hablando, Cabeza? Del cocinero de la corbeta.

—No sé dónde puede estar. Perdón, no estaba prestando atención.

—¿Te pasa algo? —preguntó alguno de los dos.

—No, nada. Bueno, en realidad sí. Me estoy cayendo de sueño. Me parece que me voy a ir a dormir porque mi cabeza no da pie con bola.

Y en menos de un minuto estaba camino a su casa, con el viento azotándole la cara.

16

Dedicó el resto del día a deambular por su casa. Con el fin de mantener sus miedos a raya, se refugió en una actividad aburrida pero que demandaba tanto esfuerzo físico como intelectual. Reorganizó la que había sido la biblioteca de su padre, a la cual más de una vez había considerado prender fuego, deseo que contuvo únicamente porque consideraba que destruir un libro era un pecado mortal. Además, quemar cosas que habían pertenecido a Diego Rosales no mitigaría nada, y mucho menos la rabia.

Sobre las once de la noche, como casi todos los días, Marcelo apagó la única luz que quedaba encendida en toda la casa: la de su habitación. Esta vez, sin embargo, no se metió en la cama a dormir. Se calzó a tientas el suéter de lana que le había tejido su tía Inés y sobre él la chaqueta de paño que todavía albergaba el cuchillo en el bolsillo interno. Siempre en la más absoluta oscuridad, completó el atuendo con una bufanda negra y un gorro de lana gris.

Salió por la puerta trasera, la del lavadero. Saltó la pared del fondo, que lindaba con la propiedad de la señora Carballo y, tras pasar con sigilo junto a la casa de su vecina, salió a la calle Colón. Si alguien montaba guardia frente a su casa, eso bastaría para engañarlo.

El club estaba cercado y, en teoría, la única forma de entrar era a través de una calle de tierra que bordeaba la costa. Sin embargo, una pequeña puerta en el rincón más alejado del agua —y más cercano al pueblo— permanecía siempre abierta. De lo contrario, quienes acudían a pie tenían que bordear todo el alambrado, convirtiendo un trayecto de cincuenta metros en uno de cuatrocientos.

Raúl le había contado que, a veces, los turistas que se alojaban en el club le pedían que cerrara ese acceso, pues todo el mundo pasaba junto a las cabañas. Él se negaba rotundamente, alegando que le lloverían quejas. Cambiar algo que *siempre había sido así* era una de las mejores formas de ganarse enemigos en un pueblo como Deseado. Y esa puerta siempre había estado abierta durante los tres años que él llevaba como encargado del club. Además, había dicho, no tenía idea de dónde podía estar la llave.

Al llegar al umbral de la polémica puerta, Marcelo distinguió dos luces dentro del predio del club. La del bar, lejana y tenue, y la de una de las seis cabañas, que no veía directamente porque las ventanas estaban del otro lado.

Su plan era intentar identificar las dos cabañas donde se alojaban Diana Carbonell y sus amigos con la esperanza de descubrir algo. Oír una conversación quizás era lo más probable. La de la luz encendida tenía que ser una de ellas, pues dada la época del año, era improbable que hubiera alguien más alojándose en el club. Volvió a preguntarse quién dormiría solo y quién no.

Acercarse, sin embargo, suponía un problema que Marcelo no había tenido en cuenta. Los treinta metros que lo separaban de esa pequeña cabaña que le daba la espalda era una pendiente de canto rodado suelto. Caminar por allí era tan discreto como ir tocando las castañuelas, pero había que arriesgarse, pensó, y comenzó a avanzar. Por suerte el viento le soplaba de cara, haciendo más difícil que sus pasos fueran oídos por quien estuviera dentro.

Finalmente alcanzó la pared trasera, de tronco, a excepción de la chimenea de piedra. Se permitió permanecer unos instantes al reparo del viento junto al calor que dejaban escapar las rocas. Se levantó el gorro de un costado y pegó la oreja descubierta a uno de los troncos.

Silencio sepulcral.

Con pasos mudos cambió la cálida pared trasera por una de las laterales y, finalmente, la del frente. Vio cómo la luz se colaba por debajo de la puerta y por la gran ventana a través de unas cortinas de color naranja. Gateó hasta debajo de la ventana. Miró hacia arriba y descubrió que entre las dos cortinas había un espacio de unos diez centímetros que le dejaría ver el interior si asomaba la cabeza. Comenzó a incorporarse lentamente.

El corazón le latía tan rápido que parecía que en cualquier momento se le escaparía por la boca. Estaba a punto de ver entre las cortinas naranjas cuando sintió alguien a sus espaldas.

Retrocedió sobre sus pasos lo más rápida y silenciosamente

que pudo, y se quedó inmóvil contra la pared lateral. Los que se acercaban eran dos hombres, abrazados, que de repente empezaron a desafinar un tango. La puerta de la cabaña se abrió bruscamente.

—¿Qué queréis? —su voz y su acento eran inconfundibles.

—¿Nosotros? irnos a dormir. Y vos gallega ¿qué querés? —retrucó uno arrastrando todas las erres del mundo.

El portazo hizo temblar la pobre estructura y fue tan repentino que Marcelo no pudo reprimir un pequeño salto.

—¡Qué carácter podrido, che! —dijo el otro de los borrachos, y siguieron hacia la puerta trasera, por la que acababa de entrar.

Marcelo volvió a pegar la oreja a la pared. Esta vez hubo algo más que silencio.

—Me cago en su puta calavera. Le dije mil veces al imbécil de Raúl que cierre esa puñetera puerta y el tío pasa de mí y de todo lo que le digo.

—Diana, quedate tranquila —la consoló una voz masculina con acento porteño—, la gente del interior es así. No van a aceptar nunca que venga alguien de afuera a decirles cómo tienen que hacer las cosas.

Por su otra oreja, enterrada bajo el gorro de lana, oía alejarse las risas y los pasos en el ripio de los dos borrachos.

—¿Por qué no nos vamos a tomar una cerveza y nos tranquilizamos un poco? —dijo la voz masculina.

—No sé, es un poco tarde —respondió Diana.

—Te va a venir bien. Además mañana es domingo y no tenemos que trabajar.

—Sí, pero me quería despertar temprano para terminar de escribir el ensayo sobre las rutas migratorias.

—¿No te quedaban dos meses para terminar ese artículo?

—Pues sí, pero prefiero quitármelo de encima lo antes posible. Quiero dedicarle el cien por cien de mi tiempo al buceo cuando empiecen a entrar los tiburones. No pienso perderme una sola inmersión por no haber terminado un artículo dos meses atrás.

La entendía, pero un trago le sentaría bien y le calmaría un poco los nervios, insistía el tipo. Ella fue de a poco bajando la guardia, hasta que finalmente accedió.

La luz de la cabaña se apagó y los oyó cerrar la puerta con llave. Desde su escondite, detrás de la pared lateral, los vio alejarse en dirección al bar.

Entonces, por primera vez desde el encuentro en la isla Chaffers, Marcelo consideró seriamente la posibilidad de que aquellos tres buzos no hubieran tenido nada que ver en el asunto de Olivera y sintió cierto vértigo ante la posibilidad de haberse equivocado. Continuar creyéndolos culpables después de lo que acababa de oír era pura obcecación. Nada parecía indicar que aquellos tres hubieran tenido algo que ver en el asunto.

Nada excepto la frase junto al crucigrama.

Cabía una posibilidad remota, rayana a la paranoia, de que la investigación de los tiburones fuera parte del paripé y que dos —o incluso solo uno— del equipo tuvieran otro objetivo. Y aunque era tan probable como un día de playa en esa época del año, estando donde Marcelo estaba, no le costaba nada echar un vistazo.

Cuando el porteño abrió la puerta del bar, dejó pasar a Diana primero y entró tras ella, Marcelo repitió la secuencia de movimientos hasta volver a ganar la posición debajo de la ventana. Con sus manos empapadas de sudor a pesar del frío, comprobó que habían cerrado con llave. Intentó mirar por la ventana pero se encontró con una penumbra apenas quebrantada por las brasas de la chimenea. Era arriesgado, pero si quería ver algo necesitaría usar su linterna.

Al pegarla al vidrio, la luz amarillenta alcanzó la pared del fondo, iluminando dos camas cuchetas junto al tiraje de piedra. Aunque las cortinas le impedían ver a los lados, sabía que a la izquierda había un armario de metal y a la derecha una pileta y una pequeña cocina. Lo sabía porque había estado más de una vez en la casa de Raúl, que era idéntica a las demás.

Al inclinar la linterna hacia abajo descubrió una mesa junto a la ventana. Sobre ella había una taza blanca, dos bolígrafos y una pila de libros. La luz le alcanzó para leer los títulos en algunos lomos. *Guía de tiburones del hemisferio sur* de M. B. García, *Buceo en agua fría: inmersiones a menos de 13 grados* de Ulrike Wombat y *La cadena alimentaria en el océano Atlántico Sur* de P. Segatto. Junto a los libros, había un cuaderno con anotaciones a mano que a Marcelo se le antojaron menos legibles que una receta del doctor del pueblo. Solo distinguió el dibujo de un tiburón entre toda aquella cursiva.

Apagó la linterna y comenzó a desandar el camino hacia su casa, vueltas y salto del cerco de la señora Carballo incluidos. Aunque no fueran ellos los "otros buzos", alguien lo había estado siguiendo la noche anterior y no pensaba arriesgarse.

17

Al término de la última clase del lunes, Marcelo decidió quedarse en la biblioteca del colegio buscando información para la monografía que la profesora de geografía les había encargado. Tenían que escribir sobre la historia de un país que no estuviera en América ni en Europa. Marcelo, que todo lo pensaba en clave Swift, no olvidaba la etiqueta en la cinta desaparecida. Eligió Australia.

Lo primero que consultó fue la enciclopedia británica. Tras una parrafada de datos numéricos y cuatro oraciones magras sobre los más de cuarenta mil años de población aborigen, una página entera explicaba al detalle cómo, a pesar de varios arribos europeos previos a la isla continente, no fue hasta la llegada del inglés James Cook en 1770 cuando se comienza a hablar de la Australia moderna.

Ingleses en 1770. No pudo evitar pensar en Farmer, tan capitán de la marina inglesa como Cook. En el mismo año uno marcaba el inicio de un nuevo continente y al otro se le hundía el barco en un rincón olvidado del mundo que los mapas llamaban Port Desire.

Leyó todo lo que pudo durante una hora, hasta que su estómago comenzó a demandar atención. De las tres galletitas de agua y el té con leche que había desayunado a las siete de la mañana no quedaba ya ni el recuerdo. Se despidió del señor Flugel, el bibliotecario del colegio, y comenzó a caminar hacia su casa. El mediodía estaba nublado y el frío le cortaba la cara.

Caminaba y pensaba en cómo encajaban las piezas ahora que los *otros buzos* eran una incógnita casi despejada en esa complicada ecuación. No solo hablaban de tiburones sino que, hasta donde él había podido ver, leían y escribían sobre ellos. ¿Pero entonces qué significaba la frase escrita junto al crucigrama? Imaginaba, una tras otra, posibles explicaciones que encajaran con los datos que tenía hasta ese momento. Ninguna le convencía.

Pensaba en esto cuando un grito casi desesperado lo devolvió a la realidad.

—¡Cuidado! —dijo una voz femenina.

Sentada en el suelo junto a la entrada del Banco Nación,

una mujer de tez morena y pelo negro recogido en una trenza brillante señalaba un paño rectangular que invadía media vereda.

—No me pise usted la mercadería por favor.

Reconoció a la artesana peruana cuya foto había visto días atrás en el diario, junto a la crónica del asesinato de Olivera.

—Discúlpeme, no la había visto.

—¿Quiere comprar alguna quena o un *siku*? —arremetió la mujer sin preámbulos.

Marcelo echó un vistazo a los artículos que había estado a punto de hacer añicos. Una veintena de instrumentos hechos de caña poblaban la tela azul.

—No, señora, le agradezco mucho pero para la música soy de madera.

—Pero también quedan bien de adorno —esgrimió la mujer—. Además con esto me ayuda, ¿sabe? Mi sueño es llevar mi trabajo a todos mis hermanos de Sudamérica.

—Sí, eso lo sabía. Vi una entrevista que le hicieron en el diario. Me imagino que, con tanta publicidad, clientes no le faltarán, ¿no?

Dijo aquello solo para ganar tiempo y pensar en una excusa para negarse a comprarle, pero sus propias palabras estaban destinadas a proporcionarle mucho más. Tras pronunciarlas, algo hizo clic en su cabeza y lo vio tan claro que casi involuntariamente se dio una palmada en la frente por no habérsele ocurrido antes.

Australiano, pensó, y visualizó aquella palabra escrita en uno de los carretes de la cinta desaparecida.

—¿Qué te pasa? ¿Estás bien? —preguntó la mujer al ver a Marcelo autoflagelándose.

—Más que bien, señora —dijo, reprimiendo las ganas de plantarle a la artesana un beso en el medio de la frente—, pero me acabo de dar cuenta de que me tengo que ir. Usted me dio una idea que si llega a funcionar, le prometo que vuelvo y le compro un *siku*. O una quena. Es más, le compro uno de cada uno.

La mujer rió mostrando unos dientes pequeños.

—Ahora vuelvo es lo que dicen todos —dijo, poniéndose en la boca una de sus quenas—. Ya veremos —murmuró entre dientes y comenzó a tocar una melodía del altiplano.

—Se lo prometo —le gritó Marcelo, que ya se había puesto en marcha.

18

El cartel sobre la puerta de madera causaba la envidia de cualquier creativo publicitario: *Semanario "El Orden", publique su anuncio con nosotros.* Al empujarla, lo recibió un soplo de aire tibio que olía a papel viejo.

La redacción del diario era un local pequeño donde solo cabían dos escritorios de madera con sus sendas máquinas de escribir. Sentada en uno de ellos, una mujer atrincherada detrás de pilas de periódicos que apenas se mantenían en pie, mecanografiaba frenéticamente mordiéndose la lengua. Parecía no haber notado la presencia de Marcelo en la diminuta oficina.

—Buenos días, señora Basanta.

Sus ojos, detrás de unos anteojos gruesos y pasados de moda, tardaron un par de largos segundos en desclavarse del papel.

—Buenos días, joven. ¿Cómo sabe usted mi nombre? ¿Nos conocemos?

—Usted me entregó el premio literario "El Orden" hace dos años. ¿Recuerda que publicaron mi cuento "Gato por liebre"?

—¡Por supuesto! —exclamó la mujer juntando las manos para pedirle perdón—. Los años me van cambiando neuronas por canas. Mil disculpas, nene. ¿Qué te trae por nuestra redacción? Ya sé, no me digas nada. ¿Estás trabajando en otro cuento y lo querés publicar?

—Nada de eso en esta ocasión —respondió Marcelo esgrimiendo la que Claudio llamaba una sonrisa *comprasuegras*—. Resulta que estoy haciendo una monografía sobre Australia para el colegio, y se me ocurrió pasar a preguntar si El Orden ha publicado alguna vez una entrevista a alguien de ese país. Como ustedes siempre entrevistan a visitantes extranjeros...

—Australianos que yo sepa solo uno, pero era un loco de atar —exclamó la mujer luego de una breve recapitulación—. Se la pasó un mes entero preguntándole a Dios y María Santísima por una historia de un barco hundido muchísimo antes de que se fundara el pueblo. No sé de dónde habría sacado algo así, la verdad. Le hicimos la entrevista de rigor para "Deseado Desde Afuera", la sección donde publicamos este tipo de reportajes, pero no le dimos mayor cabida.

El corazón de Marcelo se aceleró a un ritmo poco saludable por enésima vez en aquellos días.

—¿Y recuerda usted de esto cuánto hace?

La mujer se quitó los anteojos y se echó hacia atrás en su silla, cruzándose de brazos. Clavó la mirada en el techo, dejando de parpadear y murmuró algo que a Marcelo le parecieron números. Al cabo de unos instantes, volvió a mirarlo, triunfante.

—Mil novecientos setenta y cinco. Yo diría en marzo o abril, a lo sumo principios de mayo.

Marcelo no daba crédito a lo que acababa de oír. Hacía apenas seis años de aquello. Él estaba vivo, tenía doce años, cuando un australiano apareció hablando de barcos hundidos.

—¿Y ustedes tienen una copia de esa entrevista?

—En el archivo tiene que estar, pero te aviso que es perder el tiempo porque a ese tipo le faltaban un par de caramelos en el frasco. De cualquier modo, si querés echar un ojo yo no tengo problema.

Tras asentir sin palabras a la oferta de la mujer, ésta abrió la única puerta interior de la diminuta oficina, dando paso a una trastienda húmeda y fría. El olor a tinta y a papel, de tan fuerte era nauseabundo. Lo que parecía una máquina de tortura gigante descansaba en el medio de una habitación enorme con las paredes forradas casi por completo con tapas de ediciones viejas.

—Ésta es la máquina rotativa —dijo la mujer con tono de guía turístico señalando la mole—. Cada semana imprimimos alrededor de novecientos ejemplares. Vendemos unos ochocientos en el pueblo y el resto van a estancias, municipios vecinos y a la capital de la provincia.

Marcelo intentó en vano poner cara de asombro.

La mujer lo condujo hasta el archivo y encendió una potente luz blanca. En el centro de la habitación, aún más pequeña que la redacción, había una mesa y una única silla. En un rincón, junto a una máquina que Marcelo no supo si era un lavarropas o una heladera, una escalera con tres peldaños.

La pared opuesta a la puerta tenía empotrados archivadores desde el techo hasta el piso. Según le comentó la señora Basanta, aquellas ocho columnas de cinco cajones contenían todo el material editado por el semanario a lo largo de más de sesenta años. El de la esquina superior derecha tenía la etiqueta "1917–1919", y así cada uno albergaba tres años. Las etiquetas llegaban hasta 1998–2000, en la mitad de la segunda fila. Marcelo no pudo evitar sentirse ridículo tras abrir el correspondiente a 1995–1997 y encontrarlo vacío.

—Cerramos dentro de una hora —dijo la mujer mirando el reloj en su muñeca—. Si necesitás más tiempo, podés volver mañana. Estamos a partir de las siete.

Marcelo agradeció a la señora Basanta y la mujer se excusó de no poder ayudarlo a buscar porque tenía que terminar de redactar un artículo.

Al quedarse solo, lo primero que le vino a la mente fue cuánto le habría costado a Claudio llegar al corazón de un periódico en una ciudad como Bahía Blanca. Aunque su amigo se empeñara en negarlo, vivir en un pueblo tenía sus ventajas.

Los años 1974–1976 estaban en la tercera fila. Sin necesidad de usar la escalerita, Marcelo puso sobre la mesa 13 ejemplares correspondientes a los meses de marzo, abril y mayo de 1975.

De no haber demasiadas noticias en el momento de la visita —y si los del diario no lo hubieran tomado por loco—, un australiano paseando por aquellos pagos lejanos hubiera sido sin duda mencionado en la portada del semanario. Un primer escrutinio reveló que una huelga de trabajadores ganaderos se había adueñado casi por completo de las ediciones de esos días. Tendría que hurgar en cada ejemplar hasta encontrar el rincón dedicado al visitante.

Repasó página a página cada una de las ediciones en orden cronológico. No había mención del australiano en marzo ni en las primeras tres de abril. Al llegar a la última de aquel mes, que advertía en la portada *Se suman varios gremios a la huelga ganadera,* Marcelo empezaba a hartarse de los refritos de la misma noticia semana tras semana. Sin embargo, en la tercera página, leyó el titular *Visitante de las Antípodas* sobre las dos columnas de la derecha.

Comenzó a examinar el texto cuidadosamente, comprendiendo rápidamente lo que la señora Basanta había querido decir con entrevista de rigor. Era poco más que un cuestionario tipo que se le habría podido realizar a cualquier forastero que anduviese por la zona. Las primeras preguntas apuntaban al lugar de origen. Revelaban que Patrick Gower venía de una pequeña ciudad al norte de Sídney llamada Newcastle. Luego se le preguntaba qué opinaba de los argentinos, a lo cual respondía con cortesía casi inglesa. Finalmente y sin demasiado entusiasmo se le invitaba a explicar el propósito de su viaje.

¿Qué lo trae por estas tierras lejanas?

El hermano del bisabuelo de mi tatarabuelo, siempre en la línea paterna, se llamaba Erasmus Gower y era teniente de la corbeta H.M.S. (siglas del inglés "barco de su majestad") Swift. En un viejo arcón de la familia encontré un relato donde él mismo cuenta que la corbeta estaba apostada en las islas Malvinas y zarpó en un viaje exploratorio por la Patagonia en marzo de 1770. La nave no sobrevivió al choque con una roca en la ría de Puerto Deseado, y se encuentra hundida en algún lugar no muy lejos de donde estamos hablando en este momento. Ya me he puesto en contacto con una traductora para pasar el relato al castellano y compartirlo con quien quiera leerlo.

¿Cuánto tiempo tiene pensado visitarnos?

El tiempo que haga falta, en realidad. Enviudé hace poco y mi único hijo vive en Inglaterra, así que no tengo demasiados motivos para estar en Australia. Me retiré de la Armada hace un año, con lo cual tampoco tengo un trabajo que me ate. La gran asignatura pendiente de mi vida es encontrar la corbeta Swift, así que quizás me tengan de visita durante una temporada larga.

¿Cómo tiene pensado buscar la corbeta?

Bueno, lo primero que pienso hacer es hablar con la gente del pueblo que pueda llegar a tener alguna información y constatar el relato con el paisaje para determinar los puntos probables del hundimiento.

¿Cómo puede ponerse en contacto con usted la gente interesada en brindar información?

Estoy alquilando una casa no muy lejos del club náutico. La dirección es Belgrano 226.

Al terminar de leer, Marcelo no podía creer que no le hubieran hecho más preguntas. No mencionaba nada de quién bucearía para encontrarla, ni si tenía colaboradores para el proyecto. Tampoco aclaraban si hablaba castellano o había sido entrevistado en inglés y luego traducido.

Al pie de la columna, una pequeña fotografía mostraba un hombre de entre cincuenta y sesenta años, sin canas y con rasgos claramente anglosajones.

Solo seis años, pensó Marcelo. Así de reciente era la edición de El Orden donde una persona declaraba explícitamente haberse cruzado medio mundo para buscar la Swift. ¿Cómo era posible que Olivera no lo hubiera mencionado? Recordó entonces que por aquella época, el marino se pasaba meses enteros en altamar, aislado del mundo.

¿Qué se había hecho del visitante? ¿Había logrado dar con el barco de su antepasado y se había largado del pueblo satisfecho? Imposible. Alguien dispuesto a compartir el relato abiertamente no podía actuar de manera tan mezquina una vez localizado el pecio. ¿O sí? De cualquier manera, una noticia de ese calibre se habría esparcido por el pueblo con la velocidad con la que viaja el fuego en un reguero de pólvora. Su búsqueda se debía haber interrumpido. ¿Se habría dado por vencido? ¿Se habría dejado desanimar por la reticencia de algunos locales?

—Me tengo que ir —dijo la señora Basanta asomando la cabeza en el archivo.

—Acabo de encontrar lo que buscaba.

La mujer le arrebató el periódico de las manos y lo miró por unos instantes. Negó con la cabeza con gesto resignado.

—El mundo está lleno de charlatanes. ¿Te sirve para tu monografía al menos?

Marcelo asintió y la mujer levantó la tapa de la máquina con pinta de electrodoméstico, colocando la noticia que a Marcelo le interesaba boca abajo sobre una superficie de vidrio. Luego cerró la tapa y apretó un botón.

—Es la única fotocopiadora del pueblo —dijo la mujer sonriendo mientras aquel armatoste hacía todo tipo de ruidos y emitía un destello verdoso—. La compramos hace tres meses.

Finalmente la máquina escupió una hoja que la señora examinó y entregó a Marcelo. Era una copia de la noticia con casi la misma calidad que el original.

Marcelo le agradeció una y otra vez mientras volvían a la redacción. Antes de despedirse, le preguntó si tenía alguna información más sobre aquel hombre. Ella buscó con dedos ágiles en un cajón de su escritorio lleno de carpetas colgantes y sacó una con el rótulo *G–H*. Dentro había varias hojas etiquetadas con solapas y una de ellas decía Gower, Patrick. El magro contenido constaba de un recorte de la entrevista, el original de la fotografía que había sido publicada y una tarjeta personal del hombre. La mujer copió los datos en un pedazo de papel que luego entregó a Marcelo.

Patrick Gower
6, 61 Nesca Pde
Newcastle
New South Wales
Australia

Al llegar a su casa, el reloj marcaba las tres y media de la tarde. Tras quitarse el abrigo y el guardapolvo blanco, abrió una puerta en la parte baja del mueble del comedor y sacó el último de una pila de al menos cuarenta diarios. Aquellos, a diferencia de los que acababa de inspeccionar, tenían un propósito más mundano. Arrancó un par de hojas y las utilizó, junto con un puñado de pequeños trozos de leña, para encender la estufa.

Mientras la casa y su nariz se templaban, se preparó un churrasco a la plancha.

Con el estómago lleno, se sentó en la mecedora junto al fuego y clavó la vista en el agua de la ría. Gower no podía estar todavía en Puerto Deseado. Con la asiduidad que Marcelo navegaba y frecuentaba el club náutico, lo sabría. Le preguntaría a Raúl, pero tenía pocas esperanzas, pues no hacía siquiera cuatro años que era el encargado del club. Contactar con quien ocupaba el puesto en 1975 era imposible: don Gonzaga llevaba un año muerto.

Marcelo sacó del bolsillo el papel con los datos del australiano y se acercó al planisferio colgado en la pared pistacho, con los ojos fijos en la gran isla. Basándose en la escala y las distancias que conocía entre su pueblo y las pocas ciudades vecinas, estimó que Newcastle se encontraba a unos ciento cincuenta, tal vez doscientos kilómetros al norte de Sídney, sobre la costa este del país. Luego se sentó a la mesa y sacó una hoja en blanco de la carpeta de matemáticas. Comenzó a escribir en inglés.

Odiaba reconocerle nada a su padre, pero mientras redactaba la carta admitió por primera vez la utilidad de haberlo obligado a tomar clases de inglés desde primer grado. Había terminado siendo uno de los alumnos más avanzados de *Mrs* Caroline, lo cual era bastante lógico considerando que había asistido a sus clases todos los martes y jueves durante exactamente diez años.

Escribió una carta de dos páginas donde le contaba al australiano cómo se había enterado de la corbeta, primero, y de él, después. Explicaba que era buzo y estaba intentando dar con el pecio junto a un grupo de amigos y le solicitaba cualquier información que pudiera tener sobre el naufragio.

Al terminar de escribir, releyó el texto y se planteó las posibles consecuencias de enviarlo. Por un lado, el australiano seguramente contaría con información fundamental, pero ¿podía estar seguro de que no tenía nada que ver con todo lo que estaba pasando últimamente? Al fin y al cabo ¿qué sabía él de este hombre?

Arrugó la carta y la tiró a la estufa, que tenía la puerta abierta. La pelota de papel rebotó en uno de los bordes y se salvó de las llamas, confirmándole lo que ya sabía: nunca sería un gran jugador de básquet.

19

Marcelo y Ariel comenzaron el ascenso cuidando de no sobrepasar a la más lenta de sus burbujas, como Claudio les había enseñado. No respetar esa regla incrementaba el riesgo de que el exceso de nitrógeno disuelto en el cuerpo durante la inmersión se expandiera, formando pequeñas cámaras de aire en todos los tejidos.

Ambos habían empezado a subir mientras Claudio liberaba el ancla, que se había clavado entre dos rocas. Varios metros sobre el fondo, Marcelo quitó los ojos del profundímetro y vio que Claudio había perdido el interés en el ancla. La espesa nube gris que se cernía sobre su amigo dejaba claro que estaba removiendo el sedimento del fondo. Marcelo tironeó del brazo de Ariel para llamar su atención y señaló hacia abajo.

Ariel, presa de la ilusión, comenzó a nadar hacia Claudio a toda prisa, pero Marcelo lo sujetó firmemente por una de las aletas antes de que descendiera demasiado. Las inmersiones debían seguir siempre el mismo patrón: bajar primero hasta el punto más profundo y luego desde allí ir subiendo. Si no, también había riesgos de que la sangre se convirtiera en champán.

El único tratamiento para la enfermedad de descompresión, cuyos efectos podían ir desde dolores pasajeros hasta secuelas irreversibles y, en casos extremos, la muerte, era recomprimir de inmediato al afectado hasta que las burbujas de nitrógeno se volvieran lo suficientemente pequeñas como para disolverse nuevamente. Luego el cuerpo las eliminaría lentamente mediante la respiración. El problema era que la cámara hiperbárica más cercana para realizar esta recompresión estaba en la capital, a dos mil kilómetros de donde buceaban ahora.

—Dios está en todos lados, pero tiene la oficina en Buenos Aires —había oído Marcelo en más de una ocasión.

Claudio comenzó a subir lentamente agitando un objeto en su mano. Marcelo sentía que su regulador no le daba todo el aire que necesitaba en ese momento, pero la ansiedad se aplacó pronto. Lo que traía su amigo llevaba sumergido mucho menos de doscientos años.

Era un cuchillo de buceo enorme, de mango rojo, con una bola de acero en la punta de la empuñadura que amenazaba tanto como el filo. La funda estaba adosada a una especie de cinturón que se usaba para sujetarla a la cara interna de la pantorrilla.

Continuaron, los tres juntos, el ascenso hasta la superficie.

—Esto vale un huevo —dijo Marcelo una vez estuvo en la Piñata, al observar el reflejo del sol en la hoja.

—¿Quién bucea con un cuchillo así de grande? —preguntó Claudio— Seguro que es de la gallega tetona o de uno de sus amiguitos que tienen miedo de que se los coma algún tiburón. Mejor dicho *era*, porque ahora es mío.

Claudio hizo una pausa y miró a Marcelo, empuñando aquel sable submarino.

—Y como es mío, te lo regalo —le dijo dándole una palmada en el hombro—. Seguro que te queda bien.

Marcelo sonrió y se lo probó, sujetándolo con la correa a su pantorrilla. El cuchillo destacaba en su pierna abarcando todo el tramo desde el tobillo hasta la rodilla. Se sintió un liliputiense.

Una vez en su casa, después de una ducha caliente, Marcelo preparó mate y se sentó junto al fuego con su diario de buceo en el regazo. Detalló a lo largo de dos páginas los tecnicismos de una nueva inmersión sin señales de la Swift y, en una pequeña nota al pie, dio cuenta del cuchillo encontrado.

Cuando terminó de escribir, el mate ya se había lavado, pero así y todo no paraba de cebarse uno detrás de otro. Miró la ría por la ventana y se preguntó cuántos secretos se esconderían en esas aguas verdosas, navegadas por exploradores desde que Magallanes sospechó, errado, que eran la conexión entre los dos océanos más grandes del mundo.

Se levantó de la mecedora, se enfundó el abrigo y salió de su casa con rumbo al club náutico, llevándose consigo el cuchillo.

Los golpes tímidos resonaron en la puerta de troncos. Diana Carbonell la abrió casi instantáneamente.

—Hola Marcelo, ¿qué haces por aquí? Venga, pasa que está helado.

La chimenea estaba encendida y una lata al fuego impregnaba el aire con vapor de eucaliptus. No había nadie más en la pequeña cabaña.

—Estábamos haciendo una inmersión cerca de la isla Elena y me encontré esto en el fondo. Los únicos otros buzos que hay por acá son ustedes, así que deduje que sería tuyo o de alguno de tus colegas.

Mentalmente, le pidió disculpas a Claudio. Seguro que a él no le importaría el ligero cambio en la historia; al fin y al cabo podría haber sido él, Marcelo, quien lo hubiese encontrado. Además, Claudio era el primero que justificaría cualquier medio para llegar a ciertos fines, sobre todo si se trataba de féminas.

Mientras ella examinaba el cuchillo, Marcelo la examinaba a ella con todo el disimulo del que es capaz un chico de dieciocho años. Incluso con un pantalón holgado y una camiseta vieja y desteñida, seguía siendo atractiva. Era muy difícil reparar en su nariz aguileña o en su mentón ligeramente prominente. O, por lo menos, lo era para Marcelo.

—Pues ni mío, ni de Leandro, ni de Pablo —sentenció ella, y él apartó la vista justo a tiempo—. Ya me gustaría a mí tener uno de estos. ¿Sabes tú la pasta que valen?

Marcelo asintió aunque no tenía idea del precio. Solo sabía que eran carísimos.

—A lo mejor —dijo ella— es de alguien que estuvo por aquí antes de que tú te mojaras los pies por primera vez.

—Puede ser —respondió él, evitando mencionar que casi no había verdín en las partes expuestas al momento de encontrarlo. Ese cuchillo no podía llevar en el fondo más de un par de semanas.

Hubo un silencio que sugería a Marcelo que era momento de despedirse, pero decidió que no quería todavía abandonar la cabaña, tan cálida como su inquilina.

—¿Cómo están los tiburones? —preguntó.

—Pues espero que bien, ya te lo diré cuando lleguen. Por lo pronto los esperamos preparándolo todo.

—¿Y qué es exactamente lo que tienen que preparar?

—Bueno, varias cosas, pero la más importante somos nosotros mismos. Somos biólogos y, aunque tenemos conocimiento de buceo, una cosa es el Mar Rojo y otra esta ría, con corrientes fortísimas y temperaturas tan bajas. Pero qué te voy a contar a ti.

—Entiendo. ¿Digamos que se están poniendo en forma?

—Digamos —asintió ella.

Se volvió a generar el silencio y Marcelo lo rompió antes de que se volviera incómodo.

—¿Y hace mucho que buceás?

—Qué va. Aprendí hace menos de un año, cuando me enteré de que había la posibilidad de participar en este proyecto al terminar mi doctorado. Antes del tiburón gatopardo, me dedicaba a los lobos ibéricos. Hay similitudes que te sorprenderían.

—¿Y hasta cuándo tenés pensado quedarte en Deseado?

—Pues inicialmente era por un año, pero hace una semana recibí una carta de los burócratas responsables del financiamiento del proyecto donde me dicen que "por cuestiones presupuestarias existe una alta probabilidad de que el plazo se acorte". Pero bueno —hizo una pausa para soltar un pequeño suspiro— me preocuparé llegado el momento, no antes. ¿Y tú hace mucho que buceas?

—Un par de años ya. Empecé la primera vez que vi saltar una tonina.

—¿Qué es una tonina? En catalán *tonyina* es atún ¿Quieres sentarte un rato? —dijo señalando dos sillas junto a la mesa con los mismos libros apilados que Marcelo había visto días atrás.

—No, gracias —respondió él contra su voluntad— ¿Cómo una bióloga no sabe lo que es una tonina?

—Usted perdone, caballero, pero en el mundo *sólo hay* más de un millón de especies de animales.

—Es verdad —admitió Marcelo—, disculpame. A veces cuesta entender que lo que para unos es cotidiano puede resultar exótico a otros. La tonina es un delfín. El delfín más lindo que existe en este planeta y alrededores. ¿No viste ninguna desde que estás acá?

Ella negó con la cabeza.

—Es el segundo cetáceo más pequeño del mundo. Son blancas y negras, y hay gente que al verlas por primera vez dice que son como orcas en miniatura. Aunque no se parecen en nada a una orca. Bueno, los colores.

—Con una descripción tan precisa, podríamos estar hablando de un cruce entre una merluza y un panda.

Ambos rieron y hubo una mirada de complicidad. Marcelo

se arrepintió de no haberse sentado para quedarse un rato más cuando ella se lo había ofrecido, pero ahora no podía volver atrás.

—No estás muy lejos —dijo—. De hecho, la traducción de uno de los nombres que se les da en inglés es delfín panda. Ya las vas a ver, son bastante comunes en el centro de la ría. Y si no, un día vamos en kayak a un lugar donde me las encuentro nueve de cada diez veces. Si querés, obviamente.

—Me encantaría, pero no sé montar en kayak —respondió ella casi disculpándose.

—Es muy fácil —dijo Marcelo chasqueando la lengua—. Una persona como vos que navega y bucea, con un par de clases ya está remando a todos lados.

—Creo que me sobreestimas, pero en fin, intentaré no defraudarte. Además, si dices que son tan bonitas no me las puedo perder.

—Imaginate si serán increíbles que pueden hacer que un chico de dieciséis años se meta por voluntad propia en un mar a cuatro grados. Para bucear en la Patagonia, como entenderás, hay que tener una motivación extra. Y yo la encontré la primera vez que vi el salto de una tonina.

—¿Y te las has encontrado alguna vez mientras buceabas?

—Tuve que esperar un poco más de dos años, pero al final sí. Fue el día que nos encontramos en la Chaffers.

—Parece que te hemos traído suerte, entonces —dijo ella sonriente—. ¿Y valió la pena la espera?

—Absolutamente. Confirmé que bucear es una de las mejores decisiones que he tomado. El submarinismo te enseña. Te enseña cosas únicas.

Ella lo miró, intrigada.

—Me refiero a que, por ejemplo, bucear es la única forma de experimentar ingravidez. Salvo que uno pueda permitirse un transbordador espacial, que no es mi caso.

Diana soltó una carcajada y se volvió hacia el fuego para echar otro tronco.

—¿Y tus padres no lo consideran peligroso? —preguntó, todavía de espaldas.

Eso lo encontraba con la guardia baja.

—Hay mil cosas más peligrosas que el buceo —improvisó, y dio un paso hacia la puerta.

—Pues a mí me parece una actividad más arriesgada que la que practican el resto de los de tu edad.

Aquello podía considerarse un piropo o una ofensa, dependiendo de cómo se mirara. Antes de que Marcelo decidiera qué interpretación darle, ella volvió a hablar.

—¿Conoces el puente de Brooklyn, en Nueva York?

—¿Ese cuyo ingeniero se quedó atrapado en una cámara subacuática durante varias horas y cuando lograron sacarlo a la superficie la enfermedad de descompresión era ya tan severa que quedó postrado en una silla de ruedas, imposibilitado de caminar sobre su propia creación?

—Ese —dijo ella.

—No, no lo conozco.

Ambos rieron una vez más. Las carcajadas fueron dando paso a risas cortas y éstas a un nuevo silencio que solo interrumpía el crepitar de la madera.

—Bueno —dijo Marcelo mirando la silla que no había aceptado—, me quedo con el cuchillo huérfano entonces. Perdón por molestarte.

—Al contrario, te agradezco el gesto de venir a preguntarme. Estas cosas no suceden en la gran ciudad.

—¿Viste que tenemos nuestro lado bueno los pueblerinos?

—Yo jamás dije lo contrario —dijo ella, mostrándole sus manos abiertas.

Diana Carbonell, como buena española, lo despidió con un beso en cada mejilla y él aceptó gustoso el doblete perfumado de cerezas.

Al salir de la cabaña enfiló directamente para El Galeón.

—Corta la visita a tu novia —bromeó Raúl, como casi siempre el único cliente.

Marcelo asintió. Al fin y al cabo, era más fácil seguirle la corriente. Le pidió a Jesús un café con leche y eligió una mesa junto a la ventana.

A pesar de tener enfrente el espectáculo del atardecer tiñendo las nubes de rosa, no le sacó los ojos de encima al enorme cuchillo.

20

El lunes, al salir del colegio tras tres clases una más aburrida que la otra, Marcelo fue a su casa casi corriendo. Dejó los útiles y el guardapolvo tirados sobre su cama y se improvisó un almuerzo con una lata de paté y dos rebanadas de pan que comió en tiempo récord. Volvió a salir a la calle sin perder un minuto.

La casa de *Mrs* Caroline, a la que ella se refería como *my little hut*, era una construcción de madera pintada de color ocre con techo a dos aguas hacia los laterales. Un alero en el frente formaba un alto porche poblado de macetas y una silla de madera para las contadas ocasiones en las que el tiempo permitía pasar un rato fuera. La pared frontal, que daba a la ruidosa calle *12 de Octubre*, estaba adornada con una sólida puerta de madera flanqueada a cada lado por ventanas de vidrio repartido. Coronándolo todo, un ojo de buey anunciaba un altillo.

Sin encontrar un timbre que tocar, Marcelo golpeó con los nudillos la robusta puerta.

—¿Y se puede saber a qué debo yo tan distinguida visita? —dijo al abrir la mujer regordeta, con una sonrisa de oreja a oreja.

—Hola profesora, ¿cómo está?

—¡Marcelito querido! *How are you?* ¡Cuánto tiempo hace que no te veo! —dijo sobreactuando un poco detrás de unos anteojos de marco redondo.

—Es verdad, hace ya bastante tiempo. Desde que usted decidió tan cruelmente abandonarme, hace casi tres años.

En realidad se llamaba Carolina Rinaldi, pero todos en el pueblo la conocían como *Mrs* Caroline. Incluso aquellos que nunca habían tomado clases de inglés con ella y hasta los que nunca le habían hablado, en ningún idioma. Según le había contado a Marcelo, ella misma se había traducido el nombre para estar un poco más acorde con su profesión, a pesar de que nadie ignoraba la ascendencia italiana de su familia. En realidad, no importaba demasiado. Puerto Deseado tenía apodos más extraños y mucho menos justificados que aquel. Como el del mejor mecánico del pueblo: el *polaco* Naves, hijo de asturianos.

Mrs Caroline había sido para Marcelo una profesora inigualable. No solo era quien tenía mejor formación en la materia en todo el pueblo, sino que además era divertida, desacartonada y carente de las pretensiones de solemnidad que solían tener los maestros frente a los alumnos. Lo único que Marcelo podía achacarle era que se iba demasiado por las ramas en las conversaciones, hasta perder completamente el hilo.

No había sido nada agradable recibir la noticia de su jubilación tres años atrás. No era una tragedia, ni mucho menos, pero sabía que nadie en Puerto Deseado sería capaz de hacerle sombra.

—Ay, nene, no me digas eso que a esta edad los viejos lloramos por cualquier cosa. Espero que hayas continuado con las clases y que la nueva *teacher* sea de las buenas. Yo ya estaba vieja y realmente tenía ganas de descansar. Cuando uno lleva trabajando toda la vida, hay un momento en el cual solo piensa en dejar de hacerlo.

—Entiendo, entiendo. Lo digo en broma, por supuesto —dijo Marcelo evitando mencionar que la nueva *teacher* le había durado solo cinco clases.

—Vení, pasá. Disculpá el desorden.

Nunca había estado en aquella casa. Las clases de inglés siempre habían sido en un pequeño local de la calle Oneto que *Mrs* Caroline utilizaba de academia. Al entrar, Marcelo descubrió que las paredes de la que él siempre había considerado una de las más acogedoras casas del pueblo encerraban un caos inimaginable. Había pilas de papeles por todos lados y los muebles estaban atiborrados de todo tipo de objetos que le parecieron completamente inútiles. El artículo que más le llamó la atención fue un secador de pelo abierto por la mitad, como si alguien lo hubiera intentado arreglar. Al bajar la vista, sintió un repelús al descubrir la alfombra del comedor cubierta casi por completo por una pelusa blanca que no pudo ni quiso imaginarse de dónde provenía.

—Espero que no seas alérgico a los gatos —dijo la mujer como si le hubiera leído el pensamiento—. Sabrina pierde pelo por toda la casa, y aunque sé que tendría que limpiar más, siempre que me pongo a hacerlo aparece algo que me llama más la atención. Suelo dejar las cosas a medias, como podrás ver —dijo señalando el secador diseccionado.

Evidentemente, pensó Marcelo, el grado de confianza necesario para contar pequeñas intimidades como esa variaba dependiendo de la personalidad. Se ubicó a sí mismo y a su profesora en los dos extremos opuestos de la escala.

Tuvieron una charla introductoria para ponerse al día con sus cosas. Básicamente *Mrs* Caroline habló y él escuchó, respondiendo las pocas veces que tuvo la oportunidad de abrir la boca. Hablaron en inglés durante un rato.

—Para practicar un poquito, que no te vendrá mal —había dicho ella.

Sin embargo, cuando Marcelo tuvo que abordar el tema que lo había llevado hasta aquella casa, prefirió el castellano.

—Además de profesora usted es traductora, ¿verdad? —arremetió, harto de los preámbulos.

—Sí, y de eso no me dejan jubilarme. Hasta que no se mude al pueblo otro traductor jurado soy la única, y siempre la gente termina *coming to me.* Podría decirles que no, que estoy retirada, pero entonces tendrían que viajar doscientos kilómetros hasta Caleta Olivia para conseguir un papel.

—Bueno, es su oficio de traductora por lo que he venido. Quédese tranquila, que no vengo a darle trabajo sino a preguntarle si fue usted quien realizó esta traducción —dijo Marcelo extendiéndole una copia del relato de Gower.

La mujer arqueó las cejas, mirando a su ex alumno con una mezcla de admiración e intriga.

—¿Y vos cómo sabés que esto es una traducción mía?

—¿O sea que es suya?

La mujer afirmó sin palabras.

—Aquí —dijo Marcelo sacando de su bolsillo la fotocopia de la entrevista y tendiéndosela a la mujer—, Gower habla de una traductora. No hace falta ser un genio. Si el hombre tenía pensado traducirla en Deseado, entonces se estaría refiriendo a usted.

—¿Y qué tenés que ver vos con este hombre, Marcelito? —dijo devolviéndole el papel.

Entonces Marcelo se limitó a contarle cómo había dado con el relato y su interés en la historia de la corbeta lo había llevado a descubrir la entrevista. Omitió el resto de los detalles, especialmente la sospecha que relacionaba el barco con el asesinato.

La mujer se aclaró la voz y comenzó diciendo lo que Marcelo ya sabía.

—Hace unos seis o siete años, cuando vos no eras el hombre que sos hoy, este señor visitó nuestro pueblo. Tal como dice en la entrevista, decía ser descendiente de un teniente de navío de una corbeta inglesa hundida en aguas de Puerto Deseado. Venía a intentar averiguar qué se sabía del barco en el que había navegado su antepasado, pero nadie pudo aportarle ningún dato. De hecho, en el pueblo nadie había oído nada al respecto y algunos lo tomaron por mentiroso o loco. Ya sabemos la reacción de la gente ante lo desconocido. A mí al principio me costó acostumbrarme, y eso que solo tenía ocho años cuando nos mudamos. La gente todo el tiempo me remarcaba que yo era una TAF y ellos eran NYC.

—¿TAF? ¿NYC? —preguntó Marcelo, aunque no podía pensar en nada más que la historia del australiano.

—Me encanta que no sepas lo que quieren decir esos términos, especialmente siendo un NYC. Espero que no los utilices nunca —dijo la profesora acercándole un mate.

Tal y como la recordaba, la mujer no había tardado ni un minuto en desviar la conversación. Al menos, parecía que esta vez aprendería algo nuevo.

—TAF —dijo *Mrs* Caroline— es el acrónimo de "traídos a la fuerza". Los patagónicos distinguen entre los TAFs y los NYCs, que son los "nacidos y criados". No importa cuánto tiempo pase desde que una persona se radica en la Patagonia: siempre habrá alguien que te recuerde que no naciste acá. Pero bueno, no viniste a mi casa para escuchar cómo me quejo, ¿no?

Él puso cara de circunstancias. Realmente lo único que le importaba era la historia del barco, pero no quiso ser descortés con *Mrs* Caroline.

—Y este hombre, Patrick Gower —dijo para reencauzar la conversación—, acudió a usted para que le tradujera el relato de su antepasado, ¿no es así?

—Así es. Aparentemente era un tipo bienintencionado que quería que todo el pueblo compartiera con él el descubrimiento del barco que, según él, yacía en el fondo de nuestra ría. Pretendía publicar el relato traducido en el diario.

—¿Y usted sabe cómo su traducción terminó grabándose en cinta?

—Cómo no voy a saber, si fue mi hermana Regina.

Aquello explicaba por qué la primera vez que había escuchado la grabación, la voz le había sonado tan familiar.

—No sabía que tenía una hermana.

—Vive hace muchos años en Comodoro. Tiene un programa de radio a la mañana en una de las emisoras más populares de la ciudad. Fui yo quien le pidió a ella, en nombre de don Patrick, que grabara el relato para poder luego emitirlo en la radio. En El Orden se negaban a publicarlo.

—¿Y eso por qué? —preguntó Marcelo.

—Dijeron que por una cuestión de espacio, pero para mí fue una excusa. En Deseado lo que falta son noticias, y algo así habría sido la comida de los chismosos de siempre durante semanas. Un éxito editorial. Vos publicaste un cuento en El Orden, ¿no? ¿Cómo se llamaba?

—Gato por liebre.

—Gato por liebre, es verdad. Me gustó muchísimo.

—Muchas gracias. Me decía del relato de Gower...

—Ay, sí. Publicarlo en el diario habría sido un exitazo. Y si de verdad era una cuestión de espacio, lo podrían haber hecho en partes y habrían tenido a todos los lectores en vilo cada semana. Vos conocés el relato, Marcelito, y sabés lo interesante que es. Los problemas de espacio fueron claramente una excusa.

—¿Y el verdadero motivo para no publicarlo?

—Eso don Patrick jamás lo supo —dijo la mujer encogiéndose de hombros.

—¿Y puedo preguntarle cómo sabe usted todo esto?

—Don Patrick tenía confianza conmigo. Como para no tenerla, si yo era la única persona en el pueblo con la que el pobre hombre podía mantener una conversación como la gente. Para esa entrevista —dijo señalando la fotocopia que Marcelo aún tenía en la mano— tuve que hacerle de intérprete. Él chapurreaba dos o tres frases en español, lo justo para ir a comprar, pero nada más.

—¿Quizás fuera ese el motivo para irse del pueblo?

—No creo —dijo mientras se iba a la cocina a calentar más agua.

—Al tipo —gritó la mujer sin esperar a volver al comedor— se lo veía contento acá. Cuando me venía a visitar me hablaba con pasión sobre su antepasado y cuán duro habría sido aquel mes a la intemperie en nuestras costas heladas. Estaba ilusionado con el proyecto.

Ambos se quedaron en silencio hasta que la mujer volvió a aparecer en el comedor con la pava humeando.

—La verdad, me extraña mucho que no se viniera a despedir. No puedo evitar pensar lo peor cuando me acuerdo de él. La idea lo ilusionaba y contagiaba emoción. Mirá, Marcelito, yo no tengo idea de qué le pasó a ese hombre para esfumarse de un día para el otro, pero te puedo asegurar que tiene que haber sido algo muy fuerte. Si no, no se explica su desaparición.

Se quedaron unos instantes sin hablar, lo suficiente como para que cada uno se tomara un mate.

—¿Y a vos por qué te interesa toda esta historia, Marcelito?

A pesar de que consideraba a *Mrs* Caroline absolutamente inofensiva y de la máxima confianza, decidió mantener la promesa que había hecho con sus compañeros de buceo.

—Estoy haciendo una monografía para el colegio sobre mitos locales —improvisó—, y éste me parece uno de los más interesantes.

—Demasiado —respondió ella con una sonrisa pícara—. ¿Pero vos no sos buzo? A lo mejor tenés suerte y uno de estos días te encontrás el barco abajo del agua, ¿no?

—Lo veo difícil, pero nunca se sabe —dijo él esquivando el piedrazo.

Se despidió de su ex profesora prometiéndole con los dedos cruzados que la visitaría más seguido. Fueron juntos hasta la puerta y ella se quedó sentada en la silla del porche, viéndolo alejarse.

Lo primero que hizo al llegar a su casa fue recoger del suelo la carta que había intentado quemar días atrás. La extendió sobre la mesa y comenzó a pasarla en una hoja sin arrugas. Cambió ligeramente el contenido evitando mencionar que ya habían comenzado las inmersiones para buscarla. Simplemente se limitó a manifestar interés en el naufragio y comentar que sería un orgullo para él colaborar en la búsqueda.

Al confirmarle *Mrs* Caroline que era ella la traductora del relato, Marcelo había creído que se iría de aquella casa alfombrada en pelos de gato con muchas más respuestas que las que terminó obteniendo. Si ella, que aparentemente era una de las personas con las que Gower más hablaba, no sabía qué se había hecho de él, ¿entonces quién?

Parecía que dar con la respuesta a aquella pregunta no sería más fácil de hallar la verdad de lo que había pasado con Olivera. Sin embargo, a Marcelo todavía le quedaban dos cartas que jugar, una por cada incógnita.

La primera era intentar ponerse en contacto con el mismísimo australiano, cruzando los dedos para que todavía viviese en aquella dirección. Si es que todavía vivía.

Para jugar la segunda carta, necesitaba el Coloradito.

Sin perder un minuto más, al terminar de transcribir el mensaje al australiano, lo metió en un sobre y se dirigió al correo. Aunque llegó cinco minutos después de la hora de cierre, un empleado de mal humor le abrió la puerta y le permitió realizar el envío. Al salir, fue directamente a la casa de Claudio.

21

—¿Y para qué querés el coche, Cabeza?

—Una mina.

—Dale, te estoy preguntando en serio.

—De verdad, voy a salir con una mina —protestó Marcelo ante el descreimiento de su amigo.

—¿Y está buena? ¿Quién es?

—Claudio, no seas indiscreto por favor. Sabés perfectamente que un caballero no revela detalles.

—¿Indiscreto? Es mi auto, Cabeza. Creo que tengo derecho a saber a quién vas a subir.

—Debería alcanzarte con mi palabra de que te lo devuelvo sano y salvo.

—Más te vale. ¿Prometés cuidarlo?

—Gracias —exclamó Marcelo dándole una palmada en el hombro—, yo sabía que no me ibas a fallar.

—No te dije que sí todavía. ¿Prometés cuidarlo?

—Como si fuera un hijo mío. Además, el maestro que me enseñó a manejar es de por sí una garantía, ¿no te parece?

Claudio negó con la cabeza al tiempo que sacaba las llaves del bolsillo de su pantalón y se las tiraba para que las atajase en el aire. Había sido él quien le había enseñado a conducir, tapando uno de los tantos agujeros que había dejado don Rosales.

Al cuarto intento, el auto comenzó a moverse tosiendo humo blanco. Claudio, que lo observaba desde la puerta de su casa, se llevaba las manos a la cabeza y le repetía a los gritos una y otra vez el mismo consejo.

—Tenés que soltar el embrague bien de a poco, Cabeza.

Marcelo dio varias vueltas por el pueblo para refrescar sus escasos conocimientos sobre conducción. Desde la última vez que había estado al volante de aquel auto —el único que había probado— había pasado casi medio año. Entre ruidosos cambios de marchas y frenazos repentinos, se preguntaba si de verdad Claudio se había creído que saldría con una chica.

Estacionó junto al Banco Nación, en cuya vereda la artesana peruana levantaba su paño ante la inminente llegada de la noche.

Tras preguntarle cómo le había ido, la mujer le insinuó amigablemente que cumpliera su palabra ofreciéndole una quena y un *siku*. Comprarlos significaba una pequeña debacle en sus finanzas, pero una promesa era una promesa.

Saldada la deuda, cruzó la calle San Martín y compró pan, jamón y queso en el supermercado. Pasó por su casa sólo el tiempo necesario para calentar agua y preparar el equipo de mate. Llenó hasta el tope dos termos y volvió a salir, cerrando la puerta con llave. Tenía todo para una noche larga.

Eran las ocho menos diez cuando estacionó el Coloradito en la calle Pueyrredón, justo debajo de una farola rota. Al apagar las luces, el coche quedó en penumbra y la presencia de Marcelo dentro de él, imperceptible. Desde aquel lugar tenía una vista perfecta del almacén naval El Deseadense, una casa especializada en artículos marinos.

Tardó poco en aburrirse y a las ocho y cinco encendió la radio. Mientras una voz en exceso dulzona daba la bienvenida a todos los oyentes de *La noche de los navegantes*, las luces del almacén naval se apagaron. Marcelo se incorporó en el asiento y apagó la radio. Agudizando la vista vio a Fernando, el único empleado, bajar la persiana y cerrarla con un candado.

Fernando y Marcelo se conocían exactamente desde que Claudio le había dado la primera clase de buceo. El primer ejercicio práctico había sido ayudar al instructor a descargar las pesadas botellas de acero en el almacén, el único lugar de Deseado con el compresor de aire adecuado para rellenarlas.

En su última visita, Marcelo le había preguntado a Fernando si conocía a alguien más que cargara aire allí, porque tenía intenciones de vender su botella de acero para comprarse una de aluminio, más liviana. Fernando había mencionado únicamente a la española (mordiéndose el labio y lanzándole a Marcelo una mirada pervertida) y a sus amigos.

Vio a Fernando subirse a su camioneta estacionada en la puerta del almacén e irse a toda velocidad pasando junto al Coloradito. Se encogió en el asiento y volvió a encender la radio. Ahora tenía que esperar.

A las nueve ya había soportado demasiada música vieja y excesivos saludos de mujeres con nombres inventados para marineros con esposas reales que escuchaban en altamar. Apagó la radio y preparó los primeros mates de la noche. La madera caliente a fuerza de agua humeante en sus manos le hizo olvidar por un rato el frío. También se hizo un gran sándwich, del cual comió sólo la mitad.

Terminó el primer termo a las once y cinco. Muy a su pesar, volvió a buscar distracción en la radio y escuchó la misma voz empalagosa anunciar que acababan de entrar en la segunda mitad del programa. Dos horas más de este castigo, pensó, pero estaba tan aburrido del silencio que decidió darle una segunda oportunidad a esa imitación sin éxito de la alegre cumbia colombiana.

Entre las doce y las dos de la mañana, mientras agotaba el segundo termo, se comía el resto del sándwich, y tarareaba tres o cuatro estribillos pegadizos, contó cuatro personas por la calle. Una multitud, para un martes a la madrugada. Dos habían pasado al lado del Coloradito conversando en una lengua a la que no pudo poner bandera. Marineros de algún lugar del mundo. Los otros dos eran borrachos a la deriva, probablemente buscando alguno de los cabarets de la zona del puerto.

Para las tres, cuando el cansancio se hacía insoportable, resolvió irse a casa. Volvería al día siguiente con sus casetes de rock y habiendo dormido un par de horas de siesta.

Estaba a punto de arrancar el motor cuando vio un Renault Torino blanco detenerse y apagar las luces exactamente en la puerta del almacén. El conductor, la única persona en el vehículo, se bajó, se acercó a la persiana y se agachó junto al candado. Al cabo de un instante, levantó sin dificultad la cortina de metal que Fernando había bajado siete horas atrás. Tenía una llave.

Marcelo no reconocía a aquel individuo alto cuyos pantalones holgados dejaban adivinar una complexión esquelética. O quizás era una mala pasada que le jugaban la oscuridad y la distancia. Lo que sí veía con claridad era que llevaba guantes negros y una bufanda de la cual asomaba la cabeza, casi rapada.

Lo que vino después justificó cada minuto de la prolongada espera. El personaje volvió al auto y sacó del baúl un gran cilindro amarillo que se llevó dentro del almacén.

—Bingo —dijo Marcelo en voz alta. Era una botella de buceo.

22

Si el cuchillo que habían encontrado días atrás en el fondo de la ría no pertenecía a Diana ni a sus amigos, entonces tenía que haber otros buzos. Si seguían buceando —y por lo que Marcelo tenía ante sus ojos estaba claro que seguían—, necesitaban aire. Cuando Fernando le había confirmado días atrás que nadie más recargaba botellas de submarinismo, solo quedaba una opción factible: las rellenaban cuando él no los podía ver.

El larguirucho descargó uno a uno cuatro cilindros de quince litros. Luego cerró el coche y se metió dentro del almacén bajando tras él la persiana. Marcelo, que conocía bien el compresor, supo que pasaría al menos una hora hasta que estuvieran llenas de aire a doscientas atmósferas de presión.

Metió tanto como pudo la cabeza en su gorro de lana gris y se bajó del Coloradito, entornando suavemente la puerta para evitar romper el silencio de la noche. Caminó lentamente con las manos en los bolsillos hacia el vehículo blanco.

La matrícula de la provincia de Buenos Aires explicaba por qué no había visto antes aquella cupé. Mientras intentaba memorizar los seis dígitos junto a la letra B, un rugido metálico proveniente del almacén lo obligó a darse vuelta y empezar a retroceder. Al tercer paso, se dio cuenta de que aquel sonido no era la persiana, sino el motor del compresor que acababa de arrancar. Menos mal que no tienen vecinos, pensó.

Se acercó nuevamente al Torino y memorizó cada uno de los números de la matrícula. Luego volvió al Coloradito y los anotó en su diario antes de que los nervios se los borraran de la memoria.

Tamborileó los dedos sobre el volante durante un poco más de una hora que se le antojó una eternidad. Finalmente el hombre salió del almacén, puso en marcha el coche y empezó a subir una a una las cuatro botellas. Los números verdes del reloj en el tablero del Coloradito marcaban las cuatro y veintiocho.

Sin darle tiempo a reaccionar, las luces del Torino se encendieron y barrieron por un instante la cara de Marcelo cuando el coche giró en "u" a toda velocidad. Se apresuró a arrancar el motor del Coloradito, pero al intentar moverlo, el auto se detuvo encendiendo varias luces rojas en el tablero. Maldito frío, pensó. Volvió a ponerlo en marcha, esta vez acelerándolo enérgicamente para que se calentase más rápido. Para cuando el Coloradito empezó a moverse dando corcovos, las luces del Torino se perdían a gran velocidad doblando la esquina de la calle San Martín.

Forzando el motor más de la cuenta siguió al coche hasta donde lo había visto perderse y, tras doblar la esquina, vio el par de luces rojas que volvían a desaparecer a unos quinientos metros. Calle Belgrano, estimó, y hundió el pie en el pedal para intentar acortar la distancia.

Técnicamente, el Renault 12 de Claudio no tenía ninguna oportunidad frente a aquel Torino. Pero si el hombre no se daba cuenta de que lo seguían, seguiría sin recurrir a toda la potencia de la que disponía bajo su pie derecho.

Otra esquina y reaparecieron las luces rojas, más cercanas, justo antes de perderse tras una subida. Se estaba acercando a fuerza de exigirle al Coloradito todo lo que éste podía dar. Cuando superó la loma, no había ningún rastro del larguirucho y su endiablado motor.

La calle se extendía por varios cientos de metros y, de haber seguido derecho, lo estaría viendo. Tenía que haber doblado, probablemente en la calle Piedrabuena. Al llegar a la intersección, Marcelo miró a ambos lados pero solo vio las amarillentas luces de la calle. Golpeó el volante con sus puños y se decidió a girar a la derecha. Siguió hasta incorporarse a la calle 12 de Octubre.

—¡No te mueras nunca, Marcelito! —se gritó a sí mismo. Volvía a verlo a unos doscientos metros. De hecho, estaba frenando. Redujo él también la velocidad para no levantar sospechas y pasó junto al auto blanco justo cuando éste se detenía en la puerta de la casa del pescador Cafa.

Marcelo Rosales, con el corazón tan acelerado como los pistones del Coloradito segundos atrás, tomó la primera curva a la izquierda y se detuvo dentro del patio de un taller mecánico. Allí, el auto de Claudio quedaba camuflado entre varios otros coches a la espera de un arreglo. En línea recta, estaba a solo cincuenta metros de aquel misterioso personaje.

Desanduvo a pie el camino hasta la esquina. Al asomarse, vio al hombre cerrar el baúl del coche tras bajar la que supuso era la última botella y perderse detrás de la casa del pescador. Caminó por la vereda opuesta hasta quedar frente al Torino y vio al tipo entrar al inmenso garaje de Cafa.

Salió medio minuto más tarde frotándose la cabeza casi calva con las manos enguantadas, y se subió al coche, que había dejado en marcha. Marcelo se agachó, escondiéndose tras un contenedor de basura que olía a pescado podrido hasta que oyó al Torino alejarse.

PARTE III
EL PESCADOR CAFA

23

El despertador sonó tres horas más tarde y Marcelo salió disparado de la cama con mucha más decisión que cualquier otro martes. La alarma, esta vez, no era para ir al colegio.

Rellenó los dos termos con agua caliente y los puso en una mochila junto al resto del equipo de mate, los binoculares que le había regalado Claudio para su último cumpleaños y un paquete de galletitas que descubrió en el fondo de la alacena. Con todo a cuestas, enfrentó la mañana helada.

El Coloradito entró en razones tras varios intentos fallidos y arrancó a los tirones. Condujo hasta el club náutico y se metió al bar, que a esa hora olía a pan tostado y a café aunque no había ningún cliente. Ni siquiera Raúl.

Se acercó a la barra y, apoyándose en la proa, saludó a Jesús con un apretón de manos y le pidió un sándwich caliente de jamón y queso y un jugo de naranja. Luego se sentó en la mesa que ofrecía la mejor vista hacia la rampa de cemento desde donde se echaban al agua las embarcaciones. A metros de allí podía ver a Raúl que, por algún motivo divino, aquel día había decidido darle un descanso al bar y trabajaba lijando enérgicamente el casco de un bote de madera.

No había terminado de acomodarse en la silla cuando vio la furgoneta azul del pescador estacionar frente a la botera. Marcelo, al igual que cualquier otro socio del club náutico, conocía los movimientos de ese personaje solitario a la perfección. El hombre repetía su rutina inalterable día tras día, probablemente desde antes de que él hubiera nacido.

Ceferino Cafa, destinatario ahora de suficiente aire para pasar tres horas a veinte metros de profundidad, solía salir a la mañana temprano a tirar sus redes grises que recogía con más o menos pejerrey. A media mañana, o a veces sobre el mediodía, vendía toda la captura a la única pescadería del pueblo.

Aquella mañana, al igual que todas las anteriores, la camioneta de Cafa remolcaba una amplia barcaza de madera pintada de rojo a la cual le asomaba por la popa un motor fuera de borda el doble de potente que el de la Piñata de Claudio. Una pequeña cabina nacía en la proa y se extendía casi hasta la mitad de la embarcación, proporcionándole reparo del viento y el agua a quien iba al timón. Sobre el casco granate, unas letras blancas escritas con mal pulso anunciaban el nombre: *La Golosa.*

Al bajarse de su furgoneta el pescador Cafa, corpulento y de cabello y barba pelirrojos, saludó a Raúl levantándose apenas la boina verde que parecía no sacarse ni para dormir y se metió en la botera. Marcelo supuso que sería para llenar el libro del club, pues no estuvo dentro ni dos minutos. Al salir, se subió de nuevo a su vehículo y con una precisión pulida a base de años lo condujo marcha atrás por la rampa hasta que el carrito que remolcaba quedó completamente sumergido. La Golosa comenzó a flotar.

En el preciso momento en que Cafa saltaba a bordo, Jesús trajo el sándwich y el jugo de naranja.

—¿Cuánto te debo? —preguntó Marcelo al camarero

—Cométело primero y después te traigo la cuenta, que ayer aumentaron todos los precios y no quiero que te caiga mal.

—No, me lo llevo. Me acabo de acordar de algo urgente. Cobrame por favor.

Tras pagar —efectivamente el aumento causaba indigestión—, salió del bar y se metió de inmediato en el Coloradito. La Golosa, mientras tanto, comenzaba a moverse hacia el otro lado de la ría, la orilla deshabitada. O mejor dicho, habitada por una única casa: la de quien timoneaba.

Marcelo recorrió en el coche menos de un kilómetro y se detuvo en Punta Cascajo. Estacionó exactamente donde se había sentado a reflexionar unos días atrás, descubriendo por casualidad las luces encendidas en la casa del pescador. Sacó de la mochila los binoculares y mientras los sostenía frente a sus ojos con una mano, con la otra se llevó el sándwich a la boca.

Hasta donde Marcelo Rosales sabía, la relación de Cafa con el mar había sido exclusivamente la pesca con red. Sin embargo allí estaba el hombre, solo a bordo de un barco con botellas de buceo listas para utilizar.

En quince minutos el pescador estaba en la otra orilla de la ría, junto a una minúscula playa de canto rodado flanqueada por acantilados que caían al agua desde decenas de metros. El de la derecha se conocía como la Barranca de los Cormoranes y era de color blanco debido a la gruesa capa de excremento que habían ido dejando generaciones de pájaros que anidaban en la piedra.

Ceferino Cafa saltó del bote al agua, que le llegaba a las rodillas, y lo amarró a un poste de hierro clavado en el suelo. Luego empujó la embarcación cuidadosamente hasta dejarla varada en la pequeña playa.

Metió medio cuerpo dentro de la Golosa y extrajo unas bolsas que Marcelo no alcanzaba a ver con claridad, pero le parecieron de supermercado. Caminó los pocos metros que separaban la orilla de la vivienda e hizo el primer movimiento visiblemente sospechoso: golpeó a la puerta de su propia casa.

Alguien abrió y Cafa entró rápidamente sin que Marcelo pudiera ver más que un brazo. Se concentró en una de las ventanas, pero aunque las cortinas estaban abiertas no fue capaz de distinguir siquiera siluetas dentro de la casa. Tragó casi sin masticar el último pedazo de sándwich.

De no ser porque el reloj en el tablero del coche indicaba que llevaba quince minutos estacionado, hubiera jurado que había pasado más de una hora hasta que la puerta se volvió a abrir. Detrás del pescador, dos personas vestidas de negro enfilaban directamente hacia la embarcación cargando ciertos bultos que Marcelo reconoció instantáneamente: equipo de buceo.

Apostaría un riñón a que a uno de estos dos le falta un cuchillo, pensaba, apretándose cada vez más los binoculares contra los ojos.

Uno de ellos llevaba el pelo recogido en una cola de caballo y parecía más bien flaco, aunque era algo difícil de determinar en la distancia. Al enfocar al otro, Marcelo tuvo la sensación de que se trataba de alguien de una complexión física mayor que la promedio.

Una vez estuvieron los tres a bordo, Cafa comenzó con las maniobras para soltar la única amarra y empezar a navegar. La imagen de los verdaderos destinatarios del aire embotellado no duró mucho pues, apenas se despegaron de la playa, las dos figuras negras desaparecieron dentro del casco de la Golosa.

Cafa puso rumbo ría adentro y Marcelo hizo lo mismo por tierra. Arrancó el Coloradito y salió a toda máquina enfilando hacia la entrada del pueblo, que era donde apuntaba la proa del pescador. Al mirarse al espejo retrovisor, una línea roja donde habían estado apoyados los binoculares explicaba la causa del ligero dolor en el puente de la nariz.

Dejó atrás el puerto y, tras pasar las últimas casas, tomó un desvío a la izquierda. Un camino de tierra hostil a coches bajos como el de Claudio bordeaba la ría, serpenteando por varios kilómetros a lo largo de la costa. Por momentos era casi salpicado por el agua y en ocasiones se adentraba para esquivar las grandes rocas de la costa, bloqueando la visión completamente. Lo bueno de no ver el agua desde el coche era que el coche tampoco sería visto desde el agua.

Había conducido lo más rápido que el camino le permitía en la dirección en la que había visto zarpar la embarcación, pero para llegar a donde estaba ahora había tenido que atravesar casi todo el pueblo, lo que le daba al pescador una buena ventaja. En el mar no había esquinas en las que frenar, ni curvas en las que girar, ni peatones a los que ceder el paso.

Al superar una alta loma, el camino continuaba casi recto, besando de a ratos la costa hasta perderse en el horizonte. El retrovisor revelaba que ya no había ningún rastro del pueblo tras él. Agudizó la vista y descubrió, a lo lejos, un punto rojo flotando a no más de cincuenta metros de la playa. No le hacían falta los binoculares para saber que eran ellos.

Marcelo conocía perfectamente el lugar donde habían anclado. De hecho, lo tenían en la lista de posibles sitios donde encontrar la Swift porque coincidía en varios aspectos con la descripción de Gower: estaba cerca de la costa, en la margen norte de la ría y con marea baja se podía ver la que los lugareños conocían como la Roca de los Mejillones. Aquella podría haber sido perfectamente la piedra que causara el naufragio.

Continuó avanzando hasta que el camino se escondió detrás de un pequeño acantilado y estacionó allí el Coloradito, a salvo de las miradas del mar. Fue más fácil trepar hasta la cima que encontrar un sitio al reparo del viento. Cuando finalmente dio con la trinchera ideal, se apostó en ella a mirar con los binoculares.

Las dos figuras enfundadas ultimaban los preparativos que Marcelo se conocía de memoria: ponerse el cinturón de plomos necesario para hundirse, asegurarse que la botella estuviera abierta y que el aire que proporcionaba no tuviese gusto raro, corroborar que el chaleco para controlar la flotabilidad se inflara y se desinflara correctamente.

Con todo el equipo puesto, los dos hombres se tiraron de espaldas, ambos del mismo lado de la barca, con una mano en la cara para evitar que el golpe al caer les arrancara de la boca el regulador por el que respiraban o de los ojos la máscara de vidrio templado. Una vez en el agua, tras la seña estándar de apuntar con el pulgar hacia abajo, comenzaron el descenso.

Menos de cinco minutos más tarde, Marcelo levantó las cejas detrás de los binoculares al ver que la Golosa comenzaba a moverse. Había dado por sentado que el pescador fondearía el ancla para que los buzos bajaran por el cabo hasta el fondo. Además, era una locura que la hélice del motor estuviera funcionando con gente abajo.

Lo que vino después lo desconcertó, si cabía, aún más. Cafa se había movido apenas unos veinte metros cuando comenzó a tirar al agua una red de pesca gris. Pescar tan cerca de los buzos, poniéndolos en peligro, escapaba a la razón de Marcelo.

Cincuenta minutos más tarde, el hombre recogía las redes mientras los buzos emergían a escasos metros de la embarcación. Según los cálculos de Marcelo, no habían estado a más de dieciocho metros, pues de otra manera habrían tenido que hacer largas paradas de descompresión, alargando considerablemente la inmersión.

Una vez los tuvo de nuevo a bordo, Cafa puso en marcha el motor de la Golosa y comenzó a moverse hacia el pueblo. Marcelo, mitad asombrado y mitad desconcertado, esperó escondido a que pasasen junto a la roca tras la que había ocultado el Coloradito, y comenzó a seguirlos.

Lo más probable era que hubiesen consumido todo el aire de las primeras dos botellas, pero tenían dos más a bordo. Y aunque lo normal era esperar un tiempo entre inmersiones para eliminar el exceso de nitrógeno acumulado en los tejidos, Marcelo no podía contar con que ese día nada se desarrollase de acuerdo a las leyes de la lógica.

Los perdió de vista entre grandes grúas y barcos cuando llegaron a la zona del puerto, y decidió que su mejor opción era volver a Punta Cascajo. Estacionó donde había comenzado la persecución y vio que Cafa bordeaba la Barranca de los Cormoranes con rumbo a su casa solitaria.

Cuando el pescador hubo amarrado sin ayuda la Golosa, los otros dos saltaron a tierra firme y, cargando todo el equipo, se despidieron de él con un ademán parco. Al quedarse solo, Ceferino Cafa recorrió apenas unos cien metros antes de comenzar a navegar en círculos, tirando y recogiendo lentamente sus redes por segunda vez en aquel día.

Mientras observaba al hombre que a simple vista hacía el mismo trabajo que había hecho toda su vida, Marcelo sentía que la cabeza le iba a estallar de tantas preguntas. En primer lugar, ¿quiénes eran estos tipos y por qué vivían del otro lado, sin electricidad, ni ninguna otra de las comodidades que podía proporcionarles el pueblo? ¿Qué tenían que ver con el pescador Cafa? Fuera cual fuera su relación, iba más allá de la convencional entre inquilinos y propietarios.

No terminaba allí el comportamiento extraño del hombre al cual Marcelo hasta hacía poco creía conocer. Minutos atrás, Cafa se había puesto a pescar tan cerca de los dos buzos que el más mínimo imprevisto habría puesto en juego sus vidas. Eso también le parecía inexplicable.

Por cada pregunta, se le ocurrían decenas de potenciales respuestas. Pero ninguna lo convencía.

Una explicación para algo así no se podía pensar, decidió. Había que encontrarla, y él estaba dispuesto a hacerlo.

24

A la mañana siguiente, volvió a faltar al colegio, prometiéndose que a partir del próximo día retomaría la rutina normal sin excepción. Considerando cómo se venían desarrollando los hechos, la promesa tenía más posibilidades de ser rota que cumplida.

Repitió la secuencia de la mañana anterior, solo que esta vez fue caminando hasta el club y procuró llegar a El Galeón un poco más temprano. No era supersticioso, pero se sentó en la misma mesa y pidió lo mismo que veinticuatro horas antes. A pesar de que esta vez tenía tiempo de disfrutar de su desayuno sin prisa, comía y bebía a toda velocidad sin dejar de golpear el suelo con las plantas de los pies.

En cuanto a los movimientos del pescador, aquella mañana fue un calco de la anterior. Cafa llegó, saludó a Raúl —que seguía lijando—, entró, salió y zarpó. Desde Punta Cascajo Marcelo lo vio bajar nuevas bolsas, llamar a la puerta, entrar y finalmente salir con aquellos escoltas forrados de negro. Volvieron a zarpar ría adentro.

La diferencia con la mañana anterior no radicaría en los movimientos de Cafa y sus inquilinos sino en los de Marcelo, que no tenía intención de volver a seguirlos. Sin perder un minuto, desanduvo sus pasos hasta el club y se dirigió a donde Raúl trabajaba, quién sabe por qué causa milagrosa, por segundo día consecutivo.

—Raulito, ¿cómo estás? —saludó Marcelo con aire casual.

—¿Qué hacés, Marcelo? ¿No tenés clases hoy? —dijo el encargado sin dejar de lijar.

—Hoy me tomé vacaciones.

—Ah, las ventajas de ser estudiante. Uno puede decidir que un día necesita vacaciones y a los únicos que hay que rendirles cuentas es a los pa...

Raúl reprimió la última sílaba y comenzó a lijar al doble de velocidad.

—¿Te puedo ayudar en algo, Marcelo? —dijo al ver que el joven no rompía el silencio incómodo.

—Necesito un kayak.

—Marche un kayak para mi amigo Marcelo. Qué digo amigo, mi *ídolo* Marcelo. Desde que te comés a la gallega pasaste de categoría.

—Yo no me como a ninguna gallega, salame. Esa es una película que te montaste vos y el tarado de Jesús.

—Bueno, no te calentés que era un chiste, che. Pero si te molesta tanto por algo será. En fin, ¿adónde vas? ¿Cañadón Torcido? ¿Isla Larga?

—No. Voy al otro lado.

—Ahá, ¿y con quién vas?

—Con nadie. Hoy es un día en solitario.

Raúl paró de lijar y giró la cabeza polvorienta para mirarlo.

—Marcelo, dejate de joder. ¿Con lo que le pasó a Matrichuk todavía te quedan ganas de hacerte el macho?

Seis meses atrás, Sebastián Matrichuk había muerto cruzando la ría en kayak. Aquello había generado tanto revuelo en la comunidad que todos de repente parecían haber tomado conciencia de lo peligroso que podía ser el mar y, en especial, aquel deporte. Incluso un puñado de padres retiró a sus hijos de la escuela municipal de kayak, una de las pocas actividades al aire libre que Puerto Deseado ofrecía a niños y jóvenes. Como siempre, la magnitud de la tragedia había hecho que quedaran en el olvido algunos de los detalles más importantes, como que Sebastián había salido solo y en medio de una tormenta. Tampoco se supo jamás por qué el joven se embarcó en una empresa tan riesgosa la tercera vez en su vida que se subía a un kayak.

—Hoy el tiempo está tranquilo —respondió Marcelo—. Además, vos me conocés y sabés perfectamente lo responsable que soy con estas cosas. No va a pasar nada.

A pesar de que aquella conversación le hacía perder minutos valiosísimos, Marcelo prefirió no cortarla de cuajo. Como socio del club tenía derecho a utilizar uno de los kayaks cuando quisiera y Raúl, como empleado, estaba obligado a proporcionárselo sin pedirle explicaciones.

Finalmente, fueron dentro de la botera y Marcelo eligió uno de color verde, especial para travesías largas, algo más grande y estable que los estándares. Cruzar la ría a remo demandaba solo treinta minutos, pero incluso en los días tranquilos las olas perpetuas del centro hacían que hasta el más experto prefiriera verse dentro de un buen kayak.

Se inscribió en el libro del club justo debajo de Ceferino Cafa. Declaró que haría una excursión para avistar aves y que estaría de vuelta a las cinco de la tarde. En realidad pensaba volver mucho antes, pero le pareció demasiado sospechoso dejar constancia de una visita relámpago al otro lado de la ría.

Una vez completado ese simple renglón, que era todo el trámite requerido para que le permitieran zarpar desde el club náutico, bajó con el kayak al hombro caminando sobre la misma rampa que había usado el pescador momentos atrás para lanzar su embarcación al agua.

Puso su *canoa con techo,* que era como las llamaba Claudio, de tal forma que la parte delantera quedó en el agua y la trasera sobre la playa de canto rodado. Se sentó de frente al mar y empujó hacia adelante, de un lado con la pala del remo y del otro con la mano hasta que el ruido de la fibra de vidrio contra la piedra desapareció, convirtiéndose en el suave chasquido de diminutas olas golpeando bajo sus piernas. Flotar al ras de la superficie era una sensación preciosa que invitaba a remar.

Ajustó la pollerita, una especie de falda ceñida a la cintura que se enganchaba al kayak para evitar la entrada del agua, y comenzó a avanzar con la proa apuntando casi un kilómetro más hacia el este de donde tenía pensado llegar. La corriente ría adentro causada por la marea, que estaba subiendo, se encargaría de rectificar el rumbo.

A medida que se acercaba al centro, las olas se iban haciendo más grandes y el viento más fuerte. Aunque desde la costa el agua pareciera un estanque, al adentrarse se ponía más feroz. Siempre.

Cuando llevaba recorrido medio trayecto, la sangre le inundaba los bíceps con tanta fuerza que sentía que le iban a explotar. Los antebrazos tampoco la tenían fácil y se le habían puesto igual de duros que la madera del remo. No se encontraba lo suficientemente en forma como para un viaje como aquel. De hecho, de no ser por las esporádicas salidas que hacía con Raúl, no hubiera podido ni siquiera plantearse cruzar la ría solo en medio de aquellas olas de casi dos metros.

Al llegar al otro lado estaba molido. Bordeó la costa hasta la

Barranca de los Cormoranes, pasando frente a la pequeña playita de la casa de Cafa. Casi no tenía que remar gracias a la corriente, aunque la marea se cobraría el favor a la vuelta, cuando la bajante lo arrastrase todo, incluso a él y su kayak, hacia el océano.

Eligió para el desembarco una pequeña cala de finísimo canto rodado. Apuntó la proa hacia la costa y remó a toda velocidad hasta sentir el fondo del kayak encajarse entre las diminutas piedras de la playa. Una vez en tierra firme, escondió la embarcación detrás de una roca para que no fuera visible desde el mar ni la casa. Guardó el chaleco salvavidas y la pollerita dentro de ella y comenzó a caminar hacia la casa ensayando una excusa por si hubiese alguien más: diría que se le había perdido la cantimplora en el mar y que necesitaba un poco de agua.

Por suerte, no hizo falta. Encontró sólo el silencio como respuesta a su llamado a la misma puerta que Cafa había golpeado poco más de media hora antes.

Tanteó el picaporte y, al comprobar que estaba cerrado, se acordó de aquella vez que con Claudio habían descubierto por accidente el escondite de la llave. La maceta seguía allí, aún sin planta, pero al levantarla solo encontró un pequeño alacrán que se defendía con el aguijón en alto.

Rodeó la casa y descubrió un tragaluz en la pared opuesta a la ría que le daba cuarenta centímetros de esperanza. Por primera vez en su vida, ser así de flaco le vendría bien.

Se agarró del borde de la pequeña ventana y puso un pie sobre la pared. Intentó empujarse y subir de un salto pero los brazos agotados de tanto remar no fueron capaces de sostener el peso de su propio cuerpo. Al segundo intento, ignorando el dolor desgarrante en los bíceps, pudo apoyar su vientre en el marco. Como se lo había imaginado, la abertura daba al cuarto de baño.

Reptó hacia abajo asiéndose de una barra para colgar toallas primero y del inodoro después, aterrizando de manera poco decorosa en el suelo mugriento. La salida por suerte sería más fácil, ya que podría utilizar el inodoro y la barra para las toallas como puntos de apoyo para sus pies.

Esperó unos instantes, inmóvil, pero no oyó nada más que el viento azotando el techo de chapa. El baño daba a un pasillo con dos puertas a cada lado. Al fondo se veía un gran comedor presidido por un imponente hogar en el que todavía brillaban los últimos rescoldos.

Eligió al azar una de las cuatro puertas y ésta cedió al giro del picaporte. La sangre se le heló al dar el segundo paso hacia el interior.

Una de las paredes de la habitación estaba forrada con mapas cuya silueta Marcelo conocía a la perfección: la Ría Deseado. En cada uno había una cruz roja y junto a ella estaba escrita, siempre con la misma caligrafía, una fecha reciente. Marcelo buscó la del día anterior y comprobó que la cruz estaba exactamente donde los había visto sumergirse. Le bastó con un breve vistazo al resto de la pared para descubrir el denominador común entre todos los mapas: cada una de las cruces se encontraba junto a una roca.

En la pared contigua encontró dos planos de diferentes tamaños de lo que indefectiblemente era un barco. Ambos lo representaban tres veces: una de frente, otra de perfil y un dibujo del exterior del casco boca abajo. Marcelo Rosales contó catorce cañones y doce pedreros. Como si hiciera falta, comprobó en la escala lo que ya sabía. Tenía veintiocho metros de eslora.

En el más pequeño de los planos había una única anotación en color rojo. Era una flecha que salía de debajo de un recuadro en el que se leía en letra manuscrita *Farmer (m.p.)* y apuntaba directamente al camarote del capitán Farmer. En cuanto a las siglas *m.p.*, Marcelo no tenía la menor idea de qué podían significar.

El plano más grande, en cambio, estaba repleto de anotaciones a mano en inglés, muchas de ellas aportando datos de las diferentes partes del barco. Así fue como Marcelo se enteró de que aunque el diseño original indicaba dos mástiles, era probable que la Swift tuviera tres, pues se había construido en un período de transición durante el cual el tamaño del aparejo de los barcos de su clase había ido en aumento. Otros garabatos eran simples cruces que se limitaban a la palabra *prob.*, abreviatura en inglés de probablemente.

Estaba claro que las cruces indicaban la posible ubicación de lo que fuera que aquellos dos buzos estaban buscando. Si *prob.* era probablemente, pensó Marcelo, quizás *m.p.*, significaba *most probably*, es decir el sitio más probable donde encontrarlo. Luego, la pregunta del millón era: ¿qué pretendía encontrar quienquiera que fuese esa gente, una vez hallada la Swift? Con suerte, con toda la información que había en esa habitación no le costaría demasiado averiguar de qué se trataba.

Echó un vistazo al resto del dormitorio. Sobre un camastro sin sábanas se apilaban decenas de libros que resultaron ser sobre arqueología submarina, todos en inglés. También halló varias copias de lo que reconoció como el relato de Gower en su idioma original. Casi todos estaban considerablemente subrayados, con anotaciones en los márgenes y referencias a otros documentos de los que Marcelo nunca había oído hablar. No había entre tantos kilos de papel una sola página escrita en castellano.

Junto a la ventana que se adivinaba tras una gruesa cortina de felpa marrón, un escritorio de roble parecía a punto de ceder bajo tanto papel, en su mayoría libros y algunos cuadernos. Iba a comenzar a analizar aquella documentación cuando vio en un rincón de la improvisada oficina una cantidad considerable de equipo de submarinismo.

Al acercarse, comprobó que la pila de reguladores, chalecos, aletas y otros accesorios valían una no tan pequeña fortuna. Marcelo estimó que, incluso vendiendo todo su equipo, no le alcanzaría para pagar medio regulador de aquellos. Sin embargo, lo que más le llamó la atención fue que todo estaba tan nuevo y reluciente que no parecía haber tocado el agua ni siquiera una vez.

Si ese era el equipo de repuesto, pensó Marcelo mientras divisaba en la pila un cuchillo idéntico al que él llevaba ahora sujeto a la pantorrilla, no podía ni empezar a imaginarse lo que tendrían puesto aquellos dos en ese momento.

Cuando logró desencantarse de esa montaña de goma y plástico que era el sueño recurrente de más de un buzo, se volvió hacia el escritorio y se sentó frente a las enormes pilas de papel dispuesto a separar la paja del trigo, si es que había allí algo de paja.

Varios cuadernos escritos con la misma letra y en el mismo idioma que las anotaciones en los planos daban cuenta de las inmersiones realizadas en la ría. Según las entradas más viejas que encontró, los inquilinos de Cafa buscaban la *H.M.S Swift* desde hacía al menos un mes.

Notó que el día de la muerte de Olivera no habían realizado ninguna inmersión, confirmando sus peores sospechas. Entonces comenzó a abrir uno a uno los cajones del escritorio, buscando la cinta que le habían robado al viejo marino. El asesinato y toda la información que había dentro de esa habitación iban más allá de cualquier tipo de coincidencia. Solo faltaba aquel eslabón contundente en forma de dos carretes.

No tuvo éxito en el escritorio y continuó hurgando entre los papeles sobre la cama. Levantaba uno a uno cada libro, plano y copia del relato de Gower. La cinta tenía que aparecer en algún lugar de aquella habitación.

No oyó a nadie acercarse por detrás. Solo sintió el golpe, un estallido en su oído derecho. Aterrizó sobre la montaña de papeles y la poca luz del sol que se colaba entre las cortinas se le apagó de repente.

25

Se despertó con una brusca sacudida y un sabor salado en los labios. Lo primero que atinó a hacer fue mover las piernas, pero algo se interpuso al recorrido de sus rodillas. Pensó que lo habrían atado y que toda esa agua que le chorreaba por la cara se la habían tirado sus captores para despertarlo. Sin embargo, al abrir los ojos, la imagen no pudo ser más distinta.

Para empezar no estaba cautivo, más bien al contrario. Flotaba a la deriva, sin remo ni chaleco salvavidas, en su kayak verde que subía y bajaba al ritmo de las olas, dando latigazos sobre la superficie. La distancia que lo separaba de la costa no podía franquearse nadando.

Aunque la desesperación lo empujaba a gritar, a pedir auxilio a alaridos, cerró los ojos nuevamente y se obligó a tres respiraciones profundas para tranquilizarse. Cuando volvió a abrirlos comenzó una evaluación precisa de la situación.

Se encontraba en la boca de la ría y la corriente generada por la marea bajante lo arrastraba con fuerza hacia afuera, donde las relativamente tranquilas aguas reparadas se convertían en mar abierto. Estaba ya demasiado lejos del pueblo y por más que intentara hacer señas nadie lo notaría.

Por la posición del sol, que ya había empezado a caer sobre el oeste, estimó que serían alrededor de las tres de la tarde. Faltaban unas dos horas para que alguien mirara el libro del club y empezara a plantearse que Marcelo Rosales podía estar en problemas. Para aquel momento, la cáscara de nuez verde en la que flotaba estaría tan adentrada en el océano que no se vería un solo punto de tierra en todo el horizonte.

Intentó remar con sus manos, pero bastaron tres brazadas para darse cuenta de que así no iría a ninguna parte. Entonces recordó que había elegido un kayak especial para travesías. Se levantó del pequeño asiento donde estaba encajado y comprobó con alivio que el remo de emergencia seguía enganchado al casco. También había una pollerita de repuesto que no tardó en colocarse por los hombros y ajustar al kayak.

El pequeño remo de madera tenía una única pala, obligándolo a remar una vez a cada lado de la embarcación. Aquello dificultaba considerablemente el avance, pero era mejor que sus palmas desnudas. En cuanto a dónde dirigirse, no tenía demasiadas opciones: la costa norte, la del pueblo, le era inalcanzable. Lamentablemente solo podía aspirar a volver a la margen sur, donde le quedaba claro que no era bienvenido. Se consoló pensando que si llegaba a tierra lo haría muy lejos de la casa de Cafa.

Sabía que intentar ir contra la corriente no le serviría de nada, sino que debía remar perpendicular a ella si quería salir de allí con vida. Lo hizo, con decisión primero y con desesperación más tarde, pero el avance era marginal comparado a lo rápido que la corriente lo empujaba hacia el océano.

Esos doscientos metros de ría furiosa que lo separaban de la costa podían significar la diferencia entre la vida y la muerte. Remó con todas sus fuerzas, ignorando los pinchazos en los bíceps, el gusto a sangre en la garganta y las lágrimas de rabia y miedo que manaban de sus ojos.

La costa que se alejaba frente a sus ojos no era otra que la Isla Chaffers, aquella donde ver a Diana y sus colegas por primera vez le había sentado como una patada al hígado. Ahora, pensó Marcelo, encontrarlos sería una bendición.

La isla era el último vestigio del continente. Un minuto más y se encontraría formalmente en aguas oceánicas. Miró hacia el mar abierto. Un puñado de islotes prolongando la península que no podría alcanzar era lo único que quedaba antes de que la masa azul lo devorara todo. Intentó desesperado remar más fuerte pero los brazos ya no le respondieron y el pequeño remo resbaló de sus manos, cayendo al agua.

Remó con sus dos manos juntas para intentar achicar la distancia a aquel pedazo de madera del que pendía su vida. Se estiró todo lo que pudo, pero apenas alcanzó a rozarlo con la punta de los dedos. Intentó acercarse un poco más y se estiró de nuevo hasta casi caerse del kayak. Esta vez sí, logró aferrarse al madero, pero para cuando estuvo en posición de remar, ya era tarde. Una ola demasiado grande lo embistió en el lado izquierdo y dio vuelta el kayak.

Con la cabeza debajo del agua, tenía dos opciones antes de que le faltara el aire e inundara sus propios pulmones con un espasmo instintivo. Una era salir de la embarcación y luego aferrarse ella. Dada vuelta actuaría de balsa pero quedaría flotando a la deriva. La otra alternativa era intentar una maniobra conocida como esquimotaje, que consistía en utilizar el remo como palanca y con un movimiento rápido del torso volver a darse vuelta, recuperando el control del kayak.

Aunque el esquimotaje era mucho más sencillo si se contaba con la gran palanca de un remo convencional en lugar de uno de emergencia, Marcelo lo había practicado alguna vez incluso sin remo alguno, utilizando solo sus brazos para propulsarse. Pero una cosa era estar con la cabeza fría en aguas calmas y otra era estar ahogándose en un mar que se movía como una lavadora.

Decidió intentarlo. Con la pala del remo apuntando hacia el fondo realizó un movimiento brusco tratando que el torso saliera a la superficie. Pudo sacar la cabeza durante un instante y hacerse con una pequeña bocanada de aire, pero la torsión no fue suficiente para que el kayak volviera a la posición de navegación. El segundo intento fue peor aún que el primero y sintió cómo el agua salada le bajaba por la garganta.

La tercera será la vencida, pensó, y lo fue. Logró voltear el kayak gracias a un quiebre de cintura más potente y a una mayor concentración en la técnica. Pero sin duda y por encima de todo, gracias a su instinto de supervivencia. Sintió cómo el aire llenaba cada rincón de sus pulmones.

Un instante antes de abrir los ojos, se imaginó que durante el tiempo que había estado luchando por sacar la cabeza del agua la corriente lo habría arrastrado hasta donde se morían las esperanzas, pero al abrirlos descubrió que por primera vez en aquel día la suerte se había puesto de su lado. La ola que lo había tumbado, la corriente y sus intentos de esquimotaje lo habían terminado llevando casi hasta la orilla de un pequeño islote rocoso muy lejos de la península, pero tierra firme al fin. Remó con sus últimas fuerzas hasta que finalmente la proa del kayak tocó aquel diminuto atolón de no más de diez metros de diámetro.

Lo primero que hizo cuando sus pies pisaron la roca forrada de mejillones fue subir el kayak hasta donde las feroces olas no pudieran alcanzarlo y se recostó junto a él para intentar recobrar el aliento. A medida que su corazón se desaceleraba, un nudo parecía apretarle la garganta con más fuerza. Rompió en un llanto desconsolado, de esos que uno únicamente se permite cuando ha pasado el peligro. Y cuando no hay nadie alrededor.

Poco a poco fue tranquilizándose, aunque al irse la angustia llegaron las preguntas. ¿Quién lo había atacado por la espalda? ¿Y de dónde había salido? Estaba claro que aquella gente no tenía escrúpulos y que lo habían intentado asesinar, pero ¿por qué no hacerlo de una manera más contundente?

Ya habría tiempo de pensar en eso, se dijo. Ahora era momento de intentar volver a casa.

Lo de tierra firme era una forma de decir, pues cuando la marea empezara a subir, el agua cubriría todos los islotes —incluyendo el que le había salvado la vida— y la costa quedaría inalcanzable. Solo tenía una oportunidad y, si no lo lograba, la noche se cerniría sobre él en el medio de la nada.

Lo intentaría durante la estoa, esos quince minutos de quietud entre mareas, antes de que la corriente comenzara a desandar sus pasos, metiendo cantidades ingentes de agua dentro de la ría hasta subir el nivel unos cinco metros en seis horas.

Mientras esperaba, se quitó la ropa para retorcerla y quitarle algo de agua. El sol, aunque ya muy cerca del horizonte, todavía ofrecía sus rayos débiles, que eran mil veces mejor abrigo que la tela mojada. Al quitarse los pantalones, descubrió su pantorrilla desnuda: el cuchillo había vuelto con sus dueños.

Media hora más tarde la marea alcanzó el nivel mínimo. Marcelo Rosales aprovechó la calma para remar de una isla a la siguiente y así hasta finalmente volver a alcanzar el continente. Llegó exactamente a la punta donde la ría se convertía en mar.

Lo último que quería en aquel momento era caminar hacia el oeste. No solo debía mantenerse lo más lejos posible de la casa de Cafa si apreciaba su vida, sino que incluso si lograba pasarla sin ser descubierto, tendría que recorrer cuarenta kilómetros a pie para llegar al puente que permitía sortear el fino río en el que se convertía la ría tierra adentro. Luego serían casi otros cuarenta hasta el pueblo, el mismo que sus ojos veían a un tiro de piedra.

Intentar cruzar la ría con aquel remo era más un suicidio que una alternativa, y quedarse con los brazos cruzados esperando a que el club diera aviso a la prefectura y lo salieran a buscar le parecía aún más estúpido, considerando que a pocos kilómetros alguien lo quería muerto. Por descarte, apuntó hacia el sur.

Arrastró el kayak por encima de la línea de la pleamar y lo escondió entre unas matas que albergaban en sus raíces nidos de pingüino vacíos. En un mes llegarían las primeras parejas de su migración al norte y ocuparían exactamente el mismo nido que el año anterior, empollando y criando a sus polluelos hasta que éstos pudieran valerse por sí mismos.

Se metió las manos en los bolsillos mojados y comenzó a caminar a orillas del océano Atlántico. Sabía que a unos cinco kilómetros en aquella dirección encontraría ayuda en la estancia La Pizorra, donde podría pedir que lo llevaran al pueblo en el próximo viaje que hicieran por provisiones. Mientras tanto, estaría a salvo y no le negarían comida ni cobijo.

Aunque el gusto a sal en su boca intensificaba la sed y el cansancio, y el frío hacía rato que se le había calado en los huesos, lo peor de aquel peregrinaje era que con cada paso que daba, sentía un dolor punzante en donde había recibido el golpe. Tocándose descubrió que, aunque no sangraba, un enorme bulto detrás de la oreja parecía clavarle agujas en el cráneo al menor roce de los dedos.

26

Llevaba más de una hora caminando cuando vio aparecer detrás de una colina una casa y tres tinglados en el medio de la nada. Aquella era toda la infraestructura de la estancia La Pizorra, un campo de más de diez mil hectáreas.

Al acercarse a la vivienda, un perro ovejero lo recibió moviendo la cola y lamiéndole frenéticamente la mano.

Antes de que tuviera tiempo a golpear la puerta de madera con el barniz cayéndose a pedazos, un gaucho fornido apareció de detrás de la casa. Llevaba un balde de latón en cada mano.

—Buenas —dijo dejando los baldes en el suelo y acercándose con una mano abierta.

—Buenas tardes —respondió Marcelo estrechándole la suya.

—Verdúguez —dijo el hombre mirándolo a los ojos sin soltarle la mano.

—Rosales. Yo soy Marcelo Rosales.

—¿Y qué anda haciendo usted por acá, Rosales?

—Salí del pueblo en un kayak y cuando estaba llegando al otro lado de la ría perdí el remo. Por suerte tenía uno chico, de repuesto, que me sirvió para llegar hasta la costa, pero sería una locura intentar usarlo para volver.

—¿Y su kayak?

—Lo dejé en la pingüinera. Preferí caminar hasta acá.

—Pase que preparo unos mates —dijo el hombre y levantó los dos baldes.

Marcelo había dado por supuesto que entrarían a la casa principal, detrás de la cual había aparecido Verdúguez. Sin embargo, el hombre lo guiaba hacia una pequeña construcción a unos cien metros, cerca de las caballerizas.

Eran tres habitaciones contiguas cuyas puertas oxidadas daban a un pequeño porche de techo precario. El hombre se metió a la de la derecha, que tenía una chimenea cuyo humo sobrevivía apenas unos centímetros antes de ser borrado por el viento. Al entrar tras él, Marcelo vio una gran cocina a leña que calentaba la habitación y la impregnaba de un aroma ahumado. Verdúguez le indicó con un ademán que se pusiera junto a ella. Lo dejó solo por un momento y volvió con una toalla y una muda de ropa.

—Séquese y póngase esto que si no se va a enfermar. Son del mensual anterior, que era así flaco como usted.

Como para cualquier otro patagónico, para Marcelo la palabra peón se limitaba al ajedrez. En el sur de la Argentina, quienes trabajaban en el campo eran *mensuales*, denominación debida a la forma de cobrar el sueldo.

En un puñado de oportunidades Marcelo había tenido contacto con gente como Verdúguez, y sabía que su hospitalidad era solo comparable a su recato. Quizás ser la única alma en leguas y leguas a la redonda tenía que ver con que sus conversaciones fueran tirando a magras. Era mejor así, pensó, después de lo que le había pasado él no estaba para grandes tertulias.

Don Verdúguez tomó una pava de aluminio abollada que descansaba junto a la estufa, la sumergió en un balde de agua que había en un rincón de la habitación hasta llenarla y la puso al fuego.

Marcelo hubiera preferido que el hombre lo dejara solo un momento para poder cambiarse sin testigos, pero el mensual se había acomodado en un banco de madera. Sacó del bolsillo una bolsa con tabaco y papel y se puso a armar un cigarro del cual no quitó la mirada hasta que Marcelo se terminó de poner la muda seca.

—Muchas gracias, don Verdúguez.

—Para eso estamos —dijo mientras cebaba el primer mate.

Cuando cada uno hubo tomado un par, el hombre habló por primera vez por propia iniciativa.

—¿Quiere que avise por radio al pueblo?

—No sabía que tenía una radio. Sí, por favor. Avise al canal 57, que es el del club náutico. Dígales que estoy con usted y que se contacten con Claudio para que me venga a buscar. Ellos saben quién es.

—Si no pueden venir hoy, puede pasar la noche acá. Es su casa —ofreció el hombre.

—Muchas gracias.

El mensual le tendió un mate y se dirigió al otro extremo de la habitación. Abrió una caja de madera y presionó un botón en una radio negra. Al encenderse una luz naranja, un ruido blanco inundó la habitación. Verdúguez movió unas perillas y comenzó a hablar.

—Club náutico, ¿me escucha? Acá La Pizorra.

Al cabo de unos segundos, Marcelo reconoció la voz de Raúl.

—Sí, adelante, Pizorra. Aquí club náutico, cambio.

El hombre le hizo señas a Marcelo para que se acercara y hablara él mismo. Marcelo comentó a Raúl la misma historia que a Verdúguez.

—Te dije que no fueses solo —le reprochó el encargado—. ¿Te lo dije o no te lo dije?

—Bueno, tenías razón, pero ahora necesito que me ayudes.

No sin darle un buen sermón, Raúl accedió a localizar a Claudio para que lo fuera a buscar. Le dijo que dejara la radio encendida y que tan pronto como tuviera novedades se las haría saber.

En una emergencia como aquella, el procedimiento estándar para quienes no tenían un amigo con barco era avisar a la prefectura para que fuera a buscar a los que estaban en problemas. Sin embargo, Marcelo prefirió esperar a Claudio aunque tardara un poco más, ya que se ahorraría formularios que rellenar y declaraciones que firmar.

Cuando terminaron de hablar, Verdúguez le tendió otro mate y se llevó la mano detrás de la espalda, a la altura de los riñones. Sacó un cuchillo y clavó los ojos en la hoja gris que no brillaba.

—¿Tiene hambre? —preguntó.

—La verdad es que sí. Bastante —respondió Marcelo, aliviado.

—Quédese acá por si lo llaman por la radio —dijo y desapareció por la puerta.

Volvió a los diez minutos trayendo en una mano una pata de cordero. La levantó para enseñársela a Marcelo.

—Lo carneé ayer. Lindo capón, la verdad. Unos quince kilos más o menos —dijo Verdúguez.

La expresión de orgullo en su rostro, de tan sutil, era apenas perceptible. Apoyó la pata sobre la mesa y comenzó a cortar gruesos bifes que fue apilando hasta quedarse con el hueso completamente pelado. Cocinó la carne con un poco de aceite y sal en una plancha sobre la estufa.

Cuando estuvo listo, cortó dos rebanadas de pan y puso encima de cada una un trozo de cordero de tamaño exagerado. Le entregó uno a Marcelo junto con un cuchillo y sin decir nada comenzó a comer el suyo. Marcelo lo imitó, mordiendo la carne y separándola del resto con el filo de la hoja casi tocándole los labios.

Terminaron de comer a las cinco de la tarde, sin noticias aún de Raúl ni de Claudio. En una hora estaría oscuro.

—Parece que me voy a quedar a hacerle compañía esta noche —dijo Marcelo.

El hombre asintió, mudo, mientras se quitaba con el cuchillo restos de carne entre los dientes.

Volvieron a tomar mate, la mayoría del tiempo en silencio. A medida que se sumía en sus pensamientos, Marcelo tomaba conciencia de la dimensión de lo que le había pasado. Alguien lo había largado al mar inconsciente, sin remo ni salvavidas.

De ahogarse, habría sido el crimen perfecto. Ni siquiera la inflamación detrás de la oreja habría levantado sospechas. Los forenses determinarían que en aguas poco profundas una ola había dado vuelta el kayak, golpeándole la cabeza contra una roca. Inconsciente y boca abajo, la muerte por ahogamiento habría sido el desenlace esperado.

El sonido de la radio lo devolvió a la habitación. Era Claudio. Había ido para el club tan pronto como llegó a su casa y vio la nota que le había dejado Raúl. *Sí, estoy bien.* No lo podía ir a buscar, porque tenía el motor de la piñata desarmado para limpiarle el carburador. *No hay problema, me ofrecieron pasar la noche acá.* Ya había hablado con la prefectura, que lo recogería al día siguiente a primera hora. *De verdad estoy bien, mañana hablamos.*

No habría manera de ahorrarse las preguntas y el papeleo.

Cuando terminó de hablar, Verdúguez estaba de pie junto a él y le ofrecía un pequeño vaso de vidrio grueso con un líquido ámbar.

—¿Le gusta la caña dulce?

Marcelo asintió aunque jamás la había probado y, al darle un pequeño sorbo, sintió un ardor en los labios. El hombre al verlo soltó una carcajada.

—Esto se toma así —dijo, y se tragó todo de un viaje.

Marcelo lo imitó y, a pesar de que casi vomita, disfrutó de la sensación del licor caliente bajándole por la garganta.

Al primer vaso le siguió el segundo, y a éste el tercero. Las pocas palabras de Verdúguez se fueron transformando en verborragia conforme bajaba el nivel de la botella de caña Legui. Hablaba más que nada acerca de la única persona con la que tenía trato regular.

—El patrón viene una vez por mes en verano y para los trabajos del campo: la esquila, la señalada, la pelada de ojo y el baño. En invierno no le veo el pelo. No me quejo, me paga por este trabajo y como mejor carne que él. Cuando viene se queda en la casa grande. Yo no tengo llave. Pero estoy bien acá, tengo mi pieza, que es la puerta de al lado, y al fondo está el baño.

—¿Y usted va al pueblo de vez en cuando? —preguntó Marcelo.

—A veces. La última vez fue para Navidad.

—Pero de eso hace más de medio año.

El hombre, que para esta altura tenía la cara roja y hablaba como si tuviera la lengua de yeso, asintió sonriente.

—Me gasté el sueldo de tres meses en una noche en El Pescadito.

Marcelo tuvo curiosidad por saber si habría elegido a Abril para que le hiciera compañía. Prefirió no comentar.

—¿Se ofende si le pregunto cuánto cobra?

—Trescientos cincuenta mil al mes.

Marcelo asintió en silencio y llenó con caña su vasito y el de Verdúguez. A aquel hombre le pagaban un sueldo mísero por ser el único encargado de diez mil hectáreas de campo con dos mil quinientas ovejas. Parte de su trabajo consistía en pasar meses sin ver una sola persona, sin más compañía que su caballo, su perro y el viento.

Conversaron un poco más hasta que se hizo de noche. Cuando empezaron los bostezos, el hombre trajo varios cueros de oveja y le improvisó a Marcelo una cama.

—Que duerma bien —dijo, y se dispuso a dejarlo solo.

—Verdúguez.

El mensual se detuvo justo cuando iba a abrir la puerta para irse a su habitación.

—¿Y usted no se junta de vez en cuando con gente de las

estancias vecinas?

—A veces jugábamos a las cartas con Cafa. Pero tuvimos una discusión hace unas semanas. Un día yo había salido a arriar los carneros y al volver me encontré con que se había escapado una yegua zaina. Le seguí el rastro y me la encontré pastando cerca de la casa de Cafa frente al pueblo.

—¿Y qué pasó?

—Cuando llegué a la casa —dijo Verdúguez apoyándose en el marco de la puerta para mantenerse en pie— me salió al encuentro un tipo grandote. Le dije que había ido a buscar mi animal, pero no hablaba cristiano.

Marcelo se moría de ganas por hacerle mil preguntas más, pero sabía que si el mensual se daba cuenta de que le tiraban de la lengua, se transformaría automáticamente en una ostra.

—El tipo estaba como loco —continuó el hombre, pronunciando *gomo logo*—. Le dije que no le entendía un carajo y que si a mí no me hablaba en criollo íbamos a terminar a los cuchillazos. Yo me había tomado una de éstas —dijo señalando la botella de caña— y el horno no estaba para bollos.

Los ojos del mensual se habían encendido como dos brasas y se notaba el desprecio en sus palabras.

—Estaba a punto de manotear el facón cuando salió otro de la casa, uno más petiso. Éste sí que hablaba, un poco raro nomás. Me preguntó por qué estaba en propiedad ajena.

—¿Y usted le explicó lo mismo que al otro?

—No, ya me habían cansado. Le dije que se fuera a la puta madre que lo parió y me pegué la vuelta llevándome la yegua a la arrastra.

—Al otro día apareció Cafa por esta puerta —dijo golpeando la chapa oxidada con el puño—. Estaba enloquecido, me dijo que no se me ocurriera volver a aparecer por allá porque les estaba alquilando la casa a unos turistas que no querían que nadie los molestara.

—¿Y usted qué le dijo? —preguntó Marcelo.

—Que los animales no entienden de alambrados, ni de turistas —dijo el hombre con total naturalidad y se retiró a su habitación.

Al quedarse solo, Marcelo se acostó mirando las luces amarillas que el fuego proyectaba en el techo y comenzó a analizar a fondo los sucesos de aquel día. A pesar de que casi le había costado la vida, la expedición al otro lado de la ría había terminado de develar varias incógnitas. Uno, efectivamente los inquilinos de Cafa estaban buscando la Swift. Dos, aquella gente no tenía escrúpulos, pues lo habían atacado por la espalda, lanzándolo inconsciente a la deriva sin remo ni salvavidas. Uno más dos, era evidente que habían sido ellos los asesinos de don Olivera.

También había averiguado que eran de habla inglesa, por los libros, las anotaciones y lo que le acababa de revelar Verdúguez. Solo uno de ellos hablaba castellano. Australianos, pensó. ¿Tendrían algo que ver con la repentina desaparición de Gower seis años atrás?

El último pensamiento que pasó por su cabeza antes de quedarse dormido fue que no sería fácil competir con los inquilinos de Cafa. Fueran quienes fueran, no solo contaban con mucha más información que ellos sobre la corbeta Swift, sino que además poseían los mejores equipos de buceo que Marcelo había visto jamás. Y, por supuesto, estaban dispuestos a matar.

27

Lo despertó una mano que lo sacudía asiéndolo por el hombro. Era don Verdúguez, que le tendía un mate humeante.

—Tómese un amargo, que ya van a estar los churrascos.

Le tomó un momento entender por qué el hombre cocinaba los bifes que habían quedado de la noche anterior, hasta que recordó lo que le contaba su abuelo de los desayunos en el campo. Cuando alguien que va a pasar el día encima de un caballo arriando ovejas se dispone a la primera comida del día, sabe que no le alcanzará con tostadas con manteca. La única manera de hacerse con las energías para seis o siete horas ininterrumpidas de un trabajo así de extenuante era *churrasqueando* generosamente antes de salir.

Comieron sin hablar. De fondo, la voz demasiado gruesa de un locutor de radio iba leyendo los "mensajes para el hombre de campo". No hubo ninguno para La Pizorra.

—Ahí lo vienen a buscar —dijo Verdúguez llevándose a la boca el último pedazo que había en su plato.

A través de la ventana se veía una figura atlética enfundada en un uniforme marrón que se acercaba, igual de equivocado que Marcelo el día anterior, a la casa principal de la estancia. Marcelo y Verdúguez salieron al encuentro de quien se presentó como el cabo Ramírez.

—Gracias por venir a buscarme, señor Ramírez —dijo Marcelo estrechándole la mano.

El cabo asintió con gesto parco y Marcelo se volvió hacia el mensual, que se había retirado unos pasos y se limpiaba las uñas con el cuchillo.

—Y muchas gracias a usted por ayudarme, don Verdúguez. Le debo una.

—Me la paga un día de estos en El Pescadito —dijo el hombre haciendo un gesto con la mano como quitándole importancia.

Mientras caminaban hacia la playa, el cabo le preguntó qué había sucedido en un tono que a Marcelo se le antojó más de curiosidad que de cuestionario oficial. Respondió con exactamente la misma versión de los hechos que había dicho por la radio.

Una lancha del estilo de la de Claudio, aunque casi dos veces más grande, los esperaba en el agua. A bordo había otro cabo, un poco más viejo y rechoncho que se presentó como Bolzoni.

La embarcación partió a toda velocidad poniendo rumbo a Deseado. A pedido de Marcelo pararon en la pingüinera para recoger el kayak. Luego de taparle la abertura con una lona y atarlo a la lancha, continuaron el viaje al pueblo, llevándolo a remolque.

—Perder el remo ya es complicado, pero ¿y el salvavidas? —preguntó Bolzoni sin sacar las manos del timón y mirando de vez en cuando hacia atrás para confirmar que todavía arrastraban el kayak.

Luego de titubear unos instantes, Marcelo dijo lo que le pareció más creíble.

—El salvavidas no lo perdí, lo dejé adentro del kayak anoche —mintió—. Se debe haber volado. Probablemente la marea lo haya devuelto a la costa. Es de color naranja, digo por si lo vemos.

—Le recuerdo que esto no es un bote de turismo —dijo el cabo Ramírez—. Lo venimos a buscar porque usted ha naufragado, pero nuestro servicio no se extiende a recolectar salvavidas perdidos. Así que cómprese otro.

Marcelo asintió, forzando un gesto triste. La hostilidad del cabo significaba que se había tragado la historia del salvavidas.

El resto del viaje transcurrió en silencio. Al atracar en el muelle de la prefectura, Bolzoni le explicó que, dado que había sido rescatado por una fuerza policial, debería prestar una declaración oficial donde se dejaría constancia de lo sucedido hasta el mínimo detalle.

Las tres páginas que Marcelo Rosales firmó ese día dando cuenta de su naufragio en la Ría Deseado no incluían una sola palabra sobre la casa de Cafa ni la corbeta Swift. Mucho menos hacían mención al bulto que le latía con dolor detrás de la oreja derecha.

28

En la prefectura accedieron a comunicarse por radio con el club náutico para que fueran a buscar el kayak. Por una legalidad que Marcelo no acabó de entender, la embarcación quedaba en manos de la policía hasta que un responsable del club —Raúl, obviamente— lo fuera a buscar. No pensaba objetar la medida.

Al llegar a su casa se encerró con llave y se entregó a los poderes reconfortantes de una ducha caliente. Luego tomó un té con leche y unas tostadas sentado en la mecedora junto a la estufa, mirando por la ventana la ría que hacía menos de veinticuatro horas le había querido arrebatar la vida.

Enfundado en su abrigo de paño, salió de su casa a las doce y media y recorrió el camino de cada día hasta el colegio. Al llegar a la puerta, se sentó en las escaleras a esperar a que los alumnos empezaran a salir. Cuando sonó el timbre indicando el fin de la jornada escolar, varios compañeros se acercaron a preguntarle por qué no había asistido a clase en los últimos tres días.

—Porque no me sentía bien, pero ya estoy mejor —decía Marcelo una y otra vez.

Finalmente vio a Ariel, que bajaba las escaleras charlando con Solange Pérez. La misma Solange Pérez que el año anterior había sido elegida primera princesa de la fiesta de la primavera, aunque la mayoría de la gente opinaba que debería haber sido nombrada reina. Hacía meses que Ariel llevaba a cabo con Solange lo que Claudio catalogaba como *un trabajo de hormiga.*

—Ari, necesito que vengas conmigo a lo de Claudio. Ahora —le dijo Marcelo en cuanto lo tuvo al alcance.

Sintió que Ariel lo fulminaba con la mirada. Antes de hablarle, le pidió a la chica que lo disculpara un segundo y apartó a Marcelo para que ella no los oyera.

—¿Qué pasa? —preguntó, apenas moviendo su boca enorme— No me hagas esto ahora, por favor, que después de tanto trabajo fino Solange aceptó que hoy vayamos a comer juntos. Vos sabés muy bien que vengo esperando este día hace un montón. Sea lo que sea lo que tenés para decirnos, ¿no lo podemos discutir en la reunión de mañana?

Marcelo ni siquiera se acordaba que al día siguiente tenían planeada una reunión. De cualquier manera ya no importaba, ahora estaban en serio peligro y tenía que poner al día a sus compañeros lo antes posible.

—Ariel, creeme que esto es muy importante. Mucho más importante que cualquier cosa que te puedas imaginar. Mil veces más que Solange. De verdad, tiene que ser ahora.

Su amigo lo miró incrédulo por unos instantes. Finalmente aceptó, advirtiéndole que si no era algo realmente urgente le *bajaría* como mínimo tres dientes.

La casa de Claudio no quedaba lejos del colegio —estrictamente hablando, ningún lugar del pueblo quedaba lejos del colegio—. Cuando abrió la puerta, Claudio Etinsky estaba enfundado en un delantal de cocinero de color rojo.

—Te rescataron, Cabeza. ¿Qué tal la vida de náufrago?

—Tenemos que hablar. Es muy importante —respondió Marcelo en seco.

—Pasen que los invito a comer, estoy preparando milanesas.

Marcelo explicó sin preámbulos todo lo que había pasado. Les contó cómo había descubierto que el pescador Cafa tenía buzos escondidos en la casa del otro lado de la ría a los que llevaba cada día a buscar la corbeta Swift. Finalmente contó lo que había descubierto en su intrusión a la casa y cómo había terminado en La Pizorra después de ser atacado. También les habló sobre la noche en que se había metido en la casa de Olivera y de la misteriosa silueta que lo había seguido hasta allí.

—Tenemos que encontrar la corbeta antes que ellos —dijo al terminar.

Claudio miró a Ariel dándole la oportunidad de hablar, pero éste permaneció en silencio. Entonces él, mientras se secaba las manos en el delantal rojo, tomó la palabra.

Empezó con una lista interminable de insultos —lo más suave fue "inconsciente de mierda"—. Luego, le preguntó si se creía Súperman y si no se daba cuenta de que se había salvado por los pelos de nada menos que de ser víctima de un asesinato.

—Tenés que dejar de hacerte el héroe, Marcelo. Hay que ir a la policía ya —sentenció, finalizando su sermón.

Jamás lo llamaba Marcelo. Estaba tan enfurecido que la cara

se le había puesto del color del delantal.

—Claudio —dijo Marcelo en un tono calmado y serio—, yo entiendo perfectamente todo lo que me estás diciendo y te juro que soy consciente del peligro del que me salvé de milagro. Pero imaginemos que voy a la policía. ¿Por dónde empiezo? ¿Por decirles que me metí a una casa por la ventana del baño o por intentar que me crean que a Olivera lo mataron por una cinta que no sé dónde está pero sé quién la tiene? Además, acabo de firmar una declaración en la prefectura donde doy una versión completamente diferente de los hechos.

—Éste es un asunto demasiado serio para no denunciarlo —reaccionó Ariel.

—¡Ésa es la clave, muchachos! Este asunto es demasiado serio. Un australiano viene hace seis años a buscar la Swift y desaparece de repente de la faz de la tierra. Ahora nosotros intentamos encontrarla y resulta que hay dos buzos, probablemente australianos también, que la buscan con Cafa hace por lo menos un mes. Viven y trabajan escondidos, ni siquiera se muestran en el pueblo para comprar provisiones. Mataron a Olivera para conseguir una cinta relacionada con el naufragio e intentaron asesinarme a mí por haber descubierto su secreto.

Marcelo hizo una pausa para dejarlos digerir todo aquello.

—Nadie —continuó— se escondería y mataría sólo por encontrar los restos de un buque de guerra menor.

—¿Qué estás queriendo decir? —preguntó Ariel.

—Quiero decir —dijo Marcelo mirando a cada uno de sus compañeros a los ojos— que esta gente tiene una buena razón para querer dar con el pecio antes que nadie.

—Esa es tu teoría, Cabeza. No tenemos forma de confirmarla.

—¡Claudio, por Dios! —exclamó Marcelo— Estamos hablando de un barquito de guerra de veintiocho metros, no de un galeón español cargado de oro. Pongamos por un minuto los pies sobre la tierra. Según lo que sabemos, el día que encontremos el pecio desenterraremos cañones de bronce, maderas podridas y, con suerte, algún objeto de la tripulación que no se corroa con el agua, como cerámica o vidrio. A nosotros la búsqueda nos parece fascinante, pero ¿quién viaja a otro país por algo así?, y sobre todo ¿quién se esconde y mata por algo así? La forma de actuar de esta gente basta y sobra para confirmar mi teoría.

—¿Y qué es eso tan importante que buscan? —preguntó Ariel.

—No sé —dijo Marcelo—, pero sea lo que sea no creo que estén dispuestos a compartirlo. Ese barco lleva hundido más de doscientos años en nuestras costas y, por lo tanto, le pertenece a Puerto Deseado más que a nadie. Tenemos que encontrarlo antes que ellos. Yo ya decidí seguir con esto hasta el final. ¿Ustedes están conmigo o no?

La primera en oírse fue la gruesa voz de Ariel.

—Por supuesto —dijo, y ambos miraron a Claudio.

Entonces se hizo un silencio que a Marcelo le pareció eterno. Claudio le clavaba la mirada.

—Yo no te voy a dejar solo, Cabeza —dijo Claudio al fin.

Marcelo soltó un grito de alegría y chocó su mano con la de Ariel. Cuando fue a hacer lo mismo con Claudio, su amigo lo dejó con el brazo en el aire.

—Con una condición.

—Las que quieras —dijo Marcelo.

—En primer lugar, no más planes en solitario. A partir de ahora los tres sabemos exactamente lo mismo, es decir, todo, y los tres vamos a estar al tanto de los pasos que va a dar cada uno. Si veo que cualquiera de ustedes está jugando a los superhéroes —dijo esto mirando fijo a Marcelo—, ése conmigo no cuenta más ni siquiera para ir a pescar.

Ambos asintieron con la cabeza.

—Ahora vamos a comer, que si dejo las milanesas en el horno un minuto más van a estar como una suela —agregó Claudio y los condujo a la cocina.

Comieron en completo silencio, cada uno perdido en sus pensamientos. Después tomaron mate y repasaron todo lo que sabían hasta el momento de la Swift, sumando los nuevos descubrimientos de Marcelo. Él expuso lo mejor que recordaba las anotaciones que había leído en la casa del otro lado de la ría y esbozó a mano los planos que había visto colgados en la pared, mencionando que el más grande solo tenía una anotación indicando la cabina del capitán.

—Hay que reestructurar la lista de inmersiones —dijo Ariel—. Si nos encontramos con estos tipos podemos tener problemas. Tenemos que bucear cerca del pueblo, donde la gente nos pueda ver desde la costa. La presencia de testigos reducirá el riesgo.

—Esa es una buena idea —dijo Claudio—. No solo porque en el relato de Gower todo indica que la Swift naufragó cerca de la margen norte, sino porque los buzos de Cafa evidentemente no tienen ningún interés en ser vistos, y no creo que buceen cerca del pueblo.

—¡Por eso pesca! —exclamó Marcelo un poco más alto de lo que hubiera sido necesario.

Sus amigos lo miraron con extrañeza, evidentemente sin entender a qué se refería con aquello.

—Cafa —explicó—. Por eso pesca, para no levantar la perdiz. ¿Qué ve el pueblo? Al pescador de toda la vida tirando y recogiendo su red. Sin embargo, por el costado que da al sur, el que la gente no ve, dos personas se tiran al agua y bucean buscando la corbeta.

—Por eso semejante cuchillo —agregó Claudio.

—Exacto —dijo Marcelo abandonando su silla para comenzar a caminar de un lado a otro de la habitación—. Necesitan los cuchillos para liberarse de la red si por algún error de cálculos se quedan enganchados.

—Entonces a nosotros no nos basta estar a la vista del pueblo para estar seguros —dijo Ariel—. Si Cafa los esconde, corremos peligro en cualquier lugar.

—No —exclamó Marcelo—. Ellos pueden bucear en el pueblo sin ser vistos, pero Cafa jamás se arriesgaría a que alguien viera su bote acercarse demasiado al nuestro y luego nuestros cuerpos aparecieran flotando en la ría. Serían dos cabos demasiado fáciles de atar.

Sus compañeros estuvieron de acuerdo, pero a ninguno de los tres les causaba ninguna gracia aquel peligro extra. Bucear en esas aguas heladas y correntosas ya era lo suficientemente complicado como para que ahora también hubiera una amenaza humana. Sin embargo, en la cara de sus amigos Marcelo también podía leer que ya era demasiado tarde para echarse atrás.

Se despidieron a las siete y media. A Marcelo la cabeza le estallaba de tanto pensar y porque hacía tres días que no dormía una noche entera. Necesitaba descansar antes de exigirle nada más a su cerebro. Claudio se ofreció a llevarlo en el Coloradito, pero él prefirió caminar, aunque ya estuviese oscuro.

El aire helado en las sienes parecía haberle sentado bien porque para cuando llegó a la puerta de su casa, el dolor de cabeza había desaparecido y el bulto detrás de la oreja ya no le molestaba tanto.

Introducir la llave en la cerradura no fue una tarea menor. No solo no estaba acostumbrado a esa medida de seguridad que hasta hacía días consideraba extrema, sino que la ausencia total de luz en su jardín y los dedos entumecidos por el frío hacían que aquello fuera tan difícil como enhebrar una aguja con los ojos cerrados.

No fue hasta que tuvo la puerta abierta de par en par que oyó los pasos a sus espaldas.

—Buenas noches, Marcelo —dijo una voz ronca.

Marcelo Rosales se dio la vuelta y sintió cómo el corazón le daba un vuelco. En la penumbra vio las facciones de un hombre alto, macizo, de barba pelirroja y boina verde. Cafa.

29

Intentó meterse en su casa y cerrarle la puerta en la cara, pero el pescador puso el pie entre la puerta y el marco, impidiéndoselo.

—Marcelo, tenemos que hablar —dijo en tono calmo.

—Yo con un asesino no tengo nada que hablar.

Entonces Cafa embistió la puerta, enviando a Marcelo al suelo. Se le acercó y lo agarró del abrigo a la altura del pecho, levantándolo sin dificultad hasta que sus caras estuvieron a un palmo. El olor a pescado de sus manos se mezclaba con el aliento a tabaco.

—La próxima vez que me llames asesino te vas a arrepentir —le dijo sacudiéndolo—. Ahora prendé la luz que tenemos que hablar.

Tras decir esto, abrió las manos y Marcelo sintió que sus pies volvían a apoyar el suelo. Consideró pegarle un rodillazo en las partes bajas y salir corriendo, pero era demasiado arriesgado. Además, si Cafa hubiera querido hacerle daño de verdad, ya lo habría hecho.

Obedeciendo, presionó una tecla fosforescente junto a la puerta y la luz amarillenta de la bombilla inundó cada rincón del comedor, revelando los ojos negros del pescador clavados en los suyos.

—Vengo a hablarte de lo que te pasó ayer —dijo sentándose sin que se lo ofrecieran en una de las sillas alrededor de la mesa.

—¿La parte en la que me dejaron inconsciente de un golpe en la cabeza o la parte en la que me tiraron al agua sin remos ni salvavidas para que me ahogara?

El viejo se pasó la mano por la barba roja y apartó por primera vez la mirada.

—Marcelo, sé que es difícil que me creas pero yo no tuve nada que ver. Me enteré de lo que te pasó recién este mediodía y pensé que te merecías que te contara lo que sé para que sepas con quién te estás metiendo. Es una larga historia, ¿tenés tiempo?

—Lo escucho —dijo Marcelo, aunque no estaba dispuesto a

creerle una sola palabra.

—Hace unos tres años —comenzó a decir el hombre— estaba pescando en Bahía Uruguay y al recoger la red vi que entre los pejerreyes venía algo de color marrón. Supuse que sería un manojo de cachiyuyos u otra alga, pero cuando lo tuve a bordo me di cuenta de que era un gran pedazo de madera, cuadrado y con agujeros atravesados por tornillos verdes. Bronce, supuse. La madera se veía viejísima pero se conservaba en buen estado.

—¿Un pedazo de cuaderna? —sugirió Marcelo.

—No sé exactamente de qué parte, pero había salido de un barco. La cosa es que me llevé el pequeño trofeo y lo puse sobre la repisa de la chimenea en mi comedor. A partir de ese día, a cada amigo que me visitaba en casa, yo le mostraba la madera y repetía, una y otra vez, la historia que te estoy contando.

—¿Y cómo se relaciona esto con lo que me hicieron ayer? —dijo Marcelo intentando camuflar con indignación el interés en aquel objeto.

—Un día vinieron a casa dos tipos que se presentaron como coleccionistas ingleses de objetos navales. Bueno, se presentó en realidad, porque solo uno de ellos hablaba castellano. Me dijo que les había llegado el rumor de que yo tenía aquel pedazo de madera y me preguntó si me importaba enseñárselo. Los hice pasar, señalé sobre la chimenea y ese inocente trofeo se convirtió en lo más extraño que me pasó en la vida.

Marcelo escuchaba atento, con los ojos clavados en la boca de Cafa.

—Se consultaron algo en inglés y asintieron a la vez. Luego el que hablaba español se dirigió a mí y me dijo que tenían una propuesta para hacerme. Le dije que no estaba a la venta y, después de traducir mis palabras para el otro, ambos soltaron una carcajada. El tipo me dijo que no estaban interesados en comprarlo, que para ellos aquel trozo de madera no tenía ningún valor.

—Lo que buscaban era el barco del cual se había desprendido —sugirió Marcelo.

El pescador asintió y le pidió un poco de agua.

—Me explicaron —prosiguió tras tragarse de un sorbo medio vaso— que contaban con documentación sobre un barco inglés hundido en el siglo dieciocho y que tenían ideas de dónde encontrarlo. Me dijeron que sabían que yo era el dueño de la casa del otro lado de la ría y me ofrecieron el doble de lo que gano pescando por alquilármela y llevarlos a hacer inmersiones a los lugares donde ellos me indicaran. También me tendría que encargar de llevarles comida y rellenar las botellas de aire, gastos de los que se harían cargo ellos.

—La única condición —añadió tras acabarse el vaso— era que yo debía mantener todo en secreto. No podía contarle a nadie lo que estaba haciendo y tenía que seguir pescando para no levantar sospechas.

—Y usted aceptó.

—Me prometieron que no era nada ilegal —dijo el hombre encogiéndose de hombros.

—¿Y de esto hace cuánto?

—Dos meses desde aquella visita. Un poco más de un mes desde que se instalaron en la casa.

La historia de Cafa coincidía con las anotaciones que Marcelo había visto en las bitácoras de buceo de los ingleses justo antes de que lo dejaran inconsciente. Las primeras inmersiones registradas eran de hacía más o menos un mes.

Ahora entendía que no era una coincidencia que dos grupos de buzos se pusieran a buscar la corbeta al mismo tiempo. El tío de Pedro Ramírez, el compañero de clase de Marcelo que había mencionado el barco en la clase de Garecca, era íntimo amigo de Cafa. De hecho todo Puerto Deseado sabía que ambos eran compañeros inseparables de noches de timba. Por más que el pescador hubiera prometido a los ingleses no contárselo a nadie, Marcelo conocía perfectamente cómo funcionaban estas cosas en el pueblo.

—El otro día —dijo Marcelo sin ofrecerle más agua— le pregunté a Fernando, del almacén naval, si conocía otros buzos que recargaran ahí porque quiero vender mi botella. Me dijo que solo conoce a los científicos de los tiburones.

—Es que Fernando no sabe nada —se apresuró a responder el pescador—. Yo tengo un arreglo directamente con el dueño. Pagando el doble, el tipo nos da la llave para que rellenemos de noche. No sé qué paranoia tienen los ingleses estos pero quieren pasar lo más desapercibidos posible. Por eso alquilan mi casa del otro lado, para no tener vecinos.

—¿Y no le parece demasiado sospechoso para no ser "nada ilegal"? Además, si todo queda en tan absoluto secreto, ¿cómo es que no va usted en persona a recargar las botellas a la noche?

—Veo que estás bien informado. Las botellas las recarga mi sobrino, que se mudó al pueblo desde Buenos Aires hará dos meses. Todavía no tiene trabajo, así que para que se gane unos pesos le dije que hiciera eso. Yo ya tengo una edad y no estoy para andar levantándome en medio de la noche.

Marcelo estaba desconcertado. Todo lo que el pescador le contaba cuadraba perfectamente con lo que él había averiguado. No solo las fechas o los inquilinos angloparlantes, sino también la historia del Torino con matrícula de la provincia de Buenos Aires.

—Te tengo que confesar que me parecía bastante raro —prosiguió Cafa— que prefirieran vivir del otro lado de la ría, sin electricidad ni vecinos y que no cruzaran nunca al pueblo. Pero decidí no hacer demasiadas preguntas porque mi hija tiene tu edad y el año que viene la tengo que mandar a la universidad. Esta guita me cae del cielo.

Entonces Marcelo creyó haber descubierto una mentira evidente en el discurso del pescador.

—A ver —dijo—, disculpe que me entrometa en su vida privada, pero considerando la situación no creo que sea demasiado. Usted, que es dueño de uno de los campos mejor posicionados de la zona, exactamente frente al pueblo, ¿me está diciendo que no puede pagarle una carrera universitaria a su hija?

—No sos el único —dijo Cafa anteponiendo a su respuesta una sonrisa resignada— que comete el error de creer que el que tiene campo tiene guita, pibe. Yo heredé esa estancia sin animales y me tuve que enterrar de préstamos hasta el cogote para dejarla como está ahora, llena de ovejas. Si las cosas hubieran salido como las planeé, hoy por hoy no seguiría pescando ni tendría que aceptar las órdenes de estos ingleses para hacer una moneda extra. Pero la situación está difícil, y cuando al que compra la lana se le ocurre pagar una miseria, un campo se te transforma en un lastre de miles de hectáreas.

Marcelo asintió. Le costaba creerle porque en el pueblo todo el mundo hablaba de lo afortunado que había sido Cafa al heredar aquella estancia. Sin embargo, también recordaba que Ariel le había contado que su padre en más de una oportunidad había tenido que recurrir a sus ahorros para ayudar a sus abuelos a mantener a flote el campo en el que vivían, a ochenta kilómetros de Deseado.

—Te decía que —retomó el pescador—, si bien me parecía raro todo aquello, necesitaba la plata y no hice demasiadas preguntas. Pero hace una semana, cuando los fui a buscar como todos los días, descubrí algo que me heló la sangre. Al llegar a la casa me hicieron pasar y me dijeron, como siempre, que los esperase en el comedor mientras preparaban todo el equipo. Es rutina que se encierren quince minutos en una de las habitaciones antes de salir. Yo escucho todo lo que dicen, pero como solo se decir *yes*, es lo mismo que la nada.

El pescador hizo una pequeña pausa. Marcelo hubiera apostado su equipo de buceo completo a que se encerraban en la habitación donde lo habían atacado. También se preguntaba si Cafa había visto alguna vez las paredes forradas de mapas y la cama atiborrada de papeles y anotaciones sobre la Swift.

—Mientras los esperaba —continuó— vi una caja de madera sobre el aparador que me llamó la atención. Era una caja de habanos Cohíba, que son mis preferidos pero cuestan un ojo de la cara. No pude resistir la tentación de abrirla para robarles uno, pero en lugar de habanos había un trozo de goma espuma en el que estaba recortada la forma de una pistola.

—¿Un estuche? —preguntó Marcelo.

—Sí, pero vacío. Cerré la caja antes de que me vieran y preferí no hacer preguntas. ¿Te molesta si fumo?

Marcelo negó con la cabeza y el viejo sacó del bolsillo de su camisa un paquete estrujado de Derby.

—Entonces empecé a sospechar —dijo antes de que la primera bocanada de humo desapareciera en el aire— que ahí había gato encerrado. Y me terminé de convencer con lo que pasó ayer.

—¿Con el intento de asesinarme? —preguntó Marcelo con sarcasmo.

El viejo asintió con la vista fija en el suelo. Estaba acurrucado en la silla con los codos sobre las rodillas sin rastro alguno de todo aquel ímpetu con el que se había presentado en la casa de Marcelo.

—Esta mañana los fui a buscar como todos los días. Mientras los esperaba me acerqué al fuego para secar la boina, que se me había caído al agua. Cuando me agaché para agarrar un par de troncos vi varias astillas con una de las caras pulidas. Como te imaginarás, del otro lado de la ría no hay gente que deje tirados muebles viejos. Lo primero que pensé fue que estos me habían quemado una silla o alguna salvajada así.

—Pero... —dijo Marcelo.

—Pero vi que varias de las brasas tenían la forma de lo que parecía un palo. Una escoba, pensé, hasta que noté que una de ellas se ensanchaba un poco en un costado. Claramente, era lo que quedaba de un remo. Me acordé de que hoy al firmar el libro, tu nombre estaba subrayado en rojo y tras preguntarle a Raúl, me había contado que habías perdido el remo y el chaleco y te había tenido que ir a buscar la prefectura.

—No entiendo. Ellos podrían haber encontrado un remo y usarlo como leña, ¿qué es lo sospechoso?

—Marcelo, aprendí a andar en kayak antes que a leer. Tanto vos como yo sabemos que perder el remo es prácticamente imposible. Incluso suponiendo que lo hubieras perdido y alguien lo encontró, ¿por qué quemarlo? Es mucho más útil como remo que como leña.

Lo sorprendió la naturalidad con la que Cafa exponía su razonamiento. Para alguien tan íntimamente relacionado con el mar como el pescador, no era más que una conexión de ideas evidente.

—Además, ayer pasó algo demasiado raro. Cuando los ingleses estaban a punto de tirarse al agua, uno de ellos se dio cuenta de que se había olvidado la máscara y tuvimos que volver a buscarla. Hasta ahí, normal. Ya había pasado en dos o tres ocasiones, así que pegué la vuelta y esperé a que buscara lo que necesitaba en la casa.

Eso explicaba cómo era posible que lo sorprendieran por la espalda, cuando él mismo los había visto irse ría adentro.

—Pero cuando el tipo salió de la casa, le dijo algo medio a los gritos al que se había quedado esperando conmigo. Me pareció que discutían, pero no entendí nada. Al final, el que habla español me dijo que me fuese a pescar solo, que habían decidido no bucear.

—¿Y ellos saben que usted vino a hablar conmigo?

—Por supuesto que no. Ni lo sabrán jamás. Yo voy a seguir

trabajando para ellos como si nada, porque es la única manera de asegurar un buen futuro a mi hija.

—Y si no piensa hacer nada, ¿para qué me viene a ver? —preguntó Marcelo más para él que para Cafa.

—Para no sentirme culpable si te pasa algo. Los dos nacimos y nos criamos en Deseado, y yo con la gente del pueblo tengo códigos. Estoy rompiendo mi promesa a los ingleses de no contarle nada a nadie, pero vale la pena dejarte avisado de con qué clase de bueyes estás arando.

—¿Y ahora se supone que viene la parte en la que yo le tengo que dar las gracias?

—Si te parece poco, lo siento. Cada uno tiene sus motivos para hacer lo que hace. Vos, yo y cualquier otro. Hasta los ingleses esos. Nadie te puede prohibir perseguir los tuyos, pero ahora no digas que no estás avisado.

El viejo se levantó de la silla y miró a Marcelo a los ojos.

—Ahora no digas que no estás avisado —repitió y se fue sin despedirse.

Marcelo no hizo ningún intento por retenerlo. Se quedó sentado mirando la puerta en la que habían forcejeado minutos antes. Finalmente, se levantó a prender la estufa y se dispuso a mirar el fuego hamacándose en la mecedora de mimbre.

Cafa había venido a hablarle porque los dos habían nacido y se habían criado en Deseado. A pesar de haberle manifestado a calzón quitado que no haría nada por detener a los ingleses —de hecho seguiría trabajando para ellos—, el pescador lo había puesto sobre aviso acerca de los peligros con los que Marcelo estaba lidiando. Recordó la charla con *Mrs* Caroline sobre los NYCs y los TAFs.

—Gracias —dijo en voz alta y siguió meciéndose hasta quedarse dormido.

PARTE IV
AUSTRALIA

30

—El profesor Garecca está enfermo —anunció Faustino, el preceptor de quinto año "B"—. Como es la última hora de clases, pueden retirarse a sus casas.

Los jóvenes dieron voces festejando y hasta aplaudieron lo que acababan de oír.

—Alumnos —añadió el preceptor—, no tanta algarabía que se supone que les estoy comunicando una mala noticia. Y por favor mantengan el orden y la calma, recuerden que el resto del colegio sí tiene clases.

Todos los estudiantes de quinto año salieron del aula en estampida, como si temieran que Faustino se fuera a arrepentir de lo que acababa de comunicarles. Todos, menos uno.

Marcelo permaneció inmóvil en su asiento hasta quedarse solo en el aula. Entonces sacó su bitácora de buceo de debajo del pupitre y empezó a releerla de cabo a rabo por enésima vez.

Habían pasado dos semanas desde la visita de Cafa a su casa, la cual Marcelo había comentado con sus compañeros al día siguiente, fiel a la promesa de no más movimientos en solitario. Lejos de amedrentarse, habían buceado todos los días desde entonces. A veces incluso sin Claudio, a quien de tanto en tanto llamaban del puerto para trabajar debajo de algún barco. Durante los fines de semana habían hecho dos inmersiones por día.

A pesar de todo el esfuerzo por intensificar la búsqueda, no habían dado con nada que les indicara que estaban más cerca de la meta en aquella peculiar carrera contra los ingleses.

Aquel día harían la última de las inmersiones a una distancia prudencial del pueblo. Si no encontraban la Swift aquella tarde —y Marcelo habría apostado dinero a que no la encontrarían— tendrían que poner en marcha un plan para poder bucear en sitios alejados sin correr peligro. El problema era que no tenían tal plan.

Cerró el diario con rabia. No podía ser que no la hubieran encontrado todavía. Las rocas que mejor coincidían con el relato del naufragio estaban todas cerca del pueblo, y sin embargo habían emergido cada vez con las manos vacías. ¿Dónde fallaban? Quizás estaban interpretando el relato erróneamente o, en el peor de los casos, habían estado junto al pecio en uno de sus buceos sin haberlo notado. Ninguna de las dos explicaciones lograba convencer a Marcelo, pero sabía que en algún lugar tenía que radicar la causa de no haber dado con la Swift todavía.

Cansado de releer páginas que para aquel momento podía recitar de memoria, recogió sus cosas y salió del colegio.

El tiempo había comenzado a cambiar. El invierno se retiraba a regañadientes dándole paso a una tímida primavera en forma de pequeñas flores amarillas y vientos ya no tan fríos, aunque de la misma intensidad.

Al llegar a su casa vio que el cartero había deslizado dos sobres por debajo de la puerta. Uno era la factura del gas y el otro, sin remitente, tenía un canguro en la estampilla. Marcelo se precipitó a abrir este último y extrajo una carta escrita a máquina sobre papel amarillo. La leyó, traduciendo simultáneamente al castellano para asegurarse de entenderlo todo.

Newcastle, NSW, Australia, 01 de septiembre de 1981

Querido Marcelo,

Es una gran alegría enterarme de que finalmente a alguien de Puerto Deseado le interesa ese barco que me quitó el sueño tantas noches. Sería un honor para mí poder comentarte todo cuanto sé sobre mi antepasado, Erasmus Gower, como también sobre la embarcación H.M.S. Swift, de la cual él era teniente y que se hundió en las costas de tu pueblo el 13 de marzo de 1770.

Lamentablemente mi salud me impide viajar. Por eso me he tomado el atrevimiento de enviarte los pasajes para que vengas a mi casa, cerca de Sídney en Australia y poder contarte en persona todo lo que sé y mostrarte el material que he reunido sobre la corbeta durante casi cuarenta años. Estoy seguro de que te haré descubrir cosas que no puedes ni siquiera empezar a imaginarte. Además, Australia es un sitio bellísimo que te encantará conocer.

De aceptar la invitación, envíame un telegrama confirmándome cuándo llegas para irte a buscar al aeropuerto de Sídney. Afortunadamente, la vida ha sido generosa conmigo en asuntos económicos, así que me puedo permitir pagarte este viaje, incluyendo cualquier gasto en el que incurras durante él.

Te saluda atentamente.

Patrick Gower.

PD: También adjunto una copia de "La carta robada", uno de mis cuentos favoritos, de Edgar Allan Poe. Hará que una pequeña parte del vuelo sea más llevadera.

Dentro del sobre Marcelo encontró un pasaje ida y vuelta de Buenos Aires a Sídney a su nombre y con las fechas a confirmar. También estaban las hojas sueltas del cuento de Poe, fotocopiado y en inglés.

Se sentó en la mecedora de mimbre junto a la estufa, que aquel día no sería necesario encender. Releyó la carta al menos diez veces, examinando los pasajes otras tantas. Con respecto al cuento, lo había leído en el primer año de la secundaria y, aunque le había parecido muy bueno, opinaba que Dupin no le llegaba siquiera a los talones a Holmes.

El nudo que se le cerraba sobre el estómago ahogaba el hambre voraz con la que había salido del colegio. Además, los tallarines con tomate recalentados del día anterior tampoco estaban en su lista de platos favoritos.

Alternó relecturas de la carta con reflexiones mirando la ría por la ventana hasta que sintió la bocina del Coloradito. Al levantarse de la mecedora, un cosquilleo en las piernas acusó que llevaba sentado varias horas. Se asomó a la puerta y, tocándose con el índice de una mano la palma de la otra, les indicó a sus amigos que estaría listo en un minuto. Se preparó un sándwich con lo poco que tenía en la heladera, metió en el diario la carta y los pasajes y salió de su casa.

La última inmersión de la lista solo fue diferente de las anteriores en que descubrieron el bosque de algas más grande que habían visto jamás, pero nada de corbetas hundidas. Claudio había propuesto ir al bar del club para ahogar las penas con una cerveza e intentar decidir cómo continuarían. Se sentaron, como siempre, en la mesa más alejada de la barra.

—Cabeza, ¿te volviste loco? ¿Cómo te vas a ir a Australia a la casa de un tipo del que no sabés nada?

—De verdad, Marcelo, esto es un disparate —apuntó Ariel.

—Muchachos, no me queda otra alternativa —dijo Marcelo mostrando las palmas—. No *nos* queda otra.

Ambos lo miraron frunciendo el ceño y Claudio estuvo a punto de decir algo, pero Marcelo no había terminado.

—El australiano es la única oportunidad que tenemos de encontrar la corbeta antes que los ingleses. ¿No se dan cuenta? Ellos bucean con un equipo superior al nuestro y la documentación con la que cuentan también está a años luz. Nosotros basamos toda nuestra investigación en un relato traducido que no pude siquiera corroborar al terminar de transcribirlo porque la cinta desapareció. Ellos no solo poseen copias del original sino que además tienen libros enteros de historia de la marina inglesa, y hasta los planos de la corbeta.

Lo que dijo después estaba más destinado a él mismo que a Claudio y Ariel.

—Si existe una chance en un millón de que la encontremos primero que ellos, esa chance tiene nombre y apellido. Y vive en Australia.

Se quedaron un rato en silencio. Marcelo con la vista fija en el mar, Ariel apoyado en sus rodillas mirándose los pies y Claudio dibujando figuras con el rastro húmedo que dejaba su cerveza sobre la mesa.

—¿Por qué la estás buscando, Cabeza? —preguntó finalmente Claudio.

—¿Qué? —dijo Marcelo extrañado.

—Lo que escuchaste. Que por qué estás buscando esa corbeta. ¿Qué estás queriendo demostrar, y a quién? ¿No te das cuenta de que si este australiano al que no conocemos de nada tiene las fichas puestas del otro lado de la ría, tu vida corre peligro? Y espero que no seas tan ingenuo como para pensar que te vas a salvar dos veces.

—Claudio —respondió Marcelo en tono calmado—, ¿cuánta gente tiene la posibilidad de hacer algo importante en su vida? ¿Cuánta?

—No mucha, pero eso no significa que...

—¿Que me ponga en peligro? ¿Que me exponga? ¿Que me arruine la vida?

Claudio asintió en silencio.

—A mí la vida me la arruinaron el día que cumplí dieciséis años, y eso vos lo sabés muy bien. Desde entonces lo único que recibo es pena y compasión. Estoy harto de escuchar a la gente murmurar "pobrecito" cuando paso a su lado. ¿Y sabés qué es lo peor de todo? que a esta altura tengo esas voces instaladas en mi cabeza.

—Pero vos no tenés que darle bola a los giles que hablan por hablar. Yo siempre lo digo, en este pueblo hay tan poco para hacer que el pasatiempo favorito de la gente es meterse en la vida de los demás.

Ariel estuvo a punto de abrir la boca, seguramente para empezar una discusión similar a la que había tenido con Claudio el día del encuentro con las toninas.

—Claudio —se le adelantó Marcelo—, te lo voy a decir claro para que lo entiendas. El problema no es que la gente me tenga lástima, el problema es que hace un tiempo yo mismo empecé a tenerme lástima.

Luchando con el nudo que se le había formado en la garganta, se puso de pie y caminó lo más sereno que pudo hacia el baño, aunque tenía ganas de ir corriendo. No quería mostrar el menor indicio de flaqueza frente a sus amigos, y mucho menos frente a Jesús, que los miraba apostado en la barra. Una lágrima y se lo recordaría de por vida.

Cuando logró tranquilizarse, volvió a la mesa con sus amigos, dispuesto a despedirse y dar por zanjado el tema y el día. Sin embargo, sobre la mesa había tres cervezas llenas.

—Por Australia —dijo Claudio levantando la suya.

—Traeme un búmeran —dijo Ariel guiñándole un ojo.

—¿Para qué querés un búmeran, si con el viento que tenemos nosotros cualquier cosa que tires vuelve?

—Por el viento patagónico, entonces —brindó Ariel—, que no discrimina ni entiende de aerodinámica.

31

Marcelo recordaría para toda la vida ese miércoles de septiembre de 1981. Desde hacía dos días, cuando había decidido aceptar la invitación del australiano, veía todo en clave de primavera. No solo sentía el sol de la mañana acariciándole la cara, sino que el viento parecía haber desaparecido y hasta algún pájaro se animaba a cantar por primera vez después de tantos meses de frío.

No había clases ese día. Como la mayoría de sus compañeros, Marcelo no tenía del todo claro el porqué, ni le importaba. Un miércoles sin clases era distinto a un fin de semana. Era una oportunidad única para pasear por el pueblo observando sin prisa a los demás en sus tareas cotidianas: el cartero huyendo en su bicicleta de los perros sueltos, las amas de casa con las bolsas de las compras o los tres únicos taxistas del pueblo charlando mientras esperaban al próximo cliente en la puerta del supermercado.

Caminando por las calles de su pueblo se sentía seguro, incluso sabiendo que su vida había corrido peligro y que era solo una lengua de agua la que lo separaba de quienes lo habían atacado.

Al pasar junto al Banco Nación, descubrió que la artesana peruana ya no estaba allí ocupando media vereda con su oferta de instrumentos de caña. Seguramente habría continuado su viaje y ahora se encontraba en San Julián o Caleta Olivia, dependiendo de si había puesto rumbo norte o sur.

Marcelo Rosales fue a cruzar la calle, pero no llegó a dar tres pasos sobre el pavimento cuando sintió una escandalosa frenada chirriar en el asfalto. Fue todo tan de golpe que no le dio tiempo a reaccionar, y cuando miró a un lado vio un coche rojo que se dirigía directo hacia él. Sólo atinó a cerrar los ojos, como si aquello lo fuese a proteger de los efectos del golpe.

Sin embargo no hubo embestida que lo hiciera volar por los aires, sino un rancio olor a goma quemada. Cuando abrió los ojos, descubrió que el paragolpes del coche se había detenido a un palmo de sus rodillas.

Levantó la mirada decidido a decirle de todo a quien fuera

que casi le había partido las piernas, pero se quedó mudo al descubrir quién iba al volante del Ford Falcon rojo.

—Hostia, tío, perdona. ¿Te encuentras bien? —exclamó Diana Carbonell mientras se bajaba del coche.

—Sí, estoy perfectamente bien. Veo que estás un poco apurada ¿no?

—Qué va, no tengo prisa alguna —dijo ella sin sacarse la mano de la frente—. Simplemente todavía no me acostumbro al ritmo local. Conduzco como si fuera por la Gran Vía en Barcelona. Además, aún no le pillo el truco a los pedales del coche de Leandro.

Marcelo recordaba haber visto últimamente el Ford Falcon en el estacionamiento del club.

—Tenés que ir con más cuidado o un día de estos vas a atropellar a alguien —dijo.

Clientes y vendedores de los comercios de alrededor asomaban sus cabezas para ver qué había sido ese ruido. Los coches que circulaban por ahí aminoraban la velocidad hasta ir a paso de hombre para no perderse un detalle de la escena. Por supuesto, miraban más a Diana que a él.

—Ya. Intentaré relajarme un poco más —respondió Diana retomando su alegre tono habitual—. Bueno, dime adónde ibas que te acerco.

—No hace falta, voy caminando.

—¿Caminando con este frío? Súbete al coche y déjate de memeces, que no me cuesta nada llevarte.

Marcelo pensó en preguntarle qué significaba esa palabra que le sonaba tan sugestiva, pero desistió. También omitió explicarle que aquel era un día primaveral, y que no hacía frío. Simplemente se limitó a aceptar que lo acercaran, a pesar de que el paseo duraría solo un minuto.

Tuvo que levantar un libro para sentarse en el asiento del acompañante.

—¿Hablás francés? —le preguntó tras abrirlo al azar.

—Es catalán —contestó ella soltando una carcajada.

—¿Como lo que canta Serrat?

—Exactamente.

Entonces Marcelo se aclaró la voz de manera deliberadamente cómica y comenzó a entonar lo mejor que pudo unas palabras grabadas a fuego en su memoria.

—*Ella em va estimar tant... Jo me l'estimo encara. Plegats vam travessar una porta tancada.*

La cara de Diana Carbonell se iluminó con una sonrisa de oreja a oreja. Se unió a él para cantar la canción en aquel idioma que, para Marcelo, solo existía en los discos de Serrat que tanto le gustaban a su madre.

—Mi vieja era fanática del Nano —dijo Marcelo al final de una estrofa—. Imaginate si le gustaba que, de tanto escucharlo, me sé las letras de memoria, aunque no tengo ni idea de qué significan.

—Si quieres puedo enseñarte catalán —dijo ella y continuó cantando el estribillo.

Marcelo asintió con la cabeza soltando un sonido indefinido. Con una profesora así habría estudiado hasta coreano.

—Es aquella sobre la piedra. Te dije que no valía la pena que me trajeras en coche.

—Es lo menos que puedo hacer después de que casi te rompo las dos piernas.

Estacionó el coche en la puerta de la casa y se inclinó un poco sobre Marcelo para mirar por la ventanilla del acompañante.

—Qué chula —exclamó, alargando todas las vocales—. Debe tener unas vistas preciosas.

—Muy lindas —dijo él intentando mantener la calma—. Se ve prácticamente toda la ría.

Diana Carbonell siguió mirando en silencio, sin perder la sonrisa que se le había instalado en la cara al escuchar una canción en su otro idioma tan lejos de su tierra. Tenía los ojos fijos en la casa de Marcelo.

—¿Querés subir a tomar un café? —dijo él, más para romper el silencio que otra cosa, porque sabía la respuesta de antemano.

Ella lo miró con expresión desconcertada, como escrutándolo. Tras un par de eternos segundos le respondió inclinando la cabeza hacia un lado pero sin quitarle los ojos de encima.

—Muchas gracias, pero tengo que irme. Además, no quiero incomodar a tu familia...

—No tengo familia. Vivo solo. Era simplemente para mostrarte las vistas, seguramente nunca hayas visto una imagen tan linda de la ría en la que buceás cada día. Además, si no me falla la memoria, hace un minuto me dijiste que no estabas apurada. Pero bueno, si no podés no pasa nada.

Al terminar de decir todo eso —ni siquiera había tartamudeado— se sintió un galán de telenovela. Ella dudó un instante, al parecer más por protocolo que porque necesitara pensarlo.

—Vale, total ¿qué son cinco minutos? —dijo mirando un reloj plateado que tenía en su pequeña muñeca.

Al entrar en la casa, Diana se dirigió directamente a la ventana y se quedó unos segundos en silencio mirando hacia afuera.

—¡Hala! este sitio es fantástico. ¿Sabes adónde da mi ventana en Barcelona?

—¿Al Mediterráneo? —arriesgó Marcelo evocando, ayudado por Serrat, lo poco que recordaba de las clases de geografía.

—Casi casi, pero no —dijo ella y chasqueó la lengua—. Tengo vistas al precioso lavadero de mi vecino.

—Bueno, al menos ahora desde tu cabaña en el club podés ver el agua, ¿no?

—Pues sí, no está mal. Aunque la de Pablo y Leandro es la que mejores vistas tiene. La mía queda un poco tapada por la botera.

Duerme sola, pensó Marcelo.

—Además —continuó ella— no se puede comparar con esto. Tenías razón, se ve casi toda la ría. ¿Me puedo sentar?

Se refería a la mecedora de mimbre, sobre la cual descansaba su diario de buceo.

—Por supuesto —respondió él y se apresuró a liberar el asiento, tirando el diario sobre la mesa.

—Apuesto a que un atardecer aquí tiene que ser la bomba —dijo Diana mientras se sentaba, con los ojos fijos en el mar.

—No falta tanto para que se empiece a poner el sol. Unas siete, a lo sumo ocho horas —le respondió él guiñando un ojo.

Otra vez, Marcelo no tenía la menor idea de por qué estaba actuando con tanta soltura, como si tuviera experiencia en estas cosas. Considerando que estaba muerto de miedo, la naturalidad con la que salían sus palabras era incluso preocupante.

—¿Y cómo es que un tío de dieciocho años vive solo en una mansión como esta? —no tardó en preguntar Diana.

—Bueno, mansión tampoco. Es grande y bonita, sí, y las vistas también son increíbles, sobre todo desde donde estás sentada vos ahora. Es mi lugar favorito en toda la casa, especialmente en invierno, porque está junto a la estufa. Pero la historia de cómo llegué a vivir solo acá es demasiado larga.

—Tengo ocho horas para matar hasta que llegue ese atardecer tan bonito que me has prometido —dijo ella y se echó a reír empujándose hacia atrás con las piernas.

Él esperó en silencio hasta que el sillón de mimbre dejara de mecerse.

—¿No me digas que también te has pegado ese pedazo de viaje? —preguntó ella señalando la pared opuesta a la ventana.

La única reforma que Marcelo había hecho en la casa desde que se había quedado solo en ella había sido pintar esa pared de verde pistacho. Sobre ella había colgado un planisferio con la ruta por los cinco continentes que se había prometido hacer alguna vez.

—Es un sueño —respondió Marcelo con una voz más floja de la que quiso poner.

—Tú estás lleno de misterios. Pensar que hay gente que te dobla en edad y su máxima aspiración es beber cerveza en el sofá y mirar el fútbol. Y tú, que todavía no has terminado el colegio, ya tienes un sueño y una historia que prefieres no contar.

—¿De verdad tenés tiempo para escucharla? —preguntó Marcelo aunque no tenía la mínima intención de contarle algo tan íntimo.

—¿La verdad?, eso depende de lo que me ofrezcas para comer. No sé si será el aire patagónico, pero aquí el hambre me llega más temprano que en España.

—Yo también tengo un poco de hambre, pero lo cierto es que la cocina no es para nada mi fuerte. Con suerte tengo los ingredientes para hacer unos tallarines con tomate.

—Tallarines con tomate entonces. No se hable más —dijo ella y se levantó de un salto de la mecedora arremangándose hasta los codos.

—*Bon profit* —dijo Diana cuando todo estuvo listo y hundió su tenedor en el plato de pasta.

Mientras cocinaban juntos habían hablado de comida, de lo que le gustaba a cada uno y de sus especialidades en la cocina. Marcelo había elegido el huevo frito como su plato estrella, mientras que Diana se había estirado algo más, declarando que su *fideuá* —una especie de paella con fideos en lugar de arroz— era insuperable.

—¿Alguna novedad con los tiburones? —preguntó Marcelo mientras enrollaba los primeros tallarines.

—Pues cada vez peor. La incertidumbre de saber que nos pueden cancelar los fondos de un momento a otro no ayuda a que haya buen rollo entre nosotros. Estamos con una sensación de presión constante. El otro día, sin ir más lejos, Pablo recibió una oferta para trabajar en el zoológico de Buenos Aires y nos dijo que si esto no se estabiliza en unos meses, se larga.

—Normal —opinó Marcelo.

—Normal, es verdad. Yo, lamentablemente, no tengo ninguna oferta que me sirva de plan B, así que si nos cortan los víveres tendré que volver a Barcelona a golpear puertas con el rabo entre las piernas.

—Dejame que te robe tus propias palabras —dijo él, evocando el día en que había ido a su cabaña para devolverle el cuchillo—. Ya te preocuparás llegado el momento, antes no.

—Antes no —repitió ella, y alzó su vaso con agua.

Al terminar la comida, Marcelo le preguntó si quería algo para tomar.

—Te puedo ofrecer té, café y mate, aunque no creo que te guste.

—¿Y qué tal un coñac, o un whisky? —dijo ella en ese tono ambiguo que puede interpretarse como broma o no.

Decidió tomárselo en serio. Se dirigió al aparador del comedor y sus manos abrieron por primera vez en su vida el par de pequeñas puertitas de madera pulida. Una bandeja plateada albergaba dos vasos retacones y tres botellas que llevaban más de dos años abiertas.

—¿Whisky, coñac o Tía María? —preguntó.

—Hombre, habiendo Tía María eso ni se pregunta —protestó ella.

—Voy a buscar hielo —dijo él, llevándose consigo los vasos para enjuagarles el polvo.

Al volver de la cocina, ella pasaba en sus manos las páginas de *La carta robada*. Se volvió para mirarlo al oír el tintineo del hielo.

—¿También hablas inglés?

—Bueno, me defiendo.

—Yo no sé una sola palabra. En realidad puedo preguntar dónde está el baño y pedir una cerveza.

—Bueno, yo sé eso y decir que la cerveza la carguen en la cuenta de mi amigo.

Ella rió de nuevo mirándolo a los ojos. Libre de las sospechas del primer encuentro en la Isla Chaffers, su expresión era limpia y auténtica.

Mientras Diana deslizaba sus dedos por el borde de las páginas del cuento, él movía los hielos cada vez más rápido, como si el tintineo bastara para llenar el silencio que se había hecho. No tenía claro qué estaba pasando entre ellos, si es que pasaba algo. Pero en su pueblo, si una chica se autoinvitaba a comer y a una copa en la casa de un pibe que vivía solo, eso solo podía interpretarse de una manera.

Apostando a que el código fuese internacional, tomó una decisión: daría un paso adelante y la agarraría por la cintura.

—¿Te gusta Poe? —preguntó ella un instante antes de que Marcelo materializara su plan.

—Me gusta, pero prefiero a Conan Doyle. Sherlock Holmes es insuperable —dijo Marcelo pensando que si tan solo hubiera sido medio segundo más valiente no tendría que ponerse a hablar de literatura fingiendo que le interesaba.

Le extendió uno de los vasos y levantó el otro. Ella hizo lo propio y propuso brindar por el misterio.

—Por el misterio —convino él, y probó por primera vez el Tía María.

La conversación que sobrevino fue un ida y vuelta de preguntas que cualquier persona curiosa haría, copa de por medio, a cualquier persona de otro país. *¿Cómo es Barcelona?, ¿Has buceado en algún otro sitio o siempre en la ría?, ¿Ya probaste el mate?, ¿Siempre hace este frío o vendrá el calorcito?*

Cuando terminaron aquellos tres cuartos de botella, continuaron con el coñac. Ella se había vuelto a sentar en la mecedora y él había arrimado una silla a su lado. Aunque no era necesario, habían encendido la estufa.

Charlaron durante casi dos horas así, maravillándose el uno con las historias del otro hasta que finalmente fue ella quien dio un golpe de timón.

—¿Te han dicho alguna vez que tienes unos ojos increíbles? Más aún cuando sonríes.

—Mi vieja me decía que los tenía del color de la ría —dijo Marcelo arrepintiéndose al instante. ¿Quién lo mandaba a meter a su madre en la conversación?

—Pues tu madre tenía razón. Tienes los ojos más bonitos que he visto nunca.

Las palabras de Diana le provocaron un vuelco en el estómago. Podía estar emancipado y tener su propia casa, pero sus hormonas tenían solo dieciocho años. No supo qué responder, así que se limitó a esbozar una sonrisa tímida, que ella no dudó en besar.

Siguió la gloria con sabor a cerezas.

Cuando Marcelo Rosales abrió los ojos, los últimos rayos del sol se colaban por la ventana. Le bastó con oler la almohada vacía para convencerse de que no había sido un sueño. Olía a cerezas. Olía a ella mientras hacían el amor.

A diferencia de sus dos experiencias previas, cuando todo había sido difícil e incómodo, con Diana las caricias habían fluido naturalmente desde el momento en que ella le había dado el primer beso. Era la primera mujer *de verdad* con la que había compartido la cama.

Se puso los pantalones sin ropa interior y fue hacia el comedor sacudiéndose la pereza. Al llamarla en voz alta descubrió cuánto más cómodo era pronunciar su nombre ahora, como si la boca se le hubiera acostumbrado a aquella nueva palabra.

Ella estaba en el comedor, sentada en la mecedora con las rodillas junto al pecho. Tenía una manta alrededor del cuerpo y los ojos clavados en la ventana. A juzgar por el crepitar rápido del fuego, acababa de echar más leña a la estufa.

—Tenías razón, es precioso —dijo sin dejar de mirar por la ventana.

El sol iluminaba desde abajo las nubes espesas, dándoles un color rosa. Los últimos rayos llenaban la ría de destellos dorados.

—Me alegra que te guste. Mañana habrá viento.

—¿Y eso?

—Es por el color de las nubes. Nubes rosa, viento al otro día. Nubes color panza de burro, nieve.

—En esta casa no solo hay unas vistas de muerte sino que también aprendo cultura popular patagónica —dijo ella girándose para mirarlo—. Voy a tener que venir más seguido.

—Cuando quieras, una vez que vuelva de Australia —dijo él, y se sintió importante—. Me voy pasado mañana.

32

Con el avión ya en tierra, la azafata de Aerolíneas Argentinas dio una bienvenida bilingüe a la ciudad de Buenos Aires, informando a los pasajeros que la temperatura era de veinte grados centígrados. Marcelo se sacó entonces el suéter de lana que llevaba puesto. Para él, veinte grados era casi tropical.

Viajar al exterior del país desde Puerto Deseado no era lo que uno definiría como sencillo. Comodoro Rivadavia, el aeropuerto más cercano para llegar a Buenos Aires, estaba a tres horas en coche. Por suerte Claudio se había ofrecido a llevarlo en el Coloradito y ese primer trayecto de estepa inacabable se le pasó rápido entre charlas y mates.

Luego, como en Argentina el aeropuerto que operaba vuelos internacionales era distinto del de los de cabotaje, Marcelo había tenido que volar a la capital un día antes del viaje a Australia. Pasaría la noche en lo de su tía Inés, la hermana mayor de su padre, quien estaría encantada de recibirlo y charlar un rato cara a cara en lugar de mediante su regular correspondencia.

—¿Me permites? La azul es la mía —le dijo un hombre español abriéndose paso hacia la cinta transportadora repleta de maletas.

Aquel acento fue un disparador para recordar a Diana. Aunque en realidad hacía dos días que casi cualquier cosa le hacía pensar en ella.

No le había dicho la verdad sobre el motivo de su viaje. Había hecho una promesa de silencio con sus amigos y no iba a romperla por más dulces que fueran aquellos besos. Le dijo que era un intercambio para mejorar su inglés, y ella pareció creerle.

Nadie lo esperaba en el hall de arribos del aeropuerto. La vieja Inés, que apenas podía caminar con un bastón y solo salía de su casa para ir al médico, se había asegurado en la última conversación telefónica que Marcelo apuntara su dirección correctamente y le garantizó que lo esperaría con su comida favorita. Marcelo no creyó oportuno explicarle la sorpresa que se había llevado la última vez que alguien le había prometido ñoquis.

Una vez fuera del aeropuerto, intentó en vano pelear el precio del viaje hasta el barrio de Once con un taxista gordo y bigotudo. Finalmente accedió a pagar lo que fuera que marcara el reloj al final del trayecto, advirtiéndole al conductor que no lo paseara porque conocía la ciudad a la perfección. Sabía que no tenía ni el acento ni la edad de su lado, pero al menos debía intentarlo.

Cincuenta mil. Siete de esos viajes y se habría gastado lo que ganaba Verdúguez en un mes. Por suerte, lo pagaba Patrick Gower.

—Ya bajo a abrirte, querido —dijo la tía Inés en el portero eléctrico.

Dos minutos más tarde la mujer, más flaca de lo que Marcelo recordaba, salió del ascensor con un bastón negro en una mano y un manojo de llaves en la otra.

—Hola precioso. Qué ganas tenía de verte —dijo tras abrir la puerta de vidrio.

Cuando lo tuvo a tiro, le pellizcó una mejilla con su mano temblorosa y le estampó un ruidoso beso en la frente.

—Estás hecho un bombón. ¡Debés tener a las sureñas enloquecidas!

—Una barbaridad, tía. Cuando salgo a la calle tengo que llevar siempre una espátula para despegármelas.

La mujer rió mostrando dientes que Marcelo no recordaba de la última vez que se habían visto. Subieron por el ascensor y al llegar al sexto piso, Inés Rosales introdujo otra de las llaves del manojo en una puerta que ostentaba una gran letra A dorada sobre la mirilla. Antes de girarla se volvió a Marcelo, lo miró con ojos tristes y ladeó la cabeza a un costado.

—Nene, a lo mejor lo que vas a ver ahora no te guste mucho, pero te pido que me entiendas. Hay cosas que están fuera de mi alcance.

Marcelo asintió, esperando que aquello no fuera lo que comenzaba a sospechar.

Al entrar, maldijo en silencio a los ñoquis.

Diego Rosales, su padre, estaba sentado en un sofá de cuero marrón. Tenía la misma mirada arrogante, pero ahora la tupida barba se había reducido a un largo bigote y una puntiaguda cuña gris en el mentón. Parecía un personaje sacado de un libro de Dumas. No estaba ni más gordo ni más flaco, solo un poco más viejo.

—Hola, hijo.

Marcelo no respondió.

—Me enteré que te ibas del país y tuve la necesidad de venir a hablarte. No sé, hasta ahora había pensado que siempre que quisiera te encontraría en Deseado.

—Pensaba que ese papel que me diste se trataba exactamente de no tener que preocuparte más por dónde estoy, ni qué hago.

—Hijo, ojalá las cosas fueran todo lo blancas o todo lo negras que se ven desde tus ojos de adolescente.

—No creo que con el tiempo vea grises que justifiquen tu abandono.

Entonces su padre adoptó el tono pedagógico del que se cree dueño de la razón solo por ser mayor.

—Hijo, te pido por favor que me escuches. Yo no quise...

—¡Me importa una mierda lo que no quisiste! —interrumpió Marcelo—. Sé perfectamente lo que sí quisiste: quisiste irte y dejarme solo. Para no sentirte culpable me dejaste las casas, como si con eso me fueras a pagar tu ausencia. Ahora soy yo el que no quiere saber nada de vos. No entiendo para qué carajo estás acá.

Flashes de su cumpleaños número dieciséis se repetían una y otra vez en su cabeza. Sobre la mesa de la casa había una carpeta marrón con un documento de emancipación firmado por su padre. Ese papel convertía a Marcelo en mayor de edad con plenas facultades sobre su vida dos años antes de lo que la ley establecía para cualquier otro argentino. Al mismo tiempo, eximía a don Rosales —que era como lo conocían en el pueblo— de cualquier responsabilidad para con él. Acompañaba aquella declaración de adultez una notita de puño y letra de su padre: *Feliz cumpleaños, deseo concedido.*

La pelea, un mes antes del cumpleaños, no había dado lugar a ningún tipo de punto y seguido. Ambos se habían declarado odio mutuo y Marcelo había sido claro respecto a su postura. *A partir de hoy te quedaste sin hijo,* había dicho. Dos años más tarde, no se arrepentía un ápice, pero dolía tanto como el primer día.

Su padre no tenía derecho a abandonarlo. Por más fuerte que hubiera sido la pelea. Por más odio que se profesaran el uno al otro. Y por más que él se lo hubiera pedido.

Todo había empezado porque Marcelo había dejado la estufa abierta y una chispa había hecho un agujero en la alfombra. Parecía que iba a ser una de las tantas discusiones menores que se habían convertido en moneda corriente desde poco después de la muerte de su madre. Sin embargo, aquel día Diego Rosales había bebido más de la cuenta y reaccionó de una manera absolutamente desmesurada.

Le dijo que tenía que agradecerle que todavía se quedara a su lado, y que si fuera por él se habría largado mucho tiempo atrás. Le dijo que estaba condenado a ser su padre por más que lo detestara. *Detestar,* ése fue el verbo con el que había definido su sentimiento. Sin duda la chispa en la alfombra no había sido otra cosa que la excusa que necesitaba su padre para decirle de una vez lo que venía rumiando hacía tiempo.

Luego pasaron casi un mes sin comunicación alguna, a pesar de vivir en la misma casa. El último contacto fue el día de su cumpleaños número dieciséis, cuando una carpeta marrón anunció a Marcelo Rosales que se le regalaba una mayoría de edad indeseada y se le quitaba un padre.

Marcelo lo admitía, había sido él quien había pedido que desapareciera de su vida. Pero un padre no podía reaccionar así. No sin siquiera una charla cara a cara.

Ahora, más de dos años después, aquel viejo acababa de levantarse del sofá con cara compungida y comenzaba a caminar hacia él con los brazos abiertos, intentando reparar el daño.

—Ni se te ocurra —dijo Marcelo levantando una mano.

Su padre se detuvo en seco y dejó caer los brazos que no abrazarían. Marcelo lloraba como un crío y se tapaba la cara con ambas manos. Transcurrió en silencio un minuto eterno.

—¿Por qué te fuiste?

—Perdoname, por favor.

Marcelo se quitó las manos de la cara y miró a su padre tras secarse las lágrimas.

—Nunca te voy a perdonar. Nunca ¿está claro? Me dejaste solo, y ni siquiera me diste tiempo a recuperarme de la muerte de mamá. Te fuiste sin más, como si hubieras estado esperando a que te lo pidiera para no sentirte tan mal. El día que cumplí dieciséis años mamá llevaba ocho meses muerta pero eso te importó una mierda. ¿Te parece que te puedo perdonar?

Silencio.

—Si querés sentirte mejor —continuó Marcelo—, decime a la cara el verdadero motivo para abandonarme. La razón que no me explicaste, ni siquiera el día en que te fuiste como una rata.

—Me odiarías si te lo dijera.

—Ya te odio.

Su padre movió la cabeza hacia atrás como si una mano invisible acabara de encajarle una bofetada.

—No lo entenderías nunca y solo te causaría más daño —dijo pasándose una mano por el pelo.

—Es imposible causarme más daño.

—Hijo…

—La próxima vez que me digas así te rompo la cara.

—Marcelo, el motivo se remonta al día en que tu madre y yo nos dimos el primer beso. Llevabas cuatro meses en su vientre.

Marcelo lo miró con los ojos encendidos de furia. Se abalanzó sobre él y lo agarró de la camisa haciendo saltar un par de botones.

—¿Qué estás diciendo? —le gritó a menos de un palmo de su cara.

—Yo había estado enamorado de tu madre casi desde que éramos niños. Hubiera dado cualquier cosa por estar a su lado.

—Incluso criar a un bastardo —dijo Marcelo soltándole la camisa.

—No hables así, por favor.

Por un instante, Marcelo creyó que las piernas no lo sostenían. Sin embargo, de a poco comenzó a llenarse de una extraña paz que lo hacía sentirse mejor. Era como si le tranquilizara saber que no llevaba los genes del hombre que lo había abandonado sin mirar atrás.

—Sos mi hijo, porque yo te quise como a un hijo —continuó el hombre—, pero nunca pude despegarme de la idea de que tu madre estaba conmigo solo para que tuvieras un padre. Me daba rabia que ella me relegara a un segundo plano. Es por eso que me fui, pensando que necesitaba despegarme de vos, por mi bien. Pero ahora me doy cuenta de lo equivocado que estaba. No puedo soportar…

—¿Quién es mi padre?

—Marcelo, por favor escuchame. Cuando tu madre falleció, no pude seguir viviendo en Deseado. Todo me recordaba a ella, y la relación con vos…

—¿Quién es mi padre? —repitió, más alto.

—No lo sé. Nunca me lo quiso decir. Sé que es de Rosario, se conocieron cuando ella fue de vacaciones. Yo en esa época ya llevaba años loco por ella, había intentado de todas formas que estuviera conmigo y estaba empezando a darla por perdida. Pero al volver de ese viaje, estaba diferente. Algo había cambiado y me dio una oportunidad.

El hombre ahora también lloraba.

—Por favor, Marcelo, decime algo —le pidió juntando las manos.

—Sos un cínico hijo de puta —dijo Marcelo escupiendo al pronunciar la última palabra.

—Simplemente te pido que consideres que cada hombre tiene un motivo en su vida. Puede que otros no lo entiendan, pero todos hacemos lo que hacemos por algo. Incluso si todo el resto de la humanidad lo considera incorrecto, algo empuja a un hombre a mover un dedo. Y algunos nos arrepentiremos toda la vida de haberlo hecho.

Marcelo lo observó con detenimiento. Daba lástima parado ahí, intentando reparar con pegamento el daño de una bomba atómica. Finalmente miró a su tía Inés, que había estado presente durante toda la discusión y permanecía inmóvil frente a ellos.

—Ya me voy —dijo Diego Rosales—. Buen viaje, Marcelo.

—Andate a la puta madre que te parió —le respondió y se encerró en el baño a llorar como un niño.

33

El capitán anunció que estaban a mitad de camino entre Buenos Aires y Sídney. Las primeras seis horas se le habían hecho eternas.

Marcelo Rosales, en mitad del océano Pacífico, se preguntó si Claudio y Ariel habrían encontrado ya la corbeta en el Atlántico. Habían decidido que mientras él estuviera fuera del país continuarían buscándola, asegurándose antes de cada inmersión que Cafa y sus hombres estuvieran lo suficientemente lejos. Además, no harían inmersiones de más de veinte minutos, que era lo que tardaba un barco como el del pescador en llegar desde el horizonte.

Ya aburrido de pensar en la corbeta y en Diana —era increíble de lo que era capaz un viaje tan largo—, buscó en su equipaje de mano la copia del cuento de Poe que le había mandado Gower junto con el pasaje a Australia.

¿Que tenía que ver *La carta robada* con la Swift? Lo más probable era que nada. Quizás Marcelo iba camino a encontrarse con uno de los más grandes lunáticos de todas las antípodas. Haberlo pensado antes, se dijo, porque ahora ya no hay vuelta atrás.

Leyó el cuento, que recordaba más interesante. Al terminar el último párrafo, los párpados se le caían y él no ofreció resistencia. Soñó con su padre —o con quien hasta hacía un día creía su padre— y con Cafa. Estaban los tres en la casa del otro lado de la ría y tanto el pescador como Diego Rosales le hablaban de los motivos. Le repetían juntos lo que ya le habían dicho cada uno por su lado: que hasta el ser más repugnante se mueve por algo, porque tiene sus razones. Luego lo dejaban solo y los veía por la ventana irse a bordo de la Golosa. Entonces él se metía en la habitación donde lo habían atacado y miraba las cruces rojas en los planos. ¿Cuál era la verdadera razón para buscar una corbeta menor en unas aguas tan hostiles del otro lado del mundo?

Lo despertó una azafata que anunciaba, primero en inglés y luego en un castellano rudimentario, que la temperatura en Sídney rondaba los veintisiete grados. Aterrizarían en el aeropuerto

Kingsford Smith en treinta y cinco minutos. No hizo falta que se mirara el brazo para saber que tenía la piel de gallina.

Tras pasar el control de pasaportes y recoger la pequeña maleta que llevaba de equipaje, atravesó la puerta que separaba los pasajeros del resto de las personas en el aeropuerto. Vio familias enteras esperar el regreso de alguno de sus miembros y recibirlos con besos y abrazos. Algunos hasta con flores.

No tardó en encontrar un cartel con su nombre. Lo sostenía Patrick Gower, que en lugar de seis parecía veinte años más viejo que en la foto de El Orden: no había un solo pelo de su cabellera que no fuera una cana. Al ver que Marcelo se le acercaba, el hombre ofreció instantáneamente una sonrisa.

—¿Marcelo? Bienvenido a Australia. Espero que hayas tenido un buen viaje —dijo en inglés.

—Un poco largo, pero sin problemas. Muchas gracias por la invitación y por venir a buscarme.

—No hay nada que agradecer. ¿Vamos? —dijo Gower señalando una puerta giratoria que daba al exterior.

Si bien las clases de *Mrs* Caroline solían incluir ejercicios para entender gente nativa, las voces en esos casetes eran británicas o norteamericanas. Marcelo Rosales jamás había escuchado el acento australiano. Se le antojó que la descripción más acertada era la de un inglés hablando con la boca llena.

Mientras caminaban hacia el estacionamiento, Patrick Gower le preguntó sobre el viaje, acerca de la comida que le habían servido en el avión y la diferencia horaria entre Australia y Argentina. Incluso se interesó por cuál era su club de fútbol favorito, declarándose él un amante de Boca Juniors. Marcelo era de River.

Salieron del aeropuerto y se unieron a una interminable fila de coches con el volante a la derecha que circulaban por la izquierda. A ambos lados de la calle había viviendas con jardines verdes como campos de fútbol, con el césped perfectamente cortado y árboles casi tropicales. Muy diferentes a su patio en Deseado, pensó, de una tierra gris tan dura como el hormigón.

—Éstas son las afueras de Sídney —explicó el viejo—. En

un rato pasaremos por el centro, te vas a dar cuenta porque los rascacielos son enormes.

Gower tenía un perfil diferente al que Marcelo se había imaginado mirando la foto del periódico. La nariz era más chata y los ojos no estaban tan hundidos como parecían en el recorte. A pesar de eso y del paso atropellado de los años, Marcelo reconoció el semblante británico que había descubierto el día de su visita al archivo de El Orden.

—¿Cómo es que terminó en Puerto Deseado buscando la Swift? —preguntó Marcelo, que no quería seguir con la conversación banal por un minuto más.

—Ya hablaremos de eso mañana cuando tengas todas las neuronas funcionando —dijo el viejo riéndose sutilmente de su impaciencia—. Como comprenderás, no es un tema para tomarlo a la ligera. Hoy quiero que descanses y recuperes fuerzas.

Cinco minutos más tarde, pasaban sobre el famoso Harbour Bridge, dejando atrás la casa de la ópera y los rascacielos del centro de Sídney. Marcelo miraba ese paisaje ajeno como si no fuera real, como si en realidad se tratase de una pintura futurista.

Llegaron a Newcastle completamente de noche, después de dos horas y media en las que Patrick Gower no paró de adular el asado, las mujeres y la vida en Argentina. En varias ocasiones, Marcelo había estado a punto de preguntar de nuevo por la corbeta, pero le pareció mejor no correr el riesgo de ofender a su anfitrión.

Gower vivía en primera línea de mar. Lo confirmaban el olor a sal y el sonido de las olas que apenas podían verse con la ayuda del débil destello de la luna. Marcelo nunca en su vida había visto tantos insectos juntos como los que ahora revoloteaban alrededor de la farola que iluminaba el sendero hasta la puerta, protegida de punta a punta con una mosquitera.

Al entrar, el viejo le ofreció un tour relámpago por el comedor, la cocina y un estudio en la planta baja. Luego lo condujo a arriba y le mostró la que sería su habitación.

Las cortinas del dormitorio estaban cerradas; pero si no se había desorientado, la ventana daba al mar. Había una cama doble con un edredón inmaculadamente blanco, un armario empotrado y un escritorio con una única silla, ambos de pino. Una puerta conducía a un pequeño baño privado.

Marcelo se excusó de cenar diciendo que había comido bastante en el avión y prefería irse directo a la cama. A pesar de que se moría de ganas de ponerse a hablar en ese mismo momento de la Swift, reconoció que el hombre había tenido razón al zanjar el tema hasta el otro día. El viaje lo había dejado molido.

—Descansa bien, Marcelo, que mañana querrás estar atento —dijo Patrick Gower y desapareció de la habitación.

—Buenas noches —respondió, sin saber si el australiano lo habría escuchado o no.

Antes de acostarse, puso contra la puerta su mochila y, sobre ella, un manojo de llaves y un puñado de monedas argentinas que le habían dado de vuelto en el aeropuerto de Ezeiza. Si alguien intentaba entrar en medio de la noche, el sonido del metal contra el suelo lo despertaría. Había leído esa técnica en un libro de aventuras, aunque no estaba del todo seguro de que fuese a funcionar en la gruesa alfombra de aquella habitación.

Sin deshacer la maleta ni cepillarse los dientes, se desvistió y se metió en la cama. Tan pronto como apoyó la cabeza en la almohada, lo invadió un sueño profundo.

Un sonido estridente lo despertó en medio de la noche.

34

Lo que fuera que lo había despertado no eran sus llaves, ni las monedas. Lo que acababa de oír venía desde afuera y sonaba como una ráfaga de aullidos cortos que le hicieron pensar en una pelea de monos. Pero hasta donde él sabía, en Australia no había monos.

Entonces recordó que mientras escribía su monografía sobre la isla continente había leído sobre la cucaburra reidora, un pájaro carnívoro de la familia del Martín Pescador, tan famoso por su risa estridente como por su habilidad para robar comida de la barbacoa de algún desprevenido. Corrió un poco las cortinas para intentar ver uno de los emblemas del país, pero era imposible distinguir nada en la oscuridad de la noche, así que volvió a la cama.

La siguiente vez que se despertó, el sol le daba de lleno en la cara. Al acercarse a la ventana descubrió una playa de arena casi blanca, constantemente golpeada por olas de cresta espumosa. En el horizonte, varios barcos enormes parecían esperar fondeados, igual que en Deseado, a tener permiso para entrar al puerto.

Después de una ducha, bajó al comedor y encontró a Gower desayunando en pijama. Un gran reloj en la pared marcaba las seis de la mañana.

—Buenos días —dijo el hombre—, no esperaba que te despertaras tan temprano. ¿Quieres desayunar?

—Sí, muchas gracias. Supongo que debe ser el *jet lag*. ¿Usted siempre se levanta a esta hora?

—A mi edad es como si tuvieras *jet lag* cada día —dijo soltando una pequeña carcajada y le hizo señas para que se sentara.

—Señor Gower —dijo Marcelo concentrándose en pronunciar el inglés correctamente—, de verdad no quisiera ser descortés, pero no puedo evitar preguntarle cuándo hablaremos de la Swift.

—Podemos empezar ahora mismo.

Marcelo asintió mientras untaba una tostada con mermelada.

—Dime qué es lo que sabes tú de la historia de la Swift —preguntó el viejo antes de llevarse a la boca su taza de café.

—Todo lo que sé es lo que escribió su antepasado, Erasmus Gower. He estudiado ese relato decenas de veces, imaginándome lo duro que habría sido para ellos sobrevivir en un ambiente tan hostil.

—Yendo más a lo técnico —dijo el hombre aclarándose la voz— deberíamos empezar con que la "HMS Swift" era una corbeta de guerra perteneciente a la Marina Real Británica, como lo indican las iniciales que preceden su nombre, que significan *His Majesty's Ship*.

Barco de Su Majestad, tradujo mentalmente Marcelo.

—Contaba en total con 26 piezas de artillería distribuidas simétricamente en cada banda a lo largo de sus 28 metros de eslora. Una docena de ellas, llamadas pedreros, eran de pequeño calibre y estaban destinados a producir bajas en la tripulación enemiga. Las restantes 14 eran cañones para hundir embarcaciones indeseables que se pusieran al alcance.

El viejo hizo una pausa para darle un bocado a su tostada untada de una pasta casi negra llamada *Vegemite*. Cuando Marcelo la probó, le pareció horrenda. Se había imaginado algo parecido al dulce de leche, pero esto era salado. Excesivamente salado. Más tarde se enteró de que estaba hecha con los residuos de la fermentación de la cerveza y que los australianos estaban orgullosos de producir —y consumir a diario— algo así.

—¿Sabes, por ejemplo, dónde fue diseñada? —preguntó Patrick Gower.

—No, pero siendo británica me imagino que en algún lugar del Reino Unido.

Gower soltó una carcajada que sucumbió a un ataque de tos.

—Si hay algo para lo que los ingleses son mejores que para inventar —dijo al recuperarse— es para copiar a sus prácticamente eternos enemigos, los franceses. El diseño de la Swift y la Vulture, su gemela, es casi un calco del Epreuve, un barco francés que los británicos capturaron en 1760 durante la Guerra de los Siete Años. En aquel momento, si una Armada lograba adueñarse de una nave enemiga de mejores prestaciones para la navegación que las propias, la copiaba inmediatamente. Un buen diseño era una ventaja grandísima, ten en cuenta que solo habían pasado tres años desde que Euler planteara las ecuaciones de la hidrodinámica que conocemos hoy.

Marcelo asintió, omitiendo mencionar que jamás había escuchado sobre la Guerra de los Siete Años y que Euler le sonaba a nombre de embutido alemán.

—La verdad es que nosotros nos hemos concentrado en investigar los posibles sitios del naufragio. Para serle sincero, contamos con escasa información sobre la historia de la embarcación durante los años que estuvo a flote —y donde dijo escasa habría tenido que decir nula.

—Los *pocos* años que estuvo a flote. Exactamente siete años y doce días. Fue botada en el astillero de John Greave a orillas del río Támesis y se hundió...

—En Puerto Deseado, el martes trece de marzo de 1770 —interrumpió Marcelo pensando *no te cases ni te embarques,* pero no supo si el dicho tendría una traducción al inglés.

La charla continuó por un par de horas. A pesar de que mayormente el hombre le hablaba de lo que él ya había leído en el relato, Marcelo disfrutaba de poder confirmar hasta el último detalle. Después de todo, no había tenido tiempo para repasar la transcripción que había hecho de la cinta de Olivera.

—Ahora empecemos con los documentos —dijo el australiano cuando se dio por satisfecho con la introducción.

El sol entraba de lleno por la ventana del comedor, iluminando una pequeña mesa rodeada de sillones de terciopelo beige. Fue precisamente sobre ella que Patrick Gower desenrolló ante los ojos de Marcelo Rosales un plano de la corbeta HMS Swift de un metro de largo.

—Ésta es la cabina del capitán, ¿no? —dijo Marcelo señalando el gran camarote en la popa, donde había visto la cruz roja sobre un plano idéntico unos días y medio mundo atrás.

—Exactamente. Desde aquí el capitán George Farmer y desde aquí mi antepasado —dijo señalando otro punto del plano— debieron sentir el golpe brusco del casco contra la primera piedra, presagiando lo peor.

El sitio asignado a Erasmus Gower, según señalaba en aquel momento el dedo índice de su descendiente, estaba ubicado sobre babor muy cerca de los aposentos de Farmer. De hecho solo un camarote lo separaba de la antecámara del capitán. Más tarde, Marcelo averiguaría que este espacio pertenecía al contador de la nave, John Murry, algo así como un tesorero.

—Una vez informados de que acababan de encallar —prosiguió el australiano—, ambos se habrían apresurado a subir a la cubierta principal. Como sabrás, lograron liberarla, pero la alegría les duró demasiado poco, pues volvieron a chocar con otra roca no cartografiada y esta vez no hubo vuelta atrás. Toda la tripulación, menos tres, logró ponerse a salvo antes de que su corbeta, que había visto alejarse Inglaterra y acercarse Jamaica y la Patagonia, se hundiera frente a sus ojos.

—¿Jamaica? —preguntó Marcelo.

—La primera misión de la Swift fue a Jamaica.

El hombre parecía saber sobre la Swift más que lo que Marcelo sabría nunca sobre ningún tema. Patrick Gower explicaba aquel plano con un fervor que Marcelo no había visto jamás, ni siquiera en las clases del profesor Garecca. El australiano deslizaba los dedos por los cañones y hablaba de ellos como si pudiera sentir el hierro frío en las yemas.

—Quiero que te estudies este plano. Es necesario que cuando encuentres el barco lo conozcas como la palma de tu mano.

La pasión de Patrick Gower hizo que Marcelo sintiera la necesidad de contarle que no habían limitado la investigación a estudiar el relato como le había dicho en la carta, sino que también habían buceado en cada uno de los sitios que coincidían con la descripción de Erasmus, sin obtener ningún resultado. Dudaba sobre cómo explicar aquello sin quedar como un mentiroso, pero el australiano pareció leerle la mente.

—¡Ah! Y no te lo tomes a mal, pero soy demasiado viejo como para creerme que un buzo que se interesa por un pecio limita su investigación al papel.

—Si bien es verdad —matizó Marcelo— que hemos hecho inmersiones, fue más confiando en un golpe de suerte que otra cosa, considerando la poca información con la que contamos.

—Créeme, si hubieras tenido más información no te habrías animado a comenzar a buscar los restos del naufragio.

—¿A qué se refiere?

—No podemos empezar la casa por el tejado —dijo el viejo

con una sonrisa que dejaba claro quién tenía la sartén por el mango—. Lo primero que has de hacer es estudiarte este plano hasta que lo tengas grabado en las retinas. Quiero que seas capaz de visualizarlo hasta con los ojos vendados.

Al decir las últimas palabras, Gower había cerrado los ojos exageradamente, conjurando mil arrugas en su cara.

—Si me necesitas estaré en mi habitación —le dijo, dándole una palmadita en la espalda y lo dejó solo con aquel dibujo.

Mientras más miraba el plano, más seguro estaba de que era idéntico al que había visto del otro lado de la ría. Tres perfiles: un corte longitudinal, el casco y uno de frente, en el que se podían ver las ventanas por las que Farmer vigilaba desde su camarote la cubierta principal.

Por fin tenía tiempo de echarle una mirada tranquilo, sin poner en peligro su vida.

Gower no salió de su habitación hasta las once. Se había cambiado el pijama por una camisa blanca y beige a cuadros y unos pantalones negros. Probablemente también se había duchado.

—Me imagino que ya te puedo quitar el plano y ponerte delante una hoja en blanco para que lo dibujes —bromeó el hombre ignorando que Marcelo lo había hecho ya una vez para sus amigos al volver de su excursión al otro lado de la ría—. ¿Tienes hambre?

—La verdad es que sí. No suelo comer tan temprano, pero habiendo desayunado a las seis…

—No se hable más entonces. Vamos a comer al centro y de paso te muestro un poco Newcastle. Conozco un restaurante que hace un canguro al vino tinto impresionante.

Camino al restaurante pasaron junto a una playa donde Gower le enseñó los *ocean baths* más antiguos de Australia. Se trataba de unas piscinas de agua salada construidas sobre la costa para que la gente pudiera nadar teniendo la sensación de estar en el mar sin el peligro de quedar atrapados en las poderosas corrientes.

—O terminar siendo el desayuno de un tiburón —remató

Gower, y Marcelo volvió a pensar en Diana.

Aunque mucho más grande que Deseado, Newcastle no era más que un pueblo. Tenía una única calle comercial y un paseo marítimo con algunos restaurantes y bares de poco caché. Las playas, repletas de surferos, eran sencillamente preciosas.

Para comer, el hombre le recomendó *coat of arms*, un plato hecho con canguro y emú, los dos animales del escudo de armas de Australia. Encontró que la carne de canguro era demasiado magra y algo dulzona. No la pediría todos los días. En cuanto al emú, tenía exactamente el mismo gusto que el ñandú de su tierra.

Durante todo el almuerzo Gower se dedicó a hablarle de la industria del acero y el carbón, los dos pilares económicos de la ciudad y razón de ser de tantos barcos esperando en el horizonte. Al terminar los postres volvieron a la casa.

Patrick Gower trajo de su habitación una caja del tamaño de un televisor que tenía que sostener con ambas manos y se sentó en el sofá, apoyándola sobre la pequeña mesa donde unas horas antes había desplegado el plano. Marcelo no pudo evitar pensar en Olivera, que casi dos meses atrás le había revelado el contenido de una caja parecida, también en el comedor de su casa.

—Aquí dentro está el verdadero motivo por el que quise que vinieras —dijo el hombre en un tono notablemente más serio que el que había utilizado durante la comida—. Nos dedicaremos a ella durante el resto de tu estadía.

Patrick Gower levantó las solapas de cartón y sacó una pila de papeles cuyos diferentes tonos de amarillo daban cuenta de pertenecer a épocas muy diversas.

—La mayoría de estos documentos los fui copiando de varias bibliotecas del Reino Unido. Están, por ejemplo, las cortes marciales, que son las transcripciones del juicio que se celebró tras la pérdida de la corbeta. Por suerte absolvieron a Farmer y toda su tripulación. También tengo, obviamente, el relato del hermano del bisabuelo de mi tatarabuelo, es decir Sir Erasmus.

Le pasó varios pequeños montículos de papel cuyos títulos Marcelo leyó cuidadosamente. El simple acceso a toda aquella información justificaba haberse cruzado medio mundo.

—Éstos, en cambio —dijo Gower sacando de la caja un sobre de terciopelo azul—, son originales y no los podrás encontrar en ninguna biblioteca del mundo. Han ido pasando de generación en generación en mi familia, pero aparentemente nadie había reparado en ellos hasta que yo me puse a investigar el asunto de la corbeta, empezando por los papeles viejos que mi abuelo había heredado de su padre.

—¿Qué es? —preguntó Marcelo sin quitarle los ojos de encima a lo que Gower sopesaba en sus ajadas manos.

—Esto, Marcelo —dijo, clavándole los ojos celestes y vidriosos— es el motivo por el cual tu vida corre peligro.

35

—¿A qué se refiere con que mi vida corre peligro? —preguntó Marcelo, más asustado que sorprendido.

—Sabes muy bien a lo que me refiero —respondió el hombre, haciendo girar el sobre entre sus dedos—. Estoy hablando de los otros buzos que también buscan la corbeta.

Sus peores sospechas se confirmaron en aquel momento. De una forma u otra, Patrick Gower estaba relacionado con los inquilinos de Cafa, y eso no podía significar más que malas noticias.

—Y usted… ¿cómo?

—¿Cómo lo sé? Me lo dijeron ellos mismos. Bueno, a decir verdad no exactamente ellos, sino quien los ha enviado a buscarla.

—Discúlpeme, pero no entiendo nada.

—Eso es porque es una larga historia. Una historia que empieza en Inglaterra, que es donde yo nací.

—Pensaba que era australiano.

—Es que lo soy. Mis padres se mudaron a esta ciudad cuando yo tenía tres años. Viví aquí hasta cumplir los diecisiete y luego me mandaron a terminar el colegio a Inglaterra, pues según mi padre la educación australiana no le llegaba ni a los talones a la británica. Fue entonces cuando, visitando la casa de mis abuelos en Hampshire, dimos con el contenido de este sobre.

—¿Dimos?

—Sí, dimos. Lamentablemente no estaba solo cuando lo encontré. Digamos que fue un descubrimiento compartido.

—¿Con quién? Si no es mucho preguntar.

—Lo que hay aquí dentro —dijo Gower, entregándole el sobre azul— lo encontré junto a mi primo Fred, una de las personas con peores sentimientos que he conocido nunca. Claro que en ese momento yo no lo sabía.

La mirada de Gower al mencionar a su primo tenía una expresión a mitad de camino entre la pena y el miedo.

—Inmediatamente después de leer lo que contenía supimos que dedicaríamos todo nuestro esfuerzo a buscar la corbeta en la cual había navegado nuestro antepasado. De hecho, empezamos juntos a analizar la información, pero cuando tuvimos claro lo que había en juego, nunca más pudimos ponernos de acuerdo.

Marcelo no sabía si preguntar qué era eso que había causado la discordia entre los primos o qué tenía que ver todo aquello con que Gower estuviese al tanto de los otros buzos en Deseado, y de que representaban una amenaza para él y sus amigos. Estaba a punto de abrir la boca, pero el viejo le ganó de mano.

—Me temo que para que entiendas el resto de la historia es fundamental que conozcas el contenido.

Al abrir el sobre, Marcelo tuvo ante sus ojos los documentos más antiguos que había visto jamás.

—Son cartas —dijo Gower—. Correspondencia ordenada cronológicamente entre Erasmus y el capitán George Farmer nada más volver a Inglaterra. Las del capitán son originales y las respuestas son copias que mi antepasado mantenía, supongo, por tratarse de un asunto tan importante. Aparentemente era una persona muy metódica.

El comentario hizo que Marcelo pensara por primera vez en Erasmus Gower como alguien de carne y hueso. Hasta aquel momento, la única información con la que había contado acerca del teniente británico era su relato del naufragio. Tal texto daba la sensación de haber sido escrito por un autor omnipresente de obra literaria más que por un náufrago desafortunado de aquella expedición. Por primera vez, Marcelo se imaginaba a Erasmus Gower como un ser humano con hábitos, miedos y, sobre todo, motivos.

—El contacto lo inicia Farmer desde su York natal, veintidós días después de haber vuelto a Inglaterra a bordo de la Favourite, el barco que los rescató. Mi antepasado, aunque había nacido en Gales, cuando no estaba en el mar, vivía en Hampshire.

A Marcelo, que sabía tanto de geografía británica como de chino antiguo, esos nombres no le sonaban de nada.

—Las primeras dos —continuó Gower— son las más interesantes.

Examinó la primera de las cartas. Jamás había visto un papel de doscientos años de antigüedad. Era blando como si fuera de tela y se le ocurrió que se podía rajar en cualquier momento. Manipulándolo con máximo cuidado, lo leyó.

Youghal, Cork, 14 de octubre de 1770

Al Teniente Erasmus Gower:

Le escribo estas líneas refiriéndome a la pérdida de nuestra embarcación en Puerto Deseado el 13 de marzo de este año. Me veo en la obligación de darle mi última orden como Capitán de la H.M.S. Swift. En concreto, he recibido órdenes expresas de Su Majestad Jorge III, rey de Gran Bretaña y de Irlanda, por medio del Conde de Manchester conforme:

1) Ha usted de escribir una crónica dando cuenta de todo lo sucedido durante aquel nefasto episodio, ciñéndose a la versión que se le contó a la tripulación antes de zarpar.

2) Bajo ningún punto de vista ha de hacer mención acerca del verdadero propósito del viaje. Será éste un secreto que ambos, como únicos tripulantes al tanto de la misión, nos llevaremos a la tumba.

3) El Conde me ha asegurado que una editorial en Londres ya está contratada por la Corona para publicar la crónica que se le encomienda.

Como entenderá, la razón de este encargo no es otra que reforzar el motivo oficial del viaje de la nave H.M.S. Swift. Es nuestro deber garantizar que nunca se destape la evidencia que descansa para siempre sumergida en algún lugar de nuestros antiguos aposentos.

La tarea le será debidamente recompensada. Tenga a bien llevarla a cabo con su mayor empeño, por el honor de Su Majestad y de todos nosotros.

Reciba un afectuoso saludo.

Capitán George Farmer.

—Pero entonces —dijo Marcelo al terminar de leer—, Erasmus no dice la verdad en su relato.

—Mi antepasado no podría haber mentido sobre lo sucedido durante aquellos días en las costas de lo que hoy es tu pueblo, pues su versión iría en contra de las de los otros ochenta y seis sobrevivientes, descontando a Farmer. Sin embargo, fíjate que en la carta el capitán menciona que las únicas dos personas a bordo del barco que conocían el verdadero propósito del viaje eran él y Erasmus.

—¿O sea que la Swift no viajó a la Patagonia para explorar, como declara Gower en su relato por encargo?

—Me temo que no. Hubo otra razón para el viaje.

La revelación de Gower no lo sorprendió por completo. Desde la primera vez que había escuchado el relato se preguntaba por qué la Swift había zarpado sin dar cuenta a la Favourite, su única posibilidad ante cualquier imprevisto, del derrotero que tenían pensado seguir. Y después estaban los ingleses inquilinos de Cafa y su juego sucio que dejaba claro que lo que buscaban iba más allá de un sitio arqueológico.

—¿Entonces usted sabe cuál fue el verdadero motivo del viaje? —preguntó Marcelo intentando que su mente volviera a aquel comedor en Australia.

—Tengo una teoría. Pero primero termina de leer las cartas —dijo Gower señalando la pila de papeles oscurecidos por el paso de dos siglos.

Cronológicamente le seguía la respuesta de Erasmus Gower, en la cual manifestaba que sería un honor confeccionar la crónica y hacer cualquier cosa que tuviera a bien ordenar Su Majestad. El resto de las cartas ultimaban detalles de la publicación y formalidades, sin hacer ninguna referencia al verdadero propósito de la última expedición de la Swift.

—Una posibilidad —dijo Marcelo tras leer la última— era que tuvieran pensado atacar algo…

—Frío, frío —rió el australiano.

—…O que transportaran en el barco algo muy valioso, ya fuese material o una persona.

—Ahora sí te estás acercando.

Recordó la clase de matemáticas en la que había escuchado hablar de la corbeta por primera vez. Según su compañero, su tío se había tomado unas copas de más y había mencionado...

—¿Un tesoro?

—Depende. Si te refieres a joyas y oro, entonces no. Mi teoría es que transportaban un documento. Un documento con más valor que si hubieran tenido la bodega desbordando de oro.

—¿Un documento de qué tipo? —preguntó Marcelo totalmente desconcertado— ¿Y en qué basaría una teoría así?

—Las respuestas a esas preguntas y a las muchas que van a empezarte a surgir están en el resto del contenido de la caja. Como te dije, la mayoría de esos documentos están sacados de archivos públicos: bibliotecas, museos y lugares por el estilo. Las cartas, sin embargo, son distintas. Representan la clave para interpretar el resto, como la clave al principio de un pentagrama. Hacen que textos aparentemente inocentes se transformen en verdaderas revelaciones.

—¿Por ejemplo?

—Por ejemplo este documento —dijo dándole un manojo de fotocopias abrochadas.

Eran unas diez páginas tituladas *Reflexiones sobre las últimas transacciones acerca de las Islas Falklands, por Samuel Johnson.*

—Como sabemos, la Swift estaba apostada en las Falklands, o como las llaman ustedes, las Malvinas —dijo Gower arrebatándole los papeles de las manos—. Escucha lo que dice en el primer párrafo: *... el orgullo del poder ha destruido ejércitos enteros para ganar o mantener posesiones inútiles.*

Tras leer esta frase, el viejo lo miró con una sonrisa triunfal como un mago que le acaba de enseñar a su aprendiz los secretos de su truco favorito. Por toda respuesta, Marcelo frunció el ceño.

—¿No te das cuenta? Un año después de que se hundiera la Swift, uno de los más grandes hombres de letras de la historia de Inglaterra escribe un artículo de opinión donde, palabras más palabras menos, dice que las islas Malvinas no tienen valor alguno para el Reino Unido. Y si lees hasta el final, verás que Johnson prevé una guerra absurda con España por unas islas *cuyas ventajas son difíciles de demostrar* —dijo leyendo en voz alta la frase de la última página.

—Discúlpeme, pero no entiendo nada.

—Normal, pero no te preocupes. Veamos, en 1770 la situación entre España e Inglaterra respecto a las Malvinas era muy tirante. Los ingleses habían establecido Port Egmont, el asentamiento desde donde zarpa la Swift, en unas islas sobre las cuales la corona española se consideraba soberana.

—Hasta ahí lo sigo —dijo Marcelo—. Tensión entre Inglaterra y España por las islas.

—Bien, ahora ten en cuenta que gente inglesa muy influyente, entre ellas Samuel Johnson, eran de la postura de que convenía mucho más retirarse de las islas que quedarse, lo que causaría una guerra con España, una de las grandes potencias del mundo en el siglo dieciocho.

—Algunos ingleses prefieren renunciar a las islas —resumió Marcelo.

—No son algunos ingleses —dijo Gower sacando de debajo de la pequeña mesa una botella de brandy y dos copas, aunque Marcelo rechazó la suya—. Son gente que se podría comparar al líder de la oposición en un gobierno actual. Son personas que por algo siguen siendo recordadas dos siglos después de su muerte.

—Rectifico entonces —dijo Marcelo—. Ingleses muy importantes prefieren renunciar.

—Exactamente. Pero así como había quienes preferían sucumbir a la petición de España, estaban los que consideraban que el honor era más importante que la utilidad de las islas. En otras palabras, partidarios de quedarse en las Malvinas por una cuestión de orgullo. ¿Recuerdas la frase que te acabo de leer? "el orgullo del poder".

—Me parece que lo voy siguiendo. Los tipos preferían quedarse, aunque no les sirviera para nada, a dar el brazo a torcer ante España.

—Sí. Y aquí es donde entra en juego el menos secreto de los pactos secretos de la Historia.

—¿Un pacto secreto entre Inglaterra y España?

—Efectivamente, aunque sea casi vergonzoso llamarlo así —acompañó sus palabras con una risa y negando con la cabeza—. A pesar de que no hay pruebas, en todos los libros de historia española o inglesa del siglo XVIII se habla de que ambos reinos acordaron el retiro inglés de manera pacífica. Así, España se quedaba con las islas e Inglaterra se evitaba una guerra absurda, pero al mismo tiempo conservaba su honor. Les daba la posibilidad de decir "nos fuimos porque esas islas no nos interesan, no porque nos echaran".

—¿Y dónde entra en juego la Swift?

—Esa es exactamente la pregunta que intento responder hace cuarenta años —dijo echándose hacia atrás con fuerza suficiente para hacer crujir el respaldo del sofá—. Mi teoría es que la corbeta Swift no viajaba a hacer un simple reconocimiento de las costas patagónicas como dice Erasmus en su crónica, sino que tenía como destino final la ciudad de Buenos Aires. Iban a entregar en mano un mensaje al gobernador.

—¿Un mensaje? —preguntó Marcelo, los ojos clavados en el sobre de terciopelo azul, ahora sobre la mesita.

—Más bien una confirmación. Un documento donde se dejaba constancia de cuándo se haría efectiva, según el acuerdo entre ambas coronas, la retirada de los ingleses de las islas Malvinas. ¿Te das cuenta de lo que implicaría algo así en la actualidad?

Pero el hombre no había hecho la pregunta para que la contestara Marcelo.

—Hoy en día —continuó—, un documento de esas características no solo tendría un valor histórico incalculable, sino que jugaría un papel crucial en la disputa entre el Reino Unido y la Argentina sobre las islas. De aparecer, un documento así sería equivalente al título de propiedad de las Malvinas para tu país. Estamos hablando de la única evidencia, más allá de la especulación histórica, del pacto donde los ingleses reconocen la soberanía española.

—Pero entonces —exclamó Marcelo—, incluso suponiendo que su teoría fuese correcta, no hay ninguna esperanza ¿no? Ese papel se debe haber desintegrado al poco tiempo del hundimiento. ¿Qué sentido tiene buscarlo doscientos años más tarde? Vamos a encontrar madera, metal, vidrio...

Gower exageró una sonrisa triunfante, como si Marcelo acabara de dar en el clavo.

—Vidrio —dijo golpeando con el dedo índice su copa de brandy.

Marcelo lo miró confundido. El australiano volvió a hacer sonar su copa y esperó a que la reverberación fuese inaudible.

—Vidrio, Marcelo. *Que nunca se destape la evidencia que descansa para siempre sumergida en algún lugar de nuestros antiguos aposentos*. ¿Te das cuenta?

—¿Pusieron el documento en una botella?

El viejo asintió, acabándose de un trago su licor.

36

Patrick Gower se sirvió otra medida de brandy y Marcelo volvió a rechazar el ofrecimiento de acompañarlo.

—¿Y usted está seguro de que usaron una botella? —preguntó Marcelo.

—Convencido. Nadie puede estar seguro porque los únicos que lo sabían a ciencia cierta llevan muertos más de un siglo y medio.

—¿Al menos era una práctica normal guardar documentos importantes en botellas para protegerlos del agua en caso de que el barco se fuera a pique?

—Por supuesto que no —rió el viejo—. La última posibilidad que un marino está dispuesto a concebir es que su barco se puede ir al fondo. ¿Por qué te crees, si no, que el Titanic apenas tenía botes salvavidas para la mitad de los pasajeros?

—Y si no era común hacerlo...

—En primer lugar —interrumpió el australiano—, coincidirás conmigo en que nada de lo relacionado con el viaje de la Swift se puede considerar normal.

En eso Patrick Gower tenía toda la razón. Empezando por haber zarpado sin avisar a los demás de la ruta planeada, hasta el viaje en búsqueda de ayuda a Malvinas en una embarcación solo un poco más grande que una cáscara de nuez.

—Durante cuarenta años me he convencido de que hay más hechos extraordinarios que corrientes en lo que se refiere a ese barco.

—En eso estoy de acuerdo. Pero sigo sin tener claro lo del documento en la botella.

—¿Qué te pareció el cuento de Poe?

—Muy bueno, algo me acordaba porque lo analizamos en primer año del secundario. Eso sí, nunca había leído la versión original hasta que recibí su carta.

—Como comprenderás —dijo el hombre haciendo girar su copa—, no te lo envié simplemente para que te entretuvieras durante el vuelo. En ese cuento, Poe explica mejor que nadie por qué pusieron el relato en una botella: una botella pasaría desapercibida en el barco, especialmente en el camarote del capitán, ya que en aquella época solo los más altos rangos podían aspirar al lujo del vidrio.

Aquel era exactamente el argumento del cuento de Poe. Esconder algo colocándolo justo frente a las narices de quien lo busca.

—Eso tiene sentido —aceptó Marcelo—, sobre todo teniendo en cuenta que nadie más en la tripulación sabía el verdadero propósito del viaje. Por cierto, ¿si el supuesto motivo de la expedición era explorar las costas de la Patagonia, cómo se las ingeniarían Gower y Farmer para terminar en Buenos Aires sin que el resto de los que iban a bordo sospechase?

—¿Ingeniárselas? Estamos hablando de los dos oficiales de mayor rango de la nave. La tripulación iría sin rechistar adonde Farmer dijera que había que ir.

Cada respuesta de Gower generaba en Marcelo una nueva pregunta. Pero aquel hombre parecía saberlo todo. O al menos para todo tenía una teoría interesante.

—Disculpe mi ignorancia, pero se me ocurre que una botella con un papel dentro flotaría, ¿no es así? Si usted ha interpretado las pistas correctamente, ¿cómo puede ser que Farmer indique con tanta seguridad que descansa en el fondo?

—Yo también tuve esa sensación durante varios años, a pesar de que la teoría de la botella parecía la más plausible. Me resigné a haber llegado a un callejón sin salida y la frustración me llevó a guardar esta caja durante más tiempo del indicado. Pero un día la Armada australiana nos envió a Londres y tuve la oportunidad de visitar la Biblioteca Británica. Entonces di con este texto.

Gower recorrió con dedos rápidos los contenidos de la caja hasta sacar una fotocopia vieja y a doble cara que entregó a Marcelo para que leyese.

Se trataba de las páginas 93 y 94 de un libro cuyo título podía leerse en el encabezado: "El viaje del Capitán Don Felipe González en el navío San Lorenzo y la fragata Rosalía a las islas de Pascua". La página 93 se correspondía con el comienzo del capítulo 12, titulado "Instrucciones del virrey del Perú Manuel Amat al capitán González antes de zarpar en octubre de 1770".

En aquel escrito, el virrey Amat enumeraba casi una docena

de órdenes a ejecutar por la expedición. La segunda, por ejemplo, especificaba que si encontraban la isla David —que era como se conocía en ese momento a la isla de Pascua—, debían demarcar su posición exacta y cartografiarla al detalle.

Sin embargo, Marcelo no leyó una por una todas las instrucciones sino que saltó directamente al párrafo que estaba marcado con un círculo rojo. En él, el virrey manifestaba que en caso de toparse el San Lorenzo y la Rosalía con naves de otras naciones europeas, debían expulsar a los intrusos de las tierras del rey de España y secuestrar sus bitácoras, mapas y cualquier documentación que hubiese a bordo sin permitir a los invasores realizar copias de nada.

Gower solo volvió a hablar cuando Marcelo terminó de leer.

—¿Te das cuenta?

—No, no entiendo. El texto trata sobre una expedición en un océano diferente cuatro meses después del hundimiento de la Swift. A mí no me dice nada.

—Dice mucho, Marcelo. Explica cuáles eran los códigos de la Armada española en aquella época. Las mismas órdenes que recibió Felipe González con respecto a naves enemigas las hubiera recibido cualquier capitán español que navegara cuatro meses antes por el Atlántico Sur. Este texto nos dice exactamente qué hubiera pasado si una nave española interceptaba a la Swift. Farmer necesitaba proteger el documento de la propia tripulación y de los mismísimos españoles.

—Un momento. Si el documento tenía como destino la ciudad de Buenos Aires, ¿cuál era el problema que una nave española interceptara a los mensajeros?

—Esa es otra excelente pregunta. Pero no te olvides que estamos hablando de un pacto secreto, al menos en ese entonces, entre las coronas. A nivel Armadas seguían siendo enemigos, y aquello significaba que ante un encuentro entre barcos de las dos naciones, los españoles habrían actuado según el protocolo. Es decir, abordando el barco y secuestrando toda la documentación, como se le ordenó a González. Si alguien más que el destinatario, incluso siendo español, descubría ese documento, las cabezas de Farmer y mi antepasado habrían rodado tan pronto como la noticia hubiese llegado al rey Jorge III.

—¿O sea que Farmer y Gower no solo tenían que evitar que el documento fuera descubierto por la tripulación sino que además debían procurar que no cayera en manos españolas que no fuesen las del gobernador de Buenos Aires?

—Exactamente —el brandy giraba ahora a tal velocidad que Marcelo creyó que de un momento a otro el australiano empaparía alguno de los papeles centenarios que tenía alrededor—. Y ahí es cuando una botella es perfecta para ambas funciones: la hacía pasar desapercibida ante los ojos de quienes viajaban en el barco y, si se veían abordados, podían deshacerse del documento de la manera más rápida posible: enviándolo al fondo del mar con botella y todo. Obviamente, si estaban dispuestos a eso, se habrían asegurado de que, a diferencia de todas las botellas con un mensaje, ésta no flotara. Un documento tan importante a la deriva se habría convertido en una bomba de tiempo.

—Fascinante —fue la única palabra que encontró Marcelo, resignado a que Patrick Gower sabía de lo que hablaba—. ¿Y qué posibilidad hay de que el papel en el interior de esa botella haya aguantado dos siglos seco?

—De moderadas a altas —dijo el hombre muy seguro—. En primer lugar, esos documentos se redactaban en papel vitela o pergamino, que eran mucho más gruesos y resistentes que el papel moderno. Existe la posibilidad de que, incluso habiéndose mojado, se pueda restaurar. Sin embargo, yo creo que está tan seco como el primer día.

—¿Por qué?

—Para empezar, en naufragios mucho más antiguos que la Swift, se encontraron botellas de whisky con el contenido en perfecto estado. Sin embargo, nuestra botella es diferente a cualquier otra. En lugar de líquido, contenía el documento, el lastre y aire. Lógicamente, sabrás que el aire debajo del agua se comprime o expande según la profundidad.

Marcelo asintió. Se trataba del abecé de cualquier buzo. Por eso tenía que descender tan lentamente en cada una de sus inmersiones, para lograr compensar la presión sobre los tímpanos. Y por eso nunca debía contener la respiración durante un ascenso, pues el aire en los pulmones se expandiría hasta reventarlos. Sin embargo, había una diferencia crucial entre un recipiente blando como el cuerpo humano y uno rígido como la botella.

—El vidrio es incompresible —objetó Marcelo.

—Lo es —admitió Gower—, pero el corcho se mueve. La presión del agua lo empujaría hacia adentro, incrustándolo aún más en el pico de la botella. Además, en aquella época se utilizaba una cobertura de cera sobre los tapones para asegurarse de que no hubiera filtraciones de aire que echaran a perder el líquido contenido.

—¿Y si la presión fue demasiada y la botella se llenó de agua?

—Está bien, supongamos lo peor. Considerando el tipo de papel y las bajas temperaturas de la ría, incluso si el documento lleva mojado doscientos años las probabilidades de recuperarlo son lo suficientemente altas como para que valga la pena intentar encontrarlo. Y esto no lo digo yo, sino el mejor arqueólogo de tu país. Tuvimos largas charlas en mis días en Buenos Aires, antes de ir a Deseado.

—Una botella... —dijo Marcelo casi susurrando mientras repasaba mentalmente toda la información que el hombre acababa de darle.

—Sí —dijo Gower dejando de mover su copa—. Es exactamente eso lo que los hombres de mi primo Fred buscan en tu pueblo: una botella. Probablemente, una de las más importantes de la historia de ambas naciones, la tuya y la de ellos.

37

El sol proyectaba sus últimos rayos sobre la arena que pisaban Patrick Gower y Marcelo Rosales. A éste último, ese día de principios de primavera australiana le sabía a verano patagónico.

Gower había propuesto dar un paseo por la playa porque, según dijo, su médico lo obligaba a caminar al menos tres kilómetros por día. Marcelo había dicho que sí porque si no le daba un poco el aire, la cabeza le explotaría con tanta información.

—¿Y cómo es que tras el hundimiento no se hizo un duplicado del documento? —preguntó tras unos minutos de andar en silencio.

—La respuesta está en el relato de Erasmus. Poco después de llegar la Favourite a Puerto Egmont con los sobrevivientes de la Swift, una flota al mando del capitán español Juan Ignacio de Madariaga con cerca de mil cuatrocientos hombres recaló en Malvinas para echar a los ingleses. Yo interpreto que al no recibir el documento en tiempo y forma, el gobernador de Buenos Aires envió a sus hombres a recuperar las islas por la fuerza. Después de aquello, un pacto secreto para que Inglaterra se retirase sin humillación carecía de sentido. Al año siguiente los ingleses volvieron a Puerto Egmont y la historia siguió como la conocemos. Pero si aparece ese documento, habría una prueba escrita de la cesión de las islas a España y, por ende, a Argentina. El valor político de algo así es incalculable.

—Eso justifica que su primo Fred envíe dos hombres a buscar la Swift.

—¡Y enviaría diez más si tuviera los medios! Como te dije, Fred Platt, hijo de la hermana de mi padre, y yo comenzamos juntos la investigación. Sin embargo, tan pronto como él se dio cuenta de que lo que había en juego podía ser mucho más que un montón de bronce oxidado, mostró los dientes como un perro rabioso. Comenzó a hablar de vender el documento al mejor postor. Entonces me di cuenta de que lo que en mi mente era la aventura de mi vida, para él significaba nada más que dinero.

—Es increíble cómo nos decepcionan algunas personas —dijo Marcelo, pensando más en Diego Rosales que en Fred Platt.

—En parte la culpa fue mía. Mi padre me había advertido que mi primo Fred, al igual que su padre, era un miserable. Tardé más de lo que hubiera querido, pero cuando finalmente me di cuenta le aclaré que no estaba dispuesto a comerciar con algo tan importante que formaba parte de una historia que no solo le pertenecía a nuestra familia. Como te imaginarás, a partir de ese momento me considera su enemigo. De esto hace casi cuarenta años.

El hombre caminaba lento, con los ojos clavados en la arena. Marcelo tenía que hacer un esfuerzo para no adelantársele.

—Desde nuestra pelea, decidí que continuaría la búsqueda por mi cuenta. Estaba claro que en algún momento tendría que pedir ayuda, porque de buceo solo entiendo la teoría, pero decidí no revelar el verdadero motivo del viaje de la Swift hasta haber dado con ella. Por eso en el setenta y cinco, cuando ya no tenía nada que hacer en Australia, me fui para Deseado a intentar encontrarla. Supe por medio de mi familia en Inglaterra que a Fred le estaba yendo bastante bien económicamente con un negocio de materiales para la construcción y presentí que de un momento a otro él también estaría en condiciones de hacer lo mismo.

—¿Y tuvo su primo algo que ver en su desaparición repentina del pueblo?

—Creo y espero que no, aunque nunca estuve seguro al cien por cien. El motivo por el que me fui de Puerto Deseado de sopetón es lo más triste que me ha pasado y me pasará en la vida. Todo comenzó con un telegrama que recibí desde Londres. Mi hijo había sufrido un accidente de tránsito yendo a Cambridge a ver a su novia y estaba inconsciente en el hospital.

Marcelo recordó que en la entrevista que le había hecho El Orden, Gower mencionaba que ya nada lo ataba a Australia, pues había enviudado y su hijo vivía en Inglaterra.

—Entonces me tomé el primer autobús a Comodoro, luego el primer avión que encontré a Buenos Aires y desde allí otro a Londres. Fueron dos días completos entre recibir la noticia y poder verlo. Todavía tengo grabado a fuego el momento de entrar en su habitación en el hospital. Lo encontré con los ojos cerrados y pensé que dormía, pero entonces el médico me informó que estaba así desde que la ambulancia lo había recogido del asfalto.

El hombre paró de caminar. Marcelo no se atrevía a preguntar cómo seguía la historia. Estaba seguro de que acabaría mal.

—Fueron los peores dos meses de mi vida. Cada mañana al llegar al hospital ansiaba encontrar a mi hijo con los ojos abiertos. Los médicos me decían que muchos de quienes habían pasado un período largo en coma, al despertarse explicaban que podían oír todo lo que sucedía a su alrededor. Por eso, yo le hablaba. Le dije que lo quería más veces durante esos dos meses que en toda su vida. Murió a dos días de su cumpleaños número veintisiete.

Marcelo se llevó las manos a la cabeza deseando no haber preguntado nada. Intentó balbucear unas disculpas, pero el viejo lo desestimó con un ademán amable y continuó hablando a la vez que reanudaba el paso.

—Han pasado ya varios años, y cada vez duele menos. Es muy triste acostumbrarse a que no esté, y es más triste aún que ya no duela tanto, pero supongo que es un mecanismo de defensa. Es como si te cortaran una pierna: la herida cicatriza, pero la ausencia queda para toda la vida.

—Claro —dijo Marcelo, aunque le costaba imaginarse el día en que la muerte de su madre dejara de doler.

—Hay golpes tan fuertes que basta uno solo para derribar todos los pilares que sostienen la vida de un hombre. Éste fue uno de ellos. Después de repatriar y enterrar el cuerpo de Jake sentí como si ya no hubiera suelo bajo mis pies.

El hombre hablaba ahora con la mirada fija en uno de los barcos que esperaban en el horizonte.

—Bueno —dijo apurando un poco el paso—, esa es una historia muy triste y no es para lo que has venido. Sin embargo, sabía que tarde o temprano te preguntarías por qué desaparecí de golpe y te la tendría que contar.

—Lo siento mucho —dijo Marcelo.

El hombre asintió.

—Intentar sobrevivir a toda aquella tristeza me mantuvo ocupado desde entonces. La corbeta y Puerto Deseado se convirtieron en recuerdos tristes, íntimamente ligados a la noticia del accidente de mi hijo. Hasta que un día llegó tu carta.

—Discúlpeme, si lo hubiera sabido…

—Si lo hubieras sabido no me la habrías enviado, ¿verdad?

Marcelo afirmó con la cabeza.

—Pues entonces me alegra que no lo supieras, porque tu carta rompió aquel vínculo horroroso. También me alegra que la enviaras ahora y no unos años atrás, cuando no hubiera querido leerla. Recibirla me sirvió para volver a pensar en Puerto Deseado como el sitio en el que alguna vez estuve lleno de ilusión.

—¿Es por eso que me invitó a venir?

—Era lo menos que podía hacer. Quería conocer al joven que me había contagiado su entusiasmo, volviéndome a replantear la corbeta como un sueño posible.

Entonces Marcelo se alegró por primera vez de lo malo que era jugando al básquet. Si la primera versión de su carta hubiera terminado dentro de la estufa, ahora no estaría hablando con el hombre vivo que más sabía sobre la corbeta Swift. O al menos uno de ellos.

—¿O sea que tiene intenciones de venir a Deseado? Podríamos buscarla juntos.

—No, Marcelo —dijo Gower volviendo a la marcha lenta—. Mi tiempo ya pasó y no tengo ni la mitad de las energías que tenía cuando decidí visitar tu pueblo.

—Pero nosotros podríamos ayudarlo a cumplir su sueño.

—No me cabe la menor duda de que me van a ayudar, pero yo disfrutaré el logro desde aquí. Lo único que debes prometerme es que tendrás cuidado con mi sobrino Andrew. Si es la mitad de miserable que su padre, no tendrá problema en intentar quitarte del medio.

Marcelo tenía aquello más claro que nadie. De hecho, todavía conservaba un pequeño bulto detrás de la oreja.

—¿Y cómo es que usted sabe que su sobrino está en Deseado?

—Pues porque el muy idiota de Fred no tuvo mejor idea que llamarme para decírmelo. Obviamente, se tomó muy a pecho cuando yo fui a Deseado por mi cuenta, y ahora que es él quien tiene a su gente buscando el barco, disfruta restregándomelo por la cara.

Caminaron en silencio hasta que la playa se transformó en un montón de rocas del tamaño de coches y, más allá, un acantilado. El viejo apoyó la espalda en una piedra y cerró los ojos. Una sonrisa apenas perceptible apareció entre las arrugas de su cara.

Marcelo lo imitó y sintió cómo una frescura agradable le recorría el cuerpo de punta a punta.

—Señor Gower —dijo cuando emprendieron el regreso a la casa—, no sé qué decir. No sé cómo darle las gracias, no solo por haberme invitado a este viaje y compartir conmigo toda la información de manera desinteresada sino…

—Nadie —interrumpió el hombre—, y esto grábatelo en la cabeza, absolutamente nadie hace nada de manera desinteresada.

PARTE V
LA BOTELLA

38

El vuelo 171 de Aerolíneas Argentinas aterrizó en Comodoro Rivadavia a las 21:28, casi veintiséis horas después de que Marcelo se despidiera de Gower. Durante el desayuno, el viejo le había entregado una pesada caja con copias de todos los documentos que habían estado examinando los días anteriores. A cambio de toda aquella información, le había pedido que crease un museo en Puerto Deseado con los objetos rescatados de la corbeta, botella y contenido incluidos.

Eso, había dicho, terminaría para siempre con las ambiciones egoístas de Fred Platt, su hijo y quien fuera el otro de los inquilinos de Cafa.

Durante los restantes tres días que Marcelo estuvo en Newcastle, se dedicaron a estudiar minuciosamente el resto de la documentación y los planos del barco. Además, Patrick Gower le detalló paso a paso cuál era la mejor manera de proceder una vez encontrado el pecio: primero había que crear el marco legal del museo antes de revelar la ubicación del sitio arqueológico y luego lograr que se prohibiese bucear en él a personas no autorizadas. De esta manera, se evitaría el saqueo de oportunistas, profesionales o amateurs, empezando por sus propios parientes.

Aunque ahora volvía a casa lleno de entusiasmo, el regreso se le estaba haciendo largo. Dos horas en coche a Sídney, trece de vuelo a Buenos Aires, dos más hasta Comodoro. Todo ese trajín, incluyendo las esperas en cada escala, le había ido minando la energía durante más de un día.

En la sección de arribos del aeropuerto predominaba la alegría del reencuentro, a veces regado con lágrimas felices. Entre toda esa gente abrazándose, Marcelo divisó una figura familiar, aunque muy distinta a la que esperaba ver.

No era su amigo Claudio, quien lo había llevado al aeropuerto para tomar el vuelo a Buenos Aires y había prometido irlo a buscar a su regreso. La que se abría paso entre la gente, escrutando con ojos vívidos a todos los pasajeros que acababan de descender del avión, era Diana Carbonell. Al ver a Marcelo, la española se le acercó rápidamente y antes de decir nada le estampó dos besos.

—Bienvenido a la Patagonia.

—Gracias —fue todo lo que pudo responder Marcelo una vez estuvo bajo los efectos del perfume de cerezas.

—¿Cómo ha ido el viaje? Dame que te ayudo con esa caja.

—Gracias, pero creo que puedo solo. Todo bien por suerte, pero larguísimo. ¿Vos qué hacés acá? ¿A quién estás esperando?

—Te estoy esperando a ti —dijo ella arrebatándole la mochila—. Claudio no pudo venir y yo me ofrecí a recogerte.

—¿Te ofreciste? ¿Cómo que *te ofreciste*? ¿Desde cuándo hablás con Claudio? No sabía que las cosas podían cambiar tanto en una semana.

—Y todavía no te has enterado de nada —dijo ella deteniéndose antes de atravesar la puerta de salida.

—¿Qué pasó?

Por toda respuesta, Diana Carbonell sacó de uno de los bolsillos de su abrigo un papel doblado demasiadas veces. Al abrirlo, Marcelo reconoció instantáneamente la horrible caligrafía de Claudio.

> *Cabeza,*
>
> *Estoy bien, pero no te podía ir a buscar. Dejá que Diana te lleve a Deseado, yo le presté el Coloradito. Cuando llegues hablamos largo y tendido.*
>
> *Un abrazo.*
>
> *Claudio*

—¿Y esto qué quiere decir? —preguntó Marcelo al terminar de leer.

—¿Quieres que tomemos un café y te lo explico todo? ¿O prefieres que hablemos durante el viaje? Creo que con tres horas será suficiente.

Diez minutos más tarde, Marcelo Rosales estaba ante la imagen surrealista de la buza española llevándolo de regreso a Puerto Deseado al volante del auto de su mejor amigo. Si dos semanas atrás alguien le hubiera descrito la situación, habría respondido, cuanto menos, con una carcajada.

—¿Me podés explicar de una vez de qué se trata todo esto? —dijo para ayudar a Diana, que no se decidía a hablar.

—Mira —dijo de repente—, no hay una manera fácil de decirlo, así que voy al grano. Claudio está internado con un disparo en el pecho.

—¿Cómo?

—Tranquilo, la bala no alcanzó ningún órgano vital. Va a estar bien pronto, así que no te preocupes.

—¿Qué no me preocupe? Me estás diciendo que mi mejor amigo tiene un tiro en el pecho y no me tengo que preocupar. ¿Qué le pasó? ¿Cuándo? ¿Y vos qué tenés que ver con todo esto?

—Fue hace tres días. Él y Ariel habían decidido hacer una inmersión un poco alejados del pueblo. A Ariel se le había ocurrido un posible sitio para el naufragio de la Swift. Al ascender, se encontraron a la Piñata como un colador. Alguien le había clavado un cuchillo en cada una de las cámaras de aire y flotaba desinflada como una pasa.

—¿Y qué hicieron?

—Pudieron llegar a la costa nadando. Claudio, que no tenía ninguna duda de quiénes habían sido, lo primero que hizo al llegar al pueblo fue pedirle prestada a Raúl la lancha del club. Se fue directo al otro lado de la ría a pegar fuego a la casa de Cafa.

—¡No! —fue todo lo que pudo exclamar Marcelo, como si eso fuera a cambiar algo de lo que Diana estaba a punto de contarle.

—Sí, y lo estaban esperando. No lo dejaron ni acercarse. Apenas bajó de la lancha le pegaron un tiro en el pecho y lo dejaron tirado esperando que se desangrara.

—¿Y cómo llegó al hospital?

—No lo sabe. Pero pasó mucho más tiempo del aconsejable entre que recibió el disparo e ingresó en el hospital. Perdió una barbaridad de sangre. Los médicos dicen que estuvo muy jodido, pero que ahora está fuera de peligro.

Marcelo Rosales se sentía como si lo hubieran metido dentro de un lavarropas. Ya no quedaba nada de toda la felicidad con la que había abordado el avión. Ahora su mejor amigo estaba internado con heridas de bala, y era en parte culpa suya. De no ser por su obcecación por continuar la búsqueda a toda costa, incluso sabiendo el peligro que implicaba, ahora Claudio no estaría pasando por algo así.

—¿Podrías parar un segundo por favor?

Ni siquiera aguantó a que el coche se detuviera por completo al costado de la ruta. Abrió la puerta y vomitó sobre el asfalto gris que se movía ante sus ojos.

—¿Y vos cómo sabés de todo esto? —dijo cuando se repuso, limpiándose la boca con un pañuelo que le dio Diana y las lágrimas que le habían causado las arcadas con la manga— ¿Cómo sabés de la Swift y de los tipos que viven del otro lado? Y sobre todo ¿cuál es tu vínculo con Claudio?

—Tú eres mi vínculo con Claudio.

Marcelo arqueó las cejas, anonadado por aquello último. ¿Qué tenía que ver él en todo esto, si hacía una semana se había ido a Australia y ella y Claudio jamás habían hablado?

—¿Recuerdas el día que me invitaste a ver el anochecer en tu casa? —preguntó ella.

Le pareció una pregunta ridícula. Lo recordaba como si lo hubiera vivido hacía media hora. No hubiera podido olvidar aquel día aunque el disparo en el pecho se lo hubieran dado a él.

—Pues ese día, mientras tú dormías y yo esperaba a que se pusiese el sol, cogí un precioso volumen de tapas de cuero que estaba sobre la mesa del comedor.

—¿Y lo leíste?

—Pensaba que sería un libro. Cuando lo abrí y vi la primera página, ya no pude echarme atrás. Lo leí de cabo a rabo antes de que te levantaras.

El cansancio hacía dificilísimo digerir todo aquello.

—Muy bien, te enteraste por casualidad de que estábamos buscando la corbeta, pero ¿me querés explicar cómo terminaste hablando de eso con Claudio?

—¿Recuerdas que te conté que el proyecto de los tiburones no iba del todo bien?

—Sí, ¿y eso qué tiene que ver?

—Pues tiene que ver porque nos lo cancelaron a los dos días de irte tú para Australia. Pablo ya se volvió a Buenos Aires, aceptó el trabajo en el zoológico. En cuanto a Leandro, no tiene idea de qué va a hacer, pero se larga mañana. Dice que Deseado sin trabajo es insufrible.

—No me gusta generalizar pero…

—Ya sé, ya sé, todos los porteños son iguales. Empiezo a entender las historias que os traéis los del interior con los de la capital.

Estaba a punto de empezar a despotricar cuando pensó de nuevo en Claudio. Él también era de una ciudad y vivía criticando a Deseado. Sin embargo era su mejor amigo. Además, Marcelo nunca había vivido en ningún otro sitio, así que no estaba en condiciones de opinar.

—Pues bueno —continuó Diana—, al quedarme sin trabajo, habiendo descubierto en tu diario la interesantísima historia de la corbeta y sabiendo que no abundan los buzos por la zona, me presenté en la casa de Claudio. Le dije que accidentalmente me había enterado de todo y que si podía ser de alguna ayuda para el grupo, tenía todas las ganas y el tiempo.

—¿Y te dejaron bucear con ellos?

—¡Por supuesto que no! Ni siquiera cuando les dije que ponía a disposición nuestra Zodiac, que hasta que no envíen a alguien de Buenos Aires a buscarla, la tengo como si fuera mía. Me dijeron que sí como a los locos y que si se les ocurría algo en lo que pudiera ser útil, me avisaban.

—No sé por qué no me extraña.

—Pues porque tú hubieras hecho lo mismo que ellos.

—Probablemente. De cualquier modo, al final te contactaron, ¿no? Por algo me viniste a buscar.

—Sí. Te vine a buscar porque uno tiene un tiro en el pecho y el otro no puede conducir ni un coche de *scalextrix*.

39

—Hemos llegado —dijo Diana tocándole suavemente un brazo.

—Hmmm —fue todo lo que pudo decir Marcelo al despertarse.

—Ya estamos en tu casa.

Se había quedado dormido a mitad de camino, exhausto por el viaje y las noticias.

—No, no, mi casa no —dijo incorporándose en el asiento de golpe—. Vamos al hospital, quiero ver a Claudio.

—Marcelo, es la una de la mañana, el horario de visita es de cinco a seis de la tarde.

—Al hospital, Diana. Esto no es Barcelona.

El hospital estaba a la vera de la ría, separado del club náutico tan solo por Punta Cascajo. Al llegar, tuvieron que estacionar el Coloradito en la calle a unos cien metros de la entrada porque estaban remodelando el estacionamiento. Del otro lado de la ría, la única luz que podría haber estado encendida no lo estaba.

Al entrar al hospital, Marcelo se dirigió directamente al guardia de seguridad, un diminuto hombre de bigote tupido, quien al despertarse en su silla pareció reconocerlo de inmediato. Conversaron mientras Diana esperaba, como él le había indicado, a una distancia suficiente para que aquel hombre y él pudieran hablar en privado.

—Por las escaleras, no hagas ruido —le dijo Marcelo a Diana tras despedirse del viejo con un abrazo.

—¿Cómo lo has logrado?

—¿Sabés lo que es un NYC y un TAF?

—Ni idea.

—Mejor, porque no son términos de los que uno se siente orgulloso. Pero, lamentablemente, a veces es bueno conocerlos. Te lo explico después —dijo mientras abría sigilosamente la puerta de la habitación 106.

La penumbra parecía magnificar el sonido de la respiración de Claudio. Por la ventana solo se colaba la luz de un gran barco mercante que entraba a puerto aprovechando la marea alta. Marcelo encendió una pequeña lámpara junto a la cama y su amigo giró la cabeza arrugando el ceño, cegado por la luz. Murmuró algo indescifrable y luego abrió los ojos.

—Cabeza, ¿cuándo llegaste? —dijo con una voz que parecía salir del estómago más que de la garganta.

—Hace diez minutos. ¿Cómo estás?

—Mal pero *acostumbrau*, como decía Inodoro Pereyra. Me operan mañana para sacarme la bala.

—Claudio, no sé cómo pedirte perdón. Si no hubiera insistido tanto en que siguiéramos buscando la corbeta, hoy no estarías así. De verdad...

—No digas boludeces —lo interrumpió su amigo.

—Por lo menos no pierde el carácter —dijo Marcelo dirigiéndose a Diana.

—Cabeza, esto se nos fue totalmente de las manos.

—Tenés razón, y aunque no lo vayas a reconocer, es mi culpa. Pero no hables ahora, que tenés que descansar. Vine simplemente para asegurarme de que estabas bien. Ya charlaremos mañana en el horario de visita. Ahora descansá.

Marcelo le dio una leve palmada en la mejilla y le hizo señas a Diana para que se fueran.

—Me trajo Cafa —dijo Claudio cuando ya habían abierto la puerta para irse.

—¿Cómo? —preguntó Marcelo volviéndola a cerrar.

—Me acabo de acordar. Me trajo Cafa. Yo estaba tirado en la playa y él vino y me cargó en su lancha.

—¿Y qué te dijo?

—Que todo iba a estar bien. No me acuerdo de nada más.

—Descansá —dijo una vez más Marcelo y esta vez sí abandonaron la habitación.

Bajaron las escaleras y saludaron de lejos al sereno. Al salir del hospital, se encontraron con un paisaje completamente diferente al de hacía quince minutos. Gruesos copos de nieve caían ladeados por el viento. Apuraron el paso hasta donde habían estacionado el coche sin decir una palabra. Solo se oía la nieve virgen crujir con cada pisada.

—¿Ahora sí a tu casa? —preguntó Diana.

Marcelo la miró en silencio. Luego le pasó una mano por el pelo, que tenía algún rastro de nieve, y le besó los labios fríos.

—Ahora sí.

Durmieron juntos aquella noche, abrazados casi todo el tiempo, dándose calor el uno al otro. Fue ella esta vez quien se levantó con la cama vacía y encontró a Marcelo en la mecedora de mimbre mirando la ría. Desayunaron —él por primera vez en mucho tiempo sentado a la mesa— café con leche y tostadas. Se abrigaron y salieron a la calle, que conservaba en los rincones más sombríos algo de la nieve de la noche anterior.

Ceferino Cafa abrió la puerta de su casa una fracción de segundo después de que Marcelo la golpeara, como si lo hubiera estado esperando. Sin la boina, parecía diez años más viejo. Sus ojos, brillantes y enrojecidos, delataban falta de sueño.

—Cafa, tenemos que hablar.

—Adelante —dijo el hombre mirando más a Diana que a Marcelo—. ¿Cómo está Claudio?

Al entrar, Marcelo esperaba ver sobre la repisa de la chimenea el trozo de la Swift que había llevado a los ingleses hasta el pescador. Pero solo había fotos de su hija y un espacio vacío en el medio.

—Está bien —dijo Diana—, recuperándose. ¿Entonces es cierto que usted lo llevó al hospital?

—Sí, fui yo. Y antes de que me pregunten, les juro por mi hija que no tuve nada que ver con lo que le hicieron esos salvajes.

En el centro del comedor había una mesa de fórmica cubierta por un plástico transparente que oficiaba de mantel. Sobre él descansaba un cenicero repleto de colillas y un cigarrillo encendido, a punto de convertirse en una más. Cuatro sillas, todas distintas, completaban el mobiliario. El pescador se dejó caer sobre una e hizo un gesto con la mano para que Marcelo y Diana hicieran lo mismo.

—Yo estaba pescando, solo —dijo cuando estuvieron los tres sentados—, y vi la lancha del club cruzar hacia mi casa. Recogí la red tan rápido como pude y empecé a seguirla, sin saber quién iba a bordo. Recién reconocí a Claudio cuando se bajó de la lancha, un segundo antes de que abrieran la puerta de la casa y le dispararan. Lo vi caer al suelo a menos de dos metros del agua.

El hombre dio una honda pitada al Derby ya casi consumido, que ahora temblaba entre sus dedos. Retuvo el humo durante unos segundos.

—Yo... lo tendría que haber llevado inmediatamente al hospital.

—¿Quiere decir que no lo hizo? —preguntó Diana adelantándose a Marcelo.

—No me dejaron. Uno de ellos me apuntó con la pistola y me dijo que los cruzara con el bote. Les dije que había que llevar a ese muchacho a un médico urgentemente, pero me dijeron que si no hacía lo que me decían el que iba a necesitar un hospital sería yo. Tenían las valijas hechas. En cinco minutos estábamos navegando hacia el pueblo.

El pescador hizo una pausa para encender un nuevo cigarrillo con el anterior.

—Cuando llegamos al otro lado —continuó—, me obligaron a entregarles las llaves de la furgoneta, cargaron todo su equipaje y salieron a toda velocidad.

—¿Y no había nadie que pudiera haberlos visto?

—Nadie que yo sepa. El club a esa hora estaba cerrado y el día se había puesto demasiado ventoso como para que hubiera alguien paseando por la playa. Mientras volvía a buscar a Claudio, avisé por la radio a prefectura. Lo encontré en el mismo lugar, quieto y empapado en sangre. Pensé que se había muerto.

El nuevo cigarrillo de Cafa temblaba entre sus dedos aún más que el anterior. Un trozo de ceniza cayó al suelo, pero el pescador no pareció notarlo.

—A la vuelta —prosiguió— había una ambulancia esperándolo en el muelle. A mí me llevaron para tomarme declaración.

—¿Y qué les dijo? —preguntó Marcelo.

—Les conté toda la verdad. Todo lo que sé de cabo a rabo. La policía los está buscando.

—Eso es lo que debería haber hecho hace mucho tiempo —dijo Marcelo—. Exactamente el día que descubrió cómo esos dos intentaron asesinarme. Pero no, usted siguió ayudándolos, sabiendo que las cosas podían terminar como terminaron.

—Pibe —dijo el hombre, pasándose a contrapelo por la barba roja la mano que sostenía el cigarrillo—, vos no tenés idea de cómo me arrepiento de haber actuado así. Tenés toda la razón, fui demasiado lejos protegiendo a esos delincuentes. Me dejé llevar por la posibilidad de hacer un billete fácil y me salió el tiro por la culata.

—El tiro —dijo Marcelo poniéndose de pie y señalándose el pecho— se lo pegaron a mi amigo. Y por más que usted se arrepienta o se justifique, él sigue en el hospital.

El pescador se quedó en silencio, con los ojos clavados en la diminuta brasa del tabaco. Cuando las miradas de Marcelo y Diana se encontraron, él hizo un movimiento con la cabeza y, dos segundos más tarde, estaban saliendo de la casa.

Solo ella dijo adiós.

40

Sobre la margen norte del estuario, con el pueblo a solo un par de kilómetros en dirección al océano, las aguas de la ría se movían más de lo ideal para bucear.

Se sumergirían en breve para intentar una vez más dar con la corbeta, buscándola en un sitio que, aunque no coincidía exactamente con la descripción de Erasmus Gower, aparecía en uno de los documentos que Patrick Gower había entregado a Marcelo.

Firmada por un sobreviviente anónimo del naufragio, la crónica, más corta que la de Gower, afirmaba que la profundidad a la que se había hundido la Swift era de dos brazas menos que la que declaraba Erasmus. Aquello había puesto nuevas rocas en la lista de posibles candidatas y ahora Marcelo y su grupo flotaban exactamente sobre una de ellas.

Como la Piñata había quedado inservible, Diana Carbonell ofreció por segunda vez su barca con la condición de que la dejaran participar de las inmersiones. Aunque Ariel y Marcelo intentaron convencerla de que era demasiado peligroso, por las condiciones naturales y por cómo se habían sucedido los hechos últimamente, ella no se mostró dispuesta a negociar. Si querían su embarcación, tendrían que aceptarla con ella a bordo.

La otra alternativa era solicitar la del club náutico, pero considerando que durante el último préstamo alguien había terminado herido de bala, les pedirían un millón de explicaciones. La ventaja de aceptar la oferta de la española era que ella ya estaba al tanto, aunque de casualidad, de todos los detalles de la búsqueda. Tras una charla entre Claudio, Ariel y Marcelo en el hospital el día anterior, habían decidido incorporarla al equipo. Por su lancha, por ser buzo y porque Marcelo insistió.

En cuanto a los ingleses, ya hacía cuatro días que habían desaparecido tras robarle la camioneta a Cafa. Lo más probable era que hubieran llegado a Buenos Aires y, sabiendo que tendrían a la policía detrás, salido del país rumbo a Inglaterra. Marcelo, Ariel, Claudio y ahora Diana, tenían que encontrar la corbeta antes de que Fred Platt enviase a otros buzos a completar el trabajo que no habían sido capaces de realizar su hijo y el otro.

El bote inflable de Diana corcoveaba con las olas mientras Marcelo terminaba de abrocharse el chaleco de aire. Ariel hacía rato que estaba sentado en el borde, listo para tirarse de espaldas.

Diana estaba de pie, con todo el equipo puesto y las aletas en la mano. En esa posición la encontró la bala que impactó en su cadera, tirándola al agua.

Otro proyectil pasó zumbando cerca del oído derecho de Marcelo y, sin pensarlo, éste saltó por la popa como estaba. Vació su chaleco lo más rápido que pudo hasta comenzar a hundirse lentamente. Descendió, sin aire y a ciegas unos tres o cuatro metros, según le indicaba la presión del agua en sus tímpanos. A esa profundidad estaba a salvo de las balas. Ahora solo le faltaba poder respirar.

Con la mano derecha se tocó las caderas y continuó con el brazo hacia adelante hasta sentir la manguera del regulador en su antebrazo. Sopló con fuerza para quitar el agua de la boquilla y se llenó los pulmones de aire.

Seguía sin ver nada, pero pudiendo respirar, lo de la máscara se convertía en un problema menor: la tenía alrededor del cuello. A tientas, se la ajustó sobre la cara y exhaló por la nariz presionando la parte superior hasta que el aire desplazó al agua por completo.

Abrió los ojos y miró el profundímetro: estaba a seis metros. Miró hacia los costados pero no vio a Diana ni a Ariel. La visibilidad era de tres o cuatro metros.

Entonces reaccionó y miró hacia el fondo. No importaba cuántas inmersiones tuviera a sus espaldas, siempre tardaría un segundo extra en darse cuenta de que, debajo del agua, alrededor también significaba arriba y abajo. Descubrió, apenas visibles, a Diana y Ariel aferrados al cabo del ancla.

Descendió hacia ellos tan rápido como se lo permitieron sus oídos, esperando encontrarse un reguero rojo saliendo de la cadera de Diana. Sin embargo, al llegar a su lado, la española le hizo una seña para que se tranquilizara e, inclinándose hacia un costado, señaló una de las pastillas de plomo de su cinturón. Estaba deformada y albergaba en su interior una pequeña bala encamisada.

Marcelo sintió una especie de *déjà vu*, con la diferencia de que ahora no era el suelo de madera de la casa de Olivera donde se había incrustado el proyectil, sino el cinturón de plomo de Diana Carbonell. Por suerte, esta vez no había atravesado previamente la cabeza de nadie.

Pero había estado cerca. Por diez centímetros, aquella bala no había destrozado el riñón de Diana. Y por veinte, no había hecho explotar su botella con aire comprimido a doscientas atmósferas. Eso hubiera matado a los tres.

Bajaron hasta el fondo, a doce metros. Reunidos alrededor del ancla, mientras intentaban tranquilizarse los unos a los otros mediante señas no estandarizadas, Marcelo abrió el bolsillo de su chaleco flotador y sacó su pizarra acuática.

—*LA ÚNICA POSIBILIDAD ES VOLVER AL PUEBLO CON LA CORRIENTE* —escribió.

Diana y Ariel se miraron, sopesando la idea. Eran casi dos kilómetros los que tendrían que recorrer en menos de media hora. Con lo acelerados que estaban sus corazones, el aire no les duraría más que eso.

La marea comenzaría a bajar en cualquier momento, llevándolos con fuerza hacia el pueblo, seguro y habitado, pero no tenían tiempo suficiente para esperar. Había que comenzar a moverse en dirección al puerto lo más pronto posible.

Incluso con la corriente a su favor era arriesgado. Sin embargo, la alternativa era salir a la superficie, lo que los convertiría en algo parecido a esos patitos de plástico que flotan en las kermeses mientras la gente les dispara con un rifle.

En este caso sería una pistola. Seguramente la misma que había matado a Olivera.

Tras la afirmativa de Diana y Ariel al plan, comenzaron a avanzar intentando pegarse lo más posible al fondo. Aquello era fundamental, pues en el caso de encontrar una contracorriente se podrían agarrar de las rocas para evitar ser arrastrados.

De los tres, Marcelo Rosales era el único que contaba con una brújula. La consultaba permanentemente en su muñeca izquierda para asegurarse de que se dirigían hacia el pueblo, donde tendrían mayores posibilidades de salir con vida. Su manómetro acusaba un consumo de aire extraordinario, casi el doble de lo normal. La profundidad tampoco ayudaba a conservar aire —su profundímetro marcaba veinticinco metros—, pero la única posibilidad de llegar a destino era continuar pegados al fondo.

Bastó una simple operación matemática en su cabeza para que Marcelo se diera cuenta de que a ese ritmo y a esa profundidad se quedaría sin aire antes de que estuvieran a salvo. Sacó nuevamente su pizarra del bolsillo del chaleco y escribió:

—*SUBO UNOS M P/REDUCIR CONSUMO.*

Diana y Ariel se mostraron de acuerdo juntando pulgar e índice. No hizo falta que Marcelo les dijera que era mejor que ellos se quedaran abajo mientras sus botellas se lo permitieran.

Tres metros más arriba, apenas veía a sus amigos. La marea bajante lo enturbiaba todo conforme arrastraba sedimento hacia el océano. Y a pesar de que también los empujaba a ellos en la dirección correcta, lo hacía con tanta fuerza que les era imposible controlar el rumbo.

Continuaron así un poco más hasta que, de repente, el agua se volvió mucho más clara, revelando delante de ellos una enorme pared vertical de roca. Marcelo sintió que avanzaba cada vez con menos velocidad hasta descubrirse flotando en aguas calmas que lo mecían suavemente de un lado a otro. Seguramente, pensó, se habían puesto al refugio de la corriente detrás de una de las varias penínsulas que se adentraban en la ría. Volvió a distinguir con claridad a Diana y a Ariel, que lo seguían desde el fondo.

Si querían continuar avanzando, deberían superar la enorme roca que les bloqueaba el paso. En condiciones normales la hubieran rodeado para evitar cambios bruscos en la profundidad de la inmersión, pero considerando que casi no les quedaba aire, tendrían que subir hasta pasarla por encima.

Durante el ascenso, Marcelo tenía que hacer cada vez más fuerza para respirar. Conocía bien su regulador y sabía que eso significaba que le quedaban, como mucho, cinco minutos de inmersión. Pero los chasquidos que producía el aire al expandirse en sus oídos le confirmaban que subían, y mientras menos profundidad, más le duraría lo poco que quedaba en su botella.

La cima de la roca, a doce metros y medio de profundidad, era plana y alargada. Marcelo, Diana y Ariel bucearon juntos hasta el otro lado de la piedra para encontrarse con una pared que descendía tan vertical como la que acababan de subir. Se asomaron y descubrieron que el precipicio caía por unos seis o siete metros.

Del lodoso fondo emergía un enorme costillar de madera.

41

Marcelo cerró los ojos durante unos segundos. Al volver a abrirlos, las cuadernas de madera seguían allí, sobresaliendo del fondo como dientes de una boca gigante. Sin necesidad de medir, supo que aquel barco tenía veintiocho metros de eslora. Y aunque no vio ninguno, hubiera apostado el poco aire que le quedaba a que doce pedreros y catorce cañones descansaban enterrados bajo el sedimento.

Y quizás, junto a alguno de ellos, la botella más importante que se había hundido jamás.

Miró a su derecha y vio a Diana y a Ariel asomados, como él, al barranco submarino. De no ser porque el agua hacía ondear sus pelos, Marcelo habría jurado que estaban congelados. Ambos tenían la vista clavada en la pequeña fracción desenterrada del barco que se había encaprichado en permanecer oculto durante tanto tiempo.

Fue entonces, en el momento más feliz de su vida, cuando Marcelo Rosales se quedó sin aire.

Agarró a Diana por el hombro derecho. Cuando ella se giró para mirarlo, se pasó el canto de la mano por el cuello, haciendo un gesto como si se cortara la garganta. La seña significaba que quien la hacía tenía la botella vacía o algún problema con su equipo le impedía respirar.

Fiel al código de buceo, Diana Carbonell levantó sus brazos como si la apuntaran con una pistola, para que él identificara el tubo de color amarillo conectado a la fuente de aire de emergencia. Se la llevó a la boca y respiró.

Pero ya no podían seguir contemplando la Swift. A Marcelo y Diana, que ahora compartían la botella, no les quedaba más de dos minutos de aire. Tenían que comenzar el ascenso ya mismo.

Sacudieron del brazo a Ariel, embobado con la imagen de la corbeta. Al ver que Marcelo y Diana compartían el tanque, miró su manómetro y señaló a sus compañeros lo que marcaba la aguja: cero. Él también se quedaría sin aire de un momento a otro.

Comenzaron el ascenso hombro con hombro. De esa forma, si Ariel se quedaba sin aire, Marcelo o Diana compartirían la boquilla con él, intercalando bocanadas.

No hizo falta. Al salir a la superficie, a Ariel todavía le quedaba un resto en su botella para inflar el chaleco. Marcelo, en cambio, lo tuvo que hacer a pulmón.

—Mira hacia adelante —dijo Diana mientras Marcelo soplaba dentro de la tráquea del chaleco.

Vio, a no más de cien metros de distancia, el casco oxidado de un pesquero enorme. Estaban en el puerto.

42

El despertador sonó a las dos y cuarenta de la mañana, aunque Marcelo tenía los ojos abiertos desde que se había acostado. Fue a la cocina y desayunó un té con leche de pie junto a la mesada, sin encender ninguna luz.

Salió por la puerta trasera y saltó la pared del fondo, aterrizando sobre el pequeño arbusto de guindas de la señora Carballo. No se preocupó demasiado por el ruido, su vecina era prácticamente sorda.

Caminó con paso apurado durante diez minutos con las manos en los bolsillos y el mentón dentro de la bufanda. Al llegar a la casa de Claudio, levantó la caracola que adornaba el alféizar de una de las ventanas, descubriendo el reflejo plateado de la luna sobre una pequeña llave.

Llevaba cinco minutos en la casa cuando oyó golpes en la puerta. Ariel y Diana habían llegado al mismo tiempo.

—¿Tenés los focos? —preguntó Marcelo mientras saludaba a Diana con un beso y ella a él con dos.

—He traído los tres. Han estado enchufados varias horas, así que las baterías están al máximo.

Ariel corrió la cortina del comedor y miró hacia el cielo por la ventana.

—Hoy hay luna llena —dijo—. Hasta los cinco metros podemos bajar sin encenderlos, para no levantar sospechas.

Sin más preámbulos, comenzaron a cargar sus equipos en el Coloradito. Antes de cerrar la puerta y volver a guardar la llave debajo de la caracola, Marcelo miró el gran reloj con forma de escotilla que decoraba el comedor de Claudio. Eran las tres y media de la madrugada.

Marcelo Rosales detuvo el Coloradito junto a una pequeña playa de piedra entre el puerto y el muelle de la prefectura. Estaba desierta en aquel momento, aunque, de día y cuando no arreciaba mucho el viento, era uno de los sitios favoritos de los pescadores.

Después de descargar todo el equipo intentando hacer el menor ruido posible, Marcelo condujo el coche hasta el estacionamiento de un hotel cercano. De verlo allí, nadie sospecharía. Quince minutos y medio kilómetro más tarde, se volvió a reunir con sus compañeros donde los había dejado.

Encontró a Diana y Ariel con el traje ya puesto. Mientras él se calzaba el suyo, sus compañeros revisaron el resto del equipo para asegurarse de que funcionase bien. Cuando todo estuvo listo, escondieron la ropa que se habían quitado y unas toallas para cuando salieran en una pequeña cueva debajo de una roca.

Se ayudaron mutuamente a ponerse el chaleco unido a la pesada botella de aire y caminaron decididos hacia adentro mientras el agua helada se les metía en el traje.

Marcelo apenas veía el profundímetro cuando éste marcaba los cinco metros que habían acordado. Activó su foco y un potente haz de luz se extendió hasta perderse en las tinieblas. Inmediatamente, sus compañeros hicieron lo mismo.

Las luces revelaban un fondo que parecía sacado de una película de ciencia ficción. Animales extraños abandonaban la oscuridad de sus cuevas para salir a cazar y los bulbos marrones que de día pasaban desapercibidos se abrían en unas bellas flores lilas que se hamacaban al compás de la corriente.

Tardaron menos de diez minutos en llegar junto a la roca que había sentenciado a la corbeta. El esqueleto de madera seguía allí, al igual que el día anterior y cualquier otro día desde hacía dos siglos.

Iluminada solo por los tres haces de luz, la escena era algo tétrica. El barco descansaba con el casco inclinado hacia estribor y popa, y todo lo que había expuesto eran las gruesas cuadernas de estribor que hacía doscientos años habían sostenido la estructura de la proa. Las tablas que las unían formando el casco se habían desprendido con el tiempo y algunas se podían ver parcialmente enterradas en el fondo lodoso. Un trozo de una de ellas había terminado, quién sabía después de qué viaje, en manos de Cafa. Y eso había atraído a los ingleses como la sangre a los tiburones.

Habiendo visto los planos, encontrar la cabina del capitán no era difícil: estaba en la popa, debajo de la toldilla. Por suerte, la manera en la que se había hundido la Swift, cayendo hacia atrás, y los doscientos once años de sedimento que la habían ido enterrando aumentaban las esperanzas de que al menos algunos objetos hubieran sobrevivido a tanto tiempo debajo del agua.

Pero una cosa era ubicar los aposentos de Farmer y otra muy diferente era acceder a ellos. Según habían acordado el día anterior en la habitación 106 del hospital, la primera tarea para encontrar la botella, si existía, era ingresar en la popa del pecio. Eso sí era complicado.

Una gruesa capa de algas y arena recubría lo que les pareció la toldilla, es decir el techo del camarote, cámara y antecámara del Capitán George Farmer. Las tablas sobresalían inclinadas desde el fondo y, a pesar de que Marcelo siempre había sido de la política de no tocar nada del lecho marino, si querían avanzar deberían abrirse paso de alguna manera.

Al ponerse manos a la obra para apartar las algas y el limo que cubría las tablas, bastaron dos minutos para que el sedimento que habían removido los envolviera, impidiéndoles ver siquiera sus propios cinturones de plomo. La luz moría instantáneamente como si chocara contra una pared, sin dejarles otra alternativa que comenzar el ascenso.

A cinco metros de la superficie el agua estaba mucho más clara. Apagaron los focos y continuaron avanzando a esa profundidad. Había que reducir al máximo la probabilidad de ser descubiertos por los ingleses, que no parecían haberse ido.

Volvieron a la noche siguiente, y a la otra, moviéndose con el máximo sigilo y estacionando siempre el Coloradito en el hotel. Fue recién en la tercera inmersión que pudieron sacar dos anchas tablas del techo de la cabina y procurarse el acceso a la que suponían era la habitación de Farmer.

La primera en entrar fue Diana, pero se detuvo cuando solo tenía medio cuerpo dentro del barco. Estuvo así durante treinta segundos, bloqueando el paso a Ariel y a Marcelo, y luego empezó a retroceder. Cuando salió, iluminaba con la luz un objeto en su mano izquierda. Los reflejos no daban lugar a dudas: era vidrio.

Marcelo lo iluminó también con su foco una vez se hubieron apartado de la nube que brotaba del acceso a la cabina. No se trataba de una botella, sino de un reloj de arena. Por el tamaño, era el de veintiocho segundos que utilizaban, junto con una soga con un nudo cada cuarenta y siete pies y tres pulgadas, para medir la velocidad de navegación. Al menos eso le había contado Patrick Gower.

El vidrio parecía intacto, pero el reloj estaba lleno de agua. Los tres se miraron con una expresión a mitad de camino entre la alegría y la duda. "¿Qué hacemos?" parecían preguntarse los seis ojos detrás de las lunetas. "¿Qué hacemos con el primer objeto rescatado?".

Marcelo extendió su mano, pidiéndole a Diana el reloj. Cuando la española se lo dio, nadó hacia el agujero, que todavía seguía escupiendo sedimento en suspensión, y se adentró en la cabina a tientas. Dejó el reloj en el fondo con la mayor delicadeza que su tacto enguantado le permitía y al salir hizo señas a sus compañeros para comenzar el ascenso.

—Tenemos que crear un museo —dijo cuando los tres tuvieron la cabeza fuera del agua.

Desde que había llegado de Australia, no había discutido con sus amigos la promesa que le había hecho a Gower.

—¿Debajo del agua? —bromeó Ariel—. Para que la gente lo pueda ver necesitamos sacar las cosas de ahí abajo.

En parte, Ariel tenía razón. Además, resistirse a la tentación de llevarse aquel primer objeto encontrado había sido mucho más difícil de lo que Marcelo imaginó en un primer momento. Sin embargo ¿de qué servía haber recorrido un camino tan largo si todo terminaba en la repisa de algún coleccionista privado? A pesar de ser consciente de que no tendría en su vida otra oportunidad como ésta de hacerse rico de la noche a la mañana, le importaba mucho más que todo Puerto Deseado pudiera disfrutar de aquellas joyas arqueológicas. Además, le había hecho una promesa a Patrick Gower.

—Es cierto —dijo Marcelo—, pero no seremos nosotros quienes las saquen. Para eso se necesitan profesionales. Ni siquiera Claudio, que se gana la vida buceando, es idóneo. Lo que necesitamos son arqueólogos.

—¿Y qué pasa si cuando reportemos la ubicación del barco se llena de saqueadores antes de que vengan los arqueólogos? —preguntó Diana mientras se sacaba las aletas.

—Es que esa es justamente nuestra única arma. Nadie sabe dónde está el pecio y nadie lo sabrá hasta que no tengamos garantías de que va a ser tratado como se merece.

Al salir del agua, Marcelo se quitó el traje, y tras secarse con una de las toallas, se puso su ropa y caminó temblando por quince minutos hasta el hotel donde estaba el Coloradito.

Igual que la noche anterior, llevó primero a Ariel a su casa. Luego invitó a Diana a dormir con él, tras dejar el coche en casa de Claudio.

—¿Cómo lo haces? —preguntó ella mientras caminaban hacia la casa de Marcelo tomados del brazo.

—¿Cómo hago qué?

—¿Cómo haces para levantarte a las siete de la mañana para ir al colegio después de haber estado buceando de madrugada?

—Simple, salgo del colegio y duermo una señora siesta. ¿Por?

—El colegio —dijo Diana con voz nostálgica—. Cómo echo de menos mis días de instituto. A las dos de la tarde estás fuera y mañana será otro día.

Marcelo no supo qué contestar. Para él la vida había sido así desde que se acordaba. Jamás había tenido ninguna otra obligación, a excepción de las clases de inglés con *Mrs* Caroline.

—Pues a decir verdad yo lo llevo bastante mal —continuó ella—. Intento echarme una siesta cada día, pero con tanta gente yendo y viniendo frente a la cabaña lo tengo chungo.

—Por la puerta de mi casa no suele pasar nadie. Dormirías como un angelito.

Una pequeña nube de vapor acompañó la risa de ella, preludio de un cálido beso de labios helados.

43

Pasaron quince días buceando de noche y durmiendo siestas juntos. Solo descansaban los fines de semana, cuando el movimiento nocturno del pueblo aumentaba, y con él las posibilidades de que alguien los viera y se preguntara qué hacían esos tres buceando de madrugada.

Más allá de eso, no perdían un solo día. Las noches se hacían cada vez más cortas y algunas veces les era imposible bucear con marea alta, que era cuando había mejor visibilidad.

Claudio seguía en el hospital a causa de una complicación post operatoria. La cavidad donde había estado la bala comenzaba a mostrar signos de infección y, dada la proximidad al corazón, lo tenían en observación permanente.

A pesar de las dificultades, esos días de buceo habían reportado pequeños avances, sobre todo de cara a la creación del museo. En una de las inmersiones, Ariel había desenterrado una bala de cañón del tamaño de una manzana. Otro día, un bulto cuadrado había revelado ser un armario cuando, tras levantar una de sus puertas, encontraron varios artículos de porcelana. Definitivamente, no faltarían arqueólogos dispuestos a trabajar en aquel proyecto, y el museo sería un éxito.

Pero primero necesitaban encontrar la dichosa botella. O al menos asegurarse de que allí no estaba.

Marcelo había podido entrar a la cabina en la cuarta inmersión. La primera impresión fue que estaba en una cueva. Lo único que desentonaba eran las aristas demasiado rectas. Las paredes estaban recubiertas por una especie de alga más pequeña y tupida de la que forraba el pecio del lado de afuera.

Tal como se lo habían descrito Diana y Ariel, el suelo se había derrumbado, uniendo los aposentos del capitán con los pañoles que había debajo. Aquello dificultaba considerablemente la búsqueda, pues la mayoría de los objetos no solo estarían sepultados bajo la gruesa capa de sedimento sino que también una multitud de tablas deterioradas se había ido apilando sobre ellos a lo largo de los años.

Al día veinte, en el rincón más profundo de la cabina de

Farmer, descubrieron una gran caja cuadrada. Probablemente un baúl. Habían creído que se trataba de un taburete hasta que Ariel señaló, con una enorme sonrisa asomando a los costados del regulador, una mancha verde entre las finas algas que lo cubrían. Era un cerrojo.

El muchacho retiró la tapa y una nube blanquecina cegó las linternas, impidiéndoles ver el contenido. Entonces Diana se quitó el guante derecho, metió la mano y barrió el fondo con suavidad. Tras lo que a Marcelo le pareció una eternidad, sacó un puñado de objetos.

Nada tenía el tamaño ni la forma de lo que buscaban. El más notorio era un pequeño tintero cuadrado de cerámica. Quizás, pensó Marcelo, Gower había utilizado uno parecido para escribir su relato. O Farmer, para encargárselo.

El resto era una masa amorfa compuesta de lo que parecía cuero e hilos. Tras examinarlos detenidamente, Marcelo identificó una parte del lomo de lo que alguna vez había sido un libro.

Pudo leer en la mirada de sus compañeros la misma desilusión que sentía él. Sumado al reloj de arena inundado, aquel era un golpe durísimo a la esperanza. Frente a ellos tenían la prueba de que si el documento que buscaban había entrado en contacto con el agua, por más que fuera de pergamino como había sugerido Patrick Gower, no quedarían de él más que partículas en suspensión.

Marcelo Rosales entró en la cabina por decimocuarta vez en la vigesimoprimera inmersión del grupo en el pecio. Aquel día, Diana entraría con él mientras Ariel esperaba fuera. No solo no cabían los tres, sino que tenía que haber alguien listo para ayudar en caso de que algo saliera mal. Y había muchas cosas que podían salir mal buceando con el agua a cinco grados, de noche, dentro de una estructura a punto de derrumbarse y con tanto sedimento acumulado que bastaba una sola patada mal dada para que la visibilidad se hiciera nula.

Cuando acabó de meter su cuerpo en la corbeta, barrió las ruinas con su foco. En el fondo, entre las maderas y el lodo, algo le devolvió la luz. Se lanzó a toda velocidad hacia el lugar de donde provenía el destello. Después de tantos años bajo el agua, solo un material era capaz de brillar de aquella manera.

Al llegar al fondo, sus sospechas se confirmaron: era vidrio; un rectángulo del tamaño de una caja de fósforos pequeña. Probablemente había sido él mismo, o alguno de sus compañeros, quien lo había dejado al descubierto sin darse cuenta mientras exploraban la cabina los días anteriores.

Hundió los dedos en el limo con una suavidad que le costaba controlar, y descubrió que se trataba de algo mucho más grande de lo que inicialmente había creído.

Instantáneamente se olvidó del frío, de la oscuridad y del peligro. Sus manos enfundadas temblaron de la emoción al reconocer bajo el lodo la forma de una enorme botella.

44

Al desenterrarla de entre el limo y las maderas, Marcelo Rosales tuvo en sus manos una botella dos veces el tamaño de una normal. El corcho aún parecía estar en su lugar, debajo de una capa que, con suerte, sería lo que quedaba del lacre de cera.

Habiendo removido el fondo, la nube turbia no tardaría en apoderarse de la cabina, obligándolo a salir.

Todo había sido tan rápido que Diana apenas había entrado al pecio. Al mostrarle lo que traía en sus manos, Marcelo pudo ver en su cara la expresión de sorpresa, incluso detrás de la máscara y el regulador.

Se reunieron con Ariel, que los esperaba a la entrada. Al ver lo que sus compañeros traían, se apresuró a iluminar la botella por detrás con su foco. La potente luz no fue capaz de atravesarla, ni siquiera proyectando un leve resplandor. No había forma, al menos por el momento, de saber con seguridad si contenía lo que buscaban.

Pasaron varios segundos estáticos, observándola sin que ninguno de los tres soltara una sola burbuja. La primera en salir de aquella especie de trance fue Diana, quien levantó su pulgar para indicar que comenzaran el ascenso. Marcelo y Ariel le respondieron con un O.K. rápido.

Cinco metros antes de la superficie apagaron los focos, como lo habían hecho en todas las otras inmersiones.

Al emerger, Marcelo apenas se podía mantener a flote. Era difícil estimar el peso de un objeto cuando se estaba en el agua, pero esa botella lo hacía hundirse como si llevara siete u ocho kilos de más en el cinturón de plomos.

En los quince minutos que habían estado bajo el agua, la velocidad del viento había aumentado drásticamente. Las olas eran ahora más grandes y Diana y Ariel tuvieron que tomar a su compañero uno de cada brazo para darle un poco de flotabilidad. Nadaron juntos y en silencio hasta la orilla, llevándose de la Swift, tal y como habían acordado, solamente la botella.

Una botella que quizás tenía más valor económico y político que un galeón español cargado de oro.

Cuando pudo hacer pie, sin quitarse las aletas ni la máscara, Marcelo la agitó levemente acercándola a su oído. El objeto resultó ser mudo además de ciego. Tampoco pudieron sacar ninguna conclusión en base al peso, pues podía contener el lastre según la teoría de Patrick Gower o simplemente estar llena de agua.

Pero acababan de lograr lo más difícil, y en adelante todo sería cuesta abajo, pensó Marcelo. Irían a casa de Claudio y abrirían una botella. No la que tenía ahora en sus manos sino una de champán, para brindar por el hallazgo, inédito e improbable. Luego se contactaría con Nicolás Cambi, el renombrado arqueólogo de Buenos Aires a quien Gower había explicado la historia en su visita a la Argentina. El experto viajaría a Puerto Deseado para evaluar la pieza e intentar restaurarla. Además, Cambi y su grupo llevarían a cabo una investigación arqueológica formal, restaurando todos los objetos que encontraran para ponerlos en exposición en un museo que se crearía en Puerto Deseado. Todo por cuenta de Patrick Gower.

Todavía chorreaban agua cuando, de atrás de la roca donde escondían la ropa, se recortó una figura baja con el cabello lacio y recogido. Los apuntaba con una pistola que llevaba en la punta un enorme silenciador.

—Buenas noches, señorita. Buenas noches, caballeros —dijo en español con un marcado acento inglés—. Lamento interrumpir a esta hora de la madrugada.

45

El individuo se acercó a Marcelo con su par de ojos pequeños fijos en la botella. Sin dejar de apuntarle, posó su mano libre con suavidad sobre el grueso cuello de vidrio.

—Permítame —dijo.

Dejando de lado la voz un tanto estridente y una pronunciación extraña, su castellano era casi perfecto. O quizás eso parecía, porque el viento impedía escuchar con claridad.

Marcelo obedeció y sintió cómo el peso de la botella se aligeraba hasta que sus manos quedaron vacías.

Mientras tanto, una furgoneta se detuvo frente a ellos, cegándolos con las luces altas. A pesar de que casi no podía ver el vehículo, Marcelo adivinó que era de color azul y que hasta hacía menos de un mes le pertenecía al pescador Cafa. Bastó un quiebre de la muñeca que empuñaba la pistola para que entendieran que tenían que subirse sin pedir explicaciones.

Tras encerrarlos en la parte trasera, el inglés se subió en el asiento del acompañante y se puso la botella entre las piernas. Le dio al conductor, que lo doblaba en tamaño, una orden que Marcelo no llegó a entender, pero que fue interpretada acelerando a toda prisa. Luego se volvió hacia ellos y los miró sin decir nada.

Dos minutos más tarde, salían del pueblo a toda velocidad por la única carretera que lo comunicaba con el resto del país. Pasaron junto al desvío que Marcelo había tomado el día que descubrió a los dos buzos que se escondían en la casa de Cafa. Los mismos dos que ahora los llevaban quién sabía adónde por una ruta que se extendía a lo largo de ciento veintisiete kilómetros de nada.

Para ser justos, casi nada.

Viajaron en silencio durante unos veinte minutos. Tellier era la primera parada de un tren que hacía cinco años había dejado de salir de Puerto Deseado. *El veinte,* como lo conocían los deseadenses, era unas pocas casas sobre la carretera cuya única razón de ser había sido un enorme tanque de agua que desde principios de siglo saciaba la sed de la locomotora a vapor. Ahora, después de la muerte del ferrocarril, solo quedaba el destacamento de policía, una escuela rural y un puñado de ganaderos obstinados.

La furgoneta de Cafa se detuvo frente a la construcción más grande del poblado: un galpón de chapa sin pintar casi del tamaño de un hangar. El conductor se bajó para abrir el enorme portón y, tras volverse a subir al vehículo, lo condujo hacia la penumbra del interior.

El que los había obligado a subirse abrió las puertas traseras de la furgoneta.

—Quítense los chalecos, las botellas, los cinturones y bájense —dijo, sin dejar de apuntarlos con la pistola.

Marcelo notó un desagradable olor a óxido. El mismo olor que había sentido el día del asesinato de Olivera: sangre. Pero ahora era mucho más intenso. A juzgar por las caras de sus compañeros, no era él el único que lo percibía.

El tipo los hizo caminar hacia uno de los rincones, donde la oscuridad apenas dejaba adivinar la silueta de una pequeña mesa y tres sillas a su alrededor.

El grandote apoyó la botella sobre la mesita y encendió una luz demasiado pobre para aquella habitación gigante, pero suficiente para revelar la fuente del olor nauseabundo: estaban en un matadero. Decenas de carcasas de corderos colgaban, perfectamente alineadas, de un entramado de vigas de acero. Junto a las reses se erguían pilas de cueros de animal de más de un metro de altura. Un viejo camión Mercedes Benz descansaba junto a los animales que probablemente había traído con vida hacía pocas horas.

—Tomen asiento —dijo el del arma.

Al ver que los tres permanecían de pie, soltó una risita meneando la cabeza de un lado al otro.

—Siéntense —repitió, levantando bruscamente la pistola hasta apuntar entre las dos cejas de Ariel.

Se sentaron los tres de inmediato.

—En primer lugar, déjennos presentarnos. Soy Andrew Platt, aunque todos me conocen por Andy, y él es Ron. Tendrán que disculparlo pero no habla castellano. ¿Curioso, no? Llevamos tantos meses aquí y no ha aprendido ni una palabra.

Tenía que esforzarse para hablarles, porque las chapas agitadas por el viento retumbaban dentro del galpón.

—Tampoco es que tuvieran mucha interacción viviendo del

otro lado —dijo Marcelo antes de pensar que no tenía derecho al sarcasmo.

—Tengo que admitir que en eso tiene razón. Aunque, conociendo al pobre Ron, no creo que hubiese aprendido ni viviendo en Buenos Aires.

—¿Qué es lo que queréis? —preguntó Diana.

—Ustedes saben muy bien lo que quiero. Llevo tres meses buscándolo y veinte días esperándolo —dijo clavando sobre la botella enorme sus diminutos ojos, que la luz revelaba verdes.

—¿A qué se refiere? —preguntó Marcelo.

—Señor Rosales, hace veinte días que los vengo observando durante sus inmersiones nocturnas, supuestamente secretas. ¿Por qué otro motivo bucearían siempre en el mismo lugar y a escondidas? Cuando me di cuenta de que habían encontrado la Swift, pensé que, en lugar de combatirlos, me convenía tenerlos trabajando para mí. Y de paso nos ahorrábamos tenernos que meter cada día en estas aguas heladas. No entiendo cómo hay gente que puede bucear aquí por placer.

Marcelo sintió que lo invadía una mezcla de ira y vergüenza. Habían estado haciendo el ridículo. Habían madrugado para bucear de noche, procurando no encender las luces hasta pasados los cinco metros. Se habían tomado el trabajo de estacionar el coche en el hotel y esconder la ropa y las toallas para no ser descubiertos y solo había servido para que esos dos se rieran desde la cabina calefaccionada de una furgoneta.

—Ahora, veamos lo que han encontrado, señores —dijo Platt entregándole la pistola a Ron y levantando la botella en sus manos.

Hizo exactamente lo que habían hecho ellos minutos atrás: la puso a trasluz y la sacudió suavemente. Luego se la quedó mirando por un minuto que a Marcelo se le hizo eterno.

—Excelente trabajo —dijo—, debo felicitarlos. Aunque, como entenderán, no tendrán mucho tiempo para disfrutar de la gloria.

Después de los balazos a Olivera y a Claudio, los tajos a la Piñata y el disparo en el cinturón de Diana hacía veinte días, tenían bastante claro a qué se refería exactamente con eso.

—¿Qué hay en la botella? —preguntó Marcelo, intentando ganar tiempo a la espera de un descuido de Ron, o un milagro.

Platt soltó una carcajada estridente que ni siquiera los chirridos del viento contra la chapa lograron acallar.

—Buen intento —dijo—. Sé perfectamente que todos aquí estamos al tanto de lo que es, pero le responderé por cortesía, señor Rosales. Dentro de esta botella hay un cheque en blanco al portador. Tanto su país como el mío pagarían lo que sea por él. Y aunque por cuestiones obvias me gustaría que terminara en manos de la Reina, no tengo ningún problema en entregárselo a sus dictadores si la oferta es buena.

—¿Y qué piensa hacer con nosotros? —intervino Ariel— ¿Matarnos como hizo con el pobre Olivera?

El inglés volvió a dejar la botella sobre la pequeña mesita y le hizo un gesto a Ron para que le devolviera la pistola. Luego los apuntó y, ladeando la cabeza, les enseñó la otra mano abierta.

—Pobre hombre. Intenté darle una oportunidad pero no quiso cooperar. Insistió en que prefería verse muerto antes que ayudar a un contrabandista. Esa fue la palabra que utilizó. Contrabandista. No me quedó otra alternativa, y eso que estábamos dispuestos a retribuirle su asesoramiento.

—Hijo de puta —murmuró Diana entre dientes.

—Señorita Carbonell, no se tome esto como algo personal. Son solo negocios. Ya conocerá el dicho en inglés: *business is business.*

—Olivera nunca hubiera cooperado con alguien como usted. Jamás —dijo Marcelo.

—Claro que no —respondió Platt—. El problema fue que tardé demasiado en darme cuenta de que ayudar a un inglés en algo así habría sido para él como venderle el alma al diablo. Mi error fue creer que ofreciéndole una buena suma de dinero lo tendríamos de nuestro lado. El viejo empezó a gritarnos que la corbeta le pertenecía a su querida República Argentina y que nosotros no teníamos derecho a llevarnos ni un pedazo de madera. La conversación se puso un poco tensa, créanme. Los patriotas fanáticos son más difíciles de convencer que las mujeres vírgenes, y yo debería haberme dado cuenta de que no había esperanza al ver esa bandera ridícula en el patio de su casa.

—¿Y tuvieron que volarle la cabeza simplemente porque no quiso ayudarlos? —preguntó Marcelo con una rabia que, a esa altura, ya había opacado al miedo.

—No exactamente. No somos tan malos como usted se piensa, señor Rosales. Fue él quien nos obligó a matarlo. Yo le propuse un negocio y ¿sabe lo que me dijo? Que si no nos volvíamos a nuestro país de mierda, mandaría un grupo de estibadores amigos suyos a que nos cortaran la cabeza. Disculpen el vocabulario, pero estoy citando textual.

Considerando lo patriota que parecía ser Olivera y la fama de gente de pocas pulgas que tenían los marineros y los portuarios, a Marcelo eso le sonó una respuesta perfectamente normal.

—Digamos que lo tuvimos que hacer en defensa propia —agregó Platt.

—Tenga al menos la bondad de no ser tan cínico —intervino Diana.

—Cínico es una palabra curiosa, señorita Carbonell. ¿Sabe que *cynical* en inglés significa suspicaz? Me tomaré su comentario como un cumplido. Ahora, si son tan amables, tenemos que retirarnos.

—La policía los busca y, tarde o temprano, los van a encontrar. Tendrán que pagar por todos los delitos que cometieron, empezando por el crimen de Olivera —gritó Ariel, y Marcelo no entendió si los nervios le habían jugado una mala pasada, si intentaba ganar tiempo o simplemente había subestimado la situación por completo.

Platt sonrió.

—Por supuesto que pagaremos. Pagaremos con todo el dinero que nos darán por esta botella. Lamento que ustedes no vayan a tener la oportunidad de verlo, porque en diez minutos pasarán a hacerles compañía a todas estas ovejitas.

Entonces le hizo una seña con la cabeza a Ron y éste se arremangó el pantalón hasta la rodilla.

—¿Lo reconoce, señor Rosales? —preguntó Platt.

El gigante tenía atada a la pantorrilla el cuchillo de mango rojo que Claudio había encontrado en el fondo de la ría.

—Muy inteligente por su parte —continuó el inglés— llevarlo encima cuando tiene pensado meterse en propiedad privada. Le hubiese sido más útil si se hubiera asegurado de que no había nadie detrás de usted.

Entonces miró al tal Ron y dijo una frase en inglés que Marcelo entendió perfectamente.

—*Ladies first.*

—¡No! —gritó Marcelo.

Ignorándolo, el gigante se agachó lentamente, extrajo el cuchillo de la funda y se puso detrás de la silla donde estaba sentada Diana, apoyándole la hoja afilada sobre la garganta.

46

Diana Carbonell tenía la boca abierta, pero no decía nada.

El viento, que agitaba las paredes cada vez con más fuerza, daba la sensación de que derrumbaría el galpón en cualquier momento. Ojalá, pensó Marcelo, pero sabía que se necesitaba más que esas ráfagas para derribar una construcción patagónica.

—Es curioso que todo termine aquí —dijo Platt—. Me refiero al matadero. Una de las pocas cosas que aprendimos en este país es cómo carnear corderos. Como comprenderán, del otro lado de la ría no hay demasiada acción y uno tiene que entretenerse con lo que puede.

Mientras hablaba, apuntaba a Marcelo y no quitaba los ojos del cuello de Diana.

—Por algún motivo —continuó Platt—, a Ron se le da particularmente bien el degüelle. A mí al principio me pareció un acto muy cruel, aunque con el tiempo descubrí que tiene lo suyo. Hay algo en subir el animal al banco, atarle tres patas y hundirle el cuchillo en la garganta. Algo definitivamente especial en ver que el chorro de sangre se convierte en un leve goteo y las últimas patadas se apagan de a poco...

Pero Platt no pudo acabar la frase. Después de una de las ráfagas más fuertes de la noche, se sintió el estruendo del vidrio haciéndose añicos contra el suelo. Había sonado en la otra punta del galpón, pero los cinco dirigieron sus miradas a la botella en un acto reflejo. Seguía intacta sobre la pequeña mesa.

Platt le indicó en inglés a Ron que fuera a echar un vistazo detrás del camión, que era de donde había venido el ruido. Seguramente era el viento, dijo, pero valía la pena asegurarse.

Casi de manera robótica, Ron soltó a Diana y se fue caminando hasta perderse detrás del viejo Mercedes Benz.

—*All good, Ron?* —preguntó Platt al cabo de unos segundos.

No obtuvo respuesta. O si la hubo, no fue más fuerte que el viento.

—*Ron* —insistió, esta vez elevando su voz a grito.

Solo el aire contra la chapa.

El tercer llamado no solo fue más fuerte, sino que Andrew

Platt giró la cabeza sobre el hombro que empuñaba el arma, para gritar a sus espaldas. Su cuerpo acompañó levemente el movimiento y, por una fracción de segundo, Marcelo vio cómo el cañón de la pistola dejaba de apuntar directamente hacia él.

Se le abalanzó con todo el peso de su cuerpo, tirándolo contra una de las reses que colgaba de las patas traseras. Pudo oír el disparo silenciado mientras ambos caían sobre un charco de sangre. Apenas habían llegado al suelo cuando Ariel ya estaba también sobre el inglés, cuyos gritos desesperados, ahora sí, lograban imponerse al viento.

Ariel le sujetaba la mano libre apretándola contra el suelo y Marcelo luchaba por abrirle los dedos de la otra y quitarle el arma sin que volviera a disparar. Pero el tipo daba más pelea de la que se esperaba de su contextura menuda.

—Quédate quieto, joder.

Era Diana. Se había sumado al forcejeo e intentaba sostenerle las piernas.

—Ahí viene el otro —dijo la española, mirando por debajo de las reses.

Marcelo vio los pies de Ron, que volvía corriendo en respuesta a los aullidos de su compañero. Diana soltó a Platt sin aviso y éste, revigorizado, se sacudió tan fuertemente que estuvo a punto de liberarse.

Ella buscó a su alrededor y levantó del suelo una piedra de afilar del tamaño de un ladrillo. Cuando Ron apareció de atrás de una carcasa de cordero, se la tiró con toda su fuerza.

A un palmo de que la piedra le diera en toda la cara, Ron se cubrió con el antebrazo. Por el gruñido que soltó, le había dolido, aunque no lo suficiente como para hacerle largar el cuchillo.

Miró a Marcelo y Ariel, que apenas lograban dominar a Platt, pero en lugar de preocuparse por ellos, enfiló directamente hacia Diana. Si la alcanzaba, tendrían que soltar a su amigo.

Diana Carbonell retrocedió con cada paso del grandote, manteniendo la distancia, hasta que sus piernas se toparon con una de las sillas en las que los habían obligado a sentarse. La asió con las dos manos y, al tratar de levantarla para golpearlo, Ron dio un salto hacia ella intentando agarrarla por la cintura.

Pero no alcanzó a tocarla. Un palo largo apareció volando e impactó en su musculoso cuello. Ron se giró, mirando desconcertado hacia el sitio desde donde había venido el golpe, dándole a Diana tiempo suficiente para escapar de su alcance.

El pescador Cafa le acababa de salvar la vida.

La figura del hombre de la boina verde se recortaba entre el camión y una de las paredes del galpón. Había golpeado a Ron arrojándole una de las varas con las que, una vez al año, se fuerza a las ovejas a sumergirse en desinfectante.

Pero para tirársela había tenido que dejar en el suelo lo que llevaba en las manos. Cuando se agachó para levantar una enorme escopeta de dos cañones, Ron se le tiró encima, tumbándolo antes de que pudiera aferrarse al arma.

Al cuarto puñetazo, Cafa quedó inconsciente, sangrando por la nariz y la boca.

Ron se incorporó sin dejar de mirar al pescador, inmóvil en el suelo. Giró bruscamente sobre sus talones y, decidido a terminar lo que había empezado, comenzó a agacharse para agarrar la escopeta de Cafa.

—Ni lo intentes. Al suelo, lejos del arma, o disparo —gritó Marcelo en inglés, apuntándole con la misma pistola que había asesinado a Olivera.

El grandote se quedó inmóvil un instante, probablemente descolocado al oír a ese alfeñique hablando su lengua. Luego se apartó unos pasos de Cafa y dobló sus enormes rodillas hasta apoyarlas en el piso de cemento. Levantó las manos lentamente, rindiéndose.

Ariel estaba subido encima de Platt, que no dejaba de gritar y sacudirse. Ambos estaban completamente cubiertos en sangre de cordero. Diana se apresuró a traer de la furgoneta dos cinturones de plomo y, tras quitarles todo el lastre, usó las correas para sujetarle las manos y los pies.

Una vez lo tuvieron fuera de combate, Ariel y Diana inmovilizaron a Ron utilizando el cinturón de plomo que quedaba y una soga para atar patas de cordero. El grandote, que con un solo forcejeo se los podría haber sacado de encima como quien se quita una pelusa del hombro, no ofreció resistencia cuando Marcelo le apuntó directamente a la sien y le dijo en inglés que era mejor que cooperara.

Cafa comenzaba a mover la cabeza de un lado a otro. Su mandíbula, probablemente fracturada, balbuceaba quejidos ininteligibles.

Entre los tres cargaron al herido y obligaron a los dos ingleses a arrastrarse al interior de la parte trasera de la furgoneta. Diana y Ariel subieron con ellos, apuntando una a Ron con la pistola y el otro a Platt con la escopeta. Marcelo se sentó al volante y puso el vehículo en marcha.

Antes de emprender el regreso a Deseado, sujetó con el cinturón de seguridad del acompañante la enorme botella de vidrio.

47

La puerta de la habitación 106 se abrió en silencio. La ventana dejaba entrar la luz del sol y un pedazo de paisaje de la ría. En el aire flotaba un intenso olor a verduras hervidas.

—¿Alguna novedad, Cabeza? —preguntó Claudio sentado en la cama, frente a su almuerzo.

—Los peritos balísticos compararon los proyectiles y las vainas de la pistola de los ingleses con las de la escena del crimen de Olivera. No había dudas, pero era necesario confirmarlo.

—¿Y qué hiciste con la botella?

—La tengo en remojo. Llamé por teléfono a Cambi, el arqueólogo que me indicó Gower en Buenos Aires, pero no está en el país. Vuelve de Venezuela el lunes. Su asistente me dijo que la dejara sumergida hasta la semana próxima, cuando todo el equipo de buzos vuelve a la Argentina. El miércoles que viene están acá.

—¿Y qué garantías tenemos de que esto termine en buenas manos?

—Mientras mantengamos en secreto la ubicación del hundimiento y nadie sepa sobre la botella hasta que lleguen los arqueólogos, estamos a salvo. Ayer me llegó un telegrama del gobernador de la provincia en el que se compromete a crear un museo para exponer los restos encontrados, así que no hará falta que Gower ponga el dinero. Una vez que esté abierto al público, revelamos el contenido de la botella y lo ponemos directamente en exhibición.

—Ojalá el gobernador y todos los políticos que van a aparecer ahora cumplan al menos la mitad de lo que prometen. Yo no me fío de ninguno de esos.

Tras decir esto, Claudio Etinsky se metió en la boca el primer trozo de puchero que humeaba en la mesa sobre su cama.

—¿Y el viejo Cafa? —preguntó sin dejar de masticar.

—Recién vengo de su habitación. Está bien, pero lo van a tener que derivar a Buenos Aires. Necesita cirugía en la boca para volver a masticar. ¿Y a vos, cuándo te dan de alta?

—Si fuera por mí me hubiera ido a casa al día siguiente del

disparo, pero el doctor insistió para que me quedara, sobre todo después de la infección. Estoy contando los días como un preso. Me faltan tres.

—¿Entonces hacemos una fiesta en tu casa el viernes cuando salgas?

—Si no le contás a mi médico, dalo por hecho. Motivos para festejar no nos faltan —dijo Claudio levantando su vaso con agua.

—Como si fueran pocas las razones para brindar, hay una más. Una que no te conté.

—¿Te casás con la gallega? —preguntó señalando a Marcelo con el tenedor.

—No tiene nada que ver con eso, tarado. Me dieron una beca para estudiar la carrera que quiera en cualquier universidad del país.

—¿En serio? —dijo Claudio escupiendo un poco de comida al tiempo que comenzaba a aplaudir—. Qué grande, che. Te felicito.

—Estoy pensando en hacer Arqueología en Rosario. Empezaría en marzo.

—Arqueología. Veo que te pegó fuerte el hallazgo, ¿no? ¿Y por qué Rosario?

—Mi papá… —murmuró Marcelo sin pensar.

—¿Qué tiene que ver tu viejo en esto, Cabeza?

Dudó unos instantes, pero finalmente decidió guardarse el mayor de sus secretos. Algunas cosas sí que deberían descansar en el fondo para siempre, pensó.

—No quiero estar en la misma ciudad que él —improvisó—. Además, todo el mundo dice que Rosario es preciosa.

—Y… si es verdad lo que se dice, tiene que serlo.

—¿Qué se dice?

—Que es la ciudad con las mejores mujeres de la Argentina.

Marcelo intentó festejarle la gracia, pero solo logró esbozar un simulacro de sonrisa. Esa mueca falsa no convencía a nadie, y mucho menos a Claudio.

—En este momento no te importan un carajo las mujeres argentinas, ¿no?

—Comé que se te va a enfriar —le dijo Marcelo guiñándole un ojo, y salió de la habitación.

Epílogo

El frío y el paisaje son iguales a Deseado. Pero no es Deseado. Tampoco era Argentina hasta hacía unos días. Junto al soldado Marcelo Rosales se arrastra cuerpo a tierra un tucumano, igual de joven e igual de soldado. Los dos tiemblan, pero solo uno está acostumbrado a temblar. Al menos de frío.

Los dos aprietan su pecho contra el mismo suelo que, dos siglos atrás, pisó Erasmus Gower: las islas Malditas.

El tucumano está orgulloso de que se le congele el aliento defendiendo su patria. Marcelo, no. Él sabe que no hacía falta. Sabe que en un museo a seiscientos kilómetros de allí, estaba —porque ya no está— la alternativa a la guerra. Y el general borracho también lo sabe, pero se le cae la dictadura a pedazos y necesita distraer al pueblo.

Nadie le preguntó al soldado Rosales si quería ir o no. Lo mandaron, igual que al que tiene al lado. Y ahora lucha por su vida, no por su patria. Para él, la pelea por su país terminó seis meses atrás, en un matadero a veinte kilómetros de su pueblo.

Si hay que odiar a ingleses, Marcelo odia a Platt. No a Ward, o como se llame el que aprieta ahora el gatillo.

Nota del autor

Los objetos rescatados de la H.M.S. Swift se encuentran exhibidos en el museo "Mario Brozosky", en Puerto Deseado, provincia de Santa Cruz, Argentina. El pecio fue descubierto por un grupo de entusiastas locales después de mucho estudio e investigación, un año después de haber formado la Subcomisión de Búsqueda y Rescate de la Corbeta Swift del Club Náutico Capitán Oneto. Esto pasó en una época muy cercana a la que describo en la novela.

Las tareas de rescate y conservación continúan hoy en día y, según entiendo, todavía queda más de la mitad de la nave por desenterrar e investigar.

La correspondencia entre Gower y Farmer (y el objeto de ésta) son solo producto de mi imaginación. Otras dos grandes licencias que me he tomado a la hora de escribir esta novela tienen que ver con la visibilidad en el agua y el buceo en el pecio. En la verdadera Ría Deseado, la máxima visibilidad registrada en quince años de buceo fue de seis metros, y duró solo dos días. En cuanto a los restos de la Swift, cientos de objetos (incluyendo un reloj de arena y botellas) han sido encontrados intactos, pero lo cierto es que la estructura está completamente llena de sedimento. La única manera de «ingresar» es excavando, como lo hacen los arqueólogos en la actualidad.

Podría continuar separando ficción de realidad, pero prefiero desembarazarme tan ruinmente que ni siquiera lo haré utilizando palabras mías. En la nota del autor de *La ciudad de los prodigios*, Eduardo Mendoza dice: «Muchos lectores me han preguntado si los sucesos que relato y los datos históricos que cito son verídicos o imaginarios. La respuesta, por supuesto, carece de importancia, puesto que todo, en definitiva, es sólo una novela».

GRACIAS POR LEERME

¡Muchísimas gracias por leerme! Espero que hayas disfrutado con esta historia. Me tomo el atrevimiento de pedirte que me ayudes a llegar a más lectores compartiendo tu opinión. Podés hacerlo hablando del libro con personas de carne y hueso, publicando algo en redes sociales o, si lo compraste por internet, dejando una reseña en la web donde lo adquiriste. A vos sólo va a llevarte un minuto, pero el impacto positivo que tiene para mí es enorme.

Por último, me gustaría invitarte a formar parte de mi círculo más cercano de lectores dándote de alta en mi lista de correo. La uso para enviar cuentos inéditos, adelantar capítulos, compartir escenas extras de mis libros que quedaron fuera de la versión final y avisar cuando publico algo nuevo. No suelo escribir más de un correo por mes, así que no te preocupes porque no te voy a llenar la bandeja de entrada (y nada de SPAM, lo prometo). Para darte de alta, encontrarás un botón en mi página web.

Una vez más, gracias por estar ahí. Leyéndome, le das sentido a lo que hago.

SOBRE EL AUTOR

Cristian Perfumo escribe *thrillers* ambientados en la Patagonia Argentina, donde se crio.

El primero, *El secreto sumergido* (2011), está inspirado en una historia real y lleva ya ocho ediciones, con miles de copias vendidas en todo el mundo.

En 2014 publicó *Dónde enterré a Fabiana Orquera*, que agotó varias ediciones en papel y en julio de 2015 se convirtió en el séptimo libro más vendido de Amazon en España y el décimo en México.

Cazador de farsantes (2015), su tercera novela con frío y viento, también agotó la primera tirada.

El coleccionista de flechas (2017) ganó el Premio Literario de Amazon, al que se presentaron más de 1800 obras de autores de 39 países, y está siendo adaptada a la pantalla.

Rescate gris (2018) fue finalista del Premio Clarín de Novela 2018, uno de los galardones literarios más importantes de Latinoamérica, y más tarde fue publicado por la editorial Suma de Letras.

En 2020 publicó *Los ladrones de Entrevientos*, una novela de atracos que ha sido definida por la crítica como «*La casa de papel* en la Patagonia».

En 2021 publicó *Los crímenes del glaciar*, una novela negra ambientada por partes iguales en la Patagonia y los alrededores de Barcelona que se convirtió en best-seller en Amazon. Recientemente ha publicado *Los huesos de Sara* (2022), un *thriller* de misterio que traslada al lector a una excavación paleontológica en uno de los rincones más desconocidos y particulares de la Patagonia.

Sus libros han sido traducidos al inglés, al francés y editados en formatos audiolibro y braille.

Tras vivir años en Australia, Cristian está radicado en Barcelona.

Más novelas de Cristian Perfumo

LOS HUESOS DE SARA

Hay secretos que deberían permanecer enterrados para siempre

El cráneo del dinosaurio carnívoro más grande del mundo ha desaparecido del remoto sitio de la Patagonia donde estaba siendo excavado. Teresa Estévez, la paleontóloga que lidera la expedición, descubre que el ladrón ha dejado en su lugar una falange humana y una críptica nota con una única interpretación posible: el hueso pertenece a su mentora, Sara Lombardi, desaparecida en ese mismo lugar cuatro años atrás.

Con la ayuda de un periodista, Teresa se embarcará en una peligrosa carrera por recuperar uno de los fósiles más valiosos del planeta al mismo tiempo que descubre qué pasó con Sara Lombardi.

No te pierdas este thriller de misterio que te hará descubrir un rincón único de la Patagonia a través de la adictiva pluma de Cristian Perfumo, ganador del Premio Literario de Amazon y escritor best-seller en España y Latinoamérica.

DÓNDE ENTERRÉ A FABIANA ORQUERA

Verano de 1983: En una casa de campo de la Patagonia, a quince kilómetros del vecino más próximo, un político local despierta en el suelo. No tiene ni un rasguño, pero su pecho está empapado en sangre y junto a él hay un cuchillo. Desesperado, busca a su amante por toda la casa. Viajaron allí para pasar unos días juntos sin tener que esconderse. Todavía no sabe que ya nunca volverá a verla. Ni que la sangre que le moja el pecho tampoco es de ella.

Verano de 2013: Nahuel ha pasado casi todos los veranos de su vida en esa casa. Por casualidad, un día encuentra una vieja carta cuyo autor anónimo confiesa haber matado a la amante del candidato. El asesino plantea una serie de enigmas que prometen revelar su identidad y la ubicación del cuerpo. A medida que descifra pistas, Nahuel descubre que, incluso después de treinta años, hay quien prefiere que nunca se sepa la verdad sobre uno de los misterios más intrincados de aquella inhóspita parte del mundo.

¿Qué pasó con Fabiana Orquera?

LOS LADRONES DE ENTREVIENTOS

Durante años, trabajó para ellos. Ahora va a desvalijarlos.

Entrevientos no ha cambiado. Sigue siendo una de las minas de oro más remotas de la Patagonia y del mundo. Sin embargo, para Noelia Viader se ha convertido en un sitio totalmente diferente. Hace un año era su lugar de trabajo y hoy es una cruz roja en el mapa sobre el que repasa los detalles del atraco.

Tras catorce años alejada del mundo criminal, Noelia retoma el contacto con un mítico ladrón de bancos al que le debe la vida. Juntos reúnen a la banda que planea llevarse de Entrevientos cinco mil kilos de oro y plata.

Tienen dos horas antes de que llegue la policía. Si lo logran, los diarios hablarán de un robo magistral. Y ella habrá hecho justicia.

«Como *La casa de papel*, pero en la Patagonia»

www.cristianperfumo.com

EL COLECCIONISTA DE FLECHAS

La calma de una pequeña localidad patagónica se rompe cuando uno de sus vecinos aparece muerto con signos de tortura en su sofá.

Para la criminóloga Laura Badía, este es el caso de su vida: además de la brutalidad del asesinato, de la casa de la víctima han desaparecido trece puntas de flecha talladas hace miles de años por el pueblo tehuelche y cuyo valor es incalculable.

Con la ayuda de un arqueólogo venido de Buenos Aires, Laura se embarcará en la resolución de un misterio que no solo la llevará al glaciar Perito Moreno y a los enclaves más remotos de la Patagonia, sino también a recorrer el lado más oscuro de la mente humana, un lugar donde las mentiras y la codicia se esconden en cada recodo del camino.

Ganadora del Premio Literario de Amazon

www.cristianperfumo.com

LOS CRÍMENES DEL GLACIAR

El cuerpo de un turista aparece congelado en el glaciar más grande de la Patagonia. Murió sobre el hielo, de un disparo en el vientre, hace treinta años.

Pero tú, que te llamas Julián y eres de Barcelona, ignoras que esto te cambiará la vida.

Para entenderlo, primero deberás saber que tu padre tenía un hermano del que nunca te habló. Después, que ese hermano acaba de morir. Y, por último, que en su testamento figuras como único heredero de una misteriosa propiedad en El Chaltén, un idílico pueblo de la Patagonia.

Viajarás hasta allí para venderla, pero cometerás el error de hacer demasiadas preguntas. Entonces comprenderás que, treinta años después del crimen, en El Chaltén se esconde alguien dispuesto a borrarte del mapa con tal de que no llegues a la verdad.

www.cristianperfumo.com

RESCATE GRIS

Puerto Deseado, Patagonia Argentina, 1991. Raúl necesita dos trabajos para llegar a fin de mes. Cuando apaga el despertador para ir al primero de ellos, sabe que algo va mal. Su pequeño pueblo ha amanecido cubierto por la ceniza de un volcán y Graciela, su mujer, no está en casa.

Todo parece indicar que Graciela se ha ido por voluntad propia... hasta que llega la llamada de los secuestradores. Las instrucciones son claras: si quiere volver a verla, tiene que devolver el millón y medio de dólares que robó.

El problema es que Raúl no robó nada.

No te pierdas este thriller psicológico ambientado en una de las épocas más convulsas e inolvidables de la historia de la Patagonia: los días de la erupción del volcán Hudson.

Finalista del Premio Clarín de Novela

www.cristianperfumo.com

EL SECRETO SUMERGIDO

Marcelo, un joven buzo aficionado, busca en las aguas heladas de la Patagonia el lugar exacto del hundimiento de la Swift, una corbeta británica del siglo XVIII. Cuando la persona que más sabe del naufragio en todo el país aparece asesinada con un mensaje extraño en el regazo, Marcelo descubre que su inocente pasatiempo constituye una amenaza enorme para cierta gente. No sabe a quién se enfrenta, pero sí que compite con ellos por reflotar un secreto que, después de dos siglos bajo el mar, podría cambiar la historia de aquella parte remota del planeta. Encontrarlo será difícil. Seguir con vida, aún más.

Basada en una historia real. ¡Miles de ejemplares vendidos en todo el mundo!

www.cristianperfumo.com

CAZADOR DE FARSANTES

"Si estás viendo esto, es porque estoy muerto", dice a la cámara el periodista Javier Gondar pocas horas antes de que le peguen un balazo en la cabeza. En el video, Gondar señala como culpable de su asesinato al Cacique de San Julián, uno de los curanderos más famosos de la Patagonia.

Tras una experiencia difícil, Ricardo Varela se inicia en un extraño hobby: filmar con cámara oculta a chamanes y brujos de su ciudad y exponer sus trucos en Internet. No sabe si existe la brujería, ni le interesa demasiado. De lo que sí está seguro es que su ciudad está llena de farsantes sin escrúpulos dispuestos a prometer salud, dinero y amor a cualquiera que quiera creer. Y pagar.

Para Ricardo, enfrentarse al Cacique es la única forma de cerrar una herida que lleva dos años abierta. Sabe que tendrá que poner en riesgo su vida, y no le importa. Lo que no se imagina es que ese brujo no es más que el primer eslabón de una macabra trama que lleva años cobrándose vidas en nombre de la fe.

www.cristianperfumo.com

CAZADOR DE FARSANTES

CAZADOR DE FARSANTES

Cristian Perfumo

A Trini, mi persona favorita.

CAPÍTULO 1

En la foto había unos treinta adolescentes formados como si fueran un gran equipo de fútbol. Los de la fila de abajo sostenían una bandera que decía "Colegio Provincial Número 3 — Quinto año — 1999".

—Es ella —dije, señalando una chica alta y rubia en la fotografía—. Se llamaba Carina Alessandrini.

—¿Se llamaba?

—O se llama, no lo sé. Por eso vine.

—¿Viniste a que te diga si Carina está muerta?

Levanté la vista de la fotografía y me acomodé los anteojos de marco grueso. Eran pesados y me resultaban incómodos. Del otro lado de la mesa de vidrio me observaba una mujer de pelo muy corto teñido de violeta. Una blusa negra cubría su figura corpulenta.

—Carina y yo fuimos novios durante los últimos años de la secundaria. Después ella se fue a estudiar a Buenos Aires y yo me quedé en Comodoro. Nunca más la volví a ver.

—Supongo que querés que te ayude a encontrarla.

—Dicen que usted es la mejor en toda la Patagonia.

—Hago lo que puedo —se sonrojó la mujer—. Imagino que habrás intentado por medios más… tradicionales.

—Sí. Fui a la casa en la que vivían sus padres, pero cambió de dueños hace años. También probé en Internet, y nada.

Hice una pausa y recorrí con la vista la habitación, iluminada apenas por unas cuantas velas encendidas. Los estantes en las paredes estaban llenos de libros, pequeñas figuras talladas en madera y varias canastas de mimbre. Sobre la mesa que nos separaba había un cuenco con agua. Dentro de él flotaba un platito de madera en el que se quemaba un incienso, impregnando la sala de olor a mirra.

—Hace días que tengo el presentimiento de que Carina está cerca. Yo nunca creí en estas cosas —dije, señalando a nuestro alrededor—, pero esta vez siento algo diferente. No sé cómo explicarlo, es como si supiera a ciencia cierta que ella está en Comodoro. Cada vez que voy al centro, tengo la sensación de que en cualquier momento me la voy a encontrar.

La mujer posó su mano repleta de anillos sobre la mía, que todavía señalaba la foto.

—Yo te voy a ayudar —dijo con tono amable.

—¿Cuánto me va a costar?

—Por eso no te preocupes —agregó chasqueando la lengua y me dio dos palmaditas en el dorso de la mano—. Con que me des para comprar los materiales, ya puedo empezar el trabajo. Después arreglamos el resto.

La mujer se levantó con dificultad de su silla y rodeó la mesa, dirigiéndose hacia los estantes en la pared. Revolvió en una de las canastas de mimbre y volvió a su asiento con varios objetos en la mano.

Apoyó sobre la mesa de vidrio unas tijeras, una polvera de mujer y dos velas, una roja y otra negra. Luego hurgó en uno de los bolsillos de su blusa y me extendió un encendedor.

—¿Estás listo para recuperar a Carina?

—Sí —respondí, e inspiré hondo.

—Quiero que sostengas la vela roja con la mano izquierda. Así, muy bien. Ahora encendela y hacé un círculo de gotas de cera alrededor de la cabeza de Carina —agregó, dando un golpecito en la fotografía con la uña roma de su índice.

Hice lo que me indicó y, mientras las gotas de cera roja rodeaban a Carina, la mujer dijo en voz baja una oración rápida. Cuando completé el círculo, concluyó su rezo cerrando los ojos e inclinándose sobre la mesa para apagar la vela con sus dedos.

—Lo estás haciendo muy bien —dijo, y empujó las tijeras hacia mí—. Recortá la foto por el círculo de cera y poné la cara de Carina acá adentro.

Abrió la polvera y la dejó frente a mí.

—Y una vez que hagas eso, vas a cerrarla y sellarla con nueve gotas de cera negra.

Volví a oír el rezo bajo y rápido apenas las tijeras comenzaron a cortar la fotografía. Cuando cerré la polvera y encendí la vela negra, su voz se hizo más audible. Y con cada gota de cera oscura que dejé caer, la mujer repitió la misma oración un poco más alto, hasta gritarla desgarrándose la garganta.

—Arcángel Rafael, acércala, bendito seas.

A la novena gota, la bruja se levantó de su silla de un respingo y me arrebató la polvera de las manos. Apoyándosela en sus senos, caminó alrededor de la mesa murmurando palabras que no llegué a distinguir.

De repente se paró en seco y sonrió, mostrándome una ristra de dientes amarillentos.

—Carina está en Comodoro —exclamó—. Estuvo cerca tuyo varias veces, por eso tuviste esa sensación de estar a punto de encontrártela.

—¡Lo sabía! —festejé, elevando la mirada—. ¿Dónde está?

—Eso no lo sé. Lo que tenés que hacer ahora es llevar esta polvera con vos en todo momento. Incluso cuando te vayas a dormir, quiero que la pongas debajo de la almohada. Si me hacés caso, te la vas a encontrar pronto. Presiento que será en un lugar con mucha gente.

—¿En serio? ¿Usted me lo asegura?

—Por supuesto. No te puedo decir exactamente cuándo ni dónde, pero pasará.

Asentí con la mirada fija en la polvera todavía en manos de la mujer. Luego me volví a acomodar los anteojos y levanté la vista.

—No creo que me la encuentre —dije.

—Claro que sí. Es más...

—De hecho, es imposible que me la encuentre.

La mujer me miró por un instante, desconcertada.

—¿Por qué?

—Porque Carina se mudó a Canadá hace años.

—¿Y por qué no me lo dijiste?

Sus dedos ahora hacían girar la polvera a toda velocidad.

—¿Y por qué me acaba de asegurar que me la voy a encontrar? —respondí, preguntándome cuánto faltaría para que la bruja soltara la frase infame.

—No sé. Lo veo clarísimo. Quizás Carina tiene planeada una visita a la Argentina pronto, o quizás le surja un viaje imprevisto. ¿Tiene familiares acá, no?

—No me la voy a encontrar porque Carina está muerta.

La polvera se detuvo de golpe, y la mujer me fulminó con la mirada.

—¿A qué estás jugando? —preguntó.

—Yo, a nada. ¿Y usted?

—¿Por qué no me dijiste que esa chica estaba muerta? ¿Por qué me mentiste?

—Lo mismo le pregunto yo a usted. ¿Por qué le miente así a la gente? ¿Por qué les cobra para decirles lo que quieren escuchar? Mi pregunta fue clara: vine a saber si Carina Alessandrini estaba viva y usted me dijo que sí. Sin embargo, yo sé que lleva dos años muerta y enterrada en Canadá.

—Pero esto no es tan simple. Si no creés, es imposible que mis poderes funcionen.

Ahí estaba. La frase de siempre. El salvoconducto de todos los charlatanes.

—¿O sea que el problema es la falta de fe?

—Claro.

Me incliné hacia un costado de la silla y saqué de mi mochila otra fotografía. Aunque la conocía de memoria, volví a acomodarme los anteojos y detuve la mirada en ella por unos segundos. Luego la alcé hacia la bruja.

—¿Y qué me dice de esta niña? ¿La recuerda?

—No —respondió, apenas mirándola.

—Se llamaba Magdalena Peralta y a los cinco años le diagnosticaron leucemia. Hace siete meses, cuando los médicos dijeron que no había forma de salvarla, sus padres vinieron a verla a usted a esta misma casa. ¿De eso tampoco se acuerda?

—No —dijo, arqueando la boca hacia abajo.

—No hay problema, yo le refresco la memoria. Usted le prometió a esa gente que le curaría el cáncer a su hija, pero que no sería barato. Si me informé bien, vendieron el coche para pagarle. ¿Ellos tampoco tenían fe?

Los ojos marrones de la bruja rezumaban odio. Tuve que hacer un esfuerzo para sostenerle la mirada.

—Andate de mi casa.

—¿Cuánto le debo, señora, por ayudarme a encontrar a alguien que está muerto? ¿Vale más barato o más caro que romperle el corazón a una familia?

—Andate de mi casa, hijo de puta —gritó, tirándome la polvera con todas sus fuerzas.

Atiné a agacharme. El objeto se estrelló contra la pared a mis espaldas y cayó al suelo en pedazos.

—A partir de ahora no vas a tener un segundo de paz —me espetó, señalándome con el dedo.

Con los ojos encendidos, gritó una y otra vez la misma frase.

—Te maldigo. Te deseo el mal y la muerte. Para ti y los tuyos, el infierno. Te maldigo...

Sonriendo, le tiré un beso con la mano. La mujer interrumpió su maldición para mirar a su alrededor y levantó el cuenco con agua donde se quemaba el incienso. Yo agarré mi mochila y corrí hacia la puerta. Justo antes de abrirla, sentí al mismo tiempo el golpe del cuenco en el hombro y el agua mojándome la espalda. Sin mirar atrás, abandoné la casa de la famosa Bruja del Kilómetro Ocho.

Al salir a la calle, el viento invernal me heló la espalda mojada. Mientras corría hacia mi coche, me pregunté cuántas visitas tendría mi web cuando subiera el video que acababa de grabar con la cámara oculta que llevaba en los anteojos.

CAPÍTULO 2

Frente al espejo del camarín, el hombre practicó varias sonrisas. Luego dio un paso hacia atrás y se observó de arriba abajo. No había nada que hacer, concluyó, Armani hacía los mejores trajes del mundo.

Sacó del bolsillo una diminuta bolsa de plástico y vertió su contenido sobre el estuche de los cosméticos con que lo habían maquillado hacía diez minutos. Contempló por un instante la montañita de polvo blanco antes de sacar de su billetera la tarjeta de crédito y un billete de cien. Decidió hacer dos rayas.

Con el billete enrollado en la nariz, se acercó a las líneas blancas hasta tenerlas tan cerca que las vio borrosas. Entonces la puerta del camarín se abrió de par en par. Por el rabillo del ojo, reconoció la figura corpulenta recortada en la puerta.

—¿Qué querés, Lito? —dijo sin levantar la cabeza, y aspiró con fuerza la primera raya.

—Perdón por la interrupción, pero me acaban de llamar del Club Huergo, en Comodoro Rivadavia. La comisión directiva está reunida y quiere confirmar si vamos a agregar una segunda presentación, porque las entradas para la primera están agotadas.

—¿Cuánta gente cabe? —preguntó, girando entre los dedos un gemelo de oro con forma de letra M.

—Dos mil. Es una cancha de básquet con escenario a un costado.

El hombre multiplicó mentalmente lo que ganaría en su presentación en la ciudad más cara de la Argentina.

—Hagamos una solamente, para asegurarnos de que esté bien llena. Los dejamos con las ganas durante un par de meses y después volvemos y hacemos la otra. ¿Algo más? —preguntó con la mirada en la segunda raya.

—Sí. La banda ya va por la sexta canción. En cinco minutos

tiene que salir al escenario. El teatro está a reventar.

—Perfecto. Decile a Irma que me vaya anunciando.

Cuando Lito cerró la puerta tras de sí, el hombre notó la luz intermitente en su teléfono, junto a la tarjeta de crédito.

Era un email de la editorial que publicaba su autobiografía. Le decían que quedaban pocos ejemplares y que reimprimirían veinte mil más. Al terminar de leerlo, aplaudió tres veces en el camarín vacío, se felicitó a sí mismo en voz alta y aspiró la segunda raya de cocaína.

Ensayando una última sonrisa frente al espejo, el pastor Maximiliano se persignó y salió al escenario.

CAPÍTULO 3

—La próxima clase hacemos el trabajo práctico de algoritmos recursivos, que es el último tema que entra en el examen final —dije, y me puse a borrar el pizarrón blanco que había llenado de números, flechas y funciones escritas en Java.

A mis espaldas, oí a los casi cien estudiantes levantarse de sus sillas y abandonar a toda prisa el aula once de la Universidad Nacional de la Patagonia.

Para cuando me metí en la mochila la computadora y las fotocopias que había usado para dar la clase, en la sala solo quedábamos una alumna de unos treinta años y yo. La vi abrirse paso desde el fondo, apartando sin prisa las sillas y mesas que sus compañeros habían desordenado durante la estampida.

—¿Ricardo Varela? —me preguntó al llegar a mi escritorio.

—Sí.

—Excelente clase, te felicito.

—Gracias —respondí, algo extrañado.

Mis alumnos no solían tutearme, ni mucho menos felicitarme por la clase. De todos modos, me dije, la mujer frente a mí tenía poco en común con el estudiante típico de mi clase de Estructuras de Datos y Algoritmos. Para empezar, tendría mi edad, o a lo sumo un par de años menos.

—¿Puedo hacerte unas preguntas? —me dijo.

—Las clases de consulta son martes y jueves de diez a once.

—No te ofendas, pero no tengo ningún interés en tu clase. No soy una alumna.

—¿Y entonces de qué son las preguntas?

—Sobre tu sitio web.

—*¿Estructuras de Datos y Algoritmos*? En realidad no es *mi* sitio web. Yo lo administro, pero es la página web de la asignatura.

—Ya te dije que, con todo respeto, no estoy acá para hablarte como profesor de universidad. Me refiero a tu sitio web personal. *Cazador de Farsantes* se llama, ¿no?

Al oír aquello, me quedé paralizado. Las palabras me salieron sin fuerza, incapaces de convencer a nadie.

—¿*Cazador de Farsantes*? No sé qué es eso.

La mujer sonrió y asintió con la cabeza. Su gesto era casi de camaradería. Buen intento, decía, pero no te va a servir.

—Por supuesto que sabés de qué te hablo. Por cierto, excelente tu último trabajo con la Bruja del Kilómetro Ocho. Esa mujer lleva años robándole plata a la gente.

Sentí que las mejillas se me calentaban de a poco.

—Me parece que te estás confundiendo —insistí.

La mujer se metió los pulgares en los bolsillos del pantalón y dio unos pasos lentos hasta sentarse en una de las mesas de la primera fila.

—Podríamos ahorrarnos todo esto —sugirió—. Además, tampoco es para tanto. No voy a revelar tu secreto a nadie. Solo quiero charlar un rato. A lo mejor hasta te cuento algo que te puede interesar.

En ese momento, un alumno entró al aula y empezó a buscar algo debajo de la mesa en la que había estado sentado durante la clase.

—Vení conmigo —dije, resoplando, y salí de la sala con paso apurado.

CAPÍTULO 4

Bajamos las escaleras del edificio de la universidad hasta el primer subsuelo y nos metimos en la biblioteca. La mujer me siguió hasta la enorme sala de lectura, donde decenas de estudiantes encorvaban la espalda sobre libros de texto. Los únicos sonidos en aquel lugar eran el zumbido de la calefacción y nuestros pasos retumbando en las paredes.

Señalé una pequeña sala de reuniones.

—¿Quién sos? —le pregunté, cerrando la puerta.

—Ariana Lorenzo —respondió extendiéndome una mano casi esquelética.

Antes de sentarse en una de las cuatro sillas, se quitó el abrigo. Tenía piernas y brazos largos y huesudos, y debajo de la camisa apretada se adivinaban apenas dos bultos mínimos. A pesar de que era tan alta como yo, estimé que Ariana Lorenzo no pesaría más de cincuenta kilos.

—Soy periodista, trabajo para *El Popular*.

Sin decir nada, me senté y apoyé los codos sobre la mesa que nos separaba. Sobre ella, la mujer puso una tarjetita con sus datos y la empujó hacia mí con sus dedos de uñas mordidas. No la levanté.

—En primer lugar, dejame decirte que admiro mucho lo que hacés desde tu web. Hace meses que sigo *Cazador de Farsantes* y para mí es un honor haberte encontrado.

—¿Podemos ir al grano? No creo que *El Popular* te haya hecho viajar dos mil kilómetros desde Buenos Aires para felicitarme por mi página.

—No me hicieron viajar. Soy de Comodoro, igual que vos. Trabajo para el diario desde acá, cubriendo el centro de la Patagonia.

—¿Cómo me encontraste?

—Me gano la vida encontrando cosas bien escondidas.

—Bueno, acá estoy. ¿Me vas a contar por qué el diario de mayor circulación del país te manda a verme?

—Sí, aunque no me manda nadie. Te vine a ver por iniciativa propia. Quiero hacerte una propuesta.

Alcé la vista hacia los ojos de la periodista. Eran enormes. Quizás demasiado grandes en relación a su cara y su cuerpo. Los hubiera encontrado bonitos de no ser porque los iris oscuros se movían de un lado al otro, nerviosos, como los de un animal alerta.

—Vine a verte porque quiero que me ayudes a desenmascarar al Cacique de San Julián.

Al oír aquel nombre, sentí que algo me apretaba el estómago. Levanté de a poco la mirada hacia la periodista.

—¿El Cacique de San Julián? —repetí.

—Sí, hace años que vive y atiende en Comodoro. Sabés quién es, ¿no?

Asentí, y me pregunté si sería casualidad que aquella mujer me hablara justamente a mí del Cacique de San Julián. Tenía que ser casualidad, concluí. Incluso para alguien que se ganaba la vida encontrando cosas escondidas, la probabilidad de que hubiera descubierto mi vínculo con ese hombre era bajísima.

—¿Vos tenés idea de con quién te querés meter?

—Claro. Con el brujo más famoso de todo Comodoro. Al que consultan varios políticos, empresarios, altos rangos de la policía. Acá tengo una lista.

La mujer apoyó un bolso sobre la mesa, pero cuando empezó a abrirlo puse la mano sobre él para impedírselo.

—¿Por qué me venís a ver a mí?

Ariana me miró desconcertada.

—Porque no hay mucha gente que comparta tu hobby. Además, no me digas que no te interesa ridiculizar al más grande de todos.

—Lo que no me interesa es que se repita la historia. Un muerto ya es suficiente, ¿no te parece?

CAPÍTULO 5

Al oír la melodía de acordes largos con la que siempre lo anunciaban, el pastor Maximiliano entró al escenario con los brazos en alto. La luz de un reflector colgado del techo lo obligó a entornar los ojos. Aunque no podía ver al público que lo ovacionaba, le dedicó una sonrisa.

Se detuvo en el centro del escenario, sobre dos tiras de cinta blanca en forma de cruz pegadas al piso. Cerró los ojos, se persignó y se llenó los pulmones del aire viciado por las tres mil personas que habían cantado y aplaudido las canciones de la banda.

El reflector que le iluminaba la cara por fin se apagó. Como siempre, algunos lo saludaban de pie, con las manos en alto, y otros se persignaban repetidamente. Dio unos pasos hacia adelante y esperó delante del micrófono a que hicieran silencio.

—Buenas noches, Trelew. ¿Cómo están? ¿Listos para combatir este frío patagónico con el calor que nos ofrece el Señor? —dijo, y recibió una pequeña ovación—. Antes de empezar, démosle un aplauso enorme a la banda de músicos excepcionales que me acompaña esta noche.

Haciendo palmas sin demasiado entusiasmo, el pastor se giró hacia la banda y presentó uno por uno a los músicos. El baterista, el bajista y el guitarrista estaban empapados de sudor. Irma, por el contrario, tenía la ropa y el maquillaje impecables. Esa elegancia era uno de los motivos por los que se había casado con ella hacía nueve años. Le guiñó un ojo y su esposa le devolvió una sonrisa enorme, tan falsa como las que él acababa de ensayar frente al espejo del camarín.

—¿Lo sienten? —preguntó el pastor cuando la banda terminó la canción—. ¿Sienten la presencia de Jesucristo entre nosotros esta noche?

Su voz retumbó en las paredes del teatro en silencio.

—Yo sí que la siento —añadió, levantando una mano a la altura de sus ojos, con la palma apuntando hacia abajo—. Fíjense cómo me tiembla. Me pasa cada vez que el Señor viene a mí y me empuja a ayudar a mis hermanos. Repitan conmigo: Jesucristo, escuchame esta noche y te seré fiel para toda la vida.

—Jesucristo, escuchame esta noche y te seré fiel para toda la vida.

El pastor miró el agujero en el suelo delante de él, en el que un televisor le mostraba lo que el público veía en las pantallas gigantes que Lito había instalado a ambos lados del escenario. Sonriendo, abrió los brazos y formó con su cuerpo una cruz. A sus espaldas, unas letras doradas plasmaban su nombre sobre el telón de terciopelo azul. Se alejó un paso del micrófono e inspiró ruidosamente por la nariz, llenándose el pecho de orgullo.

Que empiece la función, se dijo.

CAPÍTULO 6

Ariana Lorenzo jugueteó con la tarjeta que había dejado sobre la mesa, haciéndola girar entre los dedos. Detrás de ella, del otro lado de la puerta de vidrio, un chico de anteojos y pelo largo escribía a toda velocidad sobre una de las mesas largas de la sala de lectura.

—Supongo que con lo del muerto te referís a Gondar, ¿no? —preguntó la mujer.

Asentí. Javier Gondar era un periodista que escribía para *La voz de la Patagonia,* un diario de Caleta Olivia. Yo lo había conocido hacía más o menos dos años en un curso de escritura creativa. Durante un recreo él me había comentado que quería escribir una novela de terror, y yo le había hablado de mi idea para una de ciencia ficción. Después de aquel curso nos habíamos visto una sola vez, en un bar en el que terminamos tomando cerveza hasta las tres de la mañana. Sobre el final de la noche, él me contó sus problemas y yo le confié lo de Marina como si hubiésemos sido amigos de toda la vida.

Intercambiamos direcciones de email y nos agregamos en Facebook con la intención de pasarnos los manuscritos cuando estuvieran listos. Después perdimos el contacto. Yo oculté sus publicaciones en Facebook y supongo que él ocultaría las mías.

Nunca terminé el primer borrador porque por esa época Marina empeoró y no volví a sentarme a escribir. Supongo que él tampoco, porque seis meses después de nuestro breve encuentro apareció con los bolsillos vacíos y un balazo en la frente a tres cuadras de su casa.

No fue su asesinato en sí lo que atrajo el interés de toda la Patagonia, sino un video publicado en YouTube el día después, donde Gondar mismo explicaba a la cámara que tenía miedo por su vida y pedía que si le pasaba algo, investigaran al Cacique de

San Julián.

—Por supuesto que me refiero a Gondar —dije.

—Nunca se comprobó que el Cacique fuese responsable de su muerte.

—No importa. Incluso suponiendo que no tuviera nada que ver, lo que hizo cuando salió a la luz ese video demuestra que es un tipo jodido.

Cuando el caso de Gondar comenzó a tener repercusión y todos los ojos se posaron sobre el Cacique de San Julián, el brujo se dedicó a repetir ante cuanto micrófono y fiscal se le puso enfrente que él había matado al periodista con un trabajo de magia negra. Aunque sus declaraciones recorrieron el país, nunca sirvieron de nada en un juzgado. El Cacique tenía pruebas de sobra de que el día del asesinato había estado en Buenos Aires.

—Es tan jodido que aprovechó lo de Gondar para promocionarse —agregué.

—Y como estrategia de marketing le vino genial. ¿Sabías que tiene la agenda completa hasta dentro de dos meses? Tuve que cobrar más de un favor para conseguir un turno para la semana que viene.

—Supongo que tenés pensado ir a hacerle una consulta para escribir tu artículo.

Ariana volvió a dejar su tarjeta sobre la mesa y le puso una mano encima con fuerza. Al levantar la mirada, me sonrió.

—No, en realidad no. De hecho, para que mi plan funcione yo soy la única persona en el mundo que no puede ir.

—No te entiendo.

—Ricardo —dijo con voz suave—, te vine a ver para pedirte que seas vos quien vaya a verlo la semana que viene y grabes todo con una de tus cámaras ocultas. Quiero que le lleves una foto mía, o un mechón de pelo. Lo que sea. Y que le encargues que me mate con magia negra.

Los ojos huidizos de Ariana alternaban entre los míos y la mesa que nos separaba.

—¿Vos estás loca? Estamos hablando de un tipo peligroso. Con o sin magia negra, el último que intentó investigarlo terminó con una bala en la cabeza.

—Sabía que me ibas a responder eso. Plan B, entonces. Podemos pedirle que mate a alguien que vive en la otra punta del mundo. No sé… Nueva Zelanda. Lo importante es demostrar que la supuesta magia negra de este tipo no funciona.

Los paneles de aislante acústico que cubrían las paredes de la pequeña sala absorbieron mi carcajada.

—Pensé que te parecería una buena idea.

—¿Vos lidiaste con esta clase de gente antes?

—No —admitió.

—En esta ciudad hay cientos de personas a las que el Cacique les hizo un trabajo de magia negra y no se murieron, y sin embargo la gente sigue yendo a verlo. Estos vendehúmos tienen mil y una formas de justificarse cuando sus trabajos no funcionan. Dicen que el cliente no tiene suficiente fe, por ejemplo, o que la víctima goza de una protección que primero hay que romper. Eso hay que pagarlo aparte, obvio.

—Pero lo que yo te estoy planteando es exactamente lo mismo que hacés vos en tu web.

—No. Yo intento que me digan a la cara una mentira que puedo comprobar. Siempre algo del presente o del pasado, porque del futuro la tienen muy fácil para escaparse. Además, soy un aficionado, ¿entendés? Videntes, tarotistas, curanderos, ese tipo de fauna.

—¿Y por qué? —preguntó Ariana.

La miré extrañado.

—¿Por qué hacés esto? —aclaró—. ¿Qué te motiva a desenmascarar a esta gente en tu tiempo libre, cuando podrías estar disfrutando de la vida?

Disfrutando de la vida, pensé, y sonreí para mí mismo. Ya no me acordaba de qué significaba aquello. Hacía casi dos años que lo más parecido a la alegría que sentía eran mis pequeñas victorias contra ese ejército de hijos de puta. Pero alegría de verdad, no sentía desde lo de Marina.

—¿Y vos quién carajo te creés que sos para darme consejos de cómo vivir?

Dije aquello en un tono algo alto, y el estudiante de pelo largo se incorporó para mirarnos. Después de todo, el aislamiento acústico de la salita no era perfecto.

—Perdoname, pero no te puedo ayudar —agregué, más calmado.

—Está bien —dijo Ariana, levantándose de la silla—. Disculpame que te haya molestado. Lo tuyo es un hobby y lo mío es una profesión. Vos seguí avergonzando a brujos de poca monta y tarotistas de barrio.

Después de decir esto, la periodista agarró sus cosas y se fue sin saludar.

Me eché hacia atrás en la silla y miré al techo. Había algo en la actitud de esa mujer que me hacía preguntarme si sabía más de lo que decía. La forma en que se había extrañado —indignado, casi— cuando le dije que no quería meterme con un tipo así. ¿Por qué le parecía tan raro que me diera reparo un hombre que era sospechoso de haber matado al último que intentó investigarlo?

Me pregunté si era posible que Ariana Lorenzo se hubiera enterado de que yo odiaba a ese brujo más que a nadie y que era por él que había empezado con los videos en mi web.

Y también me pregunté si sospechaba que la charla que tuve con Javier Gondar la noche que nos emborrachamos fue lo que realmente terminó costándole la vida.

CAPÍTULO 7

Conduje los cuatro kilómetros entre la universidad y el centro de Comodoro Rivadavia pensando en cómo habría hecho aquella periodista para descubrir mi verdadera identidad a pesar de mis esfuerzos por esconderla. No solo invertía horas en distorsionarme la voz y difuminarme la cara en los videos, sino que además el sitio web estaba registrado bajo un nombre falso y alojado en un servidor en Serbia.

Quizás la explicación era más sencilla y no tenía nada que ver con Internet. Quizás una ciudad de cuatrocientos mil habitantes le quedaba chica a mi hobby. Al fin y al cabo, todavía había gente que sostenía que en Comodoro nos conocíamos todos. A lo mejor alguno de los clientes con los que me cruzaba al entrar y salir de las consultas me había reconocido en la universidad, por ejemplo. Considerando mis esfuerzos por cambiar mi imagen —que a veces hasta incluían peluca y maquillaje—, era poco probable, pero no se me ocurría otra forma de que la flaca hubiera averiguado la verdad.

Estacioné mi Chevrolet Corsa a apenas veinte metros de mi casa. Todo un logro para una ciudad a la que el auge del petróleo hacía reventar de gente y de coches. Abrí la puerta de chapa blanca que separaba el kiosco del cascarrabias de Ángel de una tienda de ropa y atravesé el pasillo largo hasta llegar a la última puerta.

La cocina de mi casa —la pocilga, la llamaban mis amigos— era tan pequeña que ni siquiera cabía la heladera. Solo había lugar para una mesa cuadrada y dos sillas. Tres, con voluntad, pero entonces no se podía pasar al baño ni abrir el horno.

Empujando hacia un costado de la mesa los exámenes que había estado corrigiendo la noche anterior, hice lugar para mi computadora. Mientras arrancaba, agregué la taza del desayuno de esa mañana a la montaña de platos sucios que llevaba tres días prometiendo lavar. Luego fui a la habitación, y de la heladera saqué jamón y queso para prepararme un sándwich.

Lo peor de vivir solo era sentarme a comer. Intentaba hacerlo siempre con una pantalla enfrente y sin molestarme en despejar la mesa. Meterle combustible al cuerpo y listo. Había tardado casi un año desde que me había quedado solo en descubrir que una mesa desordenada y algo de ruido que tapara el ronroneo deprimente del motor de la heladera me ayudaban a comer tranquilo. Puse música de Los Redondos en la computadora.

Masticando con los ojos fijos en la pantalla, busqué en Facebook a Javier Gondar. Me sorprendió que su cuenta todavía estuviera activa. La de Marina hacía más de un año y medio que la habían cerrado, y ella había fallecido apenas cuatro meses antes que él.

Había algo raro en mirar el Facebook de alguien que llevaba dieciocho meses muerto. La foto de perfil mostraba a Gondar bronceado, sonriendo frente a un río en algún lugar de la Cordillera. Sin embargo, su muro se había transformado en una especie de libro de condolencias online, lleno de mensajes de amigos y conocidos que le decían que se lo extrañaba, o deseándole que descansara en paz. Leyéndolo, me enteré de que hacía diez días habría sido su cumpleaños número treinta y dos.

Debajo de páginas y páginas de comentarios, encontré una publicación de una tal Ángela Goiri. *No tengo fuerzas para nada, pero le prometí a Javi que colgaría esto*, decía el mensaje, e incluía un enlace a YouTube.

Recordaba haber visto aquel video en su momento, cuando todo el país hablaba de él. Dieciocho meses después, apreté play y el periodista pronunció la frase que lo había hecho aparecer en la portada de casi todos los periódicos de la Argentina.

—Me llamo Javier Gondar y si estás viendo esto es porque estoy muerto.

Según la web, aquellas palabras habían sido reproducidas más de trescientas mil veces.

—Hoy recibí la segunda amenaza de muerte por parte de Juan Linquiñao, un brujo conocido en la zona como el Cacique de San Julián —continuó Gondar—. Para los que no me conocen, soy cronista en Comodoro del diario *La voz de la Patagonia* de Caleta

Olivia.

A pesar de pertenecer a provincias distintas, Comodoro Rivadavia y Caleta Olivia formaban el núcleo comercial de la industria petrolera del Golfo de San Jorge. Gondar era una de las miles de personas que recorrían cada día los setenta y siete kilómetros entre ambas ciudades para ir a trabajar.

—Hace aproximadamente tres meses decidí escribir un artículo sobre los falsos milagros del Cacique. Empecé hablando con clientes disconformes, que se sentían estafados por Linquiñao, hasta que con el tiempo pude conseguir una entrevista con él, aunque sin decirle cuál era el ángulo de mi artículo.

»Una de mis primeras preguntas fue por qué en su página web promocionaba embrujos para hacer daño a la gente con magia negra. Me contestó que lo mejor que le puede pasar a alguien que siente odio es recibir ayuda para canalizarlo, y que ese era su trabajo. También le pregunté por qué los clientes que habían hablado conmigo decían que sus servicios no servían para nada y se excusó esgrimiendo que no hay brujo, por más poderoso que sea, que pueda ayudar a quien no cree. Mucha de la gente que va a verlo, dijo, no está convencida ni tiene fe verdadera.

Típico, pensé mientras me metía a la boca el último pedazo de sándwich sin despegar los ojos de la pantalla.

—Hasta ahí, la conversación entre el brujo y yo había sido tensa pero cortés —continuó Gondar—. Sin embargo, todo cambió cuando le pregunté por Rosaura Mares. Rosaura, una mujer con deficiencia mental, fue a verlo por primera vez hace siete meses para que le hiciera un amarre con un hombre casado. Después de realizar el trabajo y cobrar por él, el Cacique aprovechó la falta de resultados para extorsionarla sistemáticamente. Cuando Rosaura se quejaba de que el hombre casado seguía feliz con su esposa, el brujo le echaba la culpa a su clienta por no tener suficiente fe, y le decía que habría que hacer otro trabajo. Al final hasta llegó a advertirle que su vida corría peligro porque alguien le había echado una maldición. Romperla, por supuesto, costaría caro.

Si no era la falta de fe, era la existencia de otro trabajo que había que anular. El *modus operandi* que describía Gondar era de manual.

—Al quedarse sin dinero —prosiguió el periodista—,

Rosaura llegó a acudir a un banco para solicitar un préstamo. Cuando le preguntaron para qué lo necesitaba, contestó con la verdad. Yo me enteré de todo esto por casualidad, cuando un amigo que trabaja en ese banco me comentó, como una curiosidad, que había denegado un crédito destinado a pagar los servicios de un brujo.

»Al principio, el Cacique desestimó mis preguntas casi riéndose, recordándome que Rosaura tenía un problema mental. Sin embargo, cuando le señalé que eso justamente hacía más fácil aprovecharse de ella, Linquiñao perdió los estribos. Se puso furioso y empezó a maldecirme, gritándome frases en un idioma que no reconocí. Luego me dijo que tuviera cuidado, no fuera cosa que terminara en una zanja con un tiro en la cabeza.

»Dos días después de aquella entrevista, se publicó en *La voz de la Patagonia* mi artículo *El Cacique de San Julián, un ladrón de esperanzas*. Esa mañana Juan Linquiñao me llamó por teléfono. Sus palabras textuales fueron "Pibe, estás muerto".

»No era la primera vez que alguien me amenazaba, así que no le hice demasiado caso. Sin embargo, entre ayer y hoy he descubierto indicios de que el Cacique de San Julián es mucho más peligroso de lo que yo pensaba. Todavía son solo sospechas, pero si logro comprobar que este hombre es el monstruo que creo que es, mi vida corre peligro de verdad. Ya hice la denuncia formal en la policía, pero también quiero dejar un registro público, por eso este video. Pido a las autoridades, a la prensa, a los políticos y a quien sea que, si me pasa algo, investiguen a Juan Linquiñao.

Tras unos segundos de silencio, el periodista forzó una sonrisa y apagó la cámara. Una búsqueda en Google me reveló que habían pasado diecisiete horas entre esa sonrisa y el momento en que una mujer, de camino al trabajo, encontró a Javier Gondar con un tiro en la cabeza.

Aparté la mirada de la pantalla y volví a hacerme la pregunta que un año y medio atrás había estado en boca de muchos. Si Gondar sospechaba algo tan terrible sobre el Cacique, ¿por qué no lo explicaba en el video? Todo el mundo parecía tener una respuesta diferente a aquello. Hasta hubo opinólogos en programas de televisión de las dos de la tarde que insistieron en que Gondar realmente no estaba muerto. Decían que ese video era solo una movida publicitaria del Cacique. Los medios más serios, por otro lado, se decantaban por la teoría de que el periodista no había dado detalles para no dificultar el trabajo de investigación de la policía.

Conjeturas había miles. Explicaciones, ninguna.

CAPÍTULO 8

El volantazo que pegué cuando por fin vi un lugar para estacionar me hizo ganarme varios bocinazos. Merecidos, pero no opacaron en lo más mínimo la sensación de victoria al poder apagar el motor después de veinte minutos dando vueltas por el centro.

Bajé por Pellegrini con las manos en los bolsillos y el mentón metido en el cuello de mi campera. Una ráfaga de viento helado me llenó los ojos de arenilla y felicité una vez más al genio al que se le había ocurrido fundar la ciudad junto a un enorme cerro de tierra en la región más ventosa del país.

La calle San Martín hervía de gente. Oficinistas, promotoras del Telebingo y trabajadores del petróleo haciendo compras en sus días libres. En cada manzana, dos policías caminaban sin prisa con las manos metidas entre el uniforme y el chaleco antibalas.

—¿Cómo andás, amigo? ¿Querés probarte unos lentes? —me ofreció en una esquina un hombre senegalés, señalando una mesa llena de anteojos de sol, anillos y pulseras.

—No gracias, en otro momento.

—Que tengas un buen día, che —me despidió con perfecto acento argentino, regalándome una sonrisa blanca.

Esquivé gente durante dos cuadras hasta llegar a la vieja galería de negocios de bajo caché a la que me dirigía. Subí los escalones hacia la santería "El Arcángel", intentando recordar cuándo había sido la última vez que había visto a Gaby. Un mes, por lo menos.

Me detuve frente a la puerta de vidrio de la santería. Del otro lado, Gaby leía el diario inclinado sobre el mostrador, apuntándome con su calvicie prematura. Como si hubiera notado que lo observaba, levantó la vista del periódico y me sonrió con sus dientes perfectos, haciéndome un gesto para que entrara.

—Ah, pero miren a quién tenemos por acá —dijo apenas abrí la puerta del local impregnado de olor a incienso y velas—. Profesor Varela, ¿cómo le va, eminencia?

—¿Siempre vas a ser tan boludito vos? —le pregunté, inclinándome sobre el mostrador para darle un beso—. ¿Cómo estás, primito?

—No me puedo quejar. Hoy vendí un montón de velas e imágenes. Se acerca el día del Profeta Elías y la gente compra para agradecer.

Decidí no preguntar quién era el Profeta Elías y ahorrarme media hora de explicación.

Gabriel y yo éramos primos hermanos. Su madre y mi padre eran mellizos. Gaby tendría cuarenta y pocos años, y se dedicaba al ocultismo desde la adolescencia. Siempre con seriedad, creyéndoselo. Al principio había sido vidente y tarotista, pero con el tiempo se fue decantando por la venta de materiales. En su ferretería de lo oculto, como se refería él a veces a "El Arcángel", había desde crucifijos y vírgenes a velas negras y dagas con mango de cuerno de ciervo. En cualquier fiebre del oro, me había dicho alguna vez, la guita de verdad la hacen los que venden los picos y las palas.

—¿Qué andás haciendo por acá, Ricky?

—Nada. Pasé a tomar unos mates antes de irme para la uni.

Mi primo me miró a los ojos e inclinó la cabeza con una sonrisa incrédula.

—Pasá para este lado —dijo, señalando el espacio entre el mostrador y una estantería llena de velas de colores con forma de vírgenes, pirámides y puños.

Rodeé el mostrador y nos metimos en la parte de atrás de la santería, donde había una cocinita, un baño y un pequeño cuartito lleno de cajas con mercadería. El centro de aquella sala lo ocupaban cuatro sillas alrededor de una mesa forrada de paño negro. Sobre ella había un mazo de cartas de tarot.

—Sentate —dijo, encendiendo una luz amarillenta.

Noté un colchón y una almohada escondidos detrás de una pila de cajas de cartón, junto a una de las paredes.

—Ya no daba para más con Mónica —explicó mi primo—. Hace casi un mes que estoy viviendo acá. Es por un tiempo, hasta que encuentre un alquiler más o menos barato. Viste cómo están los precios. Si no trabajás en el petróleo, estás en el horno.

—En el petróleo o en la universidad. Nosotros también estamos forrados en guita.

Gaby se rio y vació la yerba vieja del mate en la basura.

—Decime la verdad. ¿Qué me viniste a preguntar, primo? —dijo, todavía dándome la espalda—. ¿Qué es lo que no encontrás en Internet esta vez?

Gabriel era la única persona que sabía que la web *Cazador de Farsantes* era mía. Al menos la única antes de que apareciera Ariana. Había sido él quien me había dado los primeros consejos para desenmascarar a alguien que estafaba a la gente fingiendo tener poderes. Gaby era una especie de consultor en mi pequeña cruzada contra los que él consideraba simples impostores.

—El Cacique de San Julián —dije, barajando las cartas de tarot.

Al oír ese nombre, se giró hacia mí.

—No —dijo—. Ni se te ocurra meterte con ese tipo. Es de los pesados.

—¿Qué sabés de él? —pregunté, fingiendo ignorancia total.

A pesar de que Gaby conocía mi hobby, no tenía idea de cómo había empezado todo. Yo, que más de una vez me había reído de su trabajo, tuve vergüenza de contarle en su momento que mi mujer estaba yendo a ver a un curandero. Y a pesar de que ya habían pasado casi dos años, nunca me animé a decirle que mi web de cámaras ocultas había nacido de mi rabia hacia el Cacique.

—Es un chamán de toda la vida —explicó Gaby—. Hace sanaciones, trabajos para atraer dinero y ese tipo de cosas. Al principio se dedicaba sobre todo a enfermedades, pero últimamente hace mucha magia negra. Especialmente desde que apareció en televisión diciendo que había matado a ese periodista con un hechizo. Ahora la mayoría de sus clientes son gente que le quiere hacer mal a otros.

—¿Una especie de asesino a sueldo esotérico?

—Esotérico o no —dijo mi primo—. Gondar apareció con un balazo en la cabeza.

—Hay quien dice que eso fue una casualidad. A lo mejor la muerte de Gondar fue simplemente un golpe de suerte —esgrimí, haciendo de abogado del diablo.

—Sería demasiada casualidad, ¿no te parece? El pibe ese

hasta grabó un video responsabilizándolo si le llegaba a pasar algo. Yo creo que el Cacique lo mandó matar mientras él estaba fuera de la ciudad, para asegurarse de que no lo pudieran involucrar. Después vio la veta publicitaria y dijo a los medios que lo habían asesinado a raíz de su hechizo. Que las fuerzas oscuras actúan de manera extraña y todo ese chamuyo.

—¿Entonces vos creés que hizo esas declaraciones para ganar clientes?

—Yo lo que sé es que antes de que muriera el periodista, el Cacique tenía una lista de espera de dos semanas, más o menos. ¿Sabés cuánto hay que esperar hoy para que te atienda? Un mes y medio. Ese tipo debe estar facturando por día lo que nosotros ganamos en un mes.

—Sí, pero si antes también venía trabajando bien, ¿por qué se iba a ensuciar las manos haciendo asesinar a alguien?

Gaby se quedó un instante en silencio, la bombilla del mate rozándole los labios.

—La respuesta fácil sería codicia, pero a mí esa explicación nunca me terminó de convencer. Para mí que Gondar le venía siguiendo los talones en algo grande. Algo lo suficientemente importante como para que el Cacique decidiera borrarlo del mapa. Y después, cuando apareció el video, el tipo vio la oportunidad y dijo que sí, que él le había hecho un trabajo de magia negra. Hay que tener muchísima sangre fría para algo así.

Me quedé callado, jugando con las cartas de tarot entre mis dedos. Recordé las palabras que Javier Gondar había dicho en el video. *Si logro comprobar que este hombre es el monstruo que creo que es, mi vida corre peligro de verdad.*

—¿Y a vos cuál te parece que sería la mejor forma de desenmascarar a un tipo así? —pregunté.

Nos interrumpió el sonido de la campanita de la puerta.

CAPÍTULO 9

Desde el cuartito donde tomábamos mate, oí todo lo que mi primo hablaba con la mujer que acababa de entrar. Venía a buscar incienso para ahuyentar la mala onda de su negocio de ropa. Por su voz, supuse que andaría cerca de los cuarenta. Por la de mi primo, intuí que estaba buena.

Seguí barajando el mazo de cartas de tarot, resignado a esperar.

—Estar separado tiene sus ventajas —dijo Gaby cuando volvió, mostrándome su teléfono como si fuera un trofeo—. Puedo agendar números sin culpa.

Con una sonrisa socarrona levantó el termo de la mesa y puso más agua a calentar.

—¿Vos creés que el Cacique tiene poderes de verdad? —pregunté.

Gaby dio media vuelta y se volvió a sentar a mi lado. Entonces me habló con parsimonia, con el tono de un adulto que intenta explicar un tema complejo a un niño.

—Ricardo, escuchame bien lo que te voy a decir. El negocio del Cacique es destruir a otros. No importa si nosotros creemos o no en lo que él hace. De hecho, ni siquiera importa si su magia negra funciona o no. Estamos hablando de un tipo que se dedica a meterle mala onda a este mundo, ¿entendés? Sirvan o no, sus trabajos son para hacerle la vida peor a alguien.

—¿Y no tendría más sentido quitarle la careta a alguien así que a una tarotista de barrio? —pregunté, señalando a mi primo con el mazo que tenía en la mano.

—Me parece que te estás olvidando de algo importante. El riesgo, primito. Este es un tipo pesado, que estuvo preso, dicen que movía droga y, como si eso fuera poco, probablemente hizo desaparecer al último que lo quiso investigar.

—Eso no se sabe.

—No importa. Incluso si lo de Gondar fue una casualidad, el Cacique no es el tipo de persona que se va a quedar de brazos cruzados si descubre que alguien amenaza a su gallina de los huevos de oro. Ese hombre es peligroso de verdad, y además tiene el respaldo de mucha gente importante.

—¿Quiénes?

—Organiza sesiones especiales de magia negra para tipos con mucha guita. Ejecutivos, policías de alto rango, políticos, se mueve a ese nivel.

—¿En serio esa gente va a ver a un brujo?

—Sí, pero nunca a su consultorio, porque tienen una imagen que cuidar. Se rumorea que esas sesiones VIP las organiza cada vez en un lugar nuevo. Algunos dicen que en casas abandonadas, pero yo eso lo tomaría con pinzas. A la gente le encanta inventarse historias sobre todo este mundillo.

—Esa sí que sería una buena cámara oculta. En lugar de desenmascarar al brujo, escrachar a los clientes. Imaginate filmar a un pez gordo sometiéndose a un ritual de magia negra. Un comisario, un concejal, algo de ese calibre.

Mi primo negó con la cabeza, resignado, y me extendió otro mate. Después dijo algo sobre la clienta que acababa de irse, como para cambiar de tema, y nos terminamos el termo mientras me contaba sus aventuras de hombre separado.

—Bueno, me voy que tengo una clase a las dos —dije después de un rato, poniéndome de pie.

Gaby dio vuelta la primera carta del mazo que yo había barajado durante nuestra charla. Un hombre vestido de azul y rojo pendía cabeza abajo atado de un tobillo.

—El colgado —dijo mi primo—. Simboliza alguien dispuesto a sacrificar su vida por mejorar las cosas.

—Ésas son todas boludeces.

Gaby se encogió de hombros y se limitó a señalar con el índice la carta sobre el terciopelo negro.

CAPÍTULO 10

Marina abre la puerta de la casa que alquilamos en el barrio Roca y entra cargada de bolsas de supermercado.

—¿Cómo estás, Gordi? —me pregunta.

—Bien, ¿qué compraste? —respondo, dándole un beso.

Cuando sus labios entran en contacto con los míos, deja caer las bolsas al suelo. Los ojos asustados con los que me mira ahora me hacen recordar su enfermedad, y siento un nudo de angustia cerrándose en mi garganta. Me agarra de la mano y tira de mí hasta sacarme por la puerta por la que acaba de entrar.

No salimos a nuestro jardín de tierra gris y caléndulas de la casita del barrio Roca, sino a un consultorio de techos altos donde una médica de pelo recogido y anteojos gruesos nos da la mano con una sonrisa incómoda. Apenas nos sentamos frente a su escritorio, le dice a Marina que tiene los resultados de sus análisis, y le pregunta si quiere que yo esté presente mientras se los explica. Marina dice que sí con voz segura, pero su mano, todavía entrelazada con la mía, tiembla.

La mujer habla de células, de crecimiento y de tratamientos paliativos. Entre cuatro y nueve meses, dice antes de que Marina salga corriendo del consultorio. Yo voy detrás y entonces estamos otra vez en la entrada de nuestra casa, y ella vuelve a tener las bolsas de la compra en la mano. Las deja en el suelo despacio y me abraza. Al sentir su perfume, no puedo evitar llorar.

Entonces ella me mira a los ojos y me ofrece una sonrisa. No te preocupes, vamos a buscar tratamientos alternativos. Me hablaron de un sanador que se especializa en este tipo de enfermedades. Dicen que es muy bueno. Lo llaman el Cacique de San Julián.

Me desperté sentado en la cama, empapado de sudor. Mi peor pesadilla era ese recuerdo. Ver a Marina desesperada, gastando los últimos días de su vida agarrándose a cualquier esperanza de quedarse junto a mí. Y cada vez que volvía de una sesión con ese hijo de puta, sonreía y me contaba que ella creía que estaba funcionando. Que se sentía mejor y que él le decía que, con su ayuda, para curarse solo necesitaba voluntad.

Cerré los ojos y me concentré en controlar el nudo en la garganta. Llorar ya no me aliviaba, así que trataba de evitarlo.

Salí de la cama de un salto y encendí la computadora. Reproduje un video que había visto decenas de veces en los últimos dos años. Con él había nacido la idea de mi web, y lo miraba antes de salir a hacer cada una de mis cámaras ocultas. Era una forma de recordar por qué me dedicaba a desenmascarar a esos charlatanes.

La grabación duraba diez minutos, y era un reportaje que había hecho el Canal Nueve de Comodoro sobre Juan Linquiñao, el Cacique de San Julián. En él mostraban la casa enorme que tenía el brujo en Rada Tilly y el hotel en Punta del Este en el que había veraneado el año anterior.

A los tres minutos y medio se veía una grabación de diez segundos en la que Linquiñao salía del restaurante del hotel Lucania. Un periodista lo interceptaba para preguntarle si él había tenido algo que ver con el asesinato de Javier Gondar.

Al oír aquel nombre, el Cacique se detenía, se giraba hacia el periodista y le decía unas palabras que yo me sabía de memoria.

—Por supuesto que tuve que ver. Le hice un trabajo de destrucción y a la semana apareció muerto. Me gano la vida con esto, soy un profesional de la magia negra.

—¿Y por qué le hizo ese trabajo? —preguntaba el periodista.

—Por encargo.

—¿De quién?

—Eso no se lo puedo decir. Es confidencial.

—¿Y no le tiene miedo a la justicia?

—Que yo sepa, la ley no contempla el homicidio a distancia. El día que murió ese hombre yo estaba en Buenos Aires.

El reportaje continuaba con un científico que hacía un análisis de laboratorio a las pociones de colores que el Cacique administraba a quienes acudían a él por enfermedades.

—No es más que agua, azúcar y colorante para repostería —decía el hombre vestido de blanco, sosteniendo entre sus dedos un tubo de ensayo lleno de un líquido rojo igual al que el Cacique le había dado a mi mujer.

El video terminaba con una imagen que yo tenía grabada en la retina. Se veía en primer plano la cara de nariz ancha del Cacique de San Julián, el tipo que había engañado a Marina en los últimos días de su vida.

CAPÍTULO 11

Justo cuando terminé de servirme el segundo vaso de cerveza negra, Néstor puso sobre la mesa un platito con aceitunas.

—Para ir engañando el estómago mientras esperás, Richard.

Néstor trabajaba en Puerto Mitre, la pizzería de la esquina de mi casa, desde que yo me había mudado al barrio hacía cuatro años. No me acuerdo cuándo ni por qué empezó a llamarme Richard.

Era viernes y no cabía un cliente más en el pequeño local. Las conversaciones de los comensales y los ruidos de cubiertos rebotaban en las paredes de color bordó, fundiéndose en un murmullo monótono.

Todavía masticaba la primera aceituna cuando Ariana abrió la puerta y una ráfaga de viento helado invadió la pizzería.

—¿Llego tarde? —preguntó después de darme un beso y sentarse del otro lado de la pequeña mesa.

—Para nada. Yo llegué hace dos minutos —dije con una sonrisa burlona, señalando la botella casi vacía.

—Buenas noches —interrumpió Néstor acercándose a la mesa—. Les dejo la carta.

Nos decidimos por una grande de pollo gratinado. Mientras esperábamos, le empecé a hablar sobre mis restaurantes favoritos en la ciudad, pero ella prefirió ir al grano.

—Bueno, Ricardo, me llamaste y acá estoy —dijo en cuanto se hizo el primer silencio.

Tomé un trago de cerveza antes de hablar.

—Supongamos por un momento que acepto ayudarte con el Cacique de San Julián. ¿En qué consistiría exactamente mi papel?

Ariana contestó rápido, como si se hubiera traído la respuesta preparada.

—Yo creo que deberíamos empezar por ir a verlo. Como te dije el día que nos conocimos, conseguí un turno para dentro de una semana. Si no querés ir solo y pedirle que me haga un daño, podemos ir juntos. Lo importante es verlo en acción. Y grabarlo.

—¿Para qué querés imágenes de él? La calidad del video de mis anteojos es demasiado baja como para imprimir una foto en el diario.

—Me interesa más el audio que el video. Saber qué dice y cómo habla, para poder contar la historia lo mejor posible. ¿Sabías que mientras escribía *A sangre fría,* Truman Capote se hizo amigo de los asesinos, y hasta les consiguió un abogado?

—Sí, y también sé que después de ese libro nunca más pudo terminar otro.

Ariana rio, llevándose una aceituna a la boca.

—¿O sea que querés escribir un libro sobre el Cacique? —pregunté.

—Para nada. Yo me aburro demasiado pronto como para pasarme un año entero con la misma historia. A mí solo me interesa publicar un artículo en *El Popular* y después cambiar. Buscar la siguiente noticia.

Sonreí. Quizás ese libro lo tenía que escribir yo. Al fin y al cabo, llevaba dos años siguiéndole los pasos a Linquiñao. Odiándolo desde lejos.

—Lo importante es ir familiarizándonos con él —prosiguió Ariana—. ¿En eso estamos de acuerdo, sí o no?

Asentí con la cabeza al mismo tiempo que Néstor ponía la pizza sobre la mesa.

—¿Y a vos por qué te interesa el Cacique? —pregunté, sirviéndole una porción.

—Por lo mismo que debería interesarte a vos. Porque es un estafador que se aprovecha de gente desesperada para quitarles lo poco o mucho que tienen.

—Sí, pero de ésos hay miles. Está la Sin Dientes, está el médium que atiende los jueves en el bar El Águila, está la pareja que hace trabajos para atraer dinero en el cuarto piso de ese edificio alto en Rada Tilly. ¿Por qué, de todos los charlatanes que le roban a la gente en esta ciudad, elegiste el único que es sospechoso de un asesinato?

—Te lo dije el día que nos conocimos. Porque trabajo para el diario más importante del país, y vamos detrás del pez más gordo.

—Y el más peligroso.

—Las cosas fáciles puede hacerlas cualquiera.

Asentí en silencio, sirviéndome otro pedazo. Esperé a ver qué más tenía para decirme, pero cambió de tema y no volvió a hablarme de Linquiñao hasta que la tabla de madera entre nosotros estuvo vacía.

—¿Algún postre? —preguntó Néstor—. Menos flan con dulce de leche, nos quedan todos los de la carta.

Ella se pidió un bombón suizo y yo un *affogato*, un café con helado de vainilla.

—¿Y? ¿Me vas a ayudar con esto sí o no? —preguntó después de la primera cucharada.

Lo pensé una vez más, aunque ya había tomado esa decisión muchas horas antes, tirado en la cama mirando el techo tras soñar con Marina. Más de un año practicando con charlatanes de bajo calibre ya era suficiente.

Miré a Ariana y asentí con la cabeza mientras el frío del helado y el calor del café me bajaban por la garganta al mismo tiempo.

CAPÍTULO 12

El público festejó el sermón de veinte minutos con una ovación que el pastor Maximiliano recibió con las manos en alto.

—Todos ustedes, absolutamente todos, son tocados esta noche por la mano del Señor. Sin embargo, como sabrán, Jesucristo a veces me menciona el nombre y apellido de alguien que necesita especial ayuda. Alguien que no solo requiere mi energía para salir adelante, sino la de todos nosotros.

El pastor hizo una pausa y se apretó los ojos con el pulgar e índice. Levantó la otra mano abierta hacia el público pidiendo silencio y las voces del teatro se apagaron. Tensando los músculos de la cara sin quitarse los dedos de los párpados, intentó concentrarse. Luego de unos segundos, por fin oyó la voz.

—¿Hay alguna Juana en la sala? —preguntó al micrófono repitiendo el nombre que acababa de escuchar.

Varias mujeres levantaron la mano.

—¿Juana Mansilla?

Las manos bajaron rápidamente, menos la de una anciana de cuerpo diminuto.

—Venga, Juana, suba al escenario, por favor —indicó el pastor.

La mujer caminó lento, arrastrando unos pasos cortos en el suelo del teatro. Lito, el asistente, la ayudó a subir los escalones.

—Buenas tardes, Juana —dijo el pastor, y puso el micrófono frente a la mujer.

—Buenas tardes, pastor.

—¿Sabe que anoche Jesucristo se apareció en mis sueños y me habló de usted?

La anciana se llevó una mano temblorosa a la boca.

—Me dijo que enviudó hace seis años y que tiene una nieta que es un ángel. Mariela se llama, ¿verdad?

Juana Mansilla asintió con la cabeza, incapaz de soltar una palabra. Al ver la primera lágrima rodar por las mejillas arrugadas, el pastor sonrió. Una vez más, iba por buen camino.

—¿Cómo sabe usted eso? —preguntó la mujer.

—Juana, antes de que sigamos, hágame un favor —dijo el pastor señalando a la multitud con la palma abierta—. Cuéntele a esta gente que nosotros nunca antes hemos hablado.

—Lo juro por el Señor —respondió la mujer entre sollozos, persignándose.

—Otra cosa que me dijo Él fue que usted tiene un problema de salud en este momento. ¿Puede ser?

—Sí.

—Algo serio. Una enfermedad degenerativa en los intestinos.

La mujer asintió con la cabeza.

El pastor giró sobre sus talones y se dirigió al público, gritando en el micrófono.

—Esta noche, van a ser testigos de un milagro. Porque Jesucristo puede curar lo incurable y reparar lo irreparable. ¿Saben lo que me dijo anoche, en mis sueños? Sánala en mi nombre, Maximiliano. Anoche Jesús me dio la cura para Juana, que no viene en pastillas, ni en inyecciones, ni en bisturíes. Esa cura es puro amor del Señor.

La multitud festejó una vez más las palabras del pastor, y este tomó aire con la mirada fija en la cintura de la anciana. Sonriendo, le puso la mano abierta sobre el vientre y habló al micrófono, elevando la voz con cada frase.

—Fuera, Satán del cuerpo de Juana. Tu poder no puede con el de Dios. Vete Satán y contigo el sufrimiento. ¡Fuera!

Maximiliano Velázquez acompañó esta última palabra con un empujón en la frente de la señora, quien comenzó a caer de espaldas. Igual que al resto, Lito la atajó antes de que se estrellara contra el suelo.

—Cuando te levantes, Juana, la enfermedad se habrá ido. Aleluya.

—Aleluya —repitió todo el teatro, rompiendo en un aplauso mientras la mujer besaba al pastor y bajaba del escenario.

—No solo de Juana me habló Jesucristo anoche. Fue un sueño largo, y charlamos de muchos de ustedes.

El pastor hizo una pausa antes de seguir hablando y volvió a apretarse los ojos con los dedos. En parte, lo hacía para ponerle suspenso a su espectáculo. Pero sobre todo, para concentrarse en escuchar el nombre de la siguiente persona que le dictaban por el pequeño auricular color piel que llevaba dentro del oído izquierdo.

CAPÍTULO 13

Marina se murió cuando todavía era perfecta. Llevábamos siete años juntos, y aún nos reíamos cada mañana al desayunar. No tuvimos tiempo de aburrirnos el uno del otro, ni de cometer errores irreparables.

Quizás si ella no se hubiera enfermado, con los años la relación se habría vuelto gris, como muchas otras. Quizás nos habríamos lastimado, o hubiéramos tenido un desencuentro a la hora de decidir si tener hijos o comprarnos una casa. Pero no hubo tiempo a que nos pasara nada de eso, y Marina se murió perfecta.

—¿No me vas a contar por qué lo hacés? —repitió Ariana mientras se probaba la tercera de las pelucas que, según me dijo, le había prestado un amigo que trabajaba en una compañía de teatro. Ésta era de pelo rubio, corto y ondulado.

Estábamos en mi casa. Sobre la pequeña mesa de la cocina, el maletín de aluminio con el maquillaje que a veces usaba para mis cámaras ocultas estaba abierto, y Ariana se miraba en el espejo pegado a unas de las tapas.

Era viernes a la hora de la siesta. Ella había llegado hacía veinte minutos con una bolsa llena de ropa y accesorios para disfrazarnos antes de ir a ver al Cacique. Yo, que los viernes no tenía que dar clase en la universidad, me había levantado temprano para ordenar un poco la casa. Incluso la habitación, que en principio Ariana no tenía por qué ver.

—Creo que ya te lo dije. Porque me duele que se aprovechen de la gente en momentos difíciles, cuando son más vulnerables.

—¿Y cómo se te ocurrió empezar con la web? ¿Tuviste alguna experiencia en tu vida que te llevara a hacer algo así?

Tuve otra vez la sensación de que Ariana sabía más de mí de lo que me había contado.

—Con esa peluca te parecés a Marilyn Monroe —respondí.

Me dedicó una sonrisa en el espejo del maletín, y no supe si era por lo de Marilyn o por mi forma absurda de cambiar de tema. Sin decir una palabra, agarró un delineador de ojos y se dibujó un punto en la mejilla izquierda.

—Ahora sí —dijo.

—Te falta cantarme *Happy Birthday Mr President*.

—Y a vos te falta parecerte a un presidente —dijo soltando una carcajada y pasándose la lengua por el pulgar para borrarse el lunar pintado—. No creo que Kennedy haya tenido nunca ese *look*.

Era cierto. No me había afeitado en la semana que había pasado desde la noche en Puerto Mitre. Mi cara estaba ahora cubierta por una barba castaña, quizás algo más rojiza que mi pelo, que en ese momento llevaba engominado hacia atrás.

—Es verdad —concedí—, aunque algo en común sí que tengo con cualquier presidente. Los dos lidiamos con mentirosos profesionales.

Ariana titubeó un poco, como si no estuviera segura de lo que estaba por decirme.

—¿No te parece un poco intolerante pensar así? Digo, deberíamos respetar las creencias de los demás.

Antes de hablar, alcé el dedo. Tenía aquella respuesta ensayada mil veces.

—Creencias —dije—, ahí está la clave. Yo respeto a los que creen y no tengo nada contra ellos. Los que detesto son los que *no* creen, y además cobran. Una cosa es prometer una cura milagrosa convencido de que existe, y otra muy distinta es hacerlo sabiendo que es una mentira. Como cuando analizaron en un laboratorio muestras de los brebajes del Cacique y resultó ser solo agua, azúcar y colorante.

—Pero aunque pasaron eso en televisión, la gente lo sigue yendo a ver.

—Se llama sesgo de confirmación. Suponete que yo realmente quiero creer que el Cacique tiene poderes. Entonces aparecen dos personas, una dice que los análisis químicos indican que es todo una farsa y la otra asegura que a su primo el tipo le curó una hernia de disco. ¿A cuál de las dos historias te parece que le voy a dar más valor?

—A la que dice lo que vos querés oír —contestó Ariana mientras se acomodaba una peluca negra y rizada.

—Exacto. Es como buscar en Google la frase más absurda que se te ocurra, no sé, "electrocutarse disminuye la impotencia", por ejemplo, y creer que es verdad porque alguien la escribió.

—Qué ejemplito, ¿eh? —rio, mirándome en el espejo.

Seguimos charlando durante un rato mientras Ariana se probaba otras pelucas. Finalmente, decidió que ninguna se veía lo suficientemente real, y se hizo una trenza con su verdadero pelo.

—Bueno, llegó el momento de conocer a Linquiñao. ¿Estás listo? —preguntó, consultando la hora en su teléfono.

—Listo —contesté.

Me miré una vez más en el espejo. Entre el pelo engominado y la barba, estaba irreconocible. El toque final lo daban los anteojos de marco grueso, que tenían la batería cargada y la memoria vacía. Podríamos grabar dos horas y media de video.

—Ah, un detalle imprescindible —dijo Ariana, y de su bolsillo sacó una cajita roja con dos anillos de plata—. Probate este.

—Me queda un poco suelto, pero no creo que se caiga —dije, sacudiendo la mano—. ¿De dónde los sacaste?

—Los tengo desde hace un tiempo.

—¿Eran de tus padres? —arriesgué.

Noté que se tensaba mientras pensaba en qué responderme.

—No tanto tiempo —dijo.

CAPÍTULO 14

Irma Keiner se despertó con un tintineo metálico. Entrecerrando los ojos para enfocar, vio al pastor de pie, abrochándose el cinturón junto a la cama.

—¿Te vas? —le preguntó. La voz le salió ronca, como cada mañana después de cantar las catorce canciones en la presentación.

—Tengo que hacer unos trámites —le respondió él con una sonrisa.

Irma miró el reloj. Apenas habían dormido cuatro horas.

—¿Trámites?

Sin contestar, el pastor se metió la camisa adentro del pantalón y le tiró un beso.

—¿Qué trámite vas a hacer en Trelew un domingo a las siete de la mañana? —insistió.

—Nada. Cosas mías. Quise decir que me voy a caminar por ahí. No sé por qué dije trámites.

Irma se arrodilló en la cama y su torso quedó al descubierto. Se acercó a su marido de rodillas y abrió los brazos. El pastor aceptó el abrazo.

—Últimamente estoy preocupada por vos, Maxi. Te veo raro, y si te pasa algo me gustaría que me lo contaras. A lo mejor te puedo ayudar.

—Me voy a caminar un rato, nada más. Necesito pensar...

Su marido dejó la frase a medias, e Irma reconoció la mueca de dolor en su cara. El pastor se sentó en la cama junto a ella, llevándose ambas manos al estómago.

—¿Ves? Yo sabía que te pasaba algo. Hace días que vengo viendo los gestos que hacés. Te volvieron los dolores, ¿no?

—¡Dejame en paz, Irma! No me rompas tanto las pelotas, por favor. Me quiero ir a dar una vuelta y punto. Y esto es un dolorcito, nada más. No tiene nada que ver con el páncreas.

—Maximiliano, hace dos años fue justamente un dolorcito en el estómago lo que te terminó de convencer de que tenías que ver a un médico. ¿Por qué no te quedás conmigo y me contás exactamente lo que te está pasando?

Rodeó el cuello de su marido con los brazos y le dio un beso en la mejilla sin afeitar. Con un movimiento suave, el pastor la apartó y se puso de pie. Sin decir nada, le tiró un beso y le guiñó un ojo antes de salir de la habitación del hotel Palace de Trelew.

Irma se dejó caer sobre el colchón. Mierda, pensó. No quería vivir aquello por segunda vez. Los dolores, los médicos, los tratamientos y la incertidumbre de si existía o no la posibilidad de un final feliz.

Allí mismo, desnuda sobre la cama deshecha, empezó a rezar en voz baja.

Por Maximiliano. Por un final feliz.

CAPÍTULO 15

El aire estaba cargado de humo de tabaco y una gruesa cortina de terciopelo negro cubría la única ventana de la sala. La escasa luz provenía de dos velas amarillas a los costados de una larga mesa de madera. En el centro había un cenicero y una montañita de polvo amarillento. Parecía polenta.

—Bienvenidos, adelante —dijo la inconfundible voz destruida por el tabaco y el alcohol.

Incluso en la penumbra, reconocí la nariz aguileña del hombre de pelo largo sentado del otro lado de la mesa. El Cacique de San Julián se levantó de su silla y nos extendió la mano.

—Juan Linquiñao, para servirles —nos dijo, y el cigarrillo que apretaba en la comisura de los labios se movió de arriba abajo al compás de las palabras.

Al mirarlo por primera vez a los ojos, sentí una especie de decepción. Esperaba una mirada siniestra y una sonrisa falsa. Sin embargo, los ojos del hombre que teníamos enfrente parecían buenos y comprensivos. Me pregunté si aquella mirada dulce habría tenido algo que ver con que Marina decidiera volver a ese mismo lugar semana tras semana.

La mano de uñas largas del Cacique todavía colgaba en el aire. Al ver que yo seguía con las mías en los bolsillos, Ariana se apresuró a estrecharla con sus dedos finos y largos.

—Mi nombre es Verónica Vargas y él es mi marido, Valerio Paredes.

—Mucho gusto —me dijo.

Saqué la mano del bolsillo lentamente, y sentí el tacto suave y cálido de la suya.

—¿En qué puedo ayudarlos? —nos preguntó, acomodándose en una silla giratoria que le pegaba más a un estudio de abogados que al consultorio de un curandero.

—Bueno, es un tema algo complicado —dijo Ariana mientras nos sentábamos frente a él, del otro lado de la mesa.

Entonces oímos un sonido que no encajaba en aquella sala oscura, como si un pájaro acabara de piar.

—Este es Eros —dijo el Cacique levantando su puño izquierdo.

Un pequeño pollito asomó la cabeza amarilla entre los dedos, y Linquiñao le pasó una uña por el plumaje. Fijé la mirada en el animal durante unos segundos, para asegurarme que la cámara lo captara.

—Me decía que vienen por un tema complicado, ¿no? —prosiguió, dirigiéndose a Ariana como si nada—. No se preocupen, todos los temas que trato son complicados. Y casi siempre se reducen a salud, dinero o amor. Por algo la gente brinda por esas tres cosas. En el caso de ustedes, presiento que vienen por una cuestión de amor.

Más que un presentimiento, es lo que te dijimos cuando llamamos por teléfono para confirmar la cita, pensé, pero me limité a asentir.

—¿Cuál es el problema en la pareja?

—Hay una tercera en discordia. Mi hermanastra —dijo Ariana—. Se pavonea delante de Valerio, insinuándosele. Lo toca más de la cuenta y aprieta los pechos contra él cada vez que puede.

—Y uno no es de piedra, ¿sabe a lo que me refiero? —dije, siguiendo al pie de la letra el guión que habíamos preparado—. A pesar de que ella no es para nada mi tipo, hubo un día que simplemente no me pude resistir.

—Desde ese día, nuestra pareja se destruyó —agregó Ariana—. Ya no tenemos casi relaciones sexuales y nos peleamos por cualquier pavada.

—Entiendo —asintió el Cacique mientras le daba una pitada larga y lenta al cigarrillo—. No hace falta que me diga nada más, señora. Y usted, Valerio, seguro que se ha sorprendido más de una vez pensando en esta mujer mientras está con su esposa, ¿no es así?

—Sí. No sé qué me pasa, porque la conozco hace años y no es el tipo de persona que suele atraerme. Tiene mal gusto, es ordinaria, habla a los gritos. En fin, es todo lo contrario a Verónica.

—¿Esa es su alianza? —preguntó el brujo señalando mi mano izquierda—. Déjeme verla.

Simulé forcejear un poco con el anillo antes de quitármelo y ponerlo sobre la palma del brujo.

Los dedos largos del Cacique se cerraron y el puño empezó a vibrar cada vez con más fuerza. En la otra mano, el pollito seguía piando feliz, moviendo la cabeza de un lado al otro.

De repente, Linquiñao abrió los ojos muy grandes y se quedó tieso.

—A usted le hicieron un trabajo muy potente. Un amarre con magia negra muy difícil de desatar.

Yo me llevé las manos a la cabeza y Ariana largó un quejido. Lo estábamos haciendo muy bien.

—¿Y usted puede romperlo?

—Claro que puedo. Deme usted también su alianza.

El brujo aplastó con la mano la montañita de polvo que había sobre la mesa, formando un círculo del tamaño de una medalla. Puso los anillos en el centro, uno dentro del otro.

—Pero es un trabajo difícil, y no es barato —agregó.

—¿Cuánto nos va a costar?

—¿Cuánto creen que vale salvar su matrimonio?

—Eso no tiene precio —se apresuró a decir Ariana.

—Exactamente —sonrió el Cacique.

—Pero ahora no tenemos mucho dinero —intervine, como habíamos acordado.

—Por eso no te preocupes. Hacemos el trabajo por el valor de otra consulta, y después, una vez que funcione, me pagás como puedas. Me vas dando de a poquito hasta que llegues al equivalente a un sueldo tuyo.

—¿Un sueldo entero?

—Si no te parece que vale la pena un mes de trabajo para salvar algo que es para toda la vida…

—No. No quise decir eso. Hagámoslo —dije, fingiendo vergüenza.

El Cacique le dio un beso en la cabeza al pollito y lo puso con cuidado sobre la mesa. Piando sin parar, el animalito avanzó con pasos torpes hacia los anillos y comenzó a picotear el polvo.

—¿Ven cómo prefiere la comida que está fuera de las alianzas a la de dentro? Eso es porque sabe que hay algo malo en este matrimonio.

Linquiñao dio una última chupada a su cigarrillo y lo apagó en el cenicero. Luego, agarró el pollito con una mano y los anillos con la otra.

—Vengan —nos dijo, levantándose de su asiento.

Los tres fuimos hacia un rincón de la habitación, donde había un pequeño altar triangular de piedra lleno de manchas oscuras. Linquiñao puso las alianzas en el centro.

—Pónganse uno de cada lado y tómense de las manos formando un círculo alrededor de los anillos. No se suelten por nada del mundo.

Cuando lo hicimos, el brujo comenzó a murmurar una oración con los ojos entornados. Luego extendió la mano que sujetaba al pollito por encima de nuestro círculo. El animalito comenzó a piar con fuerza. Aumentando el volumen de sus rezos, el Cacique se inclinó sobre el altar para alcanzar un cuchillo de mango de cuerno de ciervo que había en un estante en la pared.

—No, por favor —susurró Ariana.

—No se suelten —repitió el brujo e hizo un corte en el cuello del animal.

Un reguero de gotas rojas manó de entre las plumas amarillas. El pollito comenzó a sacudirse en diminutos espasmos, sujeto por la mano que el Cacique movía de un lado a otro, manchando los anillos con sangre.

Unos segundos más tarde, el hombre depositó el cuerpo inmóvil junto a las alianzas y gritó una oración en un idioma extraño.

—Inclínense sobre el altar y dense un beso en la boca sin soltarse las manos.

Los enormes ojos de Ariana me miraron perplejos. Había odio en ellos. Estuvimos así un tiempo hasta que ella forzó una sonrisa y comenzó a inclinarse. Yo hice lo mismo y nuestros labios se tocaron.

A pesar de que todo aquello era falso, del pollito muerto y del hombre perverso que nos daba órdenes como si fuéramos dos títeres, el tacto de su boca me pareció suave y cálido.

—Ya se pueden soltar las manos.

Nos separamos con torpeza. El Cacique se giró y revolvió en uno de los cajones junto a la mesa hasta encontrar una pequeña bolsita de terciopelo. Pellizcando el pecho del pollito muerto, puso en ella unos cuantos plumones amarillos. Metió también los anillos y cerró la bolsa con una cinta roja.

—Quiero que ahora mismo vayan a su casa, cuelguen esto en el respaldo de la cama y hagan el amor. Eso terminará de romper el trabajo que les hicieron.

CAPÍTULO 16

Al salir de la sesión, Ariana hablaba a mil por hora. Quería que definiéramos allí mismo cómo íbamos a desenmascarar al Cacique y cuál era el siguiente paso que teníamos que dar.

—¿Comemos una pizza? —sugerí, y le pareció una buena idea.

Llamé por teléfono a Puerto Mitre, pero Néstor me dijo que esa noche sería imposible conseguir una mesa.

—Yo vivo acá en El Tres —ofreció ella—. Si querés preparamos algo en casa.

Quince minutos más tarde, nos desplomábamos en su cama. Salvo colgar el amuleto en el respaldo, le terminamos haciendo caso al Cacique al pie de la letra.

CAPÍTULO 17

Si ella no se hubiera tocado la frente con el dorso de la mano, no habríamos terminado juntos aquella noche. Cuando llegamos a su casa, Ariana hurgó en la alacena y puso medio paquete de espaguetis a hervir. Yo le dije que su provisión de víveres me recordaba a la mía durante mis años de universidad y ella, fingiendo indignación, se llevó el dorso de la mano a la frente con un gesto exagerado. Después de eso, me miró con sus ojos grandes y yo solté una carcajada. Fue ese gesto, el de la mano, el que me recordó lo que se sentía estar cómodo frente a una mujer.

Antes de que ese instante se esfumara, antes de que ella bajara la mirada o me preguntara si prefería la pasta con salsa o con manteca, di un paso hacia adelante y le dije "sos muy linda". Soltó una carcajada ante mi cursilería, y sentí su mano en la nuca y su vientre apretándose contra el mío.

La banda sonora de lo que vino después de que aterrizáramos en su cama fue el chasquido del agua rebalsándose de la olla y cayendo al metal caliente de la hornalla.

—Quizás nos estamos tomando nuestros personajes demasiado al pie de la letra —bromeó Ariana un rato después, mientras se vestía dándome la espalda.

—No tendrás por casualidad una hermanastra tetona que me tenga ganas, ¿no?

—La única forma de que haya alguien con tetas en mi familia, es que sea hermanastra —rio, y se metió al baño.

La oí abrir la ducha. A medio vestir, fui a la cocina y apagué el fuego.

De tanto hervir, la pasta había quedado deshecha. Mientras vaciaba la olla para hacer otra tanda, sentí algo peludo rozándome los tobillos. Miré hacia abajo y descubrí a un gato siamés refregándose contra mis piernas.

Siempre había odiado a los gatos.

Lo aparté con el pie con menos delicadeza de la que habría usado si su dueña me hubiese estado mirando. El siamés caminó ofendido y se paró junto a una puerta cerrada entre la cocina y la habitación de Ariana. Dándome la espalda, empezó a maullar.

Lo ignoré por un rato, mientras buscaba sin éxito una lata de salsa de tomate en la alacena o en la heladera. Pero el bicho no se daba por vencido, y sus quejidos empezaron a ponerme nervioso.

—¿Qué querés? —le pregunté, como si me fuera a contestar.

Otro maullido dándome la espalda. Tenía la mirada clavada en el picaporte de la puerta cerrada. Supuse que allí dentro dormiría o tendría las piedritas blancas esas que juntan un olor asqueroso.

—Bueno, tranquilo, ahora te abro —le dije, y giré el picaporte. La puerta no se movió de su marco.

El sonido del agua cayendo de la ducha se cortó de golpe, y oí a Ariana correr la cortina del baño. El gato dio un salto sobre el respaldo del sofá y de ahí se fue por una ventana entreabierta que daba al patio interno del edificio. Ariana apareció en la cocina secándose el pelo.

—¿Me pareció escuchar maullar a Rogelio? —preguntó.

—Sí, nos acabamos de conocer. Creo que no nos entendimos muy bien. Me parece que quería entrar ahí —dije, señalando la puerta cerrada con llave.

Ella miró la cerradura durante un segundo.

—Rogelio se cree el dueño de la casa —dijo con una sonrisa.

—¿Qué hay ahí adentro?

—Nada. Algunas cosas de trabajo y poco más.

Encogiéndose de hombros, Ariana se dio media vuelta y se dirigió a su habitación.

—Me visto y voy. Poné la mesa —dijo.

CAPÍTULO 18

Mientras rasgueaba los acordes de la Canción de la Serranía, Gerardo cerró los ojos. La guitarra de doce cuerdas no era el instrumento más adecuado para aquel ritmo caribeño, pero tocar con ella esa canción era lo más parecido que conocía a estar cerca de su padre. Lo había perdido cuando tenía cuatro años y había heredado de él la guitarra. Aunque no la usaba en las presentaciones con la banda del pastor, la llevaba siempre consigo.

Cuando tocaba, como ahora, aquella canción de Roberto Cole, cerraba los ojos e intentaba desenterrar algún recuerdo de sus primeros seis años de vida en San Juan de Puerto Rico, antes de que su madre se casara con un copiloto de Aerolíneas Argentinas y se mudara con Gerardo a Buenos Aires.

Solo lograba evocar imágenes sueltas, que venían siempre de la mano de una foto que le había mostrado su madre o de una anécdota que ella le había contado. Incluso el vínculo entre la Canción de la Serranía y su padre se lo había dado ella al entregarle la guitarra a los catorce años, junto con un cassette con la canción. A tu papá le encantaba, había dicho ese día.

Sintiendo el acero de las cuerdas bajo las yemas de los dedos, se preguntó, como muchas veces, si realmente le quedaba algún recuerdo genuino de su infancia caribeña.

Lo interrumpieron tres golpes en la puerta de su habitación en el hotel Palace, en Trelew. Dejó la guitarra sobre la cama y se puso una remera antes de atender.

—¿Qué hacemos esta noche, Morochazo? —le preguntó el pastor Maximiliano dándole un golpecito con el puño en el bíceps enorme—. Tendremos que salir a festejar el éxito de la presentación de esta tarde, ¿no?

—Lo que vos quieras, papito —le respondió, tocándose el pecho y tirándole un beso.

—Salí de acá, mariconazo. Un día te voy a sorprender y te voy a dar un beso en serio. Con lengua y todo. Y ahí se te van a ir las ganas de hacerte el gracioso.

El pastor habló serio, con la cara desencajada y los ojos enormes fijos en los de Gerardo. Luego largó una carcajada y lo empujó, abriéndose paso en la habitación dejando tras de sí un vaho de whiskey.

—Me das un beso y te bajo cuatro dientes —dijo Gerardo, mostrándole un puño.

Maximiliano Velázquez colgó su abrigo largo en un perchero de la habitación y luego metió la mano de uno de los bolsillos.

—Ponete cómodo —dijo, tirando la pequeña bolsita sobre la cama, junto a la guitarra.

Gerardo sonrió al oír la frase. Ponete cómodo. La habían acuñado una de las primeras veces que habían probado la cocaína, hacía casi treinta años. Estaban en el último año del secundario y Maximiliano, que había repetido dos veces y era mayor que Gerardo, había aparecido un día con una bolsita blanca y una tarjeta de crédito.

—Hacía mucho que no escuchaba esa frase.

—Sí, ¿qué carajo nos pasó, loco? Cuando arrancamos con las presentaciones salíamos de joda todas las noches y nos cagábamos de risa. ¿En qué momento nos convertimos en unos viejos chotos aburridos?

Era cierto, hacía al menos seis meses que no salían juntos. La excusa oficial de Gerardo era que ya habían visto todo lo que había que ver y tenían edad de ir pensando en parar un poco. Pero era solo eso, una excusa. Lo que en realidad lo había alejado de su amigo era algo mucho peor que la noche, la merca y las putas.

—¿Y qué se te dio por querer salir hoy?

—Hay que celebrar la vida, loco. ¿No te parece? —preguntó el pastor, sentándose en la cama y abriendo la bolsita.

—Sí, pero… ¿por qué un domingo?

—Porque uno nunca sabe si el lunes va a estar vivo —dijo y puso un poco de cocaína sobre la caja barnizada de la guitarra.

CAPÍTULO 19

La segunda tanda de pasta quedó al dente. Ariana se disculpó por no tener salsa de tomate y le echó una lata de atún y una de arvejas.

—Que yo sepa, ésta es la primera vez que alguien graba una sesión con el Cacique —me dijo, poniendo un plato frente a mí.

—Sí, está muy bien para empezar —asentí—. Tenemos filmado cómo trabaja, y lo podemos escrachar por sacrificar animales.

—Y además tenemos evidencia de que no tiene ni idea de si la gente le dice la verdad o no cuando van a verlo —agregó ella.

—También, aunque estaría bueno tener algo más. Algo que le pudiera hacer mucho daño.

—¿Algo como qué?

—Tengo un primo que está muy metido en todo el mundo este de... de lo esotérico. Tiene gracia que yo lleve casi dos años lidiando con esta gente y todavía no sepa bien cómo llamarlos. En fin, mi primo tiene una santería. La semana pasada, después de que aparecieras en la universidad, lo fui a ver para preguntarle qué sabía del Cacique.

—¿Le contaste que le íbamos a hacer una cámara oculta?

—No —me apresuré a responder—. Primero, porque en ese momento no estaba claro que yo fuese a hacer nada. Y segundo, porque él sabe que se trata de un tipo muy peligroso, y no quiero que crea que me volví loco.

Por un momento, solo se oyó el sonido de nuestros tenedores contra los platos.

—Mi primo sostiene que el Cacique se codea con gente de poder. Políticos, empresarios, ese estilo.

—Todo el mundo ha oído ese rumor.

—Y otra cosa que me dijo es que parece que de vez en cuando reúne grupos de esta gente y hacen rituales en casas abandonadas.

—Pactos con el diablo —apuntó Ariana, empuñando el tenedor como si fuera una daga con la que asesinar a alguien.

—Eso en concreto no lo sé. Mi primo no me dijo nada de pactos.

—Es otro de los rumores que corren —agregó ella.

Me quedé un rato en silencio, con la mirada en mi plato de pasta a medio terminar.

—¿En qué pensás?

—En la repercusión que tendría un video mostrando a políticos participando en un ritual satánico.

—Pero eso perjudicaría más a los políticos que al Cacique.

—Sí, pero sería mucho más útil. ¿No te parece? ¿Quién quiere que lo gobierne un político que hace pactos con el diablo?

—¿No era que no creías en esas cosas?

—Por supuesto que no. Es la intención lo que me indigna. Si un tipo está dispuesto a sacrificar su alma por poder, o por guita, ¿qué no está dispuesto a hacer? ¿Qué reparos puede tener una persona así a la hora de aceptar un soborno, por ejemplo?

—Visto de esa manera…

—Además, a lo mejor matamos dos pájaros de un tiro y filmando una de esas sesiones encontramos algo que nos sirva también para escrachar al Cacique.

—Pero ¿cómo vamos a filmar algo así?

—Yo puedo conseguir cámaras que graban con niveles de luz muy bajos. Lo difícil es enterarnos cuándo y dónde sería el próximo ritual, si es que existe y no es todo simplemente un rumor.

—Yo creo que sé por dónde empezar.

CAPÍTULO 20

El Audi A8 recorría la Ruta Tres a ciento ochenta kilómetros por hora. Habían salido de Trelew hacía quince minutos.

—Vas a ver, Gerardo, no te vas a arrepentir. Aunque sea domingo, seguro que en Puerto Madryn hay una joda impresionante. Por ahí tenemos suerte y nos terminamos encamando con dos turistas noruegas que vienen a ver ballenas.

—¿Los noruegos no tienen ballenas ya, como para venirse a verlas a la otra punta del mundo?

El pastor despegó las manos del volante para juntarlas en un gesto sonoro.

—Yanquis entonces. O de donde sean, loco.

Velázquez volvió a apoyar las manos en el volante, pero rápidamente levantó una y le pegó un puñetazo al brazo musculoso de Gerardo.

—Algo nos vamos a levantar, vas a ver. Tomá —dijo, sacando su teléfono del bolsillo—, buscá en los mensajes de Whatsapp uno de Cogote López. Cogote vivió un tiempo en Madryn y el otro día me pasó una lista de unos clubes VIP imperdibles.

—Lo tenés apagado.

—Me debo haber quedado sin batería. En la guantera hay un cargador.

El pastor se giraba a mirarlo cada vez que le hablaba, quitando los ojos de la ruta oscura delante de ellos. Gerardo quería agarrarse al asiento, o pedirle que bajara un poco la velocidad, pero sabía que aquello solo empeoraría las cosas. Para colmo, habían entrado en una zona en la que dos de los cuatro carriles de la ruta estaban cortados por trabajos de mantenimiento, y no había nada que los separara del tráfico que venía de frente.

—¿Vos confiás en mí? —preguntó Maximiliano, pasándose la mano por la nariz.

—Obvio, boludo. ¿Por qué me lo preguntás?

Sin responder, el pastor se entrelazó las manos detrás de la cabeza.

—¿Qué hacés? Agarrá el volante que nos vamos a ir a la mierda.

Gerardo vio la sonrisa del pastor iluminada por las luces azuladas del tablero del Audi. Miró el velocímetro: iban a ciento ochenta y ahora el coche se desviaba de a poco hacia el carril contrario.

—¿No me dijiste que confiabas?

—¡Agarrá el volante! —gritó Gerardo, pero el pastor se limitó a sonreír y a aspirar fuerte por la nariz.

—Me lo dijo Jesús anoche. No nos va a pasar nada.

En sentido contrario, dos luces se acercaban hacia ellos por el carril que ahora invadían. Gerardo se inclinó y agarró el volante con ambas manos para rectificar el curso del Audi, esquivando justo a tiempo un camión que venía en sentido contrario tocando bocina.

—¡La puta que te parió! ¿Qué te pasa, pelotudo?

El pastor volvió a tomar control del coche y la sonrisa de su cara desapareció a medida que perdían velocidad. Cuando se detuvieron a un costado de la ruta, apagó el motor y quedaron completamente a oscuras. En el horizonte se veía la claridad amarillenta de las luces de Puerto Madryn.

—¿Se puede saber qué carajo fue eso? —preguntó Gerardo.

El pastor cerró los ojos y apoyó la frente sobre el volante forrado en cuero. Antes de hablar, negó con la cabeza.

—Se va todo a la mierda —dijo, sin abrir los ojos.

—¿Qué?

Con un ademán brusco, Maximiliano Velázquez se clavó un dedo en el estómago.

—Tengo cáncer de páncreas. Fulminante. Incurable. Me muero.

Gerardo cerró los ojos y se agarró la cabeza, intentando parecer sorprendido.

—¿Desde cuándo?

—Me lo detectaron hace dos años. Al principio el pronóstico era muy malo, pero después los médicos dijeron que me estaba recuperando. Que se daba en un caso entre miles.

—Un milagro —dijo Gerardo.

El pastor soltó un soplido con los labios curvados en una sonrisa irónica.

—A lo mejor resulta que tengo poderes en serio —dijo, y dio un puñetazo en el techo—. Unos poderes de mierda, entonces, porque ahora sí que me estoy muriendo. El cáncer volvió a avanzar, y el diagnóstico es peor que dos años atrás. ¿Sabés lo que me ofrecen los médicos? Un tratamiento paliativo.

—¿Y no te conviene retirarte? Dedicarte a descansar, dejarte de tanto estrés, viaje, presentaciones.

—¿Retirarme con qué guita? Si no tengo un peso partido al medio.

A Gerardo aquello sí que lo tomaba por sorpresa. La última vez que había hecho cuentas, el pastor se metía en el bolsillo suficiente dinero como para comprarse un coche nuevo con cada presentación.

—¿No ahorraste nada durante todo este tiempo?

Maximiliano negó lentamente con la cabeza. Luego se metió la mano en el bolsillo y puso la bolsita sobre el tablero del coche.

—Ésta, este auto, hoteles, champán, el nivel de vida al que está acostumbrada Irma, el tratamiento oncológico —enumeró—. No aguantaríamos un mes a flote sin hacer presentaciones. Tengo que seguir.

Se quedaron en silencio durante un rato. De vez en cuando, pasaba un camión a ciento veinte por hora y el Audi temblaba.

—Gerardo, esto lo sabe solamente Irma, y ahora vos. Si sale a la luz, no vendo una entrada más. Imaginate, el pastor sanador que se está muriendo de cáncer. Te lo cuento porque ya no puedo más, y vos sos la persona en la que más confío después de Irma.

—No te preocupes, que de esta boca no sale —dijo Gerardo sin dudarlo. Al fin y al cabo hacía meses que lo sabía y no se lo había contado a nadie.

La música que sonaba en la radio se paró de golpe, y el sonido de un teléfono retumbó en el Audi. El pastor presionó un botón en el volante.

—¿Qué pasa? —dijo, mirando hacia adelante.

La voz de Lito se oyó por el sistema de sonido del coche.

—Surgió algo, pastor. Después de la presentación de hoy,

descubrí a un científico.

Velázquez sacudió la cabeza. Un científico era la forma en la que ellos llamaban a los escépticos que de vez en cuando aparecían en las presentaciones, acusándolo de charlatán e intentando explicar sus trucos.

—¿Y para eso me llamás? Estoy ocupado.

—Es que este es diferente. Se llevaba pruebas que nos pueden hundir a todos. Le quise avisar antes, Pastor, pero tenía el teléfono apagado. Creo que tiene que venir urgente a verlo.

—¿Está ahí todavía?

—Lo tengo encerrado hace una hora.

El pastor volvió a poner el coche en marcha y dio la vuelta, comenzando a desandar el camino que acababan de recorrer.

—Voy para allá —dijo, mientras aceleraba hasta volver a alcanzar los ciento ochenta.

CAPÍTULO 21

Ariana abrió la puerta del Corsa y se sentó en el asiento del acompañante. Después de darme un beso rápido en la mejilla, como si la noche que habíamos pasado juntos cinco días atrás no hubiera existido, se ajustó el cinturón.

—¿Quién te pasó el dato? —pregunté.

—Ya te dije que para un periodista las fuentes son sagradas. Vámonos que llegamos tarde.

Arranqué el coche y puse primera. Hacía apenas dos horas Ariana me había llamado por teléfono para decirme que sabía de primera mano que el Cacique estaba preparando uno de sus rituales VIP para el sábado siguiente.

—Tenemos tres días para averiguar dónde va a ser —me dijo mientras salíamos del centro de Comodoro en dirección hacia El Tres, el barrio donde atendía Linquiñao.

—Ayer pensaba que a lo mejor no nos conviene estar ahí ese día —dije.

—¿Cómo? ¿Y perdernos la oportunidad de filmarlo a él y a todos los que vayan a participar en el ritual? Ni loca.

—Filmarlos sí —aclaré—, pero sin estar nosotros presente. Si nos enteramos dónde va a ser, podríamos dejar instalada una cámara con sensor de movimiento. Yo tengo una y puedo conseguir otra prestada.

—Vos si no querés, no vayas. Pero yo voy a estar ahí.

—Como te parezca —dije.

Continuamos por la ruta en silencio hasta que, quince minutos más tarde, estacioné a unos cincuenta metros del consultorio del Cacique. Desde allí veíamos claramente su Ford Ranger roja, más iluminada por la luna llena que por la única farola tenue de la calle angosta.

El reloj en el tablero del Corsa marcaba las siete y cincuenta y seis. Llevaba oscuro más de una hora.

—Pensar que este es solo su consultorio —dije, señalando la calle de casas antiguas con porches de columnas curvas—. El tipo no vive acá, ¿sabías? Tiene un caserón en Rada Tilly.

Ariana asintió con la cabeza, manteniendo los ojos fijos en la Ranger.

Después de diez minutos de esperar en silencio, la periodista se incorporó de un respingo y señaló hacia adelante. Una figura baja y encorvada salía del consultorio.

Una vez en la calle, se detuvo, miró a su alrededor y empezó a caminar directamente hacia nosotros, arrastrando los pies por el medio de la calle desierta.

—Viene para acá —fue todo lo que atiné a decir.

Ariana movió una mano lentamente hasta ponerla sobre el mecanismo para abrir su puerta.

—¿Qué pasa? —le pregunté, pero se limitó a chistarme para que me callara.

La figura continuó en nuestra dirección. A pesar del contraluz, distinguí una cara arrugada de mujer con mechones blancos cayéndole sobre los hombros. Tenía la mirada perdida y, a pesar de que pasó tan cerca del Corsa que su codo rozó el espejo del lado de Ariana, no pareció detectar nuestra presencia.

—Probablemente la última clienta del Cacique —sugirió Ariana.

—¿Quién pensaste que era? ¿Por qué ibas a salir del auto?

Abrió la boca para contestarme, pero entonces la luz del porche del consultorio se apagó. Distinguí la figura ancha de Linquiñao extendiendo una mano hacia la Ford Ranger. Las luces de la camioneta parpadearon al desactivarse la alarma, y el brujo se metió en el vehículo.

Cuando la Ranger empezó a moverse, encendí el motor del Corsa y empecé a seguirla intentando mantenerme lo más alejado que pude.

El Cacique condujo hacia las afueras de la ciudad. Pasamos el edificio enorme y solitario de la universidad y seguimos hasta que las últimas luces del barrio del Kilómetro Cinco se perdieron en el retrovisor. A esa hora, mucha gente salía de trabajar y la ruta estaba lo suficientemente transitada como para que no sospechara que lo seguíamos.

—Prestame tu teléfono —me dijo Ariana.

—¿Para qué?

—Para activar el GPS.

—No sé si mi teléfono tiene GPS, me lo acabo de comprar. Igual acá no nos hace falta. Sé muy bien dónde estamos.

—Prestámelo igual —insistió Ariana.

Sin perder la vista de las luces traseras de la Ranger, levanté un poco la cadera del asiento para sacarme el teléfono del bolsillo y dárselo.

Al pasar el barrio del Kilómetro Ocho, el tráfico desapareció de golpe. A lo lejos, delante de nosotros, se veía la luz del faro San Jorge. Definitivamente, no me hacía falta un GPS. Sabía de memoria que aquella ruta terminaba en Caleta Córdova —o Córdoba, dependiendo de a quién le preguntaras—, un pueblito pesquero a dieciocho kilómetros de Comodoro en el cual yo había estado apenas un par de veces.

Cuando estábamos a mitad de camino entre el Kilómetro Ocho y aquel pueblo, la luz de giro amarilla comenzó a parpadear del lado izquierdo de la Ranger.

—Va a doblar —dije.

—Sí, pero no podemos seguirlo —respondió Ariana, alternando la mirada entre el teléfono y la ruta—. El camino muere a doscientos metros. Sería sospechoso.

—Podemos ir a la derecha y subir hasta el faro —dije, señalando la ladera al costado de la ruta—. A lo mejor de ahí lo podemos ver.

Unos trescientos metros más adelante, tomé un camino de tierra en dirección opuesta a la que había ido la Ranger, y empezamos a subir el pequeño cerro sobre el que se erigía el faro San Jorge. Al llegar arriba, tuvimos ante nosotros un mirador perfecto. Del otro lado de la ruta, unas luces rojas se alejaban dejando atrás una nube de polvo.

—Parece que va a esa casa.

La camioneta se acercaba a una alameda que apenas dejaba entrever las luces de una casa. Cien metros a la izquierda, en aquel trozo de campo iluminado por la luna había otra construcción. A diferencia de la casa detrás de los árboles, ésta estaba completamente a oscuras.

—Me parece que te descubrimos, Juancito —dijo Ariana

con una sonrisa, señalando hacia adelante.

La camioneta del Cacique había girado a la izquierda y se alejaba de la casa con la luz encendida, dirigiéndose a la construcción a oscuras. El reflejo plateado de la luna bastaba para ver que al techo roto y hundido le faltaba alguna que otra chapa. Aquella vivienda estaba definitivamente abandonada.

—¿Qué lleva en la mano? —preguntó Ariana cuando el Cacique se bajó de la camioneta.

—No lo llego a ver —dije, pegando la cabeza al parabrisas—. Parece una bolsa de supermercado.

CAPÍTULO 22

—Ahí está —dijo Ariana dándome un codazo.

El Cacique había pasado apenas quince minutos dentro de aquella casa derruida. Al salir, se subió a la camioneta y volvió a la ruta. Se fue en dirección a la ciudad, por donde habíamos venido.

—¿Qué hacemos? —pregunté y arranqué el motor.

Ariana señaló la casa con el mentón.

Bajamos el cerro y nos metimos por el camino de tierra por el que acababa de salir el brujo. La bifurcación hacia la construcción abandonada estaba frente a la alameda que ocultaba la casa de la ventana iluminada. Estacioné junto a los árboles. A lo lejos, se oían ladridos.

—¿Por qué parás acá?

—¿Y si es todo del mismo dueño? —pregunté, intentando mirar a través del follaje de los álamos.

—El Cacique no entró a esta casa. Fue derecho a la que está abandonada.

—Sí, pero a lo mejor ya lo conocen.

Sentimos de nuevo los ladridos, esta vez más cerca.

—Arrancá y vámonos.

Para cuando encendí el motor, tres perros gruñían alrededor del Corsa. Un instante más tarde, una figura flaca y alta apareció entre los árboles, apuntándonos con una potente linterna.

—Buenas noches —dije, bajando la ventanilla y cubriéndome con la mano para que el haz de luz no me cegara.

—¿Qué quieren? —preguntó el hombre.

—Somos periodistas —se apresuró a decir Ariana—, y estamos pensando en hacer un documental sobre construcciones deshabitadas en Comodoro.

—¿Y a estas horas vienen?

—Discúlpenos, es tardísimo —ofreció Ariana con una sonrisa—. Siempre que pasamos por esta ruta decimos que un día tenemos que parar a mirar aquella casita, para ver si vale la pena incluirla en el documental. Y hoy la curiosidad pudo más.

El hombre dejó de apuntarnos a la cara con la linterna. Cuando mis ojos se ajustaron, vi que una barba gris le cubría la cara flaca y arrugada.

—¿Esa casa? —preguntó, señalando la construcción de la que acababa de salir el Cacique—. ¿Qué puede tener de especial esa casa?

—Probablemente nada —concedió ella—. Es simplemente que hay pocas casas abandonadas en Comodoro. Entre la falta de vivienda con el auge petrolero y el movimiento okupa, la mayoría de las construcciones terminan alquiladas o usurpadas. Y las que no, suelen tener una historia interesante detrás. De eso va nuestro documental.

Asentí con la cabeza para apoyar lo que había dicho. Esa mujer tenía una habilidad para improvisar mentiras que daba miedo.

—Habitarla, imposible —sentenció el hombre—. Se cae a pedazos. Pero sí que tiene una historia interesante.

—¿En serio? —preguntó Ariana, y no supe si la sorpresa en su tono de voz también era fingida.

—Dicen que está embrujada. Yo no creo en esas cosas pero, de noche, cuando el viento sopla para este lado, a veces llegan unos ruidos raros. Lo que siempre decimos con mi mujer es que puede ser cualquier cosa, ¿no? Chapas desclavadas en el techo, o una canaleta floja.

—¿Y usted ha entrado alguna vez?

—¿Yo, entrar? No, nunca.

—¿Y hace mucho que está abandonada?

—Uff, muchísimo. El dueño era un tal Manolo Galván, me acuerdo porque se llamaba como el cantante. Un tipo de orígenes humildes que terminó haciendo mucha guita en el petróleo. Construyó esa casa en los setenta, y hasta el día que murió, hace unos quince años, la tenía de punta en blanco. No vivía en ella, pero venía de vez en cuando, sobre todo los fines de semana. Un tipo muy correcto y muy buen vecino. No sé quién la habrá heredado.

—¿No tenía hijos?

El hombre negó con la cabeza.

—No tenía ningún pariente. Por eso tardaron semanas en venir a buscarlo acá. Para colmo fue en pleno verano. Dicen que el cuerpo ya estaba irreconocible.

—¿Murió ahí adentro?

—Sí. De un ataque al corazón.

—¿Y después de eso vivió alguien más en la casa?

—Nadie. El poco movimiento que se ve suelen ser chicos que van a romper vidrios o alguna parejita joven que viene a darse un poco de cariño. Al principio me acercaba y les gritaba que se fueran, que aquello era propiedad privada. Pero con el tiempo me cansé. Además, a mí no me molestan, porque suelo tener la televisión prendida y los árboles me tapan la vista. Los perros solo ladran si alguien se para cerca de mi casa, como ustedes ahora. Si hubieran seguido de largo, ni me entero.

—¿Le molesta si vamos a verla un segundo? —pregunté.

—¿A mí? Para nada. ¿Cómo me va a molestar, si no es mía?

CAPÍTULO 23

Estacioné el Corsa junto a la pequeña verja que rodeaba la construcción abandonada. A juzgar por el frente ancho, la chimenea de piedra a un costado y las molduras curvas sobre la fachada, el tal Manolo Galván había sido un tipo pudiente. Una lástima, pensé, que tantos años de abandono hubiesen dejado aquella construcción en un estado de deterioro irreversible.

La puerta de madera maciza todavía estaba en su sitio. Los ventanales a cada lado no habían tenido tanta suerte, y de ellos solo quedaban dos rectángulos negros.

Permanecimos unos segundos observando la casa en silencio. Solo se oía el zumbido de las ráfagas frías de aquella noche.

Sin siquiera tantear la puerta, Ariana se subió de un salto al alféizar de una de las ventanas y me indicó que la siguiera.

Encendimos las linternas de nuestros teléfonos, y la luz reveló un comedor grande. No había muebles a excepción de una silla rota, y el piso estaba minado de latas de cerveza, ropa sucia, y otras porquerías. También había un colchón de goma espuma de no más de tres dedos de alto. Sospeché que si buscaba con atención, no me costaría encontrar jeringas o preservativos usados.

—¿Qué hacía el Cacique en este chiquero? —pregunté en voz baja.

—No lo sé, pero no parece un lugar para traer empresarios y políticos poderosos.

La luz de su linterna se detuvo en una de las paredes mugrientas. Había dos grafitis escritos con letras y trazos distintos. Uno era el símbolo de la paz y el otro decía "Led Zeppelin".

—Mirá esto —dijo, señalando debajo de uno de ellos.

Su teléfono ahora iluminaba una caja de cartón con la que alguien había improvisado una especie de altar. Sobre una lámina de plástico del tamaño de un diario abierto había un manojo de velas rojas y una bolsa de tela.

—Abrila —me dijo, señalando la bolsa.

Era pesada. Al levantarla, me pareció notar un dibujo en el plástico sobre el que había estado apoyada.

—A ver, iluminá acá —le indiqué.

Ariana apuntó su teléfono, y en la lámina aparecieron los huesos de un torso humano. Era una radiografía de tórax.

—Y en la bolsa seguro que hay tierra —dijo.

La abrí y acerqué mi nariz al polvo pardo que contenía. Ariana tenía razón.

—Seguramente tierra de cementerio —agregó—. Se usa mucho para hacer maleficios.

—¿Cómo sabés estas cosas? —pregunté, alejándomela de la cara.

Entonces un ruido sordo retumbó en un rincón de la casa vacía. Del sobresalto, solté el teléfono y el aparato cayó a mis pies, proyectando hacia arriba su haz de luz blanca.

Ariana apagó el suyo y, mirándome, se puso un dedo en los labios. Luego se inclinó lentamente para levantar mi teléfono del suelo. Al agacharse, una franja de su espalda entre el abrigo corto y los pantalones quedó al descubierto. Tardé un instante en identificar la silueta negra que se recortaba contra su piel. Era la culata de una pistola metida dentro de su pantalón.

El ruido volvió a retumbar en la casa.

CAPÍTULO 24

Con las manos en las rodillas, intenté recuperar el aliento. Al oír aquello, Ariana había salido corriendo de la casa indicándome que la siguiera, y ahora ambos nos apoyábamos en la verja oxidada, respirando con fuerza.

—¿Qué es todo esto, Ariana? —pregunté en voz baja.

—¿A qué te referís?

Su pecho todavía subía y bajaba con rapidez.

—A por qué carajo me hiciste venir acá. A ese ruido que escuchamos. Al arma que tenés en la espalda.

—No quería asustarte —dijo, llevándose la mano detrás de la cadera y mostrándome sobre su palma abierta una pequeña pistola negra.

—¿Para qué trajiste eso?

—Por protección, Ricardo. Nunca se sabe, al fin y al cabo estamos en el medio de la nada.

—¿Y de dónde la sacaste? —pregunté.

—¿Escuchaste eso? —dijo, alzando una mano.

Estaba a punto de insistir con mi pregunta cuando oí otra vez el golpe sordo dentro de la casa.

Ariana señaló una de las paredes del costado. Rodeamos la construcción en silencio, ella adelante y yo detrás.

El sonido volvió a oírse, esta vez más claro.

—Viene de ahí —dije, señalando una pequeña ventana a la altura de nuestros pies a la que todavía nadie le había roto los vidrios—. Debe ser el sótano de la casa.

Acerqué mi teléfono, pero una capa de mugre del lado de adentro impedía ver nada. En cuanto me aparté, Ariana destrozó el vidrio de una patada.

Volvimos a oír los golpes, esta vez más altos. Sin duda, provenían de dentro. Alumbramos el sótano con nuestras linternas, pero solo logramos ver trastos viejos cubiertos de mugre y polvo.

—No puede ser. Esos ruidos vienen de ahí —dije.

Ariana se apresuró a patear varias veces el marco de la ventana. Cuando no quedó ni un trozo de vidrio en él, se acostó boca abajo en el suelo de tierra gris, con sus pies apuntando hacia la pequeña abertura.

—¿Qué hacés, estás loca?

Ignorándome, empezó a arrastrarse hacia atrás, desapareciendo poco a poco dentro del sótano con el teléfono en una mano y la pequeña pistola en la otra.

—Pará. No sabés lo que hay ahí adentro. Mirá si es un perro.

—O un fantasma. ¿Vas a bajar o qué? —me dijo antes de descolgarse por completo y desaparecer en la oscuridad de aquel agujero.

Con el corazón a mil, me acosté como lo había hecho ella. Después de respirar hondo un par de veces, me descolgué.

El sótano no tenía más de tres metros por tres metros, y las paredes estaban cubiertas de un moho oscuro que había descascarado casi toda la pintura. Debajo de la ventana por la que acabábamos de entrar, había una pequeña puerta de madera.

—Esto lo pusieron hace poco —dijo Ariana señalando un pestillo de metal enorme y brillante.

Al iluminarlo con nuestras linternas, oímos un tintineo metálico y algo del otro lado golpeó con fuerza la madera.

Quise salir corriendo de allí, pero antes de que pudiera mover un pie, Ariana destrabó el cerrojo reluciente y abrió la puerta, apuntando hacia adentro con su pistola.

Un olor nauseabundo invadió el sótano.

CAPÍTULO 25

—No —fue la única palabra que salió de mi boca cuando se abrió la puerta.

En el suelo, un niño se sacudía con todas sus fuerzas, golpeando contra la pared la cadena que unía sus manos a un caño de metal. Iba abrigado con harapos y un gorro de lana le cubría la cabeza. Sus gritos de espanto estaban silenciados por una mordaza.

—No tengas miedo, nosotros te vamos a ayudar —le dijo Ariana dando un paso dentro del cuartito de dos metros por dos metros y arrodillándose junto a él.

Cuando levantó la mano para hacerle una caricia en la cabeza, el niño comenzó a sacudirse con todas sus fuerzas e, intentando apartarse de ella, golpeó con sus pies un plato y un balde de plástico vacíos.

—Está bien. No te toco. Tranquilo, que no te vamos a hacer nada. ¿Querés que te saque la mordaza?

El niño se quedó quieto y se acurrucó en un rincón de la sala, con las rodillas flexionadas contra su pecho.

—¿Te saco la mordaza? —insistió Ariana.

—Yo diría que no —dijo una voz áspera a nuestras espaldas, y sentí el frío de una hoja de metal en la garganta.

Aunque yo no podía verlo, supe por el olor a cigarrillo y las palabras roncas que el cuchillo lo empuñaba el Cacique de San Julián.

—Mi amiga y su maridito. Tanto tiempo. ¿Qué los trae por acá?

—¿Qué le estás haciendo a este chico, enfermo hijo de puta? —preguntó Ariana.

—¿Te parece que estás en condiciones de insultarme?

Sentí que la hoja del cuchillo hacía más presión sobre mi

piel.

—Agarrá un rollo de cinta de ese estante y atale los pies a este.

Ella no se movió.

—¡Dale! O le atás los pies o lo degüello.

Ariana agarró la cinta, se arrodilló frente a mí y comenzó a enrollarla lentamente alrededor de mis tobillos.

—Ahora las manos.

Sentí el plástico pegajoso en las muñecas.

—Más apretado.

—Le voy a cortar la circulación.

—Y yo le voy a cortar la garganta si no me hacés caso. Más apretado, carajo.

Después de unas cuantas vueltas, un hormigueo comenzó a extenderse por mis dedos.

Cuando estuve atado de pies y manos, la hoja del cuchillo se despegó de mi cuello y un empujón violento me tiró hacia adelante. Intenté sin éxito girar el cuerpo antes de caer sobre los vidrios que Ariana acababa de romper para entrar al sótano. Un dolor punzante me recorrió la cara, y un hilo de sangre tibia comenzó a manarme de la nariz.

—Ahora te toca a vos —dijo Linquiñao, apuntando a Ariana con el cuchillo—. Atate los pies.

—¿Qué le estás haciendo a este nene? —preguntó ella señalando al niño, todavía tirado en el pequeño cuarto mugriento dentro del sótano.

—No tengo tiempo ni ganas de explicarles nada —suspiró el Cacique—. Además, no lo entenderían. Solo sé que si no se hubieran metido donde nadie los llamó, no tendríamos que estar pasando por esto.

Ariana se sentó frente a él y flexionó las rodillas para poder alcanzarse los tobillos. Las manos le temblaban desenfrenadamente. Cuando empezó a despegar la cinta, el rollo se le resbaló entre los dedos y rodó por el suelo hasta quedar a sus espaldas. Sin dejar de mirar a los ojos al Cacique, tanteó detrás de ella.

Cuando volvió las manos hacia adelante, empuñaba la pequeña pistola.

Al ver esto, el Cacique dio un manotazo al arma para apartarla y hundió su cuchillo largo en el cuello de Ariana. La oí soltar un gruñido antes de que el estruendo retumbara en las paredes del sótano y los oídos comenzaran a zumbarme. Con el segundo disparo, Linquiñao cayó junto al niño atado.

El brujo intentó incorporarse, tapándose con las manos las heridas en el torso. La sangre espesa y brillante que le teñía los dedos se le extendía de a poco por la camisa. Nos miró con odio, hasta que una mueca de dolor se apoderó de su cara. Cuando pudo hablar, lo hizo con voz entrecortada.

—No tienen ni idea de lo que acaban de hacer. Calaca va a estar furioso —dijo, y ya no volvió a moverse.

CAPÍTULO 26

Los diez minutos que pasaron hasta oír la primera sirena los pasé intentando detener el sangrado en el cuello de Ariana.

El niño estaba acurrucado lo más lejos del cadáver del Cacique que la atadura en sus muñecas le permitía. Intenté dos veces acercarme a él para tranquilizarlo, pero se puso a gritar, desesperado. Decidí que lo mejor era dejarlo solo y concentrarme en Ariana.

—Ya llega la ambulancia. ¿La escuchás? Ahora te llevan a un hospital y te curan, quedate tranquila.

Ariana me sonrió.

—Perdoname —dijo entre gestos de dolor—. Te tendría que haber contado todo.

—Shhh, tranquila. Ya vamos a tener tiempo para hablar.

Ariana sacudió la cabeza, y no supe si se refería a que no tendríamos tiempo o a que me callara y la escuchara.

—Te mentí, Ricardo. Vos fuiste bueno conmigo y te mentí. Necesitaba alguien que me creyera, y vos eras la persona indicada. Después de lo que te pasó con Marina, estaba segura de que me ibas a ayudar.

—Al final sí sabías lo de Marina —dije, y Ariana me devolvió la sonrisa como pudo.

Entonces oí voces y pasos sobre nuestras cabezas. Antes de que pudiera incorporarme, la puerta del sótano se abrió de golpe y dos paramédicos vestidos de verde bajaron corriendo las escaleras. Al ver a los dos cuerpos tirados, uno de ellos se descolgó una radio de la cintura.

—Necesitamos otra ambulancia. Hay dos personas heridas.

—Tres —dije, señalando al niño que seguía acurrucado en un rincón, temblando.

CAPÍTULO 27

Durante la hora y media que estuve sentado en el banco de la sala de espera de la comisaría, entraron tres personas a denunciar robos. También sonó el teléfono varias veces, y el suboficial joven que atendía la mesa de entrada avisó por radio que había problemas en tal o cual lado de la ciudad.

—¿Ricardo Varela? —me preguntó un oficial de mi edad con la cabeza afeitada y barba candado—. Soy el inspector Orlandi. Homicidios y personas desaparecidas. Venga conmigo.

Orlandi me indicó el camino por un pasillo en cuyas paredes había cuadros con fotos de policías de otras épocas y puertas de oficinas a ambos lados. Nos metimos en una de ellas.

Detrás de un escritorio de madera lustrada aguardaba un hombre de unos cincuenta años. Iba en mangas de camisa, aunque una corbata de nudo perfecto descansaba sobre su barriga. Al verme entrar en su oficina, puso los codos sobre el escritorio y apoyó la papada afeitada sobre sus manos entrelazadas.

—Soy el comisario Altuna.

Entonces lo reconocí. Era el mismo que cada dos por tres salía en el noticiero del Canal Nueve haciendo declaraciones de las que la gente hablaba durante días. La última había sido decir que un reciente asesinato a quemarropa no tenía "nada que ver con la inseguridad ciudadana", pues se trataba de un ajuste de cuentas.

—Ricardo Varela, mucho gusto —le dije, sentándome del otro lado del escritorio. Los únicos objetos sobre la madera brillante eran una computadora portátil y un portarretratos digital que en ese momento mostraba la imagen de un niño en un triciclo.

—¿Me puede explicar qué pasó, señor Varela? —preguntó el comisario con tono cáustico.

Lo hice. Les conté absolutamente todo. Sobre mi página

web, sobre cómo me había contactado Ariana y lo que intentábamos averiguar siguiendo al Cacique de San Julián. También expliqué con lujo de detalles todo lo que había sucedido en el sótano, desde que encontramos al chico encerrado hasta que llegó la primera ambulancia.

—¿Quién es el chico que encontramos? ¿Cómo está? —pregunté al terminar mi relato.

Después de un breve paso por el hospital, me habían llevado a la comisaría y ya llevaba tres horas sin noticias.

—Lucio Sandoval. Desapareció de una plaza hace dos semanas —explicó Orlandi—. Se acaba de reunir con su mamá en el hospital. No sabemos mucho más, porque todavía no le tomamos declaración a ninguno de los dos. El médico dijo que tiene algunas lesiones, pero son leves.

—¿Y la mujer que estaba conmigo? ¿Cómo está?

—Loca como una cabra, pero eso no es novedad —respondió el comisario.

—En este momento la están operando de urgencia —intervino el otro—. Pero es una mina muy fuerte y se va a recuperar.

—¿Ustedes la conocen?

Los policías se miraron.

—Más que conocerla, la sufrimos —dijo el comisario.

—Perdonen, pero no entiendo.

Orlandi y Altuna me miraron extrañados.

—¿Entonces vos no sabías que Analía es policía?

—¿Qué Analía? —pregunté.

—La persona con la que te metiste en ese sótano. La que mató de dos tiros a Juan Linquiñao.

—¿Ariana? —pregunté.

El comisario apretó los labios, soltando aire por la nariz.

—¿Ni siquiera su verdadero nombre te dijo? Eso también es muy de ella.

—¿Policía? A mí me dijo que era periodista de *El Popular*.

Altuna negó con la cabeza.

—¿Entonces ustedes estaban al tanto de lo que hicimos esta noche? —dije, alzando la voz—. Por si no se dieron cuenta, el hijo de puta ese casi nos mata a Ariana, al pibe y a mí. ¿Por qué no intervinieron antes de que se fuera todo al carajo?

La última frase la dije gritando. Ambos policías me hicieron un gesto para que bajara la voz.

—Nosotros no sabíamos nada. Sospecho que nadie sabía nada además de Analía. Fue ella la que te puso en peligro. No nosotros.

—Ella es policía, así que fue la policía.

—No es todo blanco o negro, pibe —dijo Altuna con tono condescendiente. Me dieron ganas de revolearle por la cabeza el portarretratos, que ahora mostraba al mismo nene sosteniendo una caña de pescar.

—Analía no está en actividad. La suspendieron indefinidamente hace varios meses —agregó el otro.

—¿Por qué?

—Eso no nos corresponde decírtelo a nosotros. Preguntáselo a ella cuando se recupere.

El comisario se inclinó sobre su escritorio y miró a los costados, como quien está a punto de contar un secreto.

—Dejame darte un consejo, pibe. Mantenete alejado de Analía Moreno. Te lo digo por tu bien. El inspector Orlandi lo sabe muy bien, ¿o no, inspector, que esa mujer es un problema con patas?

El policía joven asintió con la cabeza, pero por su gesto serio sospeché que lo hacía más por obligación que por convicción.

Insistí en que me dieran más detalles sobre la mujer que acababa de poner en peligro mi vida, pero ambos se cerraron como ostras. Se limitaron a hacerme firmar mi declaración y a advertirme que les avisara si me iba de la ciudad, porque quizás necesitarían volver a hablar conmigo.

—Ah, y una cosa más —dijo Altuna cuando me estaba yendo—. Del pibe ese que encontraron en el sótano ni se te ocurra decirle nada a nadie.

—¿Por qué?

El comisario me miró con soberbia. ¿Quién te pensás que sos para pedir explicaciones, pibe?, decía su mirada.

—Para proteger a un menor de edad. Para que no se llene el hospital de periodistas. Tarde o temprano se van a enterar, pero durante estos días es mejor que no, para que pueda descansar tranquilo.

Me pregunté hasta qué punto era genuino el interés del

comisario por el bienestar del niño. Cuánto había de proteger al chico, y cuánto de cuidarse sus propias espaldas. Al fin y al cabo, una ex-miembro de la policía acababa de matar a quemarropa a un tipo famoso.

CAPÍTULO 28

Irma tanteó la pared pero fue incapaz de encontrar un interruptor que encendiera la luz en el pasillo que comunicaba el escenario con la trastienda del teatro. De no ser por la claridad que se colaba por debajo de la puerta del camarín del pastor, se habría dado de narices contra algo. Era raro que su marido todavía siguiera allí y no se hubiera ido con los otros a algún restaurante.

Caminó despacio por el largo pasillo hasta que sus ojos se ajustaron a la oscuridad y pudo distinguir las otras tres puertas. Ella y el pastor eran los únicos que tenían camarines propios en los teatros. El resto de la banda se repartía los que quedaban, si quedaban. Esta vez, en Puerto Madryn, habían sobrado dos para los tres músicos.

Irma pasaba un buen rato en el suyo maquillándose y haciendo ejercicios de vocalización antes de cantar. Y cuando terminaba, se encerraba allí hasta que el teatro se vaciaba por completo y sus compañeros se iban a cenar y emborracharse. Entonces volvía al escenario, y desde allí miraba las cientos —a veces miles— de butacas vacías. Aquello la ayudaba a pensar.

Volvía ahora de ese ritual, después de la presentación del martes en Puerto Madryn. Caminaba por el pasillo en penumbras cuando una mano le tapó la boca. Intentó gritar, pero no pudo, y sintió un brazo fuerte alrededor de su cintura que tiró de ella hasta meterla en uno de los camarines vacíos. Irma empezó a patalear y sacudirse para librarse, pero se detuvo al oír la voz que le susurró al oído.

—No hagas ruido que vas a alarmar al pastor.

—Gerardo, la puta que te parió. ¿Estás loco? —dijo en voz baja, dándole un puñetazo en el hombro al guitarrista de la banda.

—Era un chiste, che. No te pongas así.

—¿Y cómo querés que me ponga, si casi me…

Sintió los labios húmedos de Gerardo en los suyos. Cerró los ojos por un instante, pero luego le puso las manos sobre el pecho y empujó para separarse.

—Acá no, Gerardo. Maximiliano puede abrir esa puerta en cualquier momento.

Dijo estas últimas palabras sin convicción. Gerardo le besaba el cuello despacio, suavemente, y había apoyado su mano grande sobre uno de sus senos. Con la otra, la sujetaba de la cintura.

—Gerardo, es peligroso. Esto es muy peligroso.

—Tenés razón —le dijo él mientras le levantaba el vestido y tiraba hacia abajo, con prisa, de su ropa interior.

—Nos podemos meter en problemas.

—Es peligroso —repitió él y se bajó la bragueta.

Ella se mordió el labio y cerró los ojos, reprimiendo cualquier gemido que pudiera atravesar las dos puertas de madera que los separaban de su marido.

CAPÍTULO 29

La mesa de entrada del Hospital Regional estaba a oscuras y, en lugar de recepcionista, detrás del escritorio había un guardia de seguridad con la vista pegada a su teléfono.

—Busco a Ariana Lorenzo —le dije al acercarme—. Perdón, Analía Moreno. Entró apuñalada en el cuello esta noche, entre las diez y las once.

El hombre levantó la vista de la pequeña pantalla y me miró de arriba abajo.

—Buenas noches para usted también.

—Necesito saber cómo está. La acuchillaron enfrente de mí hace menos de cuatro horas.

Moviéndose con parsimonia, el guardia se estiró para alcanzar un portapapeles.

—Hay una Analía Moreno —dijo tras repasar la lista—. La entraron hace unas horas. Es policía me parece.

—Esa misma. ¿Cómo hago para averiguar cómo está?

—Subí por esas escaleras y seguí los carteles a terapia intensiva. Preguntale ahí a alguna de las enfermeras. Acá dice habitación catorce.

Subí los escalones de dos en dos. Al llegar arriba vi a una médica que caminaba con las manos en los bolsillos de su guardapolvo blanco.

—Doctora. Soy el novio de Analía Moreno —mentí—. ¿Cómo está?

—¿Sabés lo que le pasó?

—Sí. Yo estaba ahí.

—Está grave, pero estable. Tiene una herida muy profunda en el cuello. La hoja del cuchillo llegó hasta la arteria carótida y tuvimos que intervenirla de urgencia. Perdió muchísima sangre.

—¿Fuera de peligro?

—No, fuera de peligro todavía no.

—¿La puedo ver?

—Imposible hasta que nos aseguremos durante las próximas horas de que no se repite la hemorragia.

—¿Y el nene que encontramos en la casa?

—Él sí que está fuera de peligro. Tiene varios hematomas y laceraciones en las muñecas y los tobillos, por las ataduras. En su caso el daño físico no es lo importante. Hay que ver qué le hicieron acá —dijo, señalándose la sien—. Está en observación en la habitación doscientos cuatro.

Me despedí de la doctora y caminé por pasillos desiertos hasta dar con esa habitación. La puerta estaba entornada y, después de golpearla con suavidad, la empujé de a poco. Por la ventana, la luz blanca de un farol de la calle atravesaba las cortinas blancas. La pared del baño de la habitación solo me dejaba ver el bulto de los pies pequeños del chico debajo de la manta blanca. Frente a él, una mujer de pelo largo dormía en una silla.

Al notar mi presencia, se incorporó de un respingo.

—¿Sí? —me preguntó, apartándose el pelo de la cara.

—Me llamo Ricardo Varela. Soy uno de los que lo encontraron —dije, señalando a los pies del niño—. ¿Es tu hijo?

La mujer se quedó mirándome en silencio durante un instante, petrificada. Luego largó un suspiro y dio tres zancadas hasta quedar a dos palmos de mi cara. Me miró, sonrió y se lanzó hacia mí apretándome en un abrazo.

—Le salvaste la vida a mi Lucio —dijo entre sollozos silenciados contra mi pecho—. Me lo iba a matar. Ese monstruo me lo iba a matar.

No supe hacer otra cosa que corresponder su abrazo. Apenas mis manos tocaron su espalda, rompió en un llanto profundo. Quizás tuviera razón y el Cacique tenía pensado matar a Lucio. O hacerle algo peor. Por suerte, ya no íbamos a saberlo.

—Disculpame —dijo la mujer apartándose de mí y secándose las lágrimas con las palmas de las manos—. Ni siquiera me presenté. Me llamo Catalina.

—No hay nada que disculpar. ¿Cómo está Lucio? ¿Duerme?

—Sí. Le dieron un tranquilizante después de examinarlo. Cuando se calmó un poco lo bañamos. Se quedaba dormido en la ducha, pobrecito.

De nuevo, los ojos de la mujer se llenaron de lágrimas.

—Me dijo la policía que lo tenía encerrado en un sótano, muerto de frío como si fuera un animal.

Peor que un animal, pensé, pero me limité a asentir. La mujer ya tendría la cabeza repleta de imágenes horrorosas como para darle más detalles.

—¿Cómo está?

—Físicamente está bien, pero los médicos no saben si le quedarán secuelas psicológicas.

—Esperemos que no, Catalina. No pienses en eso.

—Y encima justo ahora, que venía rebién con el tratamiento psicológico.

Me quedé en silencio, sin saber si debía preguntar o no.

—Ser físicamente tan diferente a los demás le afecta mucho a Lucio. Se siente que lo miran como a un bicho raro —dijo la mujer—. Tiene nueve años, y ya está entrando en esa edad en que ser distinto parece terrible.

Solo comprendí aquella frase cuando avancé hacia el interior de la habitación y me detuve frente a la cama de Lucio. Su pelo, que en aquel sótano estaba oculto debajo de un gorro, era completamente blanco. Y su piel, que ya no estaba cubierta de mugre, era rosada y sin un solo lunar.

Con el miedo de aquel momento y un cuchillo en la garganta no me había dado cuenta de que Lucio era albino.

CAPÍTULO 30

—¡Tenemos todo el día para nosotros! —dijo Irma cuando Gerardo le abrió la puerta de su habitación en el hotel Raventray de Puerto Madryn—. No vuelve hasta la noche. ¿Qué te gustaría hacer?

Gerardo se encogió de hombros. Irma le dio un beso en la boca y notó olor a whiskey. En la mesita junto a la cama, vio un vaso en el que solo quedaban unos hielos redondeados.

—¿Querés que vayamos al centro a almorzar? Si nos apuramos a lo mejor enganchamos algún barquito que nos lleve a ver ballenas.

—Me da igual.

—¿Qué te pasa? —preguntó, aunque sabía perfectamente cuál era el problema.

—Nada.

Gerardo se levantó de la cama y miró al mar por la ventana. Irma se acercó y lo abrazó por la espalda.

—Gerardo —dijo en tono conciliador—, solo te pido un poquito de paciencia. Mi amor, vos sabés que a mí me encantaría poder estar juntos sin tener que escondernos.

—Eso es mentira.

—Claro que no. Yo…

—Vámonos.

—¿Qué?

—Vámonos. Ahora. Agarrá tus cosas, yo agarro las mías y nos vamos. Chau pastor Maximiliano, chau mentirle a la gente, chau hablar de Dios como si hubiera ido con nosotros al secundario.

—Vos sabés perfectamente que no puedo hacer eso.

—Y yo ya no puedo aguantar más —resopló Gerardo—. Maximiliano es mi mejor amigo desde el colegio. No le puedo estar haciendo esto.

—Y también es mi marido, que además tiene cáncer. ¿Te pensás que para mí es fácil? —retrucó Irma—. No me puedo ir ahora, ni vos tampoco.

—Yo sí que me puedo ir.

—Es tu mejor amigo, no lo podés dejar en este momento.

—Claro. Es preferible quedarme y seguir encamándome con su mujer.

Reprimiendo los deseos de estamparle un cachetazo en la cara, Irma respiró hondo e intentó hablar con tono calmado.

—Gerardo, vos sos libre de hacer lo que quieras. Yo entiendo que la situación no es ideal, pero si te vas no solo me perdés a mí y a tu amigo. ¿De qué vas a trabajar? La plata que hacés tocando en esta banda no la vas a ganar en ningún lado. ¿Cómo vas a pagar el profesor de piano de Malena y las vacaciones que le prometiste?

Gerardo se pasó una mano lenta por la frente. Apenas veía a su hija durante el año, porque vivía con su madre en Misiones. Tenía trece años y tocaba el piano como los dioses. Por eso todos los meses él le enviaba, además del dinero de la manutención, una buena suma para que fuera a clases particulares con el mejor concertista de Posadas. Además, no había día que Malena no le escribiera un mensaje sobre el viaje a Puerto Rico que habían planeado juntos para las vacaciones de verano.

Irma se sentó en la cama junto a él y le acarició uno de sus brazos fuertes.

—Un día todo esto va a quedar atrás —dijo—. A lo mejor es el mes que viene o a lo mejor pasan años. Pero mientras Maximiliano siga con vida, yo no me voy a mover de su lado.

CAPÍTULO 31

Me desperté sobresaltado con el ruido de unos nudillos golpeando con fuerza el vidrio. Tardé un segundo entender dónde estaba y recordar que a las tres de la mañana, después de haber hablado un rato largo con la mamá de Lucio, me había vencido el sueño y había decidido irme al Corsa a dormir un poco.

A juzgar por el chaleco fluorescente sobre el uniforme azul del que golpeaba el vidrio, era un inspector de tránsito. En la mano llevaba una libreta y una lapicera.

—Señor, está estacionado en un lugar para discapacitados. Le voy a tener que hacer un acta de infracción.

Le pedí por favor que no me pusiera una multa, pero ni siquiera aflojó cuando le dije que tenía a un familiar en terapia intensiva. A regañadientes, agarré el papelito celeste que arrancó del talonario.

Mientras caminaba hacia el hospital, miré mi teléfono. Eran las seis y media de la mañana y tenía una llamada perdida de Ariana de hacía quince minutos.

Dentro del edificio, subí las escaleras y empujé una puerta de doble hoja con un cartel que decía "Cuidados Intensivos - Prohibidas las visitas sin autorización". Del otro lado, casi me choco con una enfermera alta y corpulenta, de uniforme bordó.

—¿Busca algo, señor?

—Necesito ver a Analía Moreno. Treinta y pocos años, una herida grande en el cuello. Anoche me dijeron que estaba en la habitación catorce. ¿Cómo está?

La mujer frunció el ceño.

—¿Usted es pariente?

—No, no soy pariente. Soy el novio.

—Discúlpeme, pero no podemos dar información sobre pacientes a nadie que no sea familiar directo. Y le recuerdo que esta es una zona restringida que no admite visitas si no están autorizadas por un médico.

—Pero anoche una médica me informó de cómo estaba. ¿Por qué usted no puede hacer lo mismo?

—Perdóneme, pero... ¡eh! ¿Adónde va? Retírese o llamo a seguridad.

Ignorándola, caminé por el pasillo, mirando hacia los lados hasta encontrar una puerta con el número doscientos catorce. Estaba abierta.

—¡Señor! —gritó la enfermera detrás de mí al tiempo que yo entraba en la habitación.

Dentro encontré a una mujer más joven que la que me perseguía y con uniforme de otro color. Estaba de pie junto a la cama vacía, rodeada de aparatos, cables y mangueras. Junto a ella había un carrito de metal lleno de sábanas arrugadas.

—¿Qué pasó con la paciente que estaba en esta cama? —le pregunté.

—Falleció hace una hora —dijo.

—No puede ser —contesté sacando mi teléfono del bolsillo—. Tengo una llamada perdida de ella hace quince minutos.

La enfermera corpulenta que me seguía entró en la habitación.

—Señor, no puede estar acá.

—¿Dónde está Analía Moreno? —le pregunté, señalando la cama.

La chica de la limpieza salió sin decir palabra, llevándose el carro de las sábanas sucias.

—Quizás lo mejor es que hable directamente con la doctora Yagüe.

—¿Es verdad que falleció hace una hora?

La enfermera agachó la cabeza y, sin mirarme, asintió.

CAPÍTULO 32

Los doce kilómetros entre el hospital de Comodoro y Rada Tilly los hice sin pensar, concentrado en salir de la ciudad, dejar atrás a la gente, las camionetas blancas de las empresas petroleras, y sobre todo la morgue donde ahora tenían a Ariana.

Estacioné en la costanera de Rada Tilly y caminé hacia el agua. La playa me ayudaba a pensar. Allí había tomado las grandes decisiones de mi vida, como proponerle matrimonio a Marina. Y también ahí había ido a llorar todos los días de la semana siguiente a la que murió.

Caminé junto a las olas por la arena compacta, intentando recordar cada detalle de la noche anterior. Como si se tratara de una película, reproduje mil veces en mi cabeza el momento en que Ariana le disparaba de rodillas al Cacique, y este se abalanzaba sobre ella con el cuchillo en la mano. Una y otra vez, imaginé qué habría pasado si yo hubiese hecho algo diferente. Incluso en el suelo, atado de pies y manos, podría haber intentado patear al Cacique para hacerle perder el equilibrio. O distraerlo con algún ruido. Algo seguramente podría haber hecho, me dije. Cualquier cosa que causase que la punta de la hoja aterrizara unos centímetros más abajo y en lugar de hundirse en la carne se topara con la clavícula o una costilla.

Clavando los talones en la arena, también me pregunté por qué Ariana me había mentido, haciéndose pasar por una periodista. ¿Sabía al peligro que nos exponíamos entrando a esa casa abandonada? Seguro que sí. Si no, no habría llevado un arma. Además, por algo me había pedido perdón mientras esperábamos a la ambulancia. "Te tendría que haber contado todo", había dicho.

Ya no tendría la posibilidad de preguntarle. Ni de saber por qué la habían suspendido de la policía. Tampoco tendría forma de averiguar qué sospechaba del Cacique, y si había sido casualidad que termináramos encontrando a un niño secuestrado o si era eso lo que ella en realidad buscaba.

Caminé un rato más hasta llegar al final de la playa. En lugar de darme la vuelta, comencé a subir el cerro hacia la Punta del Marqués.

Ahora ya no había arena bajo mis pies, sino la tierra gris y seca de la Patagonia, salpicada de tanto en tanto con una pequeña mata de coirón. La subida era empinada y mi respiración se aceleró enseguida. Al llegar arriba, sentí el corazón golpeándome en el pecho y me senté a descansar en una roca. Miré hacia Rada Tilly, la ciudad que muchos consideraban el balneario más austral del mundo. Hasta ayer, en alguna de esas casas vivía el Cacique de San Julián.

Me pregunté si la frase que había dicho el brujo antes de morir tendría algún sentido o era producto del shock que le habrían causado los dos balazos. "Calaca va a estar furioso". ¿Quién o qué era Calaca? ¿Una persona? ¿Un dios?

La vibración del teléfono en mi bolsillo me sacó de esos pensamientos. Ariana Lorenzo, decía la pantalla.

—¿Ariana? —me apresuré a atender.

—¿Ricardo? —preguntó del otro lado una voz de hombre.

—Sí, ¿quién habla?

—Soy Fernando Orlandi, el oficial que te tomó declaración anoche, con el comisario.

—Hola Fernando.

—Mirá Ricardo, no sé cómo decirte esto. Es sobre Analía.

—Ya lo sé, estuve en el hospital hace un rato.

Hubo un silencio en la línea.

—Me gustaría contarte algunas cosas sobre ella, para que entiendas cómo funciona… funcionaba su mente. Además, en el hospital, antes de morir, me dio algo para vos.

CAPÍTULO 33

A pesar del frío extremo que se había apoderado de la ciudad después de caer el sol, el centro de Comodoro estallaba de gente como cualquier otro viernes a las siete de la tarde. Al cruzar la calle San Martín donde hacía esquina con 25 de Mayo, distinguí la cabeza afeitada de Fernando del otro lado de la ventana enorme del café La Luna. Estaba sentado en una mesa, con su espalda musculosa encorvada hacia adelante y la mirada fija en la pantalla del teléfono.

Al entrar al local, sentí en las mejillas la temperatura agradable del aire templado por la calefacción. El lugar olía a café y a pan tostado.

—Qué frío que se puso —fue lo primero que dijo Fernando al verme, forzando una sonrisa.

Me senté frente a él y pedí un té con limón.

—Perdoname que llego tarde, pero me costó muchísimo encontrar un lugar para estacionar.

—Esta ciudad es el globo perfecto. La siguen inflando y no estalla nunca.

Asentí en silencio. No estaba para conversaciones banales después de todo lo que había pasado en las últimas cuarenta y ocho horas.

—Ayer cuando hablamos por teléfono me dijiste que Ariana te había hablado de mí antes de…

—Analía —me corrigió.

Fernando fue a tomar un sorbo de su café, pero reparó en que su taza estaba vacía. Antes de hablarme, hizo señas al mozo para que le trajera otro.

—No sé por dónde empezar a contarte todo esto.

—Por donde te parezca que yo lo pueda entender.

Orlandi se apoyó contra el respaldo de su silla y se cruzó

de brazos. Antes de hablar, exhaló ruidosamente por la nariz.

—Analía era una excelente policía. Fuimos compañeros durante seis años y trabajamos muy bien juntos. Una mina muy inteligente y valiente. Muy nerviosa, también. De esas personas que se comen las uñas, se pasean de un lado a otro, se tocan el pelo. No podía estar quieta ni un minuto.

—Eso lo sé.

—Y una oficial ejemplar durante toda su carrera, hasta hace un año y medio más o menos.

—¿Qué le pasó?

—Dos cosas. Si hubieran sucedido por separado, su historia sería otra. Pero le cayeron juntas, y no lo pudo manejar.

El mozo trajo el nuevo café y Fernando le dio un pequeño sorbo.

—Una fue el asesinato de Javier Gondar, el periodista.

—¿Ella investigó ese homicidio?

—No exactamente. El caso lo llevó la policía de Santa Cruz, porque la muerte fue en Caleta Olivia, y además Gondar era de ahí. Pero cuando apareció el video acusando a Linquiñao, nos pidieron ayuda a los de Chubut. Como el tipo vivía en Rada Tilly y trabajaba Comodoro, tenía más sentido que lo investigara alguien de nuestra provincia. Altuna nos asignó el trabajo a Analía y a mí.

—Y supongo que nunca encontraron nada que lo incriminara.

Fernando negó con la cabeza.

—Nada. Removimos cielo y tierra buscando pruebas e interrogando gente. Nadie sabía nada. Y cuando fuimos a hablar con él, el tipo nos recibió en su caserón de Rada Tilly, nos ofreció té verde y nos contó con toda la parsimonia del mundo que sí, que él lo había matado, pero que lo había hecho a distancia desde Buenos Aires. Tenía una carpeta preparada con los pasajes, fotos en la capital y hasta un CD con el video de una entrevista en vivo para un programa de televisión por cable ese mismo día.

—¿Y no pudo haber trucado todo eso?

Fernando me miró a los ojos e inclinó la cabeza hacia un lado. Por favor, decía el gesto, no me subestimes.

—No hay duda de que Linquiñao estuvo en Buenos Aires ese día. Y a eso sumale que en la escena del crimen todo apuntaba a que Gondar había intentado resistirse a un robo. Los de Santa Cruz no tardaron mucho en convencerse de que el brujo no tenía nada que ver.

—Pudo haber contratado a alguien para asesinar a Gondar mientras él estaba lejos.

—Eso es lo que pensaba casi todo el mundo, y lo que intentó demostrar Analía. Buscó desde todos los ángulos posibles la conexión entre el Cacique y Gondar, pero fue tan incapaz como yo de dar con nada. La diferencia entre nosotros dos fue que para ella se convirtió en una obsesión. Ese fue el primer golpe duro. Dicen que tarde o temprano todos los policías nos obsesionamos con un caso. Lo que nunca se sabe es cuál va a ser el que le termine tocando los cables acá adentro a cada uno.

Mientras decía esas palabras, Fernando levantó su brazo enorme y se señaló la sien. Yo terminé mi té con limón de un sorbo y llamé al mozo para pedirle una copa de vino. El policía se pidió otra para él.

—Y justo en ese momento, cuando ella estaba loca por el caso de Gondar, llegó el otro golpe. Y ahí sí, nocaut.

El policía miró por la ventana hacia la calle.

—Una mañana nos mandaron a la escena de un homicidio doble. Era una casa abandonada que se caía a pedazos en el barrio Roca. Al entrar nos encontramos a una mujer degollada en el suelo del comedor. El charco de sangre medía más de un metro de diámetro. Sobre su pecho desnudo había un bebé recién nacido apoyado boca abajo.

Fernando bebió un trago largo de su copa de vino, sin quitar los ojos de la ventana.

—Fue Analía la que levantó al bebito y descubrió que él también tenía un tajo en el cuello.

Cerré los ojos.

—A partir de ese día empezó a faltar a la comisaría diciendo que no se sentía bien, algo que jamás había hecho. Y una vez hasta vino borracha. Me costó convencerla para que se fuera a su casa. La tuve que amenazar con reportarla al comisario.

Fernando se detuvo un instante, como analizando los pros y los contras de contarme lo que seguía. Finalmente dio un suspiro largo y me miró a los ojos.

—El comisario siempre odió a Analía, desde el día que se

hizo cargo de la comisaría. Nunca la quiso porque es un misógino y se negó siempre a aceptar que su mejor oficial fuera una mujer. Parece absurdo, pero en las fuerzas de seguridad estas cosas pasan.

—Por lo que dijo Altuna anteayer mientras me tomaban declaración, me pareció que muy bien no se llevaban.

—Se llevaban pésimo. Y la relación se terminó de pudrir cuando él quiso obligarla a dejar de trabajar en lo de Gondar.

—¿Por qué?

—Según él, porque no iba a ningún lado y no podíamos seguir empleando recursos en ese homicidio que ni siquiera pertenecía a nuestra jurisdicción. En esta ciudad hay un asesinato cada quince días.

—¿Y según ella?

—Analía tenía la teoría de que había algo más. Que el comisario escondía algo.

—¿Y vos qué pensás?

Fernando dudó un instante antes de contestarme.

—Que para ese momento Analía ya se había vuelto loca y empezaba a ver fantasmas donde no los había. Es cierto que Altuna estaba esperando una oportunidad para echarla, trasladarla, hacer algo para deshacerse de ella. Pero eso también era así antes del caso de Gondar. El tipo la odiaba, pero eso no lo involucra en encubrir el asesinato del periodista.

—¿Qué pasó con el caso de la mujer y el bebito?

—Al final agarramos al culpable. Como casi siempre, el marido. Era chamán, curandero o algo así, y ahí a Analía se le fue todo al carajo. En menos de un mes, tres muertos relacionados con el mundo del ocultismo.

—¿Pero este tipo, el que mató a la mujer y al bebé, tenía algo que ver con el Cacique?

Fernando se apresuró a negar con la cabeza.

—Absolutamente nada que ver. Era un brujo de barrio que estaba hasta las pelotas de drogas. Ayahuasca y cocaína, principalmente, aunque también algo de alcohol. Declaró que no era su culpa, que el diablo se había apoderado de él y le había dicho que era el precio a pagar por toda la magia negra que había hecho en su vida.

Orlandi dio otro trago largo a su copa de vino.

—Cuando dijo eso, lo estaba interrogando Analía. El tipo estaba esposado y ella lo agarró del pelo y le empezó a golpear la cabeza contra la mesa. Le partió el tabique y lo tuvieron que operar de urgencia. Ni bien pudo hablar, dijo que quería hacerle juicio a la policía.

—Y por eso la suspendieron.

—Por eso y por los análisis de sangre. El comisario pudo comprobar que mientras Analía desfiguraba al tipo, estaba bajo el efecto de las anfetaminas. Yo la había visto más nerviosa de lo normal ese día. Hablaba a los gritos y tenía los ojos como platos, pero pensé que era por la ansiedad de tener que entrevistar a alguien así.

—¿Y la volviste a ver durante este año y medio, desde que la suspendieron?

—Varias veces. Ella seguía obsesionada con lo de Gondar y continuaba con la investigación desde su casa. Volvió en alguna ocasión a hablar con el comisario para comentarle lo que iba encontrando, pero el tipo no quiso saber nada.

Hubo un silencio lo suficientemente largo como para que ambos termináramos nuestras copas de vino.

—Mañana la entierran. ¿Vas a ir? —me preguntó.

—Creo que no.

Fernando se ofreció a pasarme a buscar para que fuéramos juntos si cambiaba de opinión. Le agradecí y quedamos en que si me decidía a ir, lo llamaría.

—Me dijiste que Analía te había dado algo para mí —le recordé, antes de despedirnos.

—Mirá, Ricardo —dijo, pasando un dedo por el borde de su copa vacía—. Esto tenés que tomarlo como de quien viene. Una persona inestable que, además, estaba agonizando.

Asentí, aunque me costaba asociar a la Ariana que yo había conocido con la Analía loca y neurótica que describía Fernando. Inclinando su cuerpo hacia un costado, el policía se metió una mano en el bolsillo del pantalón. Puso sobre la mesa un manojo de llaves unidas a un llavero del ratón Mickey.

—Me pidió que te diera esto y te dijera que ahora sí vas a entenderlo todo. Son las llaves de su casa.

CAPÍTULO 34

Me despedí de Fernando en el café y decidí dejar el Corsa donde estaba y volver a casa caminando. Eran las nueve y la noche estaba helada.

Mientras caminaba reparé en que hacía apenas una semana que había pasado la noche con aquella mujer, que ni siquiera me dijo su verdadero nombre. Y en que dos días atrás, a esa misma hora, Analía y yo estábamos en mi coche siguiendo al Cacique. Me pregunté, por enésima vez, qué sabría exactamente ella de él y cuál era el verdadero motivo para seguirlo con un arma a la cintura. ¿Tendría que ver con las últimas palabras del Cacique antes de morir? *No tienen ni idea de lo que acaban de hacer. Calaca va a estar furioso,* había dicho. Apuré el paso, apretando las llaves en mi mano.

Al llegar a mi casa encendí la computadora. Según Google, una calaca era una calavera que se usaba como decoración en el Día de Muertos en México. En otras partes de Centroamérica, calaca era sinónimo de parca. Muerte.

Quizás el Cacique se había referido a la muerte con su última frase. Pero en ese caso, ¿por qué decir que iba a estar "furioso"? Aquello no tenía ningún sentido. Calaca tenía que ser una persona. O quizás una deidad. Pasé las siguientes dos horas intentando responder aquellas preguntas pero fui incapaz. No había nadie en Internet con ese apodo que no viviera en la otra punta del mundo.

El teléfono vibró en mi bolsillo sacándome de mis pensamientos.

—¿Hola, Ricardo? Soy Catalina, la mamá de Lucio.

—Hola, ¿cómo estás? ¿Cómo anda él?

—Bien, todo bien. Sigue en observación. Hoy lo vino a ver una psiquiatra. Me recomendó que lo llevara al psicólogo durante un tiempo, por las dudas. Pero dice que ella lo encuentra bien, dentro de todo. En unos días le dan el alta.

—¡Qué bueno!

Del otro lado de la línea hubo un silencio.

—Lo del alta me refiero. Qué bueno que pronto ya se pueda ir a casa.

—Sí.

Hubo otro silencio, que ambos intentamos llenar al mismo tiempo. Ganó ella.

—Te llamo porque Lucio hoy me hizo mil preguntas sobre vos. Creo que sos una especie de héroe para él.

Recordé mi miedo aquella noche y la valentía de Analía, y me pareció de lo más injusto que fuera yo el que se hubiese quedado con la admiración de Lucio.

—Con todo lo que te debe estar pasando ahora por la cabeza —dijo Catalina—, me imaginé que no te vendría mal que te contara algo así. Me dijo tres veces que te quiere conocer.

—¡Por supuesto! Yo encantado. Puedo pasar en horario de visita.

—No —se apresuró a decirme—. No hace falta que sea tan pronto. En realidad te llamo ahora porque Lucio me hizo prometerle que hoy hablaría con vos para decirte que le gustaría conocerte.

—Qué grande, Lucio.

—Perdón por molestarte. Es que no le puedo decir que no a nada.

—Obvio. Pero en serio, me puedo dar una vuelta por el hospital.

—No hace falta. Cuando puedas, cuando pase un poco de agua debajo del puente, llamame y quedamos donde te venga mejor a vos.

—Bueno, decile a Lucio que yo también tengo muchísimas ganas de verlo. Y sí, quizás es mejor que lo dejemos para dentro de unos días, así no tenemos que vernos en el hospital.

—Se va a poner recontento —dijo Catalina, y por el tono de voz supe que estaba sonriendo.

Me pregunté cuánto habría tardado en volver a hacerlo si no hubiésemos encontrado a su hijo la noche anterior. Entonces yo también sonreí.

CAPÍTULO 35

Unos dedos rápidos se posaron sobre el *mouse*. El cursor se movió sobre el fondo de pantalla —una hoja verde de cuya punta pendía una gota de rocío— hasta encontrar un icono con dos computadoras conectadas por un cable rojo.

Doble clic y una ventana gris se abrió en la pantalla. Después de escribir lentamente los trece caracteres, los dedos apretaron *enter*, haciendo aparecer un cartel de letras negras.

Bienvenido a F2F-Anywhere. Recuerda que esta red "friend to friend" existe con el simple propósito de facilitar un canal de comunicación encriptado y fuera del alcance de los motores de búsqueda de la WWW. Te recordamos las únicas dos reglas:

1) No hay censura. Cualquier tipo de mensaje será publicado tal y como lo envíe el usuario.

2) El usuario es el único responsable de los contenidos publicados.

El puntero del *mouse* se movió hacia el icono de "Mensaje Nuevo". Los dedos rápidos escribieron sobre el teclado.

Para: ChoiqueMagico
Asunto: Lugar y hora para el intercambio
Mensaje: Llegamos a Comodoro Rivadavia dentro de dos semanas. El jueves. Dígame dónde nos encontramos para arreglar lo del albino. Llevo los 6.000 dólares en efectivo.

Otro clic del ratón y una pantalla confirmó al usuario Calaca que el mensaje había sido enviado con éxito.

CAPÍTULO 36

Al abrir la puerta del departamento de Ariana —por momentos me costaba pensar en ella como Analía—, me invadió una sensación de tristeza enorme. Sobre la mesa de la cocina había una taza con restos de café y un libro de Arturo Pérez-Reverte abierto boca abajo. Abrí la heladera: un tetra brick de leche por la mitad, una pequeña olla con sobras y el cajón de las verduras lleno de lechugas, tomates y pepinos.

En el suelo había un plato vacío. Rogelio, pensé. Ojalá que no se haya quedado adentro de la casa dos días y medio sin comer.

Las tres puertas que daban a la cocina-comedor estaban cerradas. Abrí primero la del baño y después la de la habitación de Ariana. Ni rastro de Rogelio. La cama deshecha era otro signo horrible de una vida arrancada de cuajo.

Tanteé el picaporte de la tercera puerta. Estaba cerrada, igual que la vez anterior. Elegí del llavero de Mickey la llave que me pareció que mejor encajaría en la cerradura, y al probarla la puerta se abrió con un chasquido aceitado.

Al encender la luz de la habitación, descubrí que estaba absolutamente vacía de muebles. No había cama, ni mesa, ni sillas, ni armarios. Solamente dos grupos de pilas de papeles, uno a cada lado de la habitación. Sobre el más pequeño, la foto de un hombre pegada a la pared me miraba fijamente.

Di un paso para acercarme, pero un sonido a mis espaldas me hizo detenerme en seco. Antes de que pudiera reaccionar, Rogelio había entrado a la habitación y se refregaba contra mis tobillos.

Caminé hacia la cocina con paso acelerado para despegarme del gato, pero me siguió sin separarse siquiera un palmo de mis talones. Al detenerme junto al plato vacío, el animal levantó lentamente la cabeza hasta mí y volvió a maullar.

—Bueno, bueno. Dejame ver qué hay.

Abrí alacenas al azar hasta que encontré una lata de su comida. Sabor pollo, decía la etiqueta. Con el primer mordisco, el gato dejó de registrar mi presencia. Lo único que parecía importarle era el bodoque blanquecino que acababa de aterrizar en su plato. Lo dejé ahí y volví a la habitación vacía.

Sobre uno de los dos montones de papeles —cientos de fotocopias separadas en pequeñas pilas—, había un libro. En la tapa lila sonreía el mismo hombre de la foto pegada en la pared. El título era *Mi amistad con Jesús,* y el autor, un tal pastor Maximiliano Velázquez.

El segundo grupo de papeles, al otro lado de la habitación, era más grande. Me bastó una mirada rápida para saber que ahí estaba toda la investigación que Ariana había hecho sobre la relación entre el Cacique de San Julián y la muerte de Javier Gondar. Cuando Fernando me había dicho que Ariana había continuado investigando incluso después de que la suspendieran de la policía, yo me la había imaginado trabajando sobre una mesa y no en el suelo de una habitación vacía.

Me puse de cuclillas para mirar más de cerca las pilas de papeles. Todas tenían una primera página escrita a mano a modo de carátula. Había una pila "Recortes Gondar" y una "Declaraciones Juan Linquiñao". Cuando vi que una de ellas se llamaba "Cazador de Farsantes", se me heló la sangre.

La levanté del suelo. El primer documento era una foto mía.

CAPÍTULO 37

Irma Keiner sacó de su bolsillo una llave magnética y abrió la puerta de la suite presidencial del hotel Raventray de Puerto Madryn.

—Hoy cantaste mejor que nunca —le dijo el pastor, incorporándose un poco en el enorme sillón de cuerina roja en el que estaba despatarrado.

Observó que su marido se había duchado después de la presentación y, en lugar del traje negro, llevaba ahora una chomba color salmón y pantalones grises. Los pies descalzos daban golpecitos rápidos sobre la alfombra.

Irma se sentó frente a él. Sobre la mesita que los separaba había una hielera de metal empañado con una botella abierta dentro.

—¿Una copita de champán? —preguntó él.

Irma lo fulminó con la mirada.

—¿Estás loco o qué te pasa?

Su marido negó al mismo tiempo con la cabeza y el dedo índice. Luego posó sus pupilas enormes sobre ella y aspiró fuerte por la nariz.

—Ah, ya entiendo. Estás más drogado de lo normal.

—En algún momento tendrás que vivir un poquito, ¿no? —dijo él ignorando su comentario. Luego sirvió dos copas de champán y se inclinó sobre la mesita para tenderle una.

—¿Me estás jodiendo, Maximiliano?

—Una copita no te va a hacer nada. No me digas que no tenés ni un poquito de ganas.

—Siempre voy a tener ganas.

Mirando la copa, Irma cerró los puños hasta sentir que sus propias uñas se le clavaban en las palmas. Recordó las palabras de Freddy once años atrás, cuando ella no era nadie y sus días se dividían en doce horas junto a una botella de vino y otras doce durmiendo en la cama de quien encontrara más a mano. La mala noticia es que vas a ser una alcohólica toda tu vida, le había dicho Freddy. La buena es que Dios y yo vamos a estar siempre a tu lado, recordándote por qué vale la pena mantenerte alejada. Después habían rezado agarrados de la mano y Freddy le había dado un brebaje oscuro y amargo que la había hecho vomitar durante un día entero. Desde ese día, jamás había vuelto a probar el alcohol.

La copa con el líquido dorado seguía frente a ella, y ahora el cristal también se había empañado. Irma apretó un poco más los puños, reprimiendo las ganas de arrancársela de la mano a su marido y bebérsela de un trago.

—Me parece que me voy a ir a dormir a otra habitación esta noche —dijo levantándose del sillón—. Hablamos mañana cuando se te pase.

Alzando las cejas, su marido dejó la copa en la mesa y luego mostró sus palmas en señal de paz. Irma deseó que el champán no hubiera quedado tan cerca de ella.

—Si yo estuviera en tu lugar, disfrutaría un poquito antes de que se vaya todo a la mierda —dijo él sacando del bolsillo una bolsita de plástico y vertiendo un poco de cocaína en el dorso de su mano—. Porque la noticia es oficial: se va todo a la mierda.

Después de decir esta frase, aspiró la montañita blanca y tiró la cabeza hacia atrás lentamente.

—¿Y tenés pensado morirte de sobredosis esta noche en lugar de pelearla?

—A. La. Mierda. —repitió él, señalando a su alrededor—. Esto se termina, Irma. Ahora sí que me muero. El de ayer fue el tercer oncólogo que me dice lo mismo. No hay vuelta atrás.

Irma rodeó la pequeña mesa, se puso de cuclillas junto a su marido y le acarició las mejillas. Estaban calientes del alcohol y la cocaína.

—Maxi, escuchame una cosa. ¿No fue eso mismo lo que te dijeron hace dos años? ¿Qué hubiera pasado si decidías bajar los brazos entonces?

—Esta vez es distinto, Irma. No hay vuelta atrás. Cagué fuego. No sé cómo querés que te lo explique. Así que yo que vos me tomaría el champán, porque dentro de unos meses me muero yo, se mueren las presentaciones del pastor milagroso y se muere la guita. Lo máximo a lo que vas a poder aspirar es a un vino en caja.

Irma inspiró hondo y largó de a poco todo el aire de sus pulmones, contando hasta diez antes de responder. Cuando lo hizo, habló con el tono más sereno que pudo lograr.

—Por favor, Maximiliano. No pienses en lo peor. Siempre hay esperanza, tenés que tener fe.

—¿Fe? ¿A mí justamente me vas a hablar de fe? ¿Qué fe voy a tener yo, que a los que tienen esta enfermedad les doy un empujón y les digo que ya están curados?

Irma se puso de pie y empujó suavemente la cabeza de su marido hacia ella. El pastor la abrazó por las caderas y hundió la cara en su vientre. A través de la tela de su blusa, sintió el aire caliente y húmedo que largaba él con cada sollozo.

Pasaron varios minutos hasta que los hombros del pastor dejaron de encogerse con los espasmos del llanto. Cuando despegó la cara del vientre de Irma, se secó las lágrimas con el dorso de la mano y se estiró para alcanzar la bolsita que había dejado junto al champán. Aspiró con fuerza hasta vaciarla. Antes de tirarla al suelo, pasó el dedo por el polvo blanco que había quedado pegado al plástico y se lo llevó a las encías.

—Hay que aprovechar mientras se pueda —dijo, sacudiendo la cabeza, y se abalanzó sobre ella hasta darle un beso.

La lengua del pastor buscó abrirse paso entre los labios cerrados de Irma, y sus manos bajaron hasta agarrarle con fuerza las nalgas.

—Pará, Maxi. ¿Qué hacés? —dijo ella, apartándose.

El pastor hizo un ademán como si borrara de un manotazo lo que ella acababa de decirle.

—¿No puedo disfrutar de mi mujer tampoco? —dijo, y se inclinó sobre la mesita para tomar un largo sorbo de champán.

—Maximiliano, hoy no estás bien. Acostate a dormir y mañana ya hablamos cuando estés sobrio —dijo Irma, retrocediendo hacia la puerta.

Al oír aquello, el pastor negó lentamente con la cabeza. Vació en su boca la copa que tenía en la mano y, sin tragar el líquido, se lanzó sobre Irma. Ella dio un paso hacia atrás, pero no pudo evitar que las manos de su marido le agarraran la cara.

Sintió los pulgares fuertes clavándosele en las mejillas. Aunque forcejeó para liberarse, él logró pegar sus labios a los de ella y meterle un poco de champán en la boca.

Apenas pudo despegar sus labios, Irma le escupió el líquido en la cara. Él sacudió la cabeza y la empujó, haciéndola caer sobre el sillón en el que acababa de estar sentada. Antes de que pudiera incorporarse, el pastor se le tiró encima y le apretó las muñecas con manos fuertes. Cuando la tuvo inmovilizada, empezó a besarle el cuello. Irma pataleó y gritó con todas sus fuerzas mientras la boca de él bajaba hacia su escote.

La presión en sus muñecas disminuyó de golpe, y el pastor se apartó de ella dando varios pasos hacia atrás. Tenía la mirada perdida, y se agarraba los pelos con ambas manos.

—¿Qué estoy haciendo? Perdoname, Irma. Perdoname por favor.

Ella se secó una lágrima y se fue corriendo de la habitación.

CAPÍTULO 38

En la foto se me veía de perfil. Me la habían tomado desde lejos, mientras yo entraba al consultorio de la Bruja del Kilómetro Ocho para hacerle una cámara oculta. La misma por la que me había felicitado Analía Moreno el día que me fue a ver a la universidad haciéndose pasar por periodista de *El Popular*.

Sentado en el suelo del cuarto vacío, examiné el resto de los papeles de la pila donde acababa de encontrar mi foto. El siguiente era una lista con fechas y acontecimientos. Una línea de tiempo en la que reconocí mi vida en los últimos dos años.

Julio 2012: Ricardo Varela y Javier Gondar coinciden en un curso de escritura.
Septiembre 2012: Muere Marina Carrillo (mujer de Ricardo Varela). Cáncer. Clienta del Cacique de San Julián.
Enero 2013: Asesinato de Javier Gondar. Disparo en la cabeza. En video póstumo, Gondar responsabiliza de su muerte al Cacique de San Julián.
Febrero 2013: Programa especial de TV sobre el Cacique de San Julián en Canal Nueve.
Mayo 2013: Primera cámara en sitio web "Cazador de Farsantes", de Ricardo Varela.

A pesar de que mientras esperábamos a la ambulancia Analía Moreno me había confesado que sabía lo de Marina, nunca imaginé que me habría estudiado tan bien. Si yo mismo hubiese tenido que escribir una lista con los eventos más importantes de mis últimos dos años, habría sido prácticamente idéntica a la que ahora tenía en mis manos.

El resto de los papeles dedicados a mí eran impresiones de textos que yo había escrito en mi página web. En cada uno de ellos, Analía Moreno había señalado con un marcador fosforescente los nombres y direcciones de brujos y videntes que yo mencionaba.

Dejé los papeles en el mismo lugar donde los había encontrado y me dediqué a examinar las otras pilas de documentos que había en aquel lado de la habitación. Todo tenía algo que ver con el Cacique o con Javier Gondar. Había recortes de diarios, fotocopias de declaraciones, expedientes y fotografías. Estaba seguro de que allí descubriría otras cosas que Analía había decidido ocultarme.

Leí el testimonio de Ángela Goiri, la novia de Gondar. La mujer decía no saber absolutamente nada. Un día había vuelto del trabajo y había encontrado un DVD sobre la mesa con una carta del periodista diciéndole que si le pasaba algo, subiera el video a Internet.

Antes de ponerme a estudiar todos aquellos documentos en detalle, crucé la habitación de rodillas para darle una ojeada a los otros papeles, entre los que había encontrado la biografía del tal pastor Maximiliano.

La pila más grande eran fotocopias de un expediente de la policía bonaerense. Ojeándolo, me enteré de que el pastor había tenido varios entreveros con la ley a principios de los años noventa, cuando era apenas un adolescente. Cuatro ingresos a la comisaría de Monte Grande, en la provincia de Buenos Aires. Dos por robo y dos por tenencia de cocaína.

El siguiente documento era del año dos mil ocho y tenía el logo de la Administración Federal de Ingresos Públicos. En él, la AFIP intimaba a Maximiliano Velázquez al pago del impuesto a los bienes inmuebles correspondientes a una casa en un barrio privado de Ezeiza, valorada en ochocientos mil dólares.

Descubrí también una denuncia en una comisaría de La Rioja donde Mirta Palacio, de cuarenta y dos años de edad, declaraba que Maximiliano Velázquez había intentado propasarse sexualmente con su hija Estefanía Palacio, de dieciséis años.

El último de los papeles era la impresión de un correo electrónico. Apenas ocupaba media página.

De: *monstruos_pastor_cacique@gmail.com*
Enviado: *07/07/2014 07:21am*

A: denuncias_anonimas@policia.chubut.gob.ar
Asunto: Acaben con este monstruo, por favor.

Buenas tardes. Antes que nada, quiero dejar claro que me gustaría decir quién soy, pero tengo miedo. Por eso prefiero comunicarme con ustedes a través de este servicio de denuncias anónimas.

Dentro de aproximadamente un mes, el viernes 8 de agosto, se presentará en Comodoro Rivadavia un "sanador" llamado Maximiliano Velázquez, conocido en todo el país como el pastor Maximiliano.

Por favor, sigan a Velázquez de sol a sol durante su visita a Comodoro Rivadavia. En algún momento se reunirá con un brujo de la ciudad al que le llaman el Cacique de San Julián. En esa reunión se demostrará que ese pastor no solo es un estafador, sino también un monstruo. Por favor, créanme. Hay vidas en peligro.

El mensaje había sido enviado hacía tres semanas, exactamente un día antes de que Analía Moreno me fuese a ver a la universidad. A juzgar por la dirección de la que venía, el remitente había creado una cuenta de correo electrónico exclusivamente para enviarlo al servicio de denuncias anónimas de la policía de la provincia de Chubut.

¿Cómo había tenido acceso Analía a un correo electrónico confidencial, si llevaba meses suspendida de la policía? Quizás algún colega, pensé, e hice una nota mental de hablar con Fernando.

También me pregunté por qué Analía me había dejado las llaves de su casa. Me quedaba claro que era para que viera todo eso, pero ¿qué esperaba que hiciera? Y, por otra parte, si hubiera sobrevivido a aquella noche, ¿me habría mostrado la habitación alguna vez?

Ojeé un poco más los papeles sobre Velázquez. Varios de ellos eran impresiones de sitios web de periódicos locales anunciando presentaciones del pastor Maximiliano, un hombre capaz de sanar solo a base de fe. También encontré una especie de lista de todos los que trabajaban con él.

- Irma Keiner. Esposa del pastor. Cantante, teclados.
- Gerardo Ponce. Guitarra y coros.

- Eusebio Combina. Baterista.
- Tomás Arana. Bajista.
- Ángel "Lito" Gálvez: Conductor del camión con la utilería. Asistente en el escenario.
- Eugenia Maragall. Asistente.
- César Rae. Sonidista, iluminador y operador de pantallas gigantes.
- Jaime Milovanovic. Camarógrafo.

Detrás de la lista había un cronograma impreso de la página web del pastor. La presentación en Comodoro Rivadavia era el ocho de agosto y estaba señalada con verde fluorescente. Al margen de la hoja, Ariana había hecho una anotación a mano. *Reserva en suite presidencial de Hotel Lucania del 6/8 al 9/8.*

Consulté el calendario en mi teléfono. Faltaban dos semanas para que Velázquez llegara a nuestra ciudad.

CAPÍTULO 39

Durante el recorrido entre la casa de Analía y la mía, miré varias veces por el espejo retrovisor las dos cajas de cartón en las que había puesto todos los papeles de la habitación. En una, la investigación sobre el Cacique y la muerte de Gondar. En la otra, información sobre el pastor Maximiliano Velázquez. Lo único que las vinculaba era la denuncia anónima que ahora viajaba junto a mí en el asiento del acompañante.

Al llegar a mi casa, mientras se calentaba el agua para el mate, puse la caja con los papeles del pastor sobre la mesa de la cocina. Volví a repasar la intimación de la AFIP a pagar los impuestos, los recortes de diarios del interior hablando sobre sus presentaciones milagrosas y la denuncia de Mirta Palacio acusándolo de pedófilo.

Decidí que en algún momento intentaría contactar con esa mujer. Probablemente le diría que sospechaba que Velázquez también se había intentado propasar con mi hijo, e intentaría que me contara los detalles de qué había pasado entre su hija y el pastor.

Mis ojos se posaron sobre las tapas de color lila de *Mi amistad con Jesús*. Abrí la autobiografía en las primeras páginas.

En primera persona, Maximiliano Velázquez contaba que había nacido en El Jagüel, un barrio humilde del Gran Buenos Aires. Familia de clase media-baja, padre obrero en una fábrica de lavarropas y madre ama de casa. Había ido a un colegio de curas, donde fue monaguillo. Según sus propias palabras, muchos años más tarde se daría cuenta de que fue ahí donde entendió por primera vez el verdadero valor de la fe.

En la escuela secundaria llegaron las malas juntas. A los dieciséis se había ido a vivir con unos amigos y a los diecisiete la policía lo llevó detenido por primera vez. En su biografía se refería a esa parte de su vida como los *años oscuros.* Repitiendo hasta el hartazgo su vergüenza y arrepentimiento, el pastor reconocía haber estado preso cuatro veces, dos por robo y dos por tenencia de cocaína. Aquello, pensé, cuadraba con el expediente policial que había conseguido Analía.

Los siguientes capítulos hablaban de su tiempo en la cárcel. No había sido mucho, escribía el pastor, pero sí suficiente para darse cuenta de que no quería terminar ahí, como la mayoría de sus amigos del barrio.

A los treinta años había empezado a tirar el tarot y a curar el empacho. Sin embargo, no había sido hasta cinco años después que Jesucristo se le había aparecido para convertirlo en quien hoy era.

El encuentro había sucedido once años atrás. Él y su mujer Irma estaban visitando Humahuaca, en Jujuy, cuando un niño le hizo señas de que lo siguiera hacia una casa de adobe. Al entrar en ella, el niño había desaparecido. Velázquez estaba a punto de irse de allí cuando una voz retumbó en las paredes y le dijo que su vida estaba destinada a ayudar a los demás, y que a partir de aquel día tendría un don y también una obligación.

Al salir de aquella casa, escribía el pastor, *sentí que había vuelto a nacer. Por eso cuando me preguntan a qué iglesia represento, digo con la frente bien alta que a ninguna. No necesito que una iglesia me nombre pastor. A mí este trabajo me lo dio el mismo Jesucristo.*

La primera parte de la autobiografía terminaba con aquel párrafo. La segunda era una recopilación de predicciones de gran envergadura en programas de radio y revistas de poco calibre. Por ejemplo, durante el primer mandato de Néstor Kirchner, Velázquez había predicho que después de él gobernaría una mujer por muchos años. Una foto de Cristina Fernández ocupaba la mitad de la página junto al texto de la profecía.

Un año y pico lidiando con charlatanes me había enseñado que el único poder necesario para lograr algo así era la paciencia. Bastaba con hacer cincuenta predicciones, dejarlas documentadas en alguna revista de poca monta y luego utilizar como propaganda las que se cumplieran, sin mencionar las que no.

Para cuando terminé de leer la biografía, se había hecho de noche y me dolía el estómago de tomar tanto mate. Encendí la computadora y busqué la web del pastor Maximiliano. Tenía el mismo tono lila que la tapa de su autobiografía.

En la página principal había un video titulado *Los milagros del pastor*. Duraba cuatro minutos, y en él se veía a Velázquez alargándole la pierna a un niño que tenía una más corta que la otra, curando cánceres y adivinando nombres, direcciones y hasta números de teléfono de gente del público. Según él, información que le había pasado Jesucristo la noche anterior.

Ni siquiera es original para engañar a la gente, pensé. El pastor Maximiliano estaba haciendo en Argentina lo que Michael Poppof y Uri Geller habían hecho en Estados Unidos y Europa treinta años atrás.

CAPÍTULO 40

Mantener una página web como *Cazador de Farsantes* no era barato. Algunos de los charlatanes cobraban la visita por adelantado, y otros me pedían que comprara ciertos materiales para sus trabajos. Además, hacía medio año un encuentro con un vidente se había ido un poco de las manos y perdí los anteojos con cámara mientras el tipo me corría por el centro de Comodoro con un cuchillo. El par que usaba ahora lo había tenido que sacar con la tarjeta en doce cuotas.

Fue justo por esa época que mi primo Gaby me sugirió que pusiera una opción para aceptar donaciones. La web ya llevaba ocho meses activa y tenía miles de visitas por semana. Hasta había seguidores que me habían enviado cámaras ocultas hechas por ellos mismos en diferentes lugares del país, sobre todo en la Patagonia. Si había locos dispuestos a hacer algo así por mi web, seguro que habría muchos otros que no tendrían problema en colaborar con unos pesos, había razonado Gaby.

Abrí la hoja de cálculos con la lista de todos los que habían colaborado alguna vez. La mayoría de ellos había sufrido de una manera u otra las consecuencias de un brujo, vidente o fauna por el estilo. Muchos eran víctimas directas, sobre todo de chantaje espiritual. Amenazas del estilo "si no deshacemos el trabajo que te hicieron cuanto antes, tu vida corre peligro". Otros tenían a alguien cercano que, en un momento difícil, había confiado en un delincuente de estos y había terminado desvalijado. También contaba con algún que otro médico cuyos pacientes sufrían las consecuencias de esperar demasiado tiempo una cura milagrosa antes de buscar atención médica tradicional. Y hasta había recibido una donación de un brujo que consideraba indignante que ciertos impostores desprestigiaran su profesión.

Recorrí con la lista hasta encontrar la dirección de email de

Zacarías Madryn. Zacarías, que probablemente se llamaba de otra manera, vivía en Puerto Madryn y no solo me daba dinero todos los meses sino que me había enviado una cámara oculta en la que él mismo confrontaba a una médium. Le escribí un correo electrónico.

Hola Zacarías, ¿Cómo estás?

¿Sentiste nombrar alguna vez a Maximiliano Velázquez? Es un pastor milagroso que ahora está de gira por la Patagonia y pasado mañana hace su segunda presentación en Puerto Madryn. Estoy pensando hacerle una cámara oculta cuando venga a Comodoro en un par de semanas, y me gustaría recabar información de antemano. Por lo que pude ver en Internet, es un charlatán de feria, y hace exactamente los mismos trucos baratos que hacían los teleevangelistas de los ochenta y noventa.

¿Estás disponible pasado mañana para ir a verlo? Estaría buenísimo si podés filmar algo de la presentación, como para tener más material para el video final. Si sale bien, seguramente será lo más exitoso que hayamos hecho en Cazador de Farsantes hasta el momento. ¿Te animás a ayudarme?

Abrazo

Cazador

Tras enviar el email, incliné la cabeza hacia ambos lados y los huesos de mi cuello crujieron. Me estiré un poco en la silla y me puse a buscar en Internet información relacionada con la denuncia de Mirta Palacio contra el pastor por abuso de su hija menor de edad.

Media hora más tarde no había logrado dar con nada. Ni siquiera había sido capaz de encontrar en Facebook, Google, ni la web de la guía telefónica a ninguna Mirta Palacio que encajara con lo poco que yo sabía de aquella mujer. Quizás lo mejor era tratar de descansar un poco y volver a intentarlo al día siguiente, con la mente más despejada.

Ya agarraba con la mano la pantalla de mi computadora para cerrarla, cuando se me ocurrió que era más probable que Estefanía Palacio, la hija adolescente de Mirta, tuviera más presencia en Internet que su madre. Me prometí que después de una búsqueda rápida me iría a dormir.

En Facebook encontré una Estefanía Palacio en La Rioja, de donde era la denuncia de abuso contra el pastor. Hice clic en su foto de perfil para agrandarla, y en la pantalla apareció una adolescente de ojos enmarcados en lentes gruesos. Llevaba un gorro de lana holgado del que se escapaban dos mechones totalmente blancos, iguales a los de Lucio.

Junto a su fotografía, un cartelito me indicaba que Estefanía Palacio y yo teníamos un amigo en común.

CAPÍTULO 41

—¿Me ves?

—Sí, ahora sí —le dije a la cara rosada de Estefanía Palacio que apareció pixelada en la pantalla.

Su pelo no era blanco como en su foto de perfil, sino que ahora lo llevaba teñido de castaño claro y le caía suelto sobre los hombros. Tenía sombra azul en los ojos y labios pintados de color marrón. Estaba en esa etapa de la vida de muchas adolescentes en la que todavía no han aprendido a dosificar el maquillaje.

—Gracias por responderme tan pronto —dije, observando que de la pared a sus espaldas colgaba una reproducción del *Guernica* de Picasso.

Le había enviado un mensaje por Facebook el sábado a la noche, apenas descubrí que teníamos de amigo en común a Javier Gondar. Le dije que me gustaría hablar con ella porque yo estaba completando el artículo que Javier había empezado. Para ser sincero, el mensaje que le envié daba a entender, aunque sin decirlo, que Gondar y yo habíamos sido compañeros de trabajo.

Estefanía había respondido a mi mensaje media hora más tarde.

> *No tengo Internet en casa (ahora estoy en lo de una amiga), pero el lunes me quedo hasta tarde en el colegio porque tengo que terminar un trabajo de Geografía. Si me ves conectada, avisame y hablamos.*

—¿Cómo estás? —le pregunté.

—Muy bien, gracias. Hoy está fresquito. Hace once grados —dijo, cruzando los brazos y encogiéndose de hombros.

—¡Once grados! —respondí, mirando de reojo el termómetro que tenía en la ventana de la cocina. En Comodoro hacía cuatro.

Le hablé un ratito del tiempo para romper el hielo. También le conté que, aunque eran las siete y media de la tarde, hacía una hora que estaba oscuro. Asombrada, ella apuntó la cámara a su ventana. Dos mil kilómetros al norte, al día todavía le quedaba un ratito.

—Bueno —dije finalmente—, como te comenté en mi mensaje, en realidad quería que habláramos un poco de Javier Gondar.

—Sí, tu amigo el periodista.

Su entonación fue algo seca, como si no le tuviera mucho aprecio. Quizás demasiado seca para referirse a alguien muerto.

—Por tu tono de voz, imagino que muy bien no te cae —dije, hablando de Gondar en presente para no alarmarla.

—No, a ver, con el flaco todo bien. Muy buena onda y muy divertido. Pero al final se empezó a poner un poco pesado y le tuve que cortar un poco el rostro. No lo borré del Facebook de casualidad.

—¿Cómo se conocieron?

—Me hizo una entrevista hace casi dos años. Yo tenía dieciséis.

—¿En serio? ¿Y sobre qué te entrevistó?

Estefanía se acomodó el pelo y miró a la cámara con una cara que seguramente había ensayado mil veces frente al espejo.

—Me contactó porque quería escribir un artículo sobre albinos.

—¿Y cómo te encontró?

—La verdad es que no lo sé. Nunca le pregunté. Un día me apareció su mensajito, le contesté y ahí arrancó todo.

—¿Y charlaron mucho?

—Uffff, en total, horas. Hablamos un montón sobre la discriminación. Me acuerdo que estaba muy interesado en si yo creía que ser albina influía para bien o para mal a la hora de que un chico quisiera salir conmigo. Mientras hablábamos de todo eso, Javier fue muy buena onda.

La chica se llevó un cigarrillo a la boca.

—¿No estás en la escuela? —pregunté.

Me contestó después de encenderlo y largar el primer humo.

—Sí, pero está todo bien —me dijo, mirando a ambos lados

casi por obligación—. El único que queda es el sereno, y lo tengo comprado con sonrisitas.

—Me decías que al principio Javier te cayó muy bien.

—Sí, al principio, divino.

—Pero...

—Pero un día nos conectamos y me empezó a hacer preguntas medio raras. Cosas que no tenían nada que ver con el albinismo. Si era católica, por ejemplo.

—¿Y por qué te preguntó eso?

—Yo qué sé. Le respondí que de vez en cuando voy a la misa del Padre Ignacio, que es el cura que me bautizó. Imaginate que yo en ese momento no entendía qué tenía que ver esa pregunta con su artículo.

—¿Y le dijiste eso?

—Por supuesto que se lo dije, y reculó enseguida.

Estefanía volvió a llevarse el cigarrillo a la boca.

—Volvimos al albinismo —prosiguió Estefanía—. Charlamos de lo grave de las quemaduras de sol y de los problemas de visión. Todo bien hasta que, un rato después, insistió con la religión. Me preguntó si creía en los pastores sanadores, y me pidió que por favor le contestara, que para él era muy importante.

—¿Y lo hiciste?

—Sí, a regañadientes. Le dije que no sabía si creía o no, que nunca fui a ver a ninguno. Le mencioné que mi vieja sí es de creer en esas cosas, pero que yo no tenía una opinión ni a favor ni en contra. Entonces sí que se puso realmente pesado.

—¿Pesado?

—Sí, me pidió que hiciera memoria. Que intentara recordar si alguna vez había acompañado a mi mamá a ver a alguno. Hasta me mandó la foto de uno y me preguntó si lo conocía. Me dijo que había estado acá en La Rioja hacía un tiempo.

—¿Y te acordás de cómo se llamaba el tipo?

Estefanía hizo memoria mientras soltaba el humo.

—La verdad, no.

—¿Puede ser un tal pastor Maximiliano?

—Puede ser. No me acuerdo.

—¿Este? —pregunté, poniendo la autobiografía frente a la cámara.

—¿Vos también?

—No. Bueno, sí, pero te prometo que ésta va a ser la única pregunta que haga sobre el tema. ¿La foto que te envió Javier era de este tipo?

Estefanía se acercó tanto a la pantalla que detrás de los anteojos de marco grueso pude ver que sus iris eran de color violeta, casi rosa.

—Sí, es ese —dijo al cabo de unos segundos.

Me quedé en silencio intentando encajar aquella nueva pieza en el rompecabezas. Javier Gondar le había preguntado a Estefanía Palacio si conocía al pastor Maximiliano tres meses después de que la madre de ella hiciera la denuncia por acoso. Sin embargo al ver la foto de Velázquez, Estefanía no parecía haberse alarmado. De hecho, su expresión era casi de aburrimiento. Otro pesado que me pregunta lo mismo, parecía pensar.

—Pero, quitando su insistencia, me caía bien. ¿En qué anda? —preguntó, sacándome de mis especulaciones.

—¿Quién?

—Javier. ¿Quién va a ser? ¿Lo ves seguido en el trabajo? Yo no volví a hablar con él desde el día que me mandó la foto de ese tipo. Lo traté un poco mal, la verdad. Le dije que ya me tenía podrida con las preguntas desubicadas y que si no quería seguir hablando de albinismo, me dejara de joder.

Se confirmaba, Estefanía no tenía ni idea de que Gondar llevaba año y medio muerto.

CAPÍTULO 42

En los ochenta, el barrio de las Mil Ocho viviendas había marcado el límite entre la ciudad de Comodoro Rivadavia y la meseta marrón que se extendía, plana y erosionada por el viento, a lo largo de miles de kilómetros. Treinta años después, cuando estacioné el Corsa debajo de una farola de luz amarillenta, la ciudad lo había engullido por completo.

La casa de Lucio y Catalina estaba en uno de los bloques mejor cuidados. Los vidrios de la escalera estaban intactos, y en las paredes había apenas algunos grafitis. Hasta funcionaba el portero eléctrico.

—Sentate, Ricardo. Lucio está en su habitación —me dijo Catalina apenas entré a la casa, en la planta baja.

Por dentro, la vivienda se parecía más a una cabaña de la Cordillera que a un departamento en una de las zonas más difíciles de la ciudad. Todos los muebles, incluso el sofá, estaban construidos con troncos sin corteza. El suelo era de parqué marrón y en las estanterías junto al televisor había pequeños muñequitos de madera con forma de duendes y hadas.

Después de unos minutos de silencio, la voz de la madre de Lucio se fue haciendo cada vez más cercana.

—... yo ahora te preparo una leche con chocolate y mientras vos charlás con Ricardo, ¿querés?

No oí la respuesta, pero después de lo que me había contado la madre por teléfono, me imaginé a Lucio asintiendo con la cabeza.

—Hola, Ricardo —me dijo cuando apareció en el comedor.

Al verlo, me invadió un sentimiento de alivio. Paz, casi. El niño limpio, bien vestido y con el pelo blanco y brillante que ahora me saludaba no tenía nada que ver con aquella criatura desesperada y sucia que había encontrado en el sótano seis días atrás.

La única señal visible de lo que le había pasado eran los últimos rastros de un moretón alrededor del ojo izquierdo.

—Hola campeón, ¿cómo estás?

—Bien —me dijo con voz apenas audible y se sentó junto a mí en el sofá. Luego encendió el televisor.

—No lo habrás hecho venir a Ricardo hasta acá para ponerte a ver la tele, ¿no? —lo reprendió la madre, asomándose desde la cocina con una bandeja de madera en la que traía tres tazas.

Lucio se encogió de hombros y sonrió.

—Está bien —dije—. Yo hace mucho que no veo dibujitos.

Intenté romper el hielo hablándole de dibujos animados, pero con movimientos de cabeza Lucio me contestó que no tenía ni idea de quiénes eran He-man o los Thundercats. Decidí no presionarlo demasiado, y me puse a charlar con Catalina.

—Los muebles de esta casa son preciosos —dije, pasando la palma de la mano por el tronco que me servía de apoyabrazos.

—Los hice yo. Son de madera de la Cordillera. Ciprés y Radal, casi todos.

—¿En serio los hiciste vos?

—¿No me creés? —preguntó sonriendo.

—Sí, claro que sí. Me asombra un poco, nada más. Nunca conocí a nadie que hiciera muebles. ¿Dónde aprendiste?

—Negocio familiar. Mis viejos tienen una tienda en El Bolsón, y yo me crié ayudándolos. Cuando me mudé a Comodoro con Lucio, empecé a fabricar acá. Tengo un taller en el barrio Roca, y también doy cursos.

—Qué lindo, la Cordillera —dije—. Quién no fantaseó alguna vez con dejarlo todo e irse a vivir allá.

—Es un lugar maravilloso —respondió Catalina—, pero no hay mucho trabajo. Por eso me vine para acá con Lucio. Llevamos cuatro años, y de a poco el taller se va haciendo conocido.

—No me extraña. Son preciosos —dije, señalando a mi alrededor.

Catalina me sonrió, y después habló en tono exageradamente alto mientras le acariciaba el hombro a su hijo.

—Bueno, Ricardo, resulta que te pedimos que vinieras a visitarnos porque Lucio tiene algo que decirte, ¿no es así, mi amor?

—Sí —dijo el niño, sin dejar de mirar la televisión.

—¿Qué le querías decir a Ricardo, Lu?

Hubo un silencio, y luego Lucio se giró para mirarme un instante a los ojos.

—Gracias por salvarme —dijo en voz baja.

Al oír esas tres palabras, se me puso la piel de gallina. Aquel niño tenía nueve años. Nueve años y por culpa de un hijo de puta ya había aprendido lo que significaba que te salven la vida.

—De nada, campeón. Para mí es una alegría enorme haber podido ayudarte.

—Yo no quería que me llevaran tan lejos —dijo, bajando la mirada.

La madre y yo nos miramos, extrañados.

—¿Que te llevaran adónde, mi amor? —preguntó ella, acariciándole la cabeza.

—A Buenos Aires. El señor ese de la nariz grande me dijo que son como dos días en camión.

—¿Te dijo que te iban a llevar a Buenos Aires en camión? —pregunté, imaginándolo muerto de miedo en aquel sótano mientras Linquiñao le contaba historias.

—Sí.

—¿Y qué más te dijo ese señor?

—Me dijo que si dejaba de gritar él no me iba a pegar más.

El mentón de Lucio empezó a temblar, y el niño bajó la cabeza hasta incrustarlo en su pecho. La primera lágrima cayó sobre una de sus manos rosadas.

Catalina se apresuró a abrazarlo, y yo no pude más que apartar la mirada.

CAPÍTULO 43

Llegué a mi casa casi a la medianoche, después de cenar con Lucio y su mamá. No volvimos a hablar de lo que les había pasado. Mientras comíamos, él me dio una clase magistral sobre dibujos animados de este siglo. Después del postre, le mostré videos en Internet de He-Man y los Thundercats.

Durante el viaje de vuelta a casa, intenté ordenar un poco mis ideas. En lo de Analía había encontrado una denuncia anónima que mencionaba un encuentro entre el Cacique y el pastor Maximiliano. Dos monstruos, según quien la había enviado. Y ahora Lucio me acababa de decir que el Cacique de San Julián lo tenía secuestrado para que alguien se lo llevara a Buenos Aires. El pastor, según su biografía, era de Buenos Aires.

Por otra parte, Estefanía Palacio insistía en que no conocía al pastor, y sin embargo su madre había hecho una denuncia por acoso. Fuera cual fuera la explicación, esa denuncia y el secuestro de Lucio conectaban a Maximiliano Velázquez con dos jóvenes albinos que vivían a dos mil kilómetros de distancia. Era imposible que aquello fuera casualidad.

En ese momento, mientras estacionaba el Corsa, me vino a la memoria el caso de Marcela Salgado. Marcela era una adolescente, también albina, que había desaparecido en el norte de Argentina hacía unos años. Los padres habían movido cielo y tierra para encontrarla, y salían cada día en los canales de televisión y diarios más importantes de la Argentina. Todo el país había estado pendiente de Marcela durante esos días, hasta que su cuerpo apareció descuartizado en un pastizal del Gran Buenos Aires.

Al entrar a casa, encendí la computadora y busqué en Internet la historia de Marcela Salgado. Una crónica de *El Popular* titulada *Marcela Salgado: el horror,* relataba la historia completa. Estaba fechada en abril de 2012, hacía dos años y tres meses.

Lo que hace cincuenta y siete días empezó con la preocupación de unos padres en el diminuto pueblo de Las Bengas, en la provincia de Tucumán, tuvo ayer un desenlace macabro a mil doscientos kilómetros de distancia. En la localidad de El Jagüel, provincia de Buenos Aires, unos jóvenes que atravesaban un pastizal de camino al colegio descubrieron el cuerpo mutilado y sin vida de Marcela Salgado (14).

"Íbamos a la escuela, cortando campo por un terreno baldío y descubrí unas manchas de sangre en unos pastos. A diez metros encontré a la chica, desnuda. Le faltaban las manos y los pies", comenta Juan Palomar, el chico de dieciséis años que tuvo la desgracia de encontrar a Marcela.

El caso de Marcela Salgado tuvo repercusión nacional cuando El Popular entrevistó a sus padres al mes de la desaparición. Nora Bayón (37) y Miguel Salgado (42), manifestaron en aquella oportunidad el descreimiento a que Marcela se hubiera ido sin avisarles. Además, destacaron que la desaparición coincidió con la celebración del ciento cincuenta aniversario de la fundación de Las Bengas, el pueblo del que la familia es originaria. "Se llenó de gente de afuera por la fiesta que organizó la municipalidad", comentó Nora.

Esclarecer el crimen de Marcela Salgado quedará ahora en manos de la Policía Federal. El comisario Francisco Menéndez, a cargo de la investigación, confirmó a El Popular que las pericias forenses indican que Marcela Salgado no fue víctima de abuso sexual.

A partir de hoy, el trabajo de la gente del comisario Carrillo se concentrará en encontrar al responsable y responder a la pregunta que nos hacemos todos los argentinos. ¿Qué pasó con Marcela Salgado?

Terminé de leer aquello con los pelos de punta. El cuerpo desmembrado de Marcela había aparecido nada menos que en El Jagüel, la localidad de la provincia de Buenos Aires donde se había criado Maximiliano Velázquez.

En el sitio web del periódico había decenas de artículos sobre el caso. Desde la primera entrevista de *El Popular* a los padres hasta una crónica de un año atrás titulada *Un hombre del Jagüel se declara culpable de la muerte de Marcela Salgado*. Hice clic en ésta última.

> *En el día de ayer, en juicio oral y público, Cipriano Becerra (32), se declaró responsable del secuestro y homicidio de la joven tucumana Marcela Salgado (14).*
>
> *Becerra, con domicilio en El Jagüel —la localidad donde apareció el cuerpo de Salgado— confirmó que se encontraba de vacaciones en Las Bengas durante el mes de abril de 2012, cuando la joven fue vista por última vez con vida. Con respecto a la brutalidad del crimen, Becerra se negó a declarar.*
>
> *"Según me dijeron, su testimonio fue corto", comentó a El Popular don Miguel Salgado, padre de Marcela. "Dijo que había sido él y negó cualquier tipo de abuso sexual, lo cual se corresponde con la autopsia. Cuando el juez le preguntó por el motivo, todo lo que dijo fue que no podía explicarlo. Que había sido un impulso".*
>
> *El fiscal Ramón Azcuénaga declaró esta mañana que solicitará prisión perpetua para Becerra. Se espera que la defensa alegue trastornos psicológicos graves.*

Otra búsqueda me reveló que Becerra tenía sida y había muerto de una infección a los dos meses de ser sentenciado a prisión perpetua.

Me levanté de la silla y puse a calentar agua. Metí en una taza unas cucharadas de café instantáneo con azúcar y un chorro de agua. Mientras batía la pasta marrón, pensaba en el caso de Marcela y en el de Lucio. Ambos eran albinos y habían sido secuestrados en el interior del país. Marcela había aparecido en Buenos Aires, que era el mismo lugar donde se iban a llevar a Lucio. Y además, a uno lo había secuestrado un brujo y a la otra le habían cortado las manos y los pies.

¡Gaby!, pensé. Durante una conversación que habíamos tenido hacía mucho tiempo, mi primo me había hablado de la situación de los albinos en ciertas partes de África. Según él, mucha gente los consideraba seres mágicos, y hasta había quienes los secuestraban para venderlos a brujos.

¿Podía estar pasando algo así en Argentina? Hablaría con mi primo al día siguiente.

CAPÍTULO 44

El reloj en el rincón de la pantalla marcaba la una y media de la madrugada. Acababa de empezar a buscar en Internet otros casos de albinos desaparecidos en Argentina, cuando me llegó un correo electrónico de Zacarías Madryn.

¿Cómo andás, Cazador?

Che, ahí estuve viendo las presentaciones de este tipo y son una tomada de pelo. Los trucos que hace tienen por lo menos treinta años. Obvio que mañana lo voy a ir ver acá en Madryn. Pero no voy a filmar, voy a hacer algo mucho mejor. Te va a encantar.

Abrazo

Zaca

Le respondí para agradecerle y pedirle que me contara exactamente qué se traía entre manos. Le dije que por lo que había leído del pastor, podía ser un tipo peligroso, así que le sugerí que tuviera cuidado.

Después de contestarle, retomé mi búsqueda de desapariciones de albinos en Argentina. Encontré dos organizaciones que se dedicaban a publicar listas de gente perdida. El diseño de las webs era prehistórico y ninguna de las dos permitía filtrar los resultados según la descripción física de las personas. Pensé en recorrer las fotografías una a una buscando albinos, pero las listas eran demasiado largas. Leí que en Argentina desaparecían trescientas personas por año.

Me llevó media hora escribir un programa que recorriera las listas en ambas webs y aunara toda la información en una base de datos. Mientras lo hacía, se me ocurrió que al año siguiente les encargaría a mis alumnos un algoritmo similar como trabajo final de la materia. Cuando la base de datos estuvo lista, ejecuté una consulta para seleccionar todas las personas perdidas en los últimos cinco años en cuya descripción figuraran las palabras "albino" o "albina".

Dieciséis resultados entre 2010 y 2014.

Leí cada uno con detenimiento. Más allá del albinismo, no parecían tener nada en común. Había gente de ambos sexos y de todas las edades. El más viejo era un anciano de ochenta y dos años, y la más joven, una niña de nueve. El caso más reciente era de hacía tres meses. Silvia Prat, de cincuenta y dos, había sido vista por última vez en Rosario el primero de mayo.

Busqué en internet la tasa de albinismo en humanos. Según un estudio de la Universidad de Boston, una de cada diecisiete mil personas padecía la mutación congénita. Sin embargo, en mi base de datos había una de cada setenta y siete. Hice la división en la calculadora y el resultado me dejó perplejo. En los últimos cinco años, un albino tenía doscientas veinte veces más probabilidades de desaparecer que cualquier otra persona en la Argentina.

Ejecuté otra consulta en mi base de datos para separar las desapariciones por año.

2010 — 0 albinos de 298 desaparecidos (0.00%)
2011 — 0 albinos de 276 desaparecidos (0.00%)
2012 — 5 albinos de 302 desaparecidos (0.99%)
2013 — 7 albinos de 246 desaparecidos (2.84%)
2014 (hasta Julio) — 4 albinos de 119 desaparecidos (3.36%)

Me quedé paralizado mirando la pantalla.

CAPÍTULO 45

Eran las tres y media de la mañana cuando enchufé la impresora láser junto a mi computadora. Imprimí un mapa de Argentina en cuatro hojas A4 y las uní con cinta adhesiva. Marqué con puntos azules los lugares donde habían desaparecido los dieciséis albinos en los últimos tres años.

Con cada punto que agregaba al mapa, se confirmaba otra anomalía estadística. Casi todas las desapariciones habían sido en el interior del país. Lugares remotos con poca densidad de población como Salta, La Rioja y Santa Cruz. Sin embargo, en la provincia de Buenos Aires —donde vivía un cuarenta por ciento de la población del país— solo había un punto azul.

Quizás quien los estaba haciendo desaparecer no visitaba la capital. O a lo mejor todo aquello era obra de un monstruo que prefería cazar lejos de donde comía. Miré la biografía del pastor Maximiliano, abierta sobre la mesa. Me costaba imaginarme que alguien fuera capaz de una barbaridad así.

Me metí en la web del pastor. Había una lista de todas las presentaciones planeadas para los próximos meses, pero no una de las que ya había hecho. Si quería saber adónde había estado, tendría que tomar el camino largo y recurrir a los recortes de periódicos locales que había encontrado en la casa de Ariana.

Una hora y muchas búsquedas en Internet más tarde, el mapa tenía unos setenta puntos que marcaban lugar y fecha de las presentaciones del pastor en los últimos tres años. Los examiné uno por uno, dibujando un círculo rojo sobre aquellos donde se había perdido una persona albina durante la semana previa o posterior a la visita de Velázquez. Al terminar, conté ocho círculos rojos. La mitad de los albinos en mi base de datos habían desaparecido mientras el pastor Maximiliano estaba cerca.

CAPÍTULO 46

—¿Magia negra con albinos? ¿Estás seguro de que es magia negra?

—Yo qué sé. Me refiero a usar gente albina para hacer brujería.

—Ah, eso es distinto.

Negué con la cabeza. Por supuesto, para mi primo eran dos cosas diferentes.

Hacía quince minutos que charlábamos con los codos apoyados sobre el mostrador de la santería.

—Mirá —dijo Gaby cebándome un mate—, hay muchas culturas que asocian a los albinos con lo esotérico. Casi siempre con una connotación negativa. Sin ir más lejos, fijate la cantidad de libros donde hay un albino malo. *El código Da Vinci*, por ejemplo.

—Pero yo me refiero a la vida real. ¿Te acordás que una vez me mencionaste que en África sacrifican albinos para hacer brujería?

—Sacrifican, no. Matan.

—Es lo mismo.

—No, señor —dijo Gaby con tono condescendiente y me dio dos palmaditas suaves en la espalda—. Un sacrificio implica que la muerte en sí, la persona que muere, es la ofrenda. Que yo sepa, no hay creencias donde se le ofrezca la vida de un albino a una deidad. Sí las hay que matan niños, vírgenes, lo típico.

—Lo típico —repetí, devolviéndole el mate.

—Pero matarlos para hacer brujería, sí. En Tanzania, sobre todo, está jodido ese tema. Hay chamanes que creen que ciertas partes de personas albinas tienen poderes mágicos para hacer pociones y ese tipo de cosas. Manos, pies, pelo, genitales.

Al oír aquello apreté involuntariamente las rodillas.

—Me acuerdo que hace unos años leí el caso de un nene que había entregado a su hermano albino por trescientos dólares —comentó mi primo—. En el artículo decían que hay gente que paga hasta setenta mil.

—Es increíble que en siglo XXI todavía haya creencias así, ¿no?

—Sí, pero no te creas que es una práctica ancestral ni nada de eso. De hecho es algo relativamente nuevo, que apareció hace quince, veinte años a lo sumo. Antes no existía.

—Es curioso. Tiene toda la pinta de algo tradicional.

—Sí, pero no lo es. Nadie sabe cómo arrancó todo eso, pero a finales de los noventa en Tanzania empezaron a aparecer tumbas profanadas de gente albina. A los cuerpos les faltaban partes, pelo, bueno, lo que ya te dije. Algunos brujos decían que el hueso molido atraía guita. En fin, un horror. ¿Sabés lo que hacen en algunas zonas ahora cuando muere un albino? Arriba del cajón le tiran diez centímetros de hormigón para que no los puedan desenterrar.

—¿O sea que como no pueden acceder a las tumbas hay gente que los caza vivos?

—Sí. Se creó una especie de mercado. Como con todo, si hay quien compra, hay quien vende. A la mayoría los matan, pero ha habido casos en los que los dejan vivos. Yo vi una entrevista de una mujer a la que se le metieron en la casa en medio de la noche, le cortaron las dos manos y la dejaron ahí, en su propia cama. Sobrevivió.

Un hombre cincuentón entró a la santería y Gaby se levantó para atenderlo. Noté que el cliente me miraba con cierto recelo antes de pedirle a mi primo media docena de velas rojas.

—¿Y a vos te parece que eso podría pasar en Argentina? —pregunté cuando el hombre cerró la puerta tras de sí llevándose, por recomendación de mi primo, tres veces más velas de las que había venido a comprar.

—No creo. ¿En qué andás? ¿Por qué te interesa este tema?

Estuve a punto de contarle a Gaby lo que había descubierto sobre la desaparición de albinos en Argentina. Me sentía culpable ocultándole aquello, pero decidí que por el momento era mejor mantener la conversación en el terreno de las suposiciones. Si mi primo se olía algo, el diálogo se transformaría en un sermón sobre el peligro al que me exponía. Sería mejor recurrir a la excusa que me había traído preparada.

—Quiero escribir sobre algo así en mi blog —dije—. Tengo pensada una serie de textos que hablen de lo que sucede en otras partes del mundo. Me gustaría cerrar cada uno con una reflexión sobre si es posible que esas prácticas alguna vez lleguen a Argentina.

—En este caso, yo te diría que es algo muy puntual que pasa en un par de países de África. Poniéndolo en términos científicos, como te gusta a vos, las probabilidades son bajas.

No si te muestro los porcentajes que calculé ayer, pensé.

—Bajas —repetí—. ¿Pero no nulas, entonces?

—Nulas no son nunca. Siempre puede aparecer algo que te sorprenda. Mirá, yo estudio ciencias ocultas desde hace veinte años. La mayoría de las veces me encuentro las mismas prácticas. Macumba, Wicca, Vudú, esas cosas. Sin embargo, de vez en cuando aparece alguno que no se conforma con tierra de cementerio o animales muertos —dijo, señalando con un movimiento de cabeza la puerta de vidrio—. El otro día, sin ir más lejos, vino una mujer a venderme veinticinco muelas.

—¿Muelas de qué?

—Muelas humanas —aclaró, dándose un golpecito con la uña en un diente—. La mina trabaja de asistente en el consultorio de un dentista y me las vino a ofrecer porque una paciente le dijo que se usan mucho para hacer trabajos y que en una santería se las pagarían bien.

—¿Y eso es verdad, lo de que se usan?

Mi primo se encogió de hombros.

—¿Vos le tenés asco a las cucarachas?

—Un montón. ¿Eso qué tiene que ver?

—Suponete que salimos a caminar y vemos una cucaracha en la calle. Si te ofrezco cien pesos por matarla de un pisotón, ¿qué dirías?

—Que por cincuenta también la piso si querés.

—¿Y si vemos un perro y te digo que te doy cien mangos si le pegás un tiro?

—¿Adónde querés llegar con todo esto?

—Vos respondeme. ¿Matás a un perro por cien pesos o no?

—Ni loco.

—¿Y por mil?

—Tampoco.

—¿Y te parece que sería difícil conseguir a alguien que dijera que sí a esa propuesta?

—Seguro que no. Hay gente para todo.

—¡Ahí estamos! —exclamó mi primo dando un golpecito en el mostrador—. A vos matar a un perro por guita te parece macabro, pero hay muchos otros que lo harían. A mí hacer brujería con partes humanas, aunque sea simplemente pelo o muelas, me parece horripilante. Pero, como vos mismo dijiste, hay gente para todo.

CAPÍTULO 47

—¿Me estás diciendo que un tipo que gana una fortuna haciéndole creer a la gente que hace milagros tiene la necesidad de traficar con personas?

El comisario me miraba con una sonrisa incrédula. Un rollo de su panza asomaba atrapado entre sus brazos cruzados y el escritorio que nos separaba.

—Yo solo le estoy diciendo lo que descubrí.

—Ese es el tema. Descubrir, no descubriste nada.

Lo miré extrañado. Antes de volver a hablarme, Altuna se alisó la corbata con la palma de la mano.

—Dejame que te explique algo, Varela. Vos ves clarísimo que el pastor este está haciendo desaparecer albinos. Yo, sin embargo, veo un montón de ganas de hacer que las cosas encajen. Como mucho, evidencia circunstancial, que le llaman en los juzgados.

El comisario ahora hablaba inclinado hacia atrás en su sillón, con los dedos entrelazados detrás de la nuca.

—Acá hay dos delitos —prosiguió—. Una adolescente de Tucumán que apareció descuartizada en Buenos Aires y un chico secuestrado en Chubut. Los dos albinos, sí, pero los casos pasaron con dos años de diferencia y a miles de kilómetros de distancia. Y encima, tanto para uno como para el otro se encontró un culpable. ¿Entendés a lo que me refiero?

—Pero hay una correlación clara entre las giras del pastor y las desapariciones —dije señalando el mapa que había desplegado sobre el escritorio quince minutos antes, cuando le expliqué al comisario Altuna lo que había descubierto.

—¿Dónde lo ves claro? Algunos puntos coinciden, pero también hay muchísimos otros que no.

—¿Ocho casos le parecen poco? —protesté—. Además, ni

siquiera tenemos los datos completos. Puede haber más personas desaparecidas que no estén listadas en las páginas que consulté. O quizás no hay registro en Internet de algunas de las presentaciones del pastor. En los pueblos chicos, pasan muchas cosas que nadie se molesta en poner online. Se lo digo yo que me crié en Puerto Deseado.

—Ah, ya sé lo que podemos hacer. Vamos a un juez y le pedimos una orden de allanamiento para la casa del pastor este diciéndole que solo tenemos una teoría y que ni siquiera la podemos respaldar con búsquedas en Google.

—No le estoy diciendo eso.

El comisario me mostró ambas palmas en señal de paz.

—Mirá pibe, yo entiendo que lo que te pasó es muy fuerte. Y estoy convencido de que me venís a ver porque querés ayudar. Te lo agradezco, en serio, pero en este momento la mano más grande que nos podés dar es dejarnos hacer nuestro trabajo. Mirá, yo lo que te recomiendo es que te tomes un tiempo para descansar. Dejalo en nuestras manos, que nosotros sabemos lo que hacemos.

—Comisario, yo lo último que quiero es interferir en su trabajo. Lo que no entiendo es por qué usted ni siquiera está dispuesto a aceptar que es demasiada casualidad que la denuncia contra la chica albina que encontré en la casa de Ariana...

El puñetazo en la mesa me obligó a callarme.

—¿Pero vos quién te creés que sos, pendejo? ¿Te pensás que porque jugaste al detective con esa mina ya sabés todo de ella? No tenés la más puta idea. Ni siquiera te sabés el nombre. Yo, por otra parte, la conocí bien y la sufrí como un grano en el culo. ¿Vos sabés el despelote que armó tu "Ariana" en esta comisaría? Casi me cuesta el puesto a mí y a varios de sus compañeros de trabajo.

Altuna hizo una pausa. Noté que respiraba lentamente, intentando tranquilizarse. Sin embargo, siguió gritando.

—Entendé de una puta vez que esa mina estaba loca. Tenía problemas en la cabeza. Le faltaban caramelos en el frasco. ¿Cómo querés que te lo diga? A ver, decime una cosa, ¿qué harían tus jefes en la universidad si te presentás un día drogado, hasta las cejas de pastillas?

En silencio, me levanté de la silla y le hice un gesto de que no era necesario que siguiera.

—Si no me querés contestar, te lo respondo yo: te pegan una patada en el medio del ojete y no trabajás más. ¿Es verdad o no?

—Me parece que ya no tiene sentido que sigamos hablando —dije.

—¡Contestame, carajo! ¿Te echan del laburo o no?

—Probablemente.

—Bueno, ahora imaginate que en lugar de una tiza, tu herramienta de trabajo es una nueve milímetros con diecisiete balas en el cargador. ¿Entendés a lo que me refiero?

—Sí —dije—. Y también entiendo que no hay nada que yo le pueda decir para hacerle cambiar de opinión.

—Nada que venga de una drogadicta con problemas psiquiátricos que ya me infló bastante las pelotas mientras estaba viva.

—Habla como si le viniera bien que esté muerta —dije, y me fui de la comisaría ignorando los ladridos de Altuna a mis espaldas.

CAPÍTULO 48

Mientras caminaba hacia mi coche masticando bronca, me sonó el teléfono. Era Fernando.

—No me digas nada —dijo—. Fuiste a ver al comisario y te echó a patadas.

—¿Cómo lo sabés?

—Porque mi oficina está al lado de la suya y cuando Altuna grita, se escucha.

—Sí, lo fui a ver porque en el departamento de Analía había un montón de información útil para la investigación de lo que pasó con Lucio.

—¿Y le mencionaste dónde la habías encontrado?

—Sí.

Fernando aspiró aire entre los dientes como si hubiese visto a alguien hacerse una fractura expuesta.

—¿Por qué no nos juntamos a tomar un café y lo discutís conmigo? —ofreció.

—¿Me vas a ayudar?

—¿Cómo puedo saber si te voy a ayudar si no tengo ni idea de qué descubriste?

Por el tono en que lo dijo, supe que esa frase había sido puro protocolo. Fernando estaba de mi lado.

—Bueno, juntémonos y te cuento. Pero antes me gustaría confirmar una cosa que le va a dar más validez a mi teoría. ¿Te puedo pedir un favor?

—Depende —respondió.

—¿Vos sabés dónde fueron a parar las pertenencias del Cacique cuando se llevaron el cuerpo?

—Está todo acá en la comisaría. Hasta la camioneta tenemos. ¿Por?

—¿Había un teléfono entre sus cosas?

—Obvio. Todo el mundo tiene un teléfono.

—¿Y vos tenés acceso a ese teléfono?

Oí el ruido de la barbilla de Fernando rozando el auricular y luego el chirrido metálico de un cajón abriéndose.

—Lo tengo acá en mi escritorio.

—El favor que te quiero pedir es que lo enciendas y te fijes si tiene algún contacto llamado Calaca, o Maximiliano.

La línea estuvo en silencio durante casi un minuto.

—No, nadie con esos nombres.

—¿Y por "Pastor" te sale alguien? ¿O "Velázquez"?

—No, tampoco. ¿Quién es esa gente?

—¿Qué tipo de teléfono es?

—No sé. Un teléfono normal.

—¿Tiene pantalla táctil?

—Por supuesto. ¿De qué siglo te escapaste? Todos vienen con pantalla táctil ahora, ¿no?

—Sí —dije, recordando las teclas gastadas del pequeño Nokia que había abandonado hacía dos meses por el aparato brillante que ahora tenía pegado al oído.

—Escuchame, Fernando. Yo sé que es mucho pedir, pero me vendría genial tener una imagen de ese teléfono. ¿Sabés lo que es una imagen?

—¿Una foto?

—No. Una copia de toda la información que hay en la memoria. Llamadas, mensajes, historial de navegación web, datos de cada una de las aplicaciones instaladas. Todo. Es como una instantánea del estado del aparato. Por eso se le llama imagen.

—¿Vos querés que me cuelguen de las pelotas? Es recontra ilegal distribuir evidencia. De hecho, hasta es ilegal que me la estés pidiendo.

—Igual de ilegal que darle a Analía una copia de la denuncia anónima que recibió la policía contra el Cacique y el pastor Maximiliano.

—Eso es muy diferente. Analía era mi compañera de trabajo.

—Apartada de su cargo por problemas psiquiátricos.

—Da igual. Yo trabajé con ella durante años, y a vos apenas te conozco.

—Pero sabés bien que por algo ella me dejó las llaves de su

casa. Analía quería que yo descubriera todos esos papeles y continuara con su investigación. Si me hacés este favor, de alguna manera la estás ayudando a ella. Y yo te prometo que después de esto te dejo en paz.

Fernando se quedó unos segundos en silencio antes de responderme. Lo sentí largar un soplido en el auricular.

—Si no fuera porque ya hay un culpable del secuestro y encima está muerto, ni loco te diría que sí. ¿Cómo se hace lo de la imagen?

—Sos un grande —festejé—. Yo lo puedo hacer si me prestás el aparato por unas horas.

Sentí una risita del otro lado de la línea.

—Imposible. Este teléfono no sale de la comisaría. Y después de tu charla con Altuna, creo que a vos no te conviene volver.

—¿Y hay alguien ahí que haga informática forense? Casos de robos de identidad, fraudes con tarjetas y esas cosas.

—No. En Comodoro los chorros siguen prefiriendo apuntarte a la cabeza. Ciber-crimen tenemos poco, y cuando hay algo le pedimos ayuda a la Federal. Entonces, si andan con ganas, nos mandan a uno de sus técnicos.

—¿Y no hay nadie que sepa de computadoras en la comisaría? ¿Aunque sea alguien que actualice el antivirus?

—Al flaco Ricatti le encanta la tecnología. Es un cabito que empezó hace poco. Acá nos vende películas a todos. Le pedís lo que sea y al otro día te lo trae grabado en DVD. Un monstruo.

—¿Tenés buena onda con él?

—Soy su jefe.

—Y te parece que si le pedís al flaco Ricatti que te haga una imagen del teléfono del Cacique, ¿te la hará?

—Esto es una comisaría. Yo pido, él hace. ¿Para qué querés eso, Ricardo?

—Creo que sé quién es el tal Calaca que el Cacique mencionó antes de morir, y esa imagen me va a ayudar a confirmarlo. Vos conseguímela y después nos juntamos a tomar un café y te cuento lo que encontré. Decile al muchacho este que cuando la tenga lista la copie en un *pen drive.*

Fernando me hizo prometerle que no compartiría aquella información con nadie, ni mucho menos la publicaría en mi web.

Una vez lo hice, agregó que si llegaba a romper mi palabra me iba a arrepentir.

Cuando colgué, advertí que en un rincón de la pantalla de mi teléfono había un pequeño sobre rojo y blanco. Me acababa de llegar un correo electrónico de Estefanía Palacio.

> *Hola Ricardo. Tengo novedades sobre el pastor Maximiliano, ese del que me preguntaste el otro día. Hablamos por Skype cuando quieras. Un abrazo.*
>
> *Estefanía*

CAPÍTULO 49

Cuando la cara de Estefanía apareció en mi pantalla, ya no tenía el pelo castaño claro como la primera vez que había hablado con ella. Ahora se lo había teñido de un negro azabache que, en contraste con su piel rosada y cejas blancas, le daba un aspecto gótico.

—¿Cómo estás, Estefanía?

—Bien, ¿y vos?

Detrás de la adolescente se veía el mismo cuadro de Picasso que la vez anterior. La chica encendió un cigarrillo.

—El otro día le mencioné a mi mamá la charla que tuvimos —dijo tocándose el pelo—. Le comenté que ya iban dos periodistas que me contactaban para preguntarme por un tal pastor Maximiliano, y que yo no tenía ni idea de quién era ese tipo.

Estefanía le dio una pitada a su cigarrillo y luego alzó la vista hacia la cámara. Parecía que me estuviera mirando directamente a los ojos.

—Se puso pálida y empezó a hablar sin decir nada. Le tuve que levantar la voz para que se dejara de dar vueltas y me explicara exactamente qué estaba pasando.

Estefanía dijo aquella frase con un aire de cansancio, como si no fuera la primera vez que tenía que ponerse firme con su propia madre.

—Y entonces se puso a llorar y empezó a pedirme perdón sin parar. Me repetía que la entendiera, que lo había hecho por mí y por mi hermano.

—¿Qué cosa había hecho?

—Eso mismo le pregunté yo. Cuando por fin se calmó, me contó que había denunciado al pastor Maximiliano por intentar abusar de mí.

Las manos de la chica quedaban fuera de la pantalla, pero

por el movimiento de su hombro supe que apagaba el cigarrillo en un cenicero.

—Me contó que hace un tiempo fue a una presentación del pastor Maximiliano acá en La Rioja. Como te dije la otra vez que hablamos, mi vieja sí que cree en estas cosas. Fue para pedir por nuestra situación económica. Desde que se murió mi papá hace cuatro años, está difícil. Mamá plancha ropa por encargo y yo trabajo de noche en una estación de servicio. Yo le digo que si me deja largar la escuela podría ganar más plata, pero no quiere saber nada.

—¿Y por qué lo denunció?

—A la salida del teatro se le acercó un tipo y le dijo que conocía su situación. Que sabía que estaba en problemas económicos y que él le podía dar plata a cambio de un favor.

—Denunciarlo.

—Mucha plata —aclaró Estefanía—. Lo único que mi mamá tenía que hacer era ir a la policía y decir que el tipo ese había intentado abusar sexualmente de mí.

No supe qué decir.

—¿Quién era el hombre que le pagó a mi mamá, Ricardo? —me preguntó.

—¿Y yo cómo lo voy a saber?

—Algo sabrás, igual que Javier Gondar. Por algo los dos me contactaron preguntándome sobre el pastor.

—¿Cuándo fue esto? —pregunté, como si no hubiera leído la denuncia.

—Unas semanas antes de la muerte de Javier. Hace un año y medio.

Esa respuesta no me la esperaba. En nuestra conversación anterior yo había evitado mencionar el asesinato de Gondar, y supuse que ella todavía lo creía vivo.

—No sabía que estabas al tanto de eso.

—No lo estaba hasta el día que hablé con vos. Cuando colgamos, me metí en su Facebook y vi todos los mensajes deseándole que descansara en paz. ¿Por qué no me dijiste que a Javier lo asesinaron al poco tiempo de ponerse en contacto conmigo?

—Porque no tiene absolutamente nada que ver una cosa con la otra —dije, intentando no alarmar más a aquella chica.

—¿Cómo podés estar tan seguro? Si estás seguro es porque

sabés algo.

—Estefanía, yo sé tanto como vos —mentí—. Estaba escribiendo un artículo sobre el pastor y descubrí esta denuncia, por eso te contacté. Es así de simple.

—O sea que me mentiste dos veces. No me dijiste nada de la muerte de Javier ni de la denuncia. ¿Quién era ese tipo que le pagó a mi mamá, Ricardo?

—Te juro que no sé. ¿Te dijo algo tu mamá de cómo era ese hombre? Alto, bajo, joven, viejo, esas cosas.

—¿Vos te pensás que voy a dejar que me mientas y encima te voy a ayudar?

—Yo no te mentí, Estefanía. Simplemente no mencioné lo de Javier porque supuse que lo sabrías. Y lo de la denuncia...

Antes de que pudiera seguir hablando, la cara de Estefanía desapareció de mi pantalla. Intenté llamarla de nuevo, pero no me volvió a atender. Quizás la chica tenía razón, y yo debería haberle contado todo desde el primer momento.

Me quedé inmóvil frente a la computadora. ¿Quién le había pagado a la madre de Estefanía para que denunciara al pastor? ¿Y para qué? Si su objetivo era perjudicarlo, ¿por qué la denuncia nunca había salido a la luz en los medios de comunicación?

La única explicación que se me ocurrió fue que alguien había usado aquel papel para extorsionar al pastor.

CAPÍTULO 50

El hombre atado a la butaca se desmayó al séptimo golpe. Cuando volvió en sí, las dos figuras continuaban frente a él.

—¿Me vas a contar cómo te llamás o le digo a Lito que siga?

La voz del pastor Maximiliano resonó en el teatro vacío. Caminaba de un lado a otro, pateando con sus zapatos brillantes los papeles y vasos de plástico desparramados por el suelo. Hacía apenas una hora, el hombre de la butaca había sido una de las seiscientas personas ovacionando a Maximiliano Velázquez en su última presentación en Puerto Madryn.

—¿Cómo te llamás? —insistió el pastor.

—Zacarías. Me llamo Zacarías Ponte —dijo, y al hablar escupió diminutas gotas de sangre. Se pasó la lengua por los dientes y notó un vacío donde debería haber encontrado un colmillo.

—¿Y para quién trabajas?

—Para nadie.

El golpe de Lito fue directo a uno de los ojos.

—¿Para quién trabajas? —repitió el pastor.

—Para nadie, se lo juro —gritó Zacarías, sacudiéndose en la butaca. Las ataduras de las muñecas le rompían la piel.

—¿Y entonces qué hacías con esto?

Del asiento contiguo al de Zacarías, el pastor levantó un aparato del tamaño de un paquete de cigarrillos. Una luz roja parpadeaba en uno de los costados, y de una esquina asomaba una pequeña antena. El pastor presionó un botón junto a la luz intermitente.

—Emilio Rosas, sesenta y tres años, se mudó a Puerto Madryn hace veinte. Viene por problemas de salud —dijo una voz de mujer.

—Don Emilio —se oyó decir al pastor—, *anoche Jesús me habló de usted en mis sueños. Hablamos un rato largo ¿sabe? Me dijo*

que tiene sesenta y tres años y que se mudó hace unos veinte a Puerto Madryn, ¿puede ser?

—Sí. Así es.

—Y también me dijo que usted hoy me vendría a ver por problemas de salud. ¿Es por eso que está aquí, don Emilio?

—Sí, por eso lo vine a ver.

A pesar de la mala calidad del sonido, la voz del hombre mayor se notaba conmovida. En la grabación volvió a oírse la voz de mujer.

—Le diagnosticaron un cáncer de próstata muy avanzado —dijo.

—Un problema serio —continuó el pastor—. *El Señor me dijo que a usted le diagnosticaron un cáncer de próstata avanzado, ¿puede ser?*

Maximiliano Velázquez apretó otra vez el botón y el aparato se quedó en silencio. Zacarías lo vio inclinarse y acercar tanto su cara a la de él que sus narices estuvieron a punto de tocarse.

—¿Qué hacías con esto?

—Nada —respondió Zacarías—. Quería confirmar que usabas la misma técnica que los sanadores de Estados Unidos en los años ochenta. Estaba casi seguro de que utilizabas un transmisor de radio, por eso traje el rastreador de frecuencias.

—¿Y después venderle grabación a un programa de televisión? ¿O extorsionarme para sacarme guita?

—No, te juro que no. Lo hice simplemente por curiosidad. No tenía intenciones de hacer plata con eso, ni de mostrárselo a nadie.

La carcajada del pastor retumbó en la sala enorme del teatro.

—Claro que no —dijo con tono condescendiente, y acarició la cabeza transpirada de Zacarías—. De todos modos, te das cuenta de que tus intenciones ya no importan, ¿no?

—Por favor, no me hagan nada. Era solo un experimento. Yo te juro que no le cuento a nadie. Te lo juro por lo que me pidas. Por favor.

El pastor le ofreció una sonrisa falsa y luego se metió la mano en el bolsillo interno del traje. Zacarías sintió su propio orín extendiéndose por la entrepierna.

—No tengas miedo, que no es para tanto.

Velázquez sacó del bolsillo una billetera de cuero marrón

gastado, a reventar de papeles. Revolvió en ella hasta encontrar un DNI.

—No tenés por qué tener miedo, Zacarías Ponte. No te vamos a ir a buscar a la calle Estrada número 151 a menos que te portes mal. Ni tampoco le vamos a hacer nada a la chica preciosa de esta foto. Fabiana Suárez se llama ¿no? Eso no me lo pasaron por radio.

—Me olvido de todo. Se lo juro.

—Te creo —dijo el pastor y le tiró la billetera sobre la entrepierna mojada—. Sobre todo después de que Lito te convenza.

Zacarías recibió el primer golpe apenas el pastor le dio la espalda. Lo último que vio antes de volver a desmayarse fue que desde un rincón del teatro alguien lo filmaba con un teléfono.

CAPÍTULO 51

Había oscurecido hacía más de una hora en Comodoro, pero las luces de los negocios de aquella esquina del centro eran tan potentes que la mujer que fumaba en la puerta del Molly Malone me reconoció antes de que cruzara la calle. Mientras caminaba hacia ella, la vi tirar el cigarrillo al suelo y apagarlo con la punta de sus botas de cuero.

—¿Ángela? —le pregunté después de cruzar la calle.

Asintió, y me presenté. Nos metimos al bar tras saludarnos con un beso.

Eché un vistazo a la parte de atrás del Molly, donde las paredes de ladrillo estaban decoradas con fotos de equipos de rugby y camisetas firmadas por jugadores famosos. Señalé una mesa libre en un rincón, frente a una ventana que daba a la calle Pellegrini.

Cuando nos sentamos, Ángela Goiri puso sobre la mesa su teléfono y la cajetilla de cigarrillos. Hacía ya casi tres años que estaba prohibido fumar en los lugares públicos de Comodoro.

—Costumbre —dijo, dándole un golpecito al paquete con el dedo.

Una chica sonriente de delantal negro vino a tomarnos el pedido. Ángela quiso un café negro. Yo, un té con limón.

—¿En qué te puedo ayudar? —me preguntó, sin preámbulos.

Miré por la ventana antes de hablar. Del otro lado del vidrio, la gente abrigada caminaba de un lado para el otro, apurados por hacer las últimas compras antes de que cerraran los negocios del centro.

—Como te comenté por teléfono, estoy escribiendo una historia sobre Javier. En particular me interesa lo último en lo que estaba trabajando antes de... bueno, antes de que le pasara lo que le pasó.

—Antes de que le pegaran un balazo en la cabeza. Podemos hablar sin eufemismos.

Asentí.

—¿Por qué querés escribir sobre él un año y medio después de su muerte?

—Justamente porque es ahora cuando la memoria de la gente empieza a flaquear.

—¿O sea que no tiene nada que ver con que hace unos días hayan matado al hijo de puta ese al que Javier estaba investigando justo antes de que lo asesinaran?

Su mano derecha se posó sobre el paquete de cigarrillos. Le dio un par de vueltas entre sus dedos y volvió a dejarlo sobre la mesa.

—Sí que tiene que ver —admití—. La muerte del Cacique es una oportunidad para refrescarle la memoria a la gente de lo que pasó con tu novio. Y no te voy a negar que en mi artículo voy a hablar de los últimos días de Javier. ¿Vos te acordás en qué estaba trabajando exactamente?

—Generalmente con Javi no hablábamos de trabajo. Intentábamos dejarlo fuera de la relación.

—Creo que en el mundo habría muchas más parejas felices si todos hicieran eso.

Ángela se quedó pensativa. Me pregunté cómo se habría visto aquella mujer dos años atrás, antes de que la vida la golpease tan duro. Antes de las ojeras, el pelo grasiento y la cara pálida arrugada por el tabaco. Antes de la misma dejadez que se había apoderado de mí cuando falleció Marina. En mi caso, había tardado seis meses en empezar a levantar cabeza. Ella parecía llevar un año y medio sin suerte.

—Sí —dijo al fin con una sonrisa—. Fuimos muy felices, aunque si hubiéramos hablado un poquito más de trabajo, nos habríamos ahorrado una de las últimas peleas que tuvimos.

Tomé un sorbo de té con limón. Estaba hirviendo.

—Fue poco antes de su muerte, mientras él investigaba al Cacique. Javier había salido de casa y yo abrí su computadora no me acuerdo para qué. Encontré una carpeta con fotos de una chica que no tendría más de dieciséis años. En casi todas salía en pose tipo loba, tirándole besos a la cámara y cerrando los brazos para acentuar el escote.

—Tenía el pelo blanco —arriesgué.

—¿Cómo sabés eso?— preguntó extrañada, dejando su café sobre la mesa.

—Yo también acabo de contactar con esa chica —dije—. Creo que estoy siguiendo los pasos de la investigación de Javier, solo que un año y medio más tarde.

—Mientras no termines como terminó él.

En la cara de Ángela había ahora una sonrisa nostálgica. Salvo por su aspecto físico, parecía en paz consigo misma. Como si ya hubiera aceptado la partida de su compañero. En ese sentido era ella la que me llevaba años luz de ventaja a mí. Marina había muerto dos meses antes que Javier y yo todavía era incapaz de hablar de ella con la soltura con la que Ángela se refería a él.

—Cuando llegó a casa le hice un escándalo tremendo —agregó, llevándose la taza de café a la boca—. Decime quién es esta minita, hijo de puta, hoy acá no dormís. Lo normal, supongo. Entonces él se echó a reír y me explicó que esa chica era una pieza clave en la investigación que estaba preparando. Ese día sí que hablamos de trabajo. Más le valía tener una buena razón para tener esas fotos en su computadora.

Sonreí, recordando las fotos de perfil de Estefanía, todas hechas con mucho maquillaje y ropa ajustada.

—¿Te acordás de qué te contó sobre el caso?

—Me habló del Cacique de San Julián y de un pastor milagroso, de estos que viajan por todo el país curando enfermedades y ese tipo de cosas. Y me dijo que sospechaba que entre ellos dos traficaban con albinos.

Ángela dejó el café sobre el platito y miró hacia la calle.

—Yo creo que Javier necesitaba hablar con alguien de todo aquello —dijo, y su mano volvió a juguetear con el paquete de cigarrillos—. A partir de ese día, fue como si se hubiese liberado, y no hacía más que hablarme de ese caso. Cada día me comentaba las novedades. Para mí era como mirar una telenovela.

—¿Y te dijo cómo llegó a enterarse de qué tenían que ver la chica albina, el pastor y el Cacique?

—Un amigo policía le consiguió una denuncia de la madre de la chica en contra del pastor. Lo acusaba de haberse querido propasar con su hija. Javier estaba convencido de que había alguna relación entre Maximiliano Velázquez y las personas albinas.

—¿Y el Cacique?

—Esa conexión la hizo el día que lo asesinaron.

Nos quedamos un rato en silencio. Ella, con la mirada perdida en el remolino de café que creaba con la cucharita. Después de darle un trago, me miró con ojos que se parecían a los míos muchas mañanas, después de soñar con Marina.

—Durante ese último tiempo, Javi y yo hablábamos por teléfono todos los días a la hora de la comida. Yo salía a mi descanso para almorzar y lo llamaba. A veces estaba en la redacción del diario, a veces escribiendo en casa, y otras en la calle, haciendo una entrevista para el bendito artículo.

Ángela levantó su teléfono de la mesa.

—Ese mediodía no me atendió. Yo después tuve una serie de reuniones en el trabajo y no volví a mirar el celular hasta las cinco de la tarde. Tenía doce llamadas perdidas y este mensaje de voz.

La mujer apretó un botón en la pantalla del teléfono, y oí a Javier Gondar hablar con la misma voz agitada con la que había grabado el video de YouTube.

—Hola Angie. ¿Dónde te metiste que no me contestás? Escuchame una cosa, esto es muy importante. Creo que cuando Velázquez venga a Comodoro la semana que viene, va a hacer una transacción por un albino con el Cacique de San Julián. Te quiero mucho, no te olvides.

Al terminar el mensaje, Ángela seguía con la mirada fija en el aparato.

—Esa fue la última vez que supe de Javier.

—¿Y nunca te enteraste de cómo hizo la conexión entre el Cacique y el pastor?

—No. Cuando llegué a casa encontré un DVD encima de la mesa y una nota en la que me decía que se iba al campo a confirmar un dato, y que si encontraba lo que esperaba encontrar tenía la historia completa del brujo y el pastor. Y que no me preocupara porque seguro que iba a estar todo bien, pero que si le llegaba a pasar algo subiera el video del DVD a YouTube.

Linda manera de decirle que no se preocupe, pensé.

—Y no supe nada más de él hasta la noche, cuando la policía vino a casa.

Ángela hundió el mentón en el pecho y se quedó mirando el borde de la mesa.

—Ángela —dije, poniendo mi mano sobre su antebrazo—, aunque te parezca imposible, entiendo cómo te sentís. Yo también perdí a alguien muy importante. Y de alguna manera es esa pérdida lo que me lleva a querer terminar lo que empezó Javier. Yo estaba ahí cuando murió Linquiñao.

La exnovia de Gondar levantó la cabeza y me miró con incredulidad.

—Espero que haya sufrido mucho. ¿Fuiste vos el que lo...?

—No, yo solo estaba ahí. Pero lo que vi me bastó para confirmar que Javier tenía razón. Linquiñao tenía secuestrado a un chico albino cuando lo encontramos.

—De eso no decía nada el diario.

—Es un secreto de la investigación de la policía. Por favor, que no salga de acá.

Ángela se pasó ambas manos por la cara.

—Javi tenía razón —se dijo a sí misma—. Ese hijo de puta traficaba con albinos.

—Sí —respondí—. ¿Vos le contaste a la policía que Javier sospechaba eso?

—Por supuesto. Al día siguiente de su muerte, el mismo policía que me dio la noticia volvió a tomarme declaración. Le dije todo lo que sabía.

Aquello me resultó extraño. La declaración de Ángela que yo había encontrado en la casa de Analía no mencionaba a Maximiliano Velázquez ni a Juan Linquiñao, ni hablaba de albinos desaparecidos.

—¿Y sabés quién era el policía con el que hablaste?

—Se llamaba Norberto Noriega. Era el amigo de Javi que le consiguió la denuncia contra el pastor por acoso. Bueno, no sé si amigo es la palabra. Jugaban juntos al paddle de vez en cuando.

Supuse que Noriega sería uno de los agentes a cargo de la investigación por parte de la policía de Santa Cruz. Memoricé el apellido para confirmarlo con Fernando.

—¿Y le entregaste a él los papeles de la investigación de Javier sobre Linquiñao y Velázquez? Fotocopias y ese tipo de cosas.

Ángela asintió.

—Sí. Aunque eran pocos, porque la mayoría de la información estaba en la computadora que le robaron la noche que lo asesinaron.

—¿Y te acordás qué decían?

—Más que nada eran papeles escritos a mano. Fechas y nombres garabateados y líneas que unían unos con otros. Creo que solo Javier era capaz de entenderlos.

—¿No hiciste una copia antes de dárselos a Noriega?

—Tenía cosas más importantes de las que ocuparme en ese momento. Ir a reconocerlo en la morgue, por ejemplo. O llamar por teléfono a su madre.

—Perdón —dije—. No te lo debería haber preguntado así.

—Con el tiempo sí que le pedí una copia a Noriega —prosiguió, restándole importancia a mi comentario con un movimiento de su mano—, pero la evidencia había empezado a viajar de juzgado en juzgado y él ya no tenía forma de acceder a ella.

—¿Y no habría nada en el email de Javier? Yo a veces me envío archivos a mí mismo como copias de seguridad.

—No sé. Nunca supe la contraseña.

—Si sos familiar directo podés pedirla. Tenés que presentar varios papeles, pero se puede —dije, y me pareció extraño que la policía no le hubiera hecho solicitarla durante la investigación.

—No lo sabía —respondió, sorprendida—. No estábamos casados, pero puedo decirle a la madre que la pida. Si encuentro algo relevante entre sus correos, ¿querés que te lo reenvíe?

—Sería buenísimo —dije, aunque dudaba que fuera a conseguir nada antes de que el pastor se presentara en Comodoro Rivadavia.

Solo faltaban siete días.

CAPÍTULO 52

Cuando me despertó el teléfono, el sol ya entraba de costado por la ventana de mi habitación.

—Hola.

—¿Durmiendo?

—¿Quién habla?

—Uh, recontra durmiendo. Bueno, arriba que ya son las nueve de la mañana. Tengo noticias para vos.

Era Fernando.

—¿Buenas o malas? —pregunté, pasándome una mano por la cara.

—No sé. Eso me lo vas a tener que decir vos después de que mires el correo que te acabo de mandar. Te tengo que dejar que me llaman por radio y estoy de servicio.

Al cortar el teléfono, se esfumó de repente el cansancio de haberme acostado a las cuatro de la mañana. Después de hablar con Ángela, me había pasado horas intentando entender unas páginas en inglés donde prometían enseñarte a *hackear* una cuenta de correo electrónico. Por más que lo intenté, no fui capaz de adivinar ninguna de las contraseñas de Javier Gondar.

Salté de la cama y abrí la computadora. Efectivamente, tenía un email de Fernando Orlandi cuyo asunto era *IMAGEN*, todo en mayúscula. El cuerpo del mensaje era únicamente un enlace a un archivo de casi dos gigabytes.

Mientras se descargaba, tuve tiempo para darme una ducha, preparar unos mates y comprar unos bizcochitos de grasa en el kiosco de Ángel. Desayuné mirando de reojo la pantalla. Cuando la barrita naranja llegó al cien por ciento, me abalancé sobre la computadora.

Efectivamente, la imagen contenía todos los datos guardados en el teléfono del Cacique. El pibe de los DVD había hecho un buen trabajo.

Lo primero que miré fueron los mensajes de texto. Había cientos, sobre todo de clientes. Algunos le agradecían por sus trabajos, y muchos otros le preguntaban por qué no habían funcionado. A los primeros, les contestaba que no había nada que agradecer, y que estaría encantado de volver a ayudar en cualquier ocasión tanto a ellos como a sus seres queridos. A los segundos, les decía que cuando un trabajo fallaba era casi siempre por falta de fe.

Después de una ojeada rápida a los mensajes, me concentré en los contactos. Cientos y cientos, que revisé uno a uno buscando un nombre que pudiera relacionar con el pastor Maximiliano.

Nada.

Finalmente, miré el historial de llamadas. El Cacique hablaba mucho con su madre y a una tal Fernanda que, según había visto en los mensajes, era su hija. También había llamado a varios clientes y a dos números que no estaban agendados.

Una búsqueda en Internet me reveló que uno de ellos pertenecía al Banco Patagonia. El otro era un celular con prefijo de Buenos Aires. Llamé a ese número con mi teléfono, pero una operadora me dijo que estaba apagado o fuera del área de cobertura. Intentaría de nuevo más tarde.

Examiné el resto de los datos en la imagen. Era impresionante todo lo que se podía aprender sobre una persona mirándole el teléfono. En el del Cacique convivían mensajes de familiares, fotos de clientes, podcasts de marketing y un montón de porno.

Documentos en sí, había pocos. Una hoja de cálculos con los turnos para su consultorio y, junto a cada sesión, un puñado de comentarios. Busqué la del viernes a las seis de la tarde de hacía dos semanas. Al lado de nuestros nombres falsos, Linquiñao había escrito: "Un genio. El tipo se come a la cuñada y lo hace pasar por un trabajo de magia negra".

Cerré la hoja de cálculos e hice doble clic en un archivo llamado "llavemaestra.txt". Leer las cuatro líneas que contenía fue como ganarme la lotería.

Gmail: "SanJulian1961"
Facebook: "Comodoro1982Rivadavia"
Mercado Libre: "SanJulian1982"
Banco Patagonia: "Comodoro1961Rivadavia!"

Con una sonrisa en la cara, dije en voz alta una frase que año a año repetía en el aula cuando enseñaba seguridad digital.

—Una cadena es tan fuerte como el más débil de sus eslabones.

Después de soltarles aquella frase, generalmente les daba un pequeño sermón explicándoles que no servía de nada elegir contraseñas complicadas si las iban a tener escritas en un papelito pegado al monitor. Aquel pequeño archivo de texto era el papelito, y para colmo se llamaba *llavemaestra*.

Me metí al correo del Cacique. Tenía cincuenta y dos mensajes no leídos, todos irrelevantes. En su mayoría, consultas sobre el precio de sus servicios y preguntas sobre magia negra.

Ejecuté una búsqueda entre los correos viejos. Albino, cero resultados. Albina, tampoco. Tanzania, nada. ¿Qué más?, me pregunté. Algo tenía que haber, seguro. Casi siempre hay suficiente información en el correo de una persona como para extorsionarla de por vida.

Entonces recordé las palabras del Cacique antes de morir. *Calaca va a estar furioso*.

Calaca, siete resultados.

CAPÍTULO 53

Los siete mensajes que contenían la palabra "Calaca" eran idénticos, y los enviaba un tal *F2F-Anywhere*. Estaban escritos en texto plano, sin formato. El asunto era "Tienes un mensaje nuevo de Calaca". Leí lo mismo por séptima vez al abrir el último.

Hola ChoiqueMagico,
Te informamos que Calaca te ha dejado un mensaje.
Saludos.
F2F-Anywhere - o3e45rfm.ad

El mensaje venía de asdf@asdf.com. Una dirección falsa, sin duda, generada usando las primeras cuatro letras de la fila del medio del teclado. Una especie de *Lorem Ipsum* de los programadores. Por otra parte, la dirección IP de la que había sido enviado correspondía a Somalia. Un proxy, seguramente. Quien había enviado aquel mensaje sabía cómo evitar ser rastreado.

Busqué en Google quién era ese tal *F2F-Anywhere* que anunciaba los mensajes de Calaca. Solo obtuve dos resultados. El primero era un foro de hackers en español, donde un tal Tremebundo preguntaba si alguien sabía qué era *F2F-Anywhere*. El segundo era exactamente el mismo mensaje traducido al inglés y publicado en uno de los foros de seguridad informática más grandes del mundo. Nadie había respondido a ninguno de los dos.

Volví al correo electrónico de Linquiñao. Al final del mensaje, junto a la firma, había una secuencia de caracteres extraña. Me hubiera parecido aleatoria de no ser porque uno de mis mejores amigos había pasado una temporada enseñando esquí en Andorra y de vez en cuando me enviaba alguna noticia de allí. Las webs de ese pequeño país terminaban en *.ad*.

Copié la cadena de caracteres en el navegador, y apareció

frente a mí una pantalla blanca pidiéndome autenticación. Supuse que el nombre de usuario de Linquiñao sería ChoiqueMagico, a quien iban dirigidos los siete correos electrónicos. En cuanto a la contraseña, no tuve suerte con ninguna del archivo "llavemaestra.txt".

Observé el contenido del archivo durante un rato. El Cacique siempre usaba el mismo patrón para construir las contraseñas. Su lugar de nacimiento o el de residencia, y luego un año. Entonces reparé en que la contraseña del banco tenía un signo de admiración al final porque los sitios webs más seguros requerían contraseñas que incluyeran caracteres no alfanuméricos. Supuse que *F2F-Anywhere* exigiría lo mismo a sus usuarios.

Agregué un signo de admiración al final de la primera contraseña y en la pantalla apareció un cartel de letras negras.

> *Bienvenido a F2F-Anywhere. Recuerda que esta red "friend to friend" existe con el simple propósito de facilitar un canal de comunicación encriptado y fuera del alcance de los motores de búsqueda de la WWW. Te recordamos las únicas dos reglas:*
>
> *1) No hay censura. Cualquier tipo de mensaje será publicado tal y como lo envíe el usuario.*
>
> *2) El usuario es el único responsable de los contenidos publicados.*

Debajo de este mensaje, había un botón con la palabra "Ingresar". Hice clic.

Aunque jamás había sentido hablar de *F2F-Anywhere,* conocía las redes *friend to friend.* Estaban compuestas por un grupo de *amigos* que confiaban entre sí y se comunicaban únicamente con conexiones encriptadas punto a punto. La tecnología en sí no era ilegal, pero su naturaleza segura y fuera del alcance de los motores de búsqueda hacía que el contenido muchas veces lo fuera.

La pantalla a la que pasé era una mezcla entre foro y cliente de correo electrónico. En la parte de arriba se mostraban mensajes públicos, que podían leer todos los usuarios. En la de abajo estaban los privados de ChoiqueMagico. O sea, el Cacique de San Julián.

Tenía tres sin leer, todos de Calaca. El primero era de hacía ocho días.

Llegamos a Comodoro Rivadavia dentro de dos semanas. El jueves. Dígame dónde nos encontramos para arreglar lo del albino. Llevo los 6.000 dólares en efectivo. Calaca.

El segundo mensaje había sido enviado cinco días más tarde.

No he recibido respuesta a mi mensaje anterior. La semana que viene estamos en Comodoro y el transporte está arreglado. En fin, todo listo. Dígame donde nos encontramos.

El tercero llevaba menos de tres horas en la bandeja de entrada.

¿Dónde se metió? ¿Sigue en pie lo del jueves?

El tal Calaca prácticamente se acababa de conectar para mandarle ese mensaje al Cacique. Aquello significaba que aún no se había enterado de que el brujo había muerto de dos balazos hacía diez días, y todavía creía que se encontraría con él este jueves.

Ese era el día anterior a la presentación de Maximiliano Velázquez en Comodoro.

CAPÍTULO 54

Leyendo los mensajes viejos del Cacique, descubrí que el brujo utilizaba el portal *F2F-Anywhere* exclusivamente para comunicarse con Calaca. El contacto lo había iniciado Linquiñao el 2 de noviembre de 2012, hacía diecinueve meses.

Estimado Calaca,
Un colega me comentó sobre su pedido. Yo puedo conseguirle un varón, cuarenta y dos años, completamente albino. Menos de 6.000 dólares no puedo aceptar.
Quedo a su disposición.
ChoiqueMagico

La respuesta había tardado apenas una hora en llegar.

Hola ChoiqueMagico
Llegamos a Comodoro en algo menos de un mes. Sería ideal encontrarnos el martes 27 de noviembre y me lo muestra. ¿Usted tiene un lugar donde podamos juntarnos?
Calaca

El Cacique le había respondido dos días más tarde, el 4 de noviembre de 2012.

Sí, yo le aviso dónde nos encontramos cuando se acerque la fecha y tenga al hombre.

Y tres semanas más tarde, lo había vuelto a contactar.

Ya tenemos todo listo. Usted llega en tres días, si no me equivoco. Nos encontramos al pie del Pico Salamanca, a unos treinta kilómetros de Comodoro. Va adjunto un mapa con el lugar exacto.

Abrí el archivo y reconocí el camino de ripio que bordeaba la costa al norte de Caleta Córdova. Una de las pocas curvas de aquel tramo estaba marcada con un círculo rojo. Si la memoria no me fallaba, era el lugar donde estacionaba la poca gente que decidía hacer el ascenso al pico. Un sitio remoto pero a su vez fácil de encontrar en un mapa. Ideal para un chanchullo como aquél.

Calaca había aceptado el lugar de encuentro con un mensaje breve. Y un día antes de la fecha acordada, el Cacique le había vuelto a escribir.

> *Calaca,*
>
> *Sucedió algo de fuerza mayor. Tengo al hombre, pero también a un periodista respirándome en la nuca. No sé cómo, pero sospecho que se enteró de nuestra transacción. O le falta poco. Vamos a tener que cambiar los planes.*
>
> *Anoche logré perderle la pista. Fui adonde tengo al tipo y le dejé víveres como para una semana. Le adjunto un mapa para encontrar el lugar. Es una pequeña torre de piedra que se utilizaba para abastecer de agua al tren. Está totalmente abandonada y en medio del campo. El hombre está encadenado y no puede salir. Las llaves del candado están debajo de una rueda de tren, junto a la puerta de la torre.*
>
> *Con suerte, a ese periodista no le queda mucho tiempo. Hoy le hice el trabajo de magia negra más potente que he practicado en mi vida. No me extrañaría que cayera muerto esta semana. Salgo esta noche para Buenos Aires, porque me conviene estar lo más lejos posible cuando eso pase.*
>
> *En cuanto al pago, ya arreglaremos. Ayer hablé con la persona que me puso en contacto con usted y me garantizó que su palabra es más válida que un contrato firmado. Espero que así sea.*
>
> *Saludos*
>
> *ChoiqueMagico*

Aquel mensaje me tomó por sorpresa. El Cacique realmente le había hecho un trabajo de magia negra a Gondar y, a juzgar por sus palabras, se lo tomaba en serio. Yo estaba convencido de que el brujo no era más que un estafador, sobre todo después de que se comprobó que las pociones que les daba a sus pacientes eran agua con colorante. Entonces recordé una conversación que había tenido con Gaby el día que le conté por primera vez la idea de *Cazador de Farsantes*.

—El objetivo de la página sería publicar cámaras ocultas exclusivamente de gente que yo pueda comprobar que miente —le había dicho—. Si el tipo se lo cree de verdad, entonces lo dejo en paz. No me interesa demostrar que la brujería no existe, sino que hay mucho charlatán suelto.

Gaby, me había escuchado con una sonrisa de media boca.

—¿Y qué vas a hacer con los que se lo creen a medias? Los que "decoran" sus sesiones con palabras exóticas u objetos extraños para lograr un mayor impacto en los clientes. Utileros, los llamo yo.

En aquel momento, mi cerebro de programador acostumbrado a valores binarios se había negado a contemplar aquella posibilidad. Para mí había solo dos categorías: los que se lo creían y los que mentían a la gente por dinero. A los utileros, los metía en este último grupo.

Gaby se había encogido de hombros y me había dicho que quizás tenía razón, pero que en ese caso un médico que le administraba un placebo a un paciente caía en la misma categoría. Claro que no, había protestado yo, pero nunca llegamos a un acuerdo.

Continué leyendo los mensajes. Tres días más tarde, Calaca le respondía al Cacique.

> *Tengo al hombre. Todo correcto. Ya no estamos en Comodoro. Si usted sigue por Buenos Aires, avíseme y nos juntamos para arreglar el pago.*
>
> *PD: Creo que su magia negra funcionó. Ya no tiene que preocuparse por el periodista :)*

En el silencio de mi casa, podía escuchar mi corazón golpeándome el pecho. En ese último mensaje probablemente estaba la explicación de qué había pasado realmente con Javier Gondar. Por una parte, el Cacique le había hecho realmente un trabajo de magia negra y, convencido de que funcionaría, se había ido a Buenos Aires. Calaca, por otro lado, sí que estaba en Comodoro cuando murió Gondar. Supuse que le habría parecido peligroso dejar abierta la posibilidad de que el periodista terminara llegando hasta él. Quizás Javier Gondar se había equivocado, pensé, y el Cacique no había sido su asesino.

Seguían unos mensajes cortos, poniéndose de acuerdo para encontrarse en un bar de Buenos Aires. Luego ya no había habido más contacto, al menos a través de *F2F-Anywhere*, entre Calaca y ChoiqueMagico durante un año y medio. La comunicación se reanudaba un mes atrás.

> *Hola ChoiqueMagico. Vuelvo a Comodoro dentro de unas semanas. Necesito otro. Pago lo mismo.*

El Cacique le había contestado con rapidez, indicándole que él se encargaría de conseguirle un albino. Dos semanas más tarde, le explicaba que ya tenía uno y que cuando Calaca estuviera en Comodoro le avisaría dónde encontrarse. Lo siguiente eran los mensajes que el Cacique no había llegado a ver.

Hice clic sobre el botón "Responder" debajo del mensaje que había enviado Calaca hacía tres horas.

> *Calaca,*
>
> *Tuve un pequeño problema personal. Hace una semana me atropelló un coche y acabo de salir del hospital, por eso es que no le pude contestar antes.*
>
> *Por supuesto que sigue en pie lo del jueves. Me gustaría que nos juntáramos a las 7:00 a.m. en el lugar que señalo en el enlace debajo de este texto.*
>
> *Espero confirmación.*
>
> *ChoiqueMagico*

Bajo la firma, incluí un mapa a un lugar en el medio del campo que yo conocía muy bien. Me quedé un buen rato con la mirada fija en el botón "Enviar" antes de apretarlo.

CAPÍTULO 55

—Cuidámelo, pibe —dijo el pastor tirándole las llaves del Audi al botones que lo salió a recibir. Luego abrió el baúl y sacó una pequeña valija con ruedas.

Arrastrándola, Maximiliano Velázquez atravesó el lobby palpándose los bolsillos del traje hasta encontrar su billetera. Se detuvo frente a dos recepcionistas de pestañas largas y pelo atado a lo bailarina de tango.

—Buenos días, ¿en qué podemos ayudarlo? —dijo una, sonriendo.

El pastor puso su DNI sobre el mostrador y lo empujó hacia ella.

—Suite presidencial. Cuatro días —dijo.

Sus palabras hoscas desdibujaron la sonrisa de la recepcionista. Después de intercambiar una mirada rápida con su compañera, agarró el DNI.

—¿Tiene reserva, señor Velázquez? —preguntó, mirando la pantalla frente a ella.

—Por supuesto.

—Perfecto, entonces —le respondió la chica con una sonrisa cortante—. Ya le doy las llaves. Bienvenido a Comodoro Rivadavia.

CAPÍTULO 56

De brazos cruzados Fernando parecía aún más musculoso. Recorrió una vez más con la mirada los papeles desparramados sobre la pequeña mesa, deteniéndose de vez en cuando para releer alguno.

Nos habíamos encontrado hacía media hora en el café del Hotel Austral y acababa de mostrarle todo lo que había descubierto gracias a la imagen del teléfono del Cacique. A excepción del tintineo de tazas y el zumbido de la moledora de café que nos llegaban desde lejos, nuestra mesa estaba tan en silencio como una partida de ajedrez.

—Pero entonces desapareció un hombre albino en Comodoro hace más de un año y medio… —dijo al fin, señalando el mensaje en el que Calaca avisaba al Cacique que ya tenía al muchacho.

—¿Vos conocés a un tal Norberto Noriega?

Por la forma en la que Fernando arqueó las cejas, la pregunta lo tomaba por sorpresa.

—Sí. Es uno de los policías de Santa Cruz a cargo de la investigación del asesinato de Gondar. Bueno, ex-policía en realidad. Lo echaron hace como medio año.

—¿Lo echaron?

—Sí. Corrupción. Le comprobaron que aceptó guita para destruir evidencia del caso del robo al Banco Sur.

—Ayer estuve con Ángela Goiri. Me dijo que no solo le habló a Noriega de que su novio creía que Maximiliano Velázquez le iba a comprar un albino al Cacique en Comodoro, sino que además le entregó unos papeles con notas sobre el caso escritas de puño y letra de Gondar.

Fernando parecía genuinamente sorprendido.

—En la declaración de ella que yo leí no había nada de eso

—dijo—. De hecho, no aportaba nada. Decía que casi nunca hablaba de trabajo con su pareja, y que no había notado nada raro antes de encontrar el DVD con la nota pidiéndole que publicara el video en Internet.

—¿Vos tenés forma de contactar con Noriega?

—No —dijo Fernando—. Se mató antes del juicio por lo del banco, cuando se vio venir que terminaba preso sí o sí. A los policías no nos tienen mucho cariño ahí adentro.

—¿Y vos creés que ese tipo pudo haber sido capaz de alterar la declaración de Ángela Goiri?

—Después de lo que se destapó, no me extrañaría. ¿Pero, por qué iba a hacer algo así?

—Para cubrirse las espaldas. La mujer me dijo que él y su marido eran conocidos. ¿Vos sabías que Noriega le consiguió a Gondar una copia de la denuncia que la madre de Estefanía Palacio hizo contra el pastor en La Rioja?

—No. No tenía ni idea.

—Quién sabe qué otros documentos le habrá vendido. Capaz que Noriega tenía miedo a que Analía y vos lo descubrieran.

—¿Entonces Gondar sabía lo de los albinos? —preguntó.

—Lo sospechaba, al menos.

—Pero no hubo ninguna denuncia sobre la desaparición de este hombre —dijo Fernando—. Y eso no puede haber sido la mano de Noriega, porque él era de la policía de Santa Cruz. Las investigaciones de personas desaparecidas en Comodoro las coordino yo directamente.

—Quizás el albino no era de acá —especulé—. A lo mejor el Cacique lo secuestró en algún pueblo vecino. Sarmiento, Deseado, Caleta.

Fernando frunció los labios.

—Puedo preguntar, pero incluso si era de otro lado, nos habríamos enterado. Comodoro es la ciudad más grande de la región y cuando pasa algo así nos suelen avisar para que estemos atentos. Y aunque hubiera sido en Santa Cruz, ningún policía, por más corrupto que sea, puede ocultar una denuncia así. Los familiares de la persona perdida casi siempre terminan saliendo en los medios.

—¿Y entonces de dónde sacó el Cacique a ese hombre?

—No sé.

—Esto hay que denunciarlo —dije, señalando las copias de los mensajes entre el Cacique y Calaca.

Fernando apoyó los codos en la mesa y se inclinó hacia mí antes de hablar.

—Ricardo, por mí vamos a la comisaría ahora. Hasta te tomo declaración yo mismo si querés. Pero, conociendo al comisario, eso no va a ir a ningún lado. No quiere saber nada que venga de Analía.

—Pero esto viene de mí. Lo descubrí yo.

—A esta altura, para Altuna es lo mismo. Odiaba a Analía y después del otro día a vos también te tiene entre ceja y ceja.

—¿Y si le presentás vos estos mensajes? Podés decirle que los encontraste en el teléfono del Cacique.

—No es boludo. Sabe que soy casi un analfabeto tecnológico y que pido un forense informático de la Federal hasta para desarmar una radio a pilas.

—Pero de alguna forma tenemos que hacerle llegar la información.

—Ricardo —me interrumpió—, vos ya hablaste con el comisario, y el tipo no quiso saber nada.

—Porque no teníamos pruebas concretas. Pero esto cambia todo —dije, señalando los papeles sobre la mesa—. Estos mensajes incriminan al Cacique y al pastor en el secuestro de albinos.

Fernando alzó las palmas en señal tranquilizadora. Luego enumeró sus frases agarrándose con una mano los dedos de la otra.

—A ver. En primer lugar, el Cacique ya está relacionado con el secuestro de albinos, así que eso no cuenta. Además, está muerto. En segundo lugar, estos mensajes no incriminan al pastor para nada. El que los firma es un tal Calaca. La relación con el pastor viene de conjeturas tuyas.

—No son conjeturas. Es un análisis con rigor estadístico. No puede ser casualidad que haya tantos albinos desaparecidos en el mismo momento y lugar en los que el pastor hizo sus presentaciones. Y además está el email al servicio de denuncias anónimas de la policía.

—Yo solo intento decirte que, desde el punto de vista de la evidencia, no cambió nada entre la última vez que fuiste a ver al comisario y ahora. En Comodoro, el único albino desaparecido de carne y hueso es Lucio, y el culpable está muerto. Altuna no va a mover un dedo aunque le lleves estos mensajes. Si no hay una denuncia sobre el tipo que se perdió hace casi dos años, no te va a creer.

—¿Y vos?

—¿Yo qué?

—¿Vos me creés todo esto que te estoy contando?

—Claro que te creo, igual que le creía a Analía. Si no, ¿te pensás que hubiera puesto en peligro mi trabajo dándote todos los datos del teléfono?

—Entonces hagamos algo, Fernando. Sea o no el pastor, hay un hijo de puta suelto que está haciendo desaparecer a gente inocente. Y si no fuera por él, Analía no habría muerto.

Cuando dije eso, percibí una expresión de tristeza en su mirada. Duró solo un instante, pero parecía dolor genuino. Me pregunté si con la muerte de Analía, Fernando había perdido algo más que una compañera de trabajo.

—Yo tengo un plan —dije al fin—. ¿Me vas a ayudar?

—Como civil, todo lo que quieras. Como policía, no puedo.

—Un policía es policía las veinticuatro horas del día.

—A ver ese plan —dijo Fernando, resignado.

CAPÍTULO 57

Nunca supe cómo había llegado ese vagón de pasajeros al medio del campo. No había vías ni almacenes a su alrededor. Apenas un camino de tierra en medio de la meseta gris y, al costado, aquella caja enorme de hierro oxidado, madera reseca y vidrios rotos.

Calculé que hacía veinte años que no iba a ese lugar. A medida que nos acercábamos en mi coche, me venían a la mente los veranos de mi infancia, cuando yo todavía vivía en Puerto Deseado. Cada vez que íbamos a visitar a los parientes de Comodoro, mi tío Eduardo nos llevaba a todos los primos a acampar una noche al reparo del vagón abandonado.

—Estacionate justo ahí —me indicó Fernando, señalando una de las ruedas oxidadas, enterrada hasta el eje en la tierra seca.

Al bajarnos, una ráfaga helada me golpeó la cara. Tres grados bajo cero, según la radio.

—Espero que no se me vuele esto —dije, tocándome la peluca negra que llevaba debajo de una boina, al estilo Che Guevara.

Fernando ignoró mi comentario. Sacó la nueve milímetros de la cintura y revisó el cargador. Antes de hablar, giró de a poco sobre sí mismo, observando los trescientos sesenta grados de horizonte plano. No había nada ni nadie en kilómetros a la redonda. Lo único que se movía era una chapa del techo del vagón que rechinaba con el viento, a punto de desprenderse.

—Repasemos el plan una vez más —dijo mientras abría el baúl del coche y me tiraba uno de los chalecos antibalas.

—¿Otra vez?

El plan era sencillo, pero Fernando llevaba tres días tomándome examen. Incluso habíamos ido dos veces al vagón para asegurarnos de que era el lugar adecuado para lo que íbamos a hacer.

—Sí, otra vez.

—Vos te escondés adentro del vagón y yo me quedo en el auto —dije—. Cuando venga el pastor, le digo que soy el sobrino del Cacique.

—¿Le mandaste el mensaje esta mañana?

—Por supuesto —respondí, mientras me ponía una campera de plumas sobre el chaleco antibalas.

Una hora atrás, a las cinco y media de la mañana, lo primero que había hecho después de apagar el despertador —con los ojos abiertos, porque no había podido dormir en toda la noche— fue enviarle un mensaje a Calaca a través de *F2F-Anywhere* desde la cuenta del Cacique. Le decía que había tenido que volver de urgencia al hospital por una complicación grave, pero que enviaría en mi lugar a mi sobrino, que era de total confianza.

—¿Y qué más le vas a decir? —preguntó Fernando.

Me metí la mano al bolsillo y saqué un papel doblado en cuatro y un llavero de metal enorme con una única llave dorada.

—Que mi tío me dijo que le entregara esto.

—¿Y si te pregunta sobre el albino?

—Le digo que no sé nada, y que mi tío me dijo que por cualquier cosa lo contacte a él.

—Perfecto. ¿Y si la situación se complica?

—Dejo caer el llavero al suelo y vos salís apuntándolo con la pistola.

—Bien, pero solo como último recurso. Si le pego un tiro a alguien acá, sin estar de servicio, como mínimo pierdo el puesto de trabajo. Y probablemente voy preso.

—No va a hacer falta —dije, guiñándole un ojo y poniéndome los anteojos con cámara oculta incorporada.

La idea era simple: filmar al pastor intentando comprar un albino. Entre los mensajes en *F2F-Anywhere* y la relación entre las giras y las desapariciones que yo había descubierto, teníamos todo listo para involucrar a Maximiliano Velázquez. Solo nos faltaba evidencia de que él y Calaca eran la misma persona. Mi único trabajo era filmarle la cara por unos segundos en ese momento y en ese lugar.

—¿Estás seguro de que querés hacer esto? —preguntó Fernando—. Mirá que si sale mal…

—Y si sale bien le salvamos la vida a mucha gente a la que

estos hijos de puta quieren vender en pedacitos.

Fernando me dio una palmada en el hombro, se calzó su chaleco antibalas y se metió dentro del vagón.

Yo me subí al Corsa, pero fui incapaz de durar diez minutos quieto. Además, el kevlar del chaleco me resultaba más incómodo estando sentado. Salí y caminé de un lado al otro, mirando de vez en cuando el vagón abandonado. Era imposible descubrir a Fernando.

Pasaron veinte minutos larguísimos hasta que vi una diminuta nube de polvo en el horizonte. Respiré hondo y me apoyé en el capó del Corsa intentando una postura relajada.

—Vos tranquilo —oí que gritaba Fernando desde el vagón.

A medida que la nube de polvo se acercaba, el punto brillante que la causaba se fue transformando en una Toyota Hilux gris de vidrios oscuros. Venía por el medio de la ruta a toda velocidad.

Se detuvo a unos veinte metros de mi coche, y yo levanté la mano para saludar. No hubo respuesta. La Hilux permaneció allí, detenida y con el motor encendido. Los vidrios polarizados me impedían ver quién iba dentro, o cuántos.

Hice el amago de empezar a caminar hacia ellos, pero Fernando me chistó desde dentro del vagón. Había sido bien claro en ese sentido: no me podía alejar de él.

Volví a levantar la mano e hice señas a la camioneta para que se acercara hacia mí. Hubo unos segundos de silencio y luego la ventanilla del conductor bajó apenas diez centímetros. Tiene un arma, pensé, y di unas zancadas para refugiarme detrás de mi coche.

Sin embargo, lo que asomó no fue una pistola sino una mano enfundada en un guante, que lentamente desplegó el dedo mayor. *Fuck you*, decía.

La ventanilla volvió a subir y el motor de la Hilux dio un rugido. Las ruedas escarbaron en el ripio mientras el vehículo daba una vuelta tan brusca que algunas de las piedras que levantó llegaron casi hasta mi coche. Lo vi alejarse a toda prisa.

—Metete al auto. Rápido, metete al auto —gritó Fernando, que había salido del vagón y corría hacia mí.

CAPÍTULO 58

Cuando Fernando llegó al Corsa, yo ya lo había puesto en marcha.

—Pasate al lado del acompañante, que yo manejo —me dijo, abriendo la puerta del conductor—. Dale, que se nos escapan.

Todavía no había terminado de cruzarme al otro asiento cuando las piedras que levantaban los neumáticos golpearon la chapa bajo nuestros pies.

—Se olió algo. Por eso dio la vuelta —dijo Fernando con la mirada puesta en la Hilux, que nos llevaba medio kilómetro.

—A lo mejor te vio escondido en el vagón.

—No creo. Pero hubo algo que no le dio buena espina.

Sin quitarle los ojos de encima, Fernando sacó del bolsillo su teléfono y marcó tres números.

—Soy el inspector Fernando Orlandi en persecución de vehículo con sospechoso de trata de personas. Necesito todas las unidades atentas a una Toyota Hilux de color gris oscuro y vidrios polarizados, matrícula FTA812. Foxtrot. Tango. Alfa. Ocho. Uno. Dos. La ubicación actual es un camino de ripio veinte kilómetros al sur de Rada Tilly. Se dirige hacia la intersección con la Ruta Tres. Posiblemente irá en dirección norte, hacia Comodoro. Desconozco el número de personas dentro del vehículo.

El policía tiró el teléfono entre mis piernas y apretó el acelerador.

Como había predicho, al llegar al asfalto la Hilux giró hacia la izquierda. Una movida lógica. De haber ido hacia el sur, la detendrían en el control policial de la frontera entre las dos provincias. Yendo hacia el norte, en cambio, tenía más posibilidades de perdernos al llegar a la ciudad.

—Llamá al número que marqué recién y poneme el manos

libres —me indicó Fernando.

—Orlandi de nuevo. Confirmado, la Toyota Hilux se dirige por Ruta Tres, dirección Rada Tilly. Voy aproximadamente un kilómetro por detrás en un vehículo particular. Un Chevrolet Corsa de color negro. Envíen un móvil urgente a la entrada de Rada Tilly.

El lugar que había mencionado Fernando era la última oportunidad de cerrarle el paso a la Hilux antes de que la ruta le empezara a ofrecer escapatorias. Una vez alcanzado Rada Tilly, se podía meter al balneario o seguir para Comodoro por dos caminos diferentes. Y en cada uno, se le abrirían calles por las que desviarse y perdernos.

Permanecimos en silencio durante varios kilómetros, con los ojos fijos en la camioneta. De vez en cuando yo miraba de reojo el velocímetro. La aguja no bajaba de ciento setenta kilómetros por hora.

Al doblar la última curva antes del acceso a Rada Tilly, Fernando señaló hacia adelante.

—Cagó —dijo con una sonrisa en los labios.

Al final de la larga recta, dos patrulleros con las luces azules encendidas cortaban el tráfico, atravesados en la ruta. Dos policías recostados sobre el capó de los vehículos empuñaban sus armas con ambas manos. Entre ellos, un tercer agente revoleaba los brazos en el aire, haciendo señas a Calaca para que se detuviera.

Las luces de freno de la Hilux se encendieron por un instante, pero volvieron a apagarse, y la camioneta aceleró hacia los patrulleros. Cuando estuvo a menos de cien metros, viró un poco hacia la derecha y la vimos pasar por la cuneta, a menos de un palmo del paragolpes de unos de los coches de la policía. Los oficiales que empuñaban las armas continuaron apuntándole mientras se alejaba, pero no dispararon una sola bala.

—Cagones —masculló Fernando, esquivando a sus compañeros de la misma manera que lo había hecho la Hilux.

Pasando Rada Tilly, el tráfico de la mañana ya se empezaba a poner denso, y las posibilidades de causar un accidente aumentaban con cada kilómetro. Zigzagueando entre coches y camionetas, la Hilux por momentos desaparecía de nuestra vista.

—Ahí —dije después de haberla perdido durante unos

segundos.

Calaca iba delante de un ómnibus de larga distancia, y se aproximaba al semáforo de la esquina del Liceo Militar. Al ver que la luz cambiaba de rojo a verde, giró bruscamente a la izquierda para meterse por la calle Estados Unidos. El tráfico que venía en sentido contrario nos bloqueó el paso por completo. Con un concierto de bocinas a nuestras espaldas, lo vimos alejarse a toda velocidad por la calle ancha.

—Mierda —fue todo lo que dijo Fernando, tirándose hacia el otro lado de la ruta y buscando con la mirada un lugar para estacionar.

CAPÍTULO 59

Fernando se terminó el tercer café de un trago y volvió a mirar la pantalla de su teléfono. Llevábamos más de una hora sentados en su oficina de la comisaría. Después de perder a la Hilux en el semáforo, dimos vueltas por todas las calles del barrio Roca antes de darnos por vencidos.

El teléfono se iluminó, y el policía atendió antes de que el aparato emitiera algún sonido.

—Hola. Sí. ¿Dónde? ¿Y cómo no me avisaron antes? Me importan un carajo sus excusas, sargento.

Fernando hizo el amago de estrellar el teléfono contra la mesa, pero se detuvo a diez centímetros.

—La Hilux era robada. La acaban de encontrar abandonada con la llave puesta y la puerta abierta en el barrio Ceferino.

Mientras decía esto, Fernando escribía en el teclado de su computadora con los dedos índices.

—Son unos incompetentes de mierda —dijo, señalando la pantalla—. La denuncia por robo la hizo un tipo hoy a las siete y media de la mañana. Son las nueve y media y recién ahora me vengo a enterar.

—¿Y qué dice la denuncia?

—No mucho. Juan Belli, treinta y cinco, salió de su casa en la calle Moreno para ir a trabajar y la camioneta no estaba donde la había dejado estacionada.

—¿Moreno? Esa es la calle del Lucania, el hotel donde se aloja el pastor —dije, recordando los detalles de la reserva de la suite presidencial escritos al margen en uno de los papeles de Analía.

Fernando movió la cabeza lentamente, con la vista todavía en la pantalla.

—Lo tuvimos ahí —dijo—. Era él, claro que era él. No sé

cómo carajo se dio cuenta.

—¿Y no podés ir al hotel e interrogar al pastor?

—¿Y qué le digo? ¿Que no tengo ninguna prueba pero sospecho que está metido en el tráfico de personas?

—¿Entonces qué se puede hacer?

—Nada. Ahora no podemos hacer nada.

Habíamos estado tan cerca de agarrarlo con las manos en la masa, pensé. Aunque filmarlo no habría sido suficiente para probar nada ante un juez, al menos habría convencido a cualquiera con dos dedos de frente, incluyendo a Altuna, de que el pastor era el monstruo que buscábamos.

—No nos podemos quedar de brazos cruzados, Fernando.

—No. Voy a pedir que analicen la Hilux para ver si hay alguna huella digital.

—La mano que sacó por la ventanilla estaba enfundada en un guante —le recordé.

—A lo mejor se lo sacó en algún momento. O capaz que había más de una persona en la camioneta.

—¿Y eso cuánto tarda?

—Por lo menos una semana.

—Fernando —dije mirándolo a los ojos—. Mañana a la noche este tipo hace su presentación y el sábado ya no le volvemos a ver el pelo.

El policía respiró hondo antes de responderme. Supuse que no estaba muy lejos de perder la paciencia.

—¿Y qué querés que hagamos? Hay veces que no se puede hacer nada, ¿entendés?

—Yo creo que todavía hay una posibilidad —dije.

—¿Ah, sí?

—Sí. Sabemos que Velázquez vive en Buenos Aires, cerca de donde encontraron muerta a Marcela Salgado. Por la forma en que estaba mutilada, es probable que la secuestraran para hacer brujería. También sabemos que el pastor se iba a encontrar con el Cacique para comprarle a Lucio y llevárselo a Buenos Aires.

—¿Adónde querés llegar?

—A que si el pastor quisiera los albinos para hacer brujería para él, ¿no sería mejor hacerla acá en vez de exponerse a transportar una persona secuestrada miles de kilómetros? Sobre todo después de que encontraron a Marcela Salgado cerca de donde él vive.

—¿Vos creés que no es él quien mata a los albinos?

—Yo creo que no los mata *para* él. Creo que hay alguien en Buenos Aires esperando a que el pastor le lleve un albino. Clientes con los que hace sesiones privadas, por ejemplo. Gente dispuesta a pagar mucha guita por algo que Velázquez acaba de perder.

—¿Qué estás proponiendo?

—Que si quiere un albino, se lo demos.

CAPÍTULO 60

Cuando salí de la ducha, me froté la toalla en la cabeza y volví a sentir el olor a amoníaco. Hice un círculo con la mano en el espejo empañado del baño y me devolvió la mirada un Ricardo de pelo completamente blanco. Me acerqué un poco más y me miré las cejas.

Sonreí. La tintura había funcionado a la perfección.

Caminé desnudo hasta mi habitación y me senté en la cómoda donde nos habíamos preparado con Ariana al empezar todo esto. Miré la cajita de plástico de las lentes de contacto por las que unas horas atrás había pagado una pequeña fortuna. Aunque había leído que existían casos de albinos con ojos marrones como los míos, el color más común era el celeste.

La sensación al ponérmelas no fue tan horrible como había imaginado. Empecé por el ojo izquierdo, y tuve que intentarlo un par de veces hasta que logré no pestañear antes de que la lente tocara el iris. La segunda fue más fácil.

El espejo me devolvió una mirada ajena. Pelo blanco, ojos celestes. Faltaba el toque final y quedaría perfecto.

Abrí el maletín de aluminio con el maquillaje. Después de borrarme un lunar en la barbilla con corrector de ojeras, agarré una esponjita redonda y apliqué sobre mi cara una capa de base clara. Por primera vez desde que había comprado aquel set de maquillaje para hacer los videos de mi web, abrí el pequeño frasquito de rímel blanco.

Vistas muy de cerca, las pestañas se notaban pintadas, pero el resto del maquillaje me pareció perfecto. Me levanté de la silla y me vestí con un pantalón beige y una camisa blanca.

Metí una tarjetita de memoria vacía en los anteojos con cámara oculta y me los calcé sobre el puente la nariz. Esta vez, además de filmar me ayudarían a darle veracidad a mi personaje.

Según había leído, la mayoría de la gente con albinismo tenía problemas de visión.

Fernando tocó el timbre a las cuatro y media de la tarde. Llegaríamos al club Huergo con dos horas de antelación, suficiente para conseguir un asiento cerca del escenario.

CAPÍTULO 61

La cola para entrar al gimnasio del club Huergo doblaba en dos esquinas. Cientos de personas, en su mayoría mujeres mayores, esperaban a que abrieran las puertas para conseguir un lugar lo más cerca posible del pastor Maximiliano. Muchas de ellas bebían café en vasos de plástico.

Mientras caminaba junto a la gente, buscando el final de la cola, noté que varias miradas se desviaban hacia mi cabeza. Algunas lo hacían con más disimulo que otras.

—¿Por qué ese señor tiene el pelo blanco, mami? —preguntó una niña de no más de cuatro años.

Al alejarme, oí a la madre tartamudear una explicación.

Los últimos en la fila eran una pareja de cuarenta y largos. El pelo de ella era oscuro y grasoso, y debajo de una camiseta que alguna vez había sido violeta se adivinaban dos pechos caídos y separados. Él tenía el pelo largo y atado en una trenza. En la mano con la que sostenía el vaso de plástico, las letras tatuadas en cada nudillo formaban la palabra *vieja*. Detrás de mí, una anciana se sumó a la fila. Luego llegó otra pareja.

Un minuto más tarde tenía a más de diez personas a mis espaldas. Fue entonces cuando vi a Fernando ponerse en la cola. Tenía la cara descubierta, y no se había puesto la peluca ni los anteojos de sol que le había prestado. Su disfraz se limitaba a unas zapatillas de lona verde, pantalones chupines desteñidos y una remera de AC/DC asomando bajo la campera de cuero abierta. Era convincente, concluí. Habría sido imposible imaginarse que ese metalero de cabeza afeitada y barba candado era un inspector de la policía de Chubut.

—¿Es larga la cola, no? —me preguntaron.

Al levantar la vista, una señora de pelo ondulado me miraba con una sonrisa. No parecía fijarse en mi pelo blanco, como el resto de las personas, sino en mis ojos. Tenía dos termos en una mano y una pila de vasos de plástico en la otra.

—¿Té? ¿Café? —me ofreció—. Es gratis.

—Bueno, un café, gracias.

—Cómo no. ¿Es la primera vez que venís?

—Sí —respondí, y disimuladamente apreté el botón en el marco de los anteojos para empezar a grabar.

—¿Y qué te trae por acá? ¿Lo tomás con azúcar?

—Sí, por favor. Vengo porque tengo una condición muy rara en el colon, y los médicos me dicen que la única solución es operarme. Y antes de dejarlos que me metan cuchillo, decidí probar con el pastor. Todo el mundo habla de lo increíble que es este hombre... ¿Vos creés que podrá ayudarme? —pregunté con mi mejor cara de perro abandonado.

—Por supuesto que sí. El pastor es muy milagroso.

La mujer acompañó aquellas palabras con una sonrisa ensayadísima, y me extendió un vaso humeante.

—¿Cómo te llamás?

—Maximiliano, igual que él.

—¡Qué casualidad! ¿Y sos de acá, de Comodoro?

—Sí. Bueno, vivo acá pero nací en Puerto Deseado.

—Puerto Deseado, qué nombre más bonito —dijo, y su mirada se posó por un instante en la anciana que esperaba detrás de mí—. Bueno, que Dios te bendiga esta noche, Maximiliano.

Le agradecí y bebí un sorbo del brebaje aguado que me acababa de dar. Pensé que probablemente yo era el único en toda esa fila que se daba cuenta de lo importante que era esa mujer para el éxito de la presentación a la que estábamos a punto de entrar.

CAPÍTULO 62

Cuando entré al enorme gimnasio, se esfumaron las pocas ilusiones que me quedaban de conseguir un asiento cerca del escenario. Una marea de gente caminaba mirando a su alrededor, igual que yo, intentando encontrar una silla vacía. Maldije en voz baja, y me senté lejísimos. Fernando se acomodó en la fila detrás de la mía. Desde allí, solo veríamos al pastor en las enormes pantallas que colgaban a ambos lados del escenario.

En el escenario vacío había un atril con la inscripción "PM" incrustada en dorado sobre el pie de madera lustrada. Unos metros por detrás, a la derecha, unos instrumentos musicales esperaban en silencio.

Diez minutos más tarde, tres hombres de pelo corto y traje gris aparecieron en el escenario. Sin demasiada ceremonia, se dirigieron hacia los instrumentos mientras el público les dedicaba un aplauso débil. El guitarrista, musculoso y de aspecto caribeño, empezó a tocar una melodía de notas largas y suaves a la que pronto se le unieron el bajo y el teclado. Después de los primeros acordes, una voz femenina y dulce retumbó en las paredes del club Huergo.

—*¡Ay cómo me duele estar despierta y no poder cantar!*

Por el mismo costado por el que habían aparecido los músicos, una mujer rubia enfundada en un vestido beige entró al escenario. Algunos de los del público aplaudieron el comienzo de la canción, pero la mayoría siguió empujándose para encontrar una silla disponible, charlando con quien tenían al lado o sacando fotos con el teléfono.

Las pantallas de los costados se encendieron y la proyectaron de cuerpo entero. Era alta y grande, y tendría treinta y largos. A pesar de su vestimenta sobria y el pelo recogido con gomina, Irma Keiner, la esposa del pastor Maximiliano, resultaba imponente. Mucho más que en cualquiera de las fotos que yo había visto en la autobiografía de Velázquez.

Después de cantar el estribillo por primera vez, Irma apuntó el micrófono hacia el público. En el gimnasio rebotaron las voces de dos mil personas repitiendo una y otra vez "al taller del Maestro vengo".

Varias filas por delante de mí, la mujer del café ahora repartía vasitos y charlaba con la gente dentro del gimnasio. Una de las veces que levantó la vista, me sonrió y me saludó con la mano.

Tras seis canciones sin descansar, la banda dejó de tocar e Irma habló por primera vez al público.

—¿Cómo estamos esta noche, Comodoro Rivadavia? ¿Listos para recibir la energía del pastor?

Todos gritaron que sí, y algunos se pusieron de pie.

—Muy bien, así me gusta. Ya viene. Vamos a darle la bienvenida con esta canción.

Su voz era suave, y a pesar de que según la biografía del pastor se había criado en El Jagüel, sus genes tan nórdicos hacían que fuera raro escucharla hablar con acento argentino.

A mitad de una canción cuyo estribillo repetía una y otra vez "él es el enviado del Señor", Maximiliano Velázquez apareció en el escenario con los brazos en alto. Su sonrisa blanca y ojos muy abiertos llenaron las dos pantallas gigantes. Debajo del traje negro, tenía una camisa de color salmón con los dos primeros botones desabrochados. Lo suficiente para dejar al descubierto el enorme crucifijo de oro que colgaba de su cuello.

CAPÍTULO 63

El sermón fue una versión concentrada de su autobiografía. Él, un hombre pobre y con malas juntas, había sido tocado por el Señor. A los treinta y cinco años, se le había aparecido Jesucristo por primera vez. De golpe, la adicción a las drogas que lo había llevado a la cárcel más de una vez desapareció por completo. También el deseo de juntarse con aquellos que lo intentaban llevar por el mal camino.

—A partir de ese día, mi vida dio un cambio radical. Jesús me cambió para siempre.

El pastor se quedó un instante en silencio, con la mirada perdida en el techo altísimo del club.

—Durante dos años disfruté de una vida limpia y sana. Fueron dos años geniales en los que conocí a esta preciosa mujer.

Con la palma abierta, señaló a la cantante. Irma Keiner sonrió de oreja a oreja, se besó la mano y la sopló en dirección a su marido.

—Hace ocho años, diez meses y trece días, esta mujer me dio la mejor noticia que puede recibir un hombre en este mundo. La felicidad fue infinita, pero nos duró solo tres meses. Y la noche misma en que perdimos a nuestro bebé, Jesucristo volvió a tocar a mi puerta. ¿Y saben lo que me dijo? Que yo nunca podría tener hijos.

En el público no volaba una mosca.

—Recuerdo la rabia, las ganas de preguntarle por qué. Pero el Señor es más sabio que todos los hombres juntos y disipó mis dudas con una sonrisa. Me dijo que mi misión en esta vida no era traer hijos al mundo, sino ayudarlo a él a cuidar a los suyos.

Las últimas frases las había dicho con la voz quebrada, y un aplauso tímido comenzó a cobrar fuerza.

—Y a esos hijos de Jesús los tengo frente a mí en este

momento. Son ustedes —gritó, y el club estalló en una ovación.

El sermón continuó por poco más de una hora, hasta que el público estuvo listo. Hacerlos aplaudir, gritar, rezar y emocionarse era una estrategia muy usada por pastores sanadores de todo el mundo. El truco era que generaran adrenalina, una sustancia capaz de transformarnos, durante un breve período de tiempo, en superhumanos. Diseñada para ayudarnos a escapar en situaciones de peligro, la adrenalina reducía la sensibilidad al dolor y agudizaba los sentidos.

Gran parte del trabajo del pastor era lograr que el público generara esa sustancia química, que era la verdadera responsable de los milagros que él presentaba en el escenario. Era como darle un analgésico a cada uno de los miembros del público y luego preguntarles si el Señor los había hecho sentirse mejor. La virtud del pastor radicaba en decir las palabras correctas para activar ese analgésico que todos llevaban dentro.

Cuando terminó el sermón, Velázquez comenzó a llamar por nombre y apellido a cierta gente del público. Decía cosas como que Jesús le había hablado de un tal José Sáenz, que sufría de cáncer de próstata y se atendía con un oncólogo joven de pelo negro.

Y, efectivamente, en algún rincón del gran gimnasio, don José se ponía de pie.

Toda esa adivinación habría sido imposible sin la mujer del café. Sonriente y amable, mientras repartía bebidas calientes sonsacaba nombres y dolencias sin que nadie sospechara que llevaba escondida una grabadora. Luego, durante la hora de sermón del pastor, la mujer y otros ayudantes escuchaban la grabación y seleccionaban los casos que tendrían más impacto sobre el escenario. El truco era viejísimo.

Llamando a gente por su nombre e invitándola a subir al escenario, el pastor curó reuma, artritis, piedras en la vesícula y hasta cáncer. Después de un niño con leucemia, el pastor anunció que haría un último milagro.

—Me encantaría ayudar personalmente a cada uno de ustedes —dijo al micrófono—, pero no tengo la energía suficiente. Por fortuna el Señor no tiene ese problema, y él se encargará de cada una de sus dolencias. Y yo le creo, porque Jesucristo es mi guía.

El pastor apuntó el micrófono hacia el público, y dos mil

voces repitieron la frase al unísono.

—*Jesucristo es mi guía.*

Una parte de mí conservaba la esperanza de que me llamara para el último milagro. No podía desaprovechar el impacto que tendría sanar a un albino tocayo suyo. Además, la mujer del café me había saludado desde lejos.

Velázquez pegó sus labios al micrófono y esperó a que los murmullos del público desaparecieran.

—La última persona a la que voy a hacer subir al escenario es alguien muy pero muy especial. Marta Reverte.

Mierda, dije, mientras veía a una mujer de la primera fila subir al escenario con la ayuda de un bastón. Miré a mi derecha. Fernando estaba atento al espectáculo.

Me levanté de la silla y empecé a caminar hacia adelante. Por detrás de mi hombro vi a Fernando haciendo gestos disimulados para que volviera. Ignorándolo, volví la vista hacia el escenario y caminé por el pasillo central que había entre las filas de sillas de plástico. Avancé despacio, notando las miradas en mi pelo blanco, en mi piel rosada y en mi ropa clara.

Alcé los brazos y continué hacia adelante. Un murmullo empezó a recorrer el gimnasio, y el pastor Maximiliano interrumpió su charla con la mujer del bastón para mirar hacia el público. Me detuve frente al escenario, y la mirada de Velázquez, que buscaba entre la gente, finalmente se posó sobre mí. Creí ver un indicio de satisfacción en su cara.

Me arrodillé frente a él e incliné el cuerpo hacia adelante, como adorando a un dios.

CAPÍTULO 64

La gente que se amontonaba entre el escenario y la primera fila se abrió en un corro alrededor de mí. Yo seguía arrodillado, con la mirada fija en el pastor y las manos entrelazadas apoyadas contra mi pecho.

De repente mi cara rosada, enmarcada en el pelo blanco, apareció en la pantalla de la derecha del escenario. Se hizo un silencio tan profundo que solo se oía el zumbido de los bafles. En la pantalla de la izquierda, vi al pastor Maximiliano llevarse el micrófono a la boca.

—¿Venís por ayuda, hermano? —retumbó su voz.

Asentí.

—Subí al escenario para que el resto de la gente pueda verte.

Debajo de la pantalla que todavía proyectaba mi cara, se abrió una puerta. El asistente enorme que atajaba por la espalda a la gente que el pastor sanaba a empujones me hizo señas para que subiera la pequeña escalerita y esperara a un costado. Trotando, el hombre volvió a colocarse detrás de la anciana del bastón, dejando tras de sí un vaho de perfume importado.

Velázquez despachó rápido a la mujer, y cuando el asistente volvía con ella del brazo, me indicó que entrara en escena.

El club Huergo me regaló un aplauso más fuerte que el que había recibido cualquiera de los otros afligidos. Al parecer, los problemas de un albino daban más pena que los de una anciana o los de un niño.

Maximiliano Velázquez me esperaba de pie junto al atril con sus iniciales doradas. Caminé hacia él, con el corazón golpeándome contra el pecho a toda velocidad y la transpiración escociéndome el cuero cabelludo irritado por la tintura.

Me paré junto a él, tras observarme de arriba abajo, extendió su mano dedicándome una sonrisa enorme. Cuando la estreché, cerró los ojos e inspiró por la nariz.

—Siento una gran conexión con vos —dijo al volver a abrirlos—. Como si tuviéramos algo en común. Algo que hemos compartido toda la vida. ¿Cómo te llamás?

—Maximiliano, como usted.

El hombre asintió con la cabeza de forma lenta y exagerada, y el público estalló en aplausos.

—No me digas nada —prosiguió, posando su mano abierta en mi vientre—. Venís por un problema en el colon. Te dijeron que la única solución era operarte, pero tenés miedo.

—Exactamente —exclamé con cara de sorprendido.

Aplausos, esta vez más fuertes aún.

—No te preocupes, que Jesucristo no necesita un bisturí para ayudarte, tocayo.

Después de decir esto, el pastor se dirigió al público.

—Unan sus fuerzas para sanar a nuestro amigo Maximiliano.

Velázquez cerró los ojos, como había hecho con todos los otros que habían subido al escenario. Su rutina era siempre la misma. Ojos cerrados, rezo a los gritos y luego empujón. Sin embargo, antes de empezar volvió a abrirlos y su mirada se detuvo en el marco de mis anteojos. Cuando vi sus dos manos acercarse a mi cara, tiré disimuladamente la cabeza hacia atrás.

—Te tenemos que quitar los lentes para esto, tocayo. Te pueden lastimar si te desmayás durante la sanación.

—Es que veo muy poco —improvisé.

—Ah, bueno, hubieras empezado por ahí —exclamó, mirando al público—. El Señor y yo te podemos ayudar con eso también. No solo te vamos a sanar el colon, sino que además nos vamos a deshacer de estos anteojos.

El pastor me quitó suavemente los lentes, guardándoselos en el bolsillo de su traje. A la mierda la grabación, pensé.

Antes de volver a hablarme, dio diez pasos hacia atrás, contándolos en voz alta.

—¿Podés ver cuántos dedos hay acá? —preguntó, mostrándome tres dedos extendidos frente a su cara.

Negué. El pastor hizo un gesto al público indicándoles que prestaran atención. Después volvió a colocarse junto a mí y me puso una mano en el hombro.

—El Señor es muy grande y te va a curar esta noche, tocayo, porque sabe que sos muy especial. La gente como vos tiene un aura blanca, pura, mucho más poderosa que la de cualquier otra persona.

Un aura blanca y pura como la de Lucio, la de Marcela Salgado y la de dieciséis albinos más, pensé.

Sin esperar mi respuesta, Velázquez comenzó a recitar a los gritos un rezo que mentaba a Jesús, al demonio y a mi alma. Y aunque sabía que tarde o temprano llegaría, su empujón en la frente y el estómago me tomó por sorpresa. Si no fuera porque el asistente que me había abierto la puerta me atajó por la espalda, mi cabeza habría rebotado contra las tablas viejas del escenario.

Cuando me incorporé, el pastor trazó con su pulgar una cruz en mi frente y volvió a contar diez pasos hacia atrás.

—¿Cuántos dedos ves? —preguntó, apoyándose el índice y el mayor contra su pecho.

De nuevo, un artilugio clásico. La mayoría de la gente con problemas de visión habría sido capaz de distinguir esos dos dedos y no los tres de antes. El truco estaba en que la primera vez me los había mostrado con su cara de fondo, que era del mismo color que su mano. Ahora, con su piel blanca contrastando en el traje negro, era mucho más fácil.

—¿Cuántos dedos ves? —insistió—. Vamos, vos podés, hermano.

Pensé antes de responder. Era una oportunidad perfecta. Solo tenía que jurar y perjurar que no era capaz de distinguir la cantidad de dedos y lo dejaría en ridículo ante dos mil personas. Era tentador, pero probablemente lo habría alarmado.

—Dos —dije.

—¡Aleluya!

La gente se levantó de sus asientos y comenzó a aplaudir, algunos con lágrimas en los ojos. Por un segundo, sentí ganas de creer, como ellos creían, en que había algo o alguien más allá a quien recurrir en momentos difíciles. Una oportunidad más cuando la medicina, la economía o el amor nos daban la espalda.

—Ya estás curado —dijo el pastor—. Pero antes de que te vayas, una última cosa.

Me alegré al ver que metía la mano en el bolsillo y sacaba

de él mis anteojos.

—¿Estás seguro de tu fe en Jesucristo? —preguntó.

Asentí.

—Yo también estoy seguro —dijo, y los dejó caer al suelo.

Me agaché a recogerlos, pero antes de que mi mano los alcanzara, su zapato lustrado los destrozó con el talón. Mientras el público aplaudía y gritaba aleluyas, la cara del pastor se tensó al ver los pequeños componentes electrónicos que asomaban de mis anteojos rotos.

Salí corriendo hacia la puerta por la que había entrado al escenario. Sin embargo, antes de llegar al final de la escalerita que me devolvería al público, sentí un tirón en la ropa.

Grité, pero la gente del otro lado de la pared de madera volvía a aplaudir ruidosamente después de un comentario del pastor que no llegué a entender.

—Gritás otra vez y te rompo el cuello —me dijo una voz áspera, y sentí el olor a perfume importado.

CAPÍTULO 65

Para cuando la puerta del vestuario del club se abrió, ya no me sentía las manos ni los pies. Las ataduras en las muñecas y los tobillos que me había hecho el asistente del pastor antes de encerrarme me cortaban por completo la circulación.

—Hola, tocayo.

Desde el rincón en el que me habían tirado, vi la figura delgada de Velázquez recortándose en la puerta del vestuario. A lo lejos, todavía se oía la música lenta que habían puesto para amenizar la salida de la gente al final de la presentación.

El pastor accionó un interruptor en la pared y la luz de los tubos fluorescentes le alumbró una sonrisa ancha. Se había quitado la parte de arriba del traje, y llevaba las mangas de la camisa salmón arremangadas hasta los codos.

—¿Cuántos dedos ves? —dijo, mostrándome solo el mayor.

Me quedé en silencio.

—A lo mejor necesitás los anteojos.

Hizo una seña con la mano para que esperara mientras se metía la otra en el bolsillo de la camisa.

—Los estuve mirando un ratito, y la verdad es que son raros, che. Para empezar no tienen aumento.

Se puso los anteojos destartalados sobre el puente de la nariz con un ademán exageradamente parsimonioso. Uno de los cristales ya no estaba, y del marco de plástico colgaba un pequeño cablecito rojo.

—Es la primera vez que veo anteojos eléctricos, así que entenderás mi curiosidad. Por suerte Míster Google lo sabe todo, incluso el significado de la inscripción que encontré en el interior del marco.

El pastor sacó del bolsillo de su pantalón un teléfono de pantalla enorme y leyó en voz alta.

—Las gafas SpyPro Glass G3 incorporan una lente de un milímetro de diámetro escondida en el marco de diseño elegante. ¡Graba audio y video por más de dos horas sin ser descubierto!

Tras guardarse el teléfono en el bolsillo, se quitó los anteojos.

—Qué lástima que les pegué un pisotón. Si no, te pedía que sonrieras para la cámara, tocayo.

Atravesó la habitación de brazos cruzados, y se detuvo cuando sus pies chocaron con los míos. Se agachó hasta que nuestros ojos quedaron a la misma altura.

—¡Ayúdenme! —grité con toda la fuerza de mis pulmones.

Con el revés de la mano abierta, el pastor me dio vuelta la cara.

—Shhhhh. No hace falta que grites, tocayo —dijo con una sonrisa—. Acá no te va a escuchar nadie.

Velázquez me empujó contra el suelo y yo forcejeé todo lo que me permitieron mis piernas y manos atadas, pero no me lo pude quitar de encima. Puso sus rodillas sobre mi pecho y dejó caer sobre él todo el peso de su cuerpo hasta que ya no pude respirar. Las manos me habían quedado aprisionadas entre mi espalda y el suelo, y sentí que se quebrarían.

—¿Quién carajo sos? —preguntó, levantando el puño a la altura de su hombro.

—Alguien que no te va a servir para tus brujerías.

El puñetazo fue directo a la boca, y sentí el gusto metálico de la sangre.

—¿Quién sos y qué querés? —repitió el pastor.

Entonces golpearon la puerta del vestuario. Grité con todas mis fuerzas pidiendo ayuda.

—Pastor, abajo del escenario hay un policía que pregunta por usted —dijeron del otro lado de la puerta, y reconocí la voz del asistente.

—Decile que ahora estoy ocupado —gritó Velázquez, todavía arrodillado encima de mí y con un puño en el aire.

—Me dijo que si no va usted, viene él a buscarlo.

—Decile que te muestre la orden de allanamiento. Y preguntale si quiere el teléfono de mi abogado.

—Pastor, con todo respeto, me parece que es mejor que hable con él, para dejarlo tranquilo. No se lo ve muy mansito.

El pastor negó con la cabeza y dejó escapar un soplido largo. Se incorporó y me apresuré a llenarme los pulmones de aire.

—No me extrañes que ya vuelvo —dijo, señalándome con el índice, y cerró la puerta tras de sí.

Al quedarme solo, miré para todos lados intentando encontrar algo con que cortar la cinta adhesiva que me inmovilizaba de pies y manos. Arrastrándome hasta el centro del vestuario, froté la atadura en las muñecas contra las patas de metal de un banco, pero las aristas eran demasiado redondeadas.

Metí la cabeza debajo del banco, con la esperanza encontrar alguna rebarba en la soldadura. Descubrí algo mejor aún. Las tablas de madera estaban aseguradas al armazón de hierro con tornillos a los que les sobraban al menos tres centímetros. Raspé la cinta contra uno de ellos con todas mis fuerzas.

Antes de que pudiera liberarme, sentí la puerta del vestuario y unas manos tiraron con fuerza de mis tobillos, arrastrándome por el suelo hasta alejarme del banco.

Visto desde abajo, el asistente del pastor parecía aún más grande y musculoso. Sonrió, mostrándome un cuchillo de hoja enorme.

—Vamos, tenemos que salir de acá rápido —dijo cortando mis ataduras—. Si vuelve y te encuentra, estás en el horno.

El hombre asomó la cabeza por la puerta del vestuario en el que él mismo me había encerrado y atado. Miró hacia ambos lados y echamos a correr por un pasillo siguiendo los carteles hacia la salida de emergencia.

CAPÍTULO 66

El asistente corpulento empujó la barra antipánico y la puerta de emergencia se abrió hacia afuera. Incluso en la oscuridad de la noche, reconocí la calle estrecha a la que habíamos salido.

—Subí que te llevamos a tu casa —dijo una voz a mi izquierda.

Al girarme, Irma Keiner me sonrió con las manos detrás de la espalda. Entonces lo entendí todo. Mientras Velázquez mantenía a Fernando ocupado, su mujer y Lito me esconderían en otro lado.

—No hace falta —dije alejándome de ella, a punto de empezar a correr hacia las luces del estacionamiento del edificio de YPF, al fondo de la calle.

—Sí, hace falta —respondió, y me enseñó con desgano un arma—. Subí.

Sin otra alternativa que hacerle caso, me metí al Audi por la puerta trasera. Dentro del vehículo, el asistente me esperaba sentado. Sobre su regazo, las pocas luces de la calle se reflejaban en el metal negro de una pistola.

—Él es Lito —dijo Keiner cuando se puso al volante, mirándome por el espejo retrovisor—. Si te portás bien no te va a hacer nada. Pero si te portás mal… no tiene mucha paciencia.

—¿A dónde vamos? —pregunté mientras el Audi empezaba a moverse.

—A dar una vuelta.

—Escúchenme una cosa. Esto es un malentendido.

—Callate la boca —dijo Lito.

—Déjenme que les explique. Yo no…

El metal frío de la pistola se me clavó en la sien.

—Callate la boca —repitió.

—¿Te dije o no te dije que no tenía paciencia?

Asentí en silencio y la pistola volvió al regazo del mastodonte.

Por la ventanilla vi que dejábamos atrás el club Huergo. Fernando seguramente me estaría buscando dentro de aquellas paredes, ignorando que estos dos me estaban llevando vaya a saber adónde.

Imaginé que para ese momento tendría mil llamadas perdidas de él, pero había silenciado el aparato al entrar al club. Con suerte, se daría cuenta de que el teléfono seguía encendido y pediría a alguien en la Policía Federal que me ubicara triangulando la señal. Ese teléfono podía ser mi salvación si encontraba una manera de que no me lo quitaran.

—¿Me puedo poner el cinturón de seguridad? —pregunté.

—Mirá vos qué civilizado el tipo —respondió Lito con voz áspera.

Interpreté aquello como un sí, y me giré lentamente hasta alcanzar la hebilla del cinturón. Fingí torpeza al intentar embocarla en la ranura, para desviar la atención del asistente hacia esa mano. Con la otra, saqué disimuladamente el teléfono de mi bolsillo y lo deslicé entre el respaldo y la base del asiento.

Cinco minutos después, habría sido demasiado tarde.

—Dale tu teléfono a Lito —me ordenó Irma desde adelante, después de unos kilómetros en silencio.

—No lo tengo —dije, tocándome los bolsillos—. Me lo debe haber sacado el pastor.

Lito me palpó para asegurarse de que decía la verdad y hasta me obligó a levantarme un poco del asiento. Pasó la mano por la parte de atrás de mi pantalón y luego por la tapicería de cuero. Contuve la respiración.

—No lo tiene —dijo, y largué el aire de a poco.

Nos detuvimos en un semáforo en rojo. Junto a nosotros, del lado de Lito, paró un Ford Ka con cuatro adolescentes que escuchaban cumbia a todo volumen. El que estaba sentado junto al conductor tomó un trago de una cerveza y señaló a nuestro vehículo. Los otros tres miraron con cara de fascinación. No había muchos Audis en Comodoro Rivadavia.

Como el parabrisas era el único vidrio del coche que no era completamente oscuro, los del Ford Ka se adelantaron unos metros y se giraron para mirar hacia nosotros. Asumiendo que Irma iba sola al ver el asiento del acompañante vacío, empezaron a hacerle señas y sonreírle, gritándole piropos que no llegábamos a escuchar. Uno bajó la ventanilla y sacó la cerveza, moviéndola al ritmo de la música.

—Pendejos de mierda —dijo Irma.

El semáforo se puso en verde y salimos haciendo rechinar las ruedas. Mientras adelantábamos a los adolescentes, vi que seguían haciendo payasadas en nuestra dirección. Lito se giró a mirarlos, quitándome los ojos de encima por primera vez desde que habíamos salido del club Huergo.

Entonces supe que si no me escapaba en ese momento, no lo haría nunca. Con la mano izquierda tanteé hasta encontrar la hebilla del cinturón de seguridad. Apreté el botón y manoteé la manija de la puerta, abalanzándome hacia ella para tirarme del auto en movimiento.

La puerta no se movió de su lugar. Probé de nuevo, empujándola con el hombro. Al tercer intento, sentí un impacto seco en la cabeza y las manos se me paralizaron. Me imaginé una bala perforándome el cráneo.

CAPÍTULO 67

Me desperté confundido, con un dolor de cabeza fortísimo. El suelo debajo de mí vibraba, y mis manos y pies estaban atados. La oscuridad era total, pero el traqueteo y el olor a alfombra nueva me bastaron para saber que estaba en el baúl del Audi. Intenté detectar las voces de Irma y Lito en el coche, pero solo logré oír el sonido monótono del escape.

Si todavía estaba vivo, el impacto en la cabeza no podía haber sido una bala. Supuse que el asistente me habría dado un culatazo.

Me pregunté cuánto tiempo habría estado inconsciente, y por dónde iría ahora el coche. Si seguíamos dentro de la ciudad, todavía había esperanza de que Fernando rastreara el teléfono que yo había escondido entre el respaldo y el asiento.

Me contorneé en aquel compartimento hasta quedar apuntando hacia la dirección en la que se dirigía el coche. Si Lito seguía sentado en el mismo lugar, había apenas treinta centímetros entre él y mis rodillas.

Recorrí con los dedos la alfombra de la parte de atrás del asiento hasta dar con la unión entre en respaldo y la base. Introduje una de las manos en la rendija y sentí la textura fría y suave del tapizado del cuero.

No tenía idea de cuánto podía meter los dedos antes de que asomaran del otro lado, así que recorrí la unión solo con las últimas falanges. No encontré nada. Empujé un poco más y volví a tantear la tapicería hacia un lado y hacia el otro, esta vez con toda la longitud de mis dedos. El anular se topó con algo duro, pero el tacto de aquel objeto no era el de mi teléfono. Probablemente sería el anclaje del cinturón de seguridad.

Me sequé el sudor de la frente en el brazo y metí la mano hasta que la atadura en las muñecas no cedió un milímetro más.

Entonces sí, la yema del mayor se topó con un borde redondeado que me resultaba familiar. Todavía había esperanza.

Sujeté el teléfono con la punta de dos dedos e intenté tirar de él. Se deslizó apenas un centímetro. Intenté otra vez, y se movió algo más. A la tercera, cayó junto a mi pecho.

Con manos temblorosas y el sudor escociéndome en los ojos, marqué el número de Fernando.

No tenía señal.

Activé el GPS, agradeciendo por primera vez haber abandonado el viejo Nokia. En la pantalla apareció un mapa indicando que estábamos saliendo de la ciudad, hacia el norte.

Me apuré a escribirle un mensaje al policía.

Secuestrado x mujer del pastor y asistente. Atado en baúl d un Audi. Vamos x ruta 3 p el norte, llegando al cruce aerop.

Mis posibilidades de salir con vida dependían de que el teléfono encontrara un último vestigio de señal para enviarlo. Si no lo lograba en los próximos minutos, entraríamos a la Pampa de Salamanca y ya no habría cobertura por cuatrocientos kilómetros.

CAPÍTULO 68

La espalda del pastor golpeó contra la pared del vestuario del club, haciéndole crujir las vértebras. Esta vez, llenarse los pulmones de aire para volver a hablar fue aún más doloroso.

—No sé dónde está, te lo juro —le repitió al policía vestido de AC/DC que lo agarraba del cuello de la camisa.

Sin dejar de aplastarlo contra la pared, el hombre miró alrededor. De repente, los ojos del policía se detuvieron en un punto del suelo. Una de sus manos enormes aflojó la presión, y el pastor lo oyó largar un soplido de impaciencia. Un segundo más tarde, la misma mano le incrustó el caño de una nueve milímetros en la mandíbula.

—¿Y esos anteojos de quién son, hijo de puta? Decime dónde está o te vuelo la cabeza, así de simple.

Maximiliano Velázquez se mantuvo en silencio, y sintió que el otro apretaba más aún el caño contra su garganta. Ojalá este tipo no fuera policía, pensó. Ojalá realmente existiera la posibilidad de que apretara el gatillo y todo terminase rápido. Sin dolor y sin quimioterapia. Sin que los titulares en los diarios dijeran que el gran sanador no había sido capaz de curarse a sí mismo.

—No sé dónde está —dijo al fin, cuando el metal casi le desgarraba la piel—. Cuando descubrí que los anteojos tenían una cámara, lo traje acá para asustarlo, pegarle una paliza y nada más. Después vino Lito y me dijo que me buscabas. Lo dejé acá hasta hace cinco minutos, te lo juro.

—¿Quién es Lito?

—Mi asistente, el que ataja a las personas en el escenario y maneja el camión con los instrumentos y la utilería para las presentaciones.

Sin quitarle el caño del cuello, el policía miró hacia un lado y hacia el otro, intentando pensar. Se quedaron un instante así, hasta que el bip de un teléfono interrumpió el silencio.

CAPÍTULO 69

Cuando las vibraciones en el baúl se convirtieron en un traqueteo brusco, supuse que habíamos abandonado el asfalto. Poco después, sentí que el coche disminuía la velocidad hasta detenerse por completo. Oí que Irma y Lito se bajaban y me apresuré a guardarme el teléfono en el bolsillo.

La tapa del baúl se abrió de par en par y los dos se inclinaron sobre mí al mismo tiempo. Tiraron de mi ropa hasta que caí al suelo.

Levanté la cabeza y miré alrededor. Las luces de la ciudad llegaban sin fuerza, pero reconocí las vallas de alambre, las estructuras de hierro y las paredes de ladrillo desnudo que nos rodeaban. Estábamos en el barrio Álamos, ochenta casas a medio construir que el Gobierno había anunciado para familias de pocos recursos.

Irma había estacionado detrás de una de las viviendas, dejando el Audi fuera de la vista de los pocos que transitaban la ruta a medianoche.

—Hay un error —me apresuré a decir—. No soy albino. Estoy disfrazado. Tengo el pelo teñido. Si me sueltan las manos, me saco los lentes de contacto.

Lito miró a Irma, esperando instrucciones.

—Fijate si es verdad —dijo ella.

El asistente me abrió la camisa de un tirón, haciendo saltar todos los botones. Luego me levantó un brazo para mirarme la axila.

—Dice la verdad —confirmó.

Irma Keiner maldijo por lo bajo y se alejó con Lito para hablar sin que yo pudiera oírlos. Mientras cuchicheaban, eché un vistazo a mi alrededor intentando encontrar una forma de salir vivo de allí.

Había ladrillos por todos lados, pero con las manos y los pies atados no me servirían de mucho. Unos metros por detrás de mí vi una pila de tablas, muchas de ellas con clavos apuntando hacia arriba. Empecé a arrastrarme disimuladamente. Si lograba alcanzar una, quizás podría cortar las ataduras.

—¿Se puede saber quién carajo sos? —preguntó Irma Keiner cuando todavía me quedaba la mitad del camino hacia las maderas.

—Me disfracé para hacerle una cámara oculta al pastor. Quería saber si sus poderes eran de verdad y si sería capaz de darse cuenta de que yo realmente no tenía ningún problema de colon —improvisé, intentando ganar tiempo.

—¿Y por qué de albino?

—Porque así me pareció que llamaría más la atención y tendría más posibilidades de que me hiciera subir al escenario.

—¡Mentira! Vos sabés algo más —gritó la mujer con todas sus fuerzas.

Miré alrededor. No se movía un alma en las calles sin inaugurar.

—Yo no sé nada. Se lo juro. Solo quería hacerle una cámara oculta al pastor.

—¿Te pensás que no me enteré de lo que le pasó al Cacique de San Julián?

Irma Keiner sacó del bolsillo un guante negro y se lo puso en la mano derecha.

—Esa nariz y los anteojos gruesos que tenías esta noche son demasiados parecidos a unos que vi ayer, cerca de un vagón de tren en el medio de la nada.

La mujer me tocó la punta de la nariz con el más largo de sus dedos enfundados y luego me lo puso a un palmo de la cara. Después miró a Lito y le hizo un gesto con la cabeza.

Mientras ella caminaba de vuelta hacia el volante del auto, el asistente me apuntó con la pistola.

—Si me pasa algo, todo lo que pasó esta noche en el escenario se publica en Internet —mentí—. Todo el mundo se entera de que el pastor Maximiliano es un fraude incapaz de distinguir entre una persona enferma y una sana. Y si llego a aparecer muerto, ¿por dónde te pensás que va a empezar a preguntar la policía?

Irma giró sobre sus talones y soltó una carcajada.

—¿Ah, sí? ¿Cómo vas a hacer para recuperar los anteojos con los que grabaste? Y, suponiendo que pudieras, para publicar el video tendrías que estar vivo.

—Los anteojos que usé tienen una tarjeta SIM con conexión a Internet y suben una versión en baja resolución mientras graban. Cada vez que hago una cámara oculta, un amigo recibe el video y tiene instrucciones de publicarlo si me pasa algo.

—No te creo —dijo con una mueca que se parecía a una sonrisa. Luego miró a Lito y asintió con la cabeza.

El asistente levantó la pistola y me apuntó al medio de la frente por segunda vez. Entonces me di cuenta de que había perdido. Ellos seguirían asesinando albinos y mi cuerpo aparecería tirado como el de Javier Gondar.

Fue esa certeza de que ya no había vuelta atrás la que hizo que le gritara, desgarrándome la garganta.

—¡Enfermos! Vos y tu marido son unos enfermos. ¿Qué piensan que obtienen cada vez que despedazan a una persona? ¿Vida eterna?

Irma posó la mano sobre el antebrazo de Lito, y el asistente bajó la pistola. Me observó extrañada, con el ceño a medio fruncir, como si yo acabara de decir algo completamente inesperado. Antes de hablar, se sentó en el suelo junto a mí.

Miré de reojo las tablas con clavos. Me era imposible alcanzarlas.

—Al final, me parece que vos no sabés tanto como yo creía —dijo dándome una palmada sobre la rodilla—. Te voy a contar un secreto. Mi marido, el gran pastor sanador, no cree en nada que no se pueda depositar en un banco.

—¿Me vas a decir que lo hacen por guita? ¿No les alcanza con la fortuna que él le roba a la gente en cada presentación como la de hoy?

—Y dale con mi marido. Si fueras a seguir viviendo, te aconsejaría que intentaras dejar un poquito de lado el machismo. ¿Qué te hace pensar que él sabe algo de todo esto?

CAPÍTULO 70

—Fuiste vos sola —dije.

—Con la ayuda de Lito —me corrigió Irma Keiner, sonriéndole al asistente.

—Y lo planeaste todo para que tu marido quedara como el culpable. Por eso me trajeron en este auto. Y por eso le pagaste a una mujer para que hiciera la denuncia por acoso sexual a su hija albina.

Irma Keiner aplaudió tres veces.

—Muy bien, Sherlock Holmes.

—¿Y no se te ocurrió otra forma de arruinarle la vida que descuartizando gente inocente? ¿Qué planeabas hacer? ¿Destapar la olla en algún momento y mandarlo preso para quedarte con toda la guita?

La mujer exhaló con fuerza, como si estuviera a punto de perder la paciencia.

—Hay mil formas más fáciles de quitarle la plata a alguien, y muchas más de arruinarle la vida. Pero solo hay una para salvársela.

—¿Salvársela? —repetí, extrañado.

—¿Por qué te creés que todavía está vivo, si hace dos años y medio los médicos le dieron seis meses como mucho?

Aquello me tomaba por sorpresa.

—Porque la medicina no es una ciencia exacta —dije.

—¡Esto no tiene nada que ver con la medicina! —rugió Irma Keiner—. Si hubieras visto con tus propios ojos el poder que tiene esa gente, no dirías tantas estupideces. Si hubieras sentido esa pureza como la sentí yo la primera vez que fui a ver a Freddy, entenderías todo.

—¿Quién es Freddy?

—Freddy es lo más parecido a Dios que conozco.

—¿Fue él el que descuartizó a toda esa gente para salvar a tu amorcito? —dije, con tono sarcástico.

—¿Así que o soy una viuda negra o lo hago por amor? —rio la mujer—. No, lo mío es más básico. Supervivencia, nada más. Sin pastor Maximiliano no hay banda, ni espectáculo, ni esposa del pastor Maximiliano, ¿entendés? Me quedo en la calle.

—Una mansión de ochocientos mil dólares no es la calle.

Irma Keiner negó con la cabeza.

—Una hipoteca de ochocientos mil dólares —corrigió—. ¿O te creés que es fácil ahorrar con un cocainómano que se gasta una fortuna en putas cada vez que pisa una ciudad nueva?

Me quedé un instante en silencio, mirando a aquella mujer como a un perro que enseña los colmillos.

—El Audi, la casa, los trajes traídos de Europa —continuó—, ¿sabés lo que cuesta todo eso? Sin las presentaciones, no duraríamos un mes. Y para eso necesitamos al pastor Maximiliano. Vivo.

Un perro guardián, pensé. Dispuesto a morder a quien fuera para proteger a la gallina que se comía sus propios huevos de oro.

—Y te inventaste la denuncia por acoso sexual para que cuando alguien empezara a investigar, todo apuntara a tu marido.

—Si explota todo, prefiero ser pobre y libre que rica y presa. Pero por suerte eso no va a pasar —dijo, poniéndome una mano en el hombro.

—Por eso cuando te enteraste de que Javier Gondar andaba tras los pasos del Cacique, lo mandaste matar. Para evitar que llegara a vos y tener que usar ese último recurso.

—Algo así. Aunque nunca me imaginé que el estúpido de Linquiñao fuera a salir en televisión diciendo que él mismo lo había matado con magia negra.

—Estás completamente loca.

—¡Y vos no vas a entender nada por más que sigamos hablando dos horas! —me gritó con toda la fuerza de sus pulmones, tan cerca de mi cara que su nariz casi rozaba la mía.

La mujer se incorporó y miró alrededor. Todo seguía tan quieto como antes.

—Me cansaste —dijo.

El asistente se acercó a mí y volvió a apuntarme a la cabeza.

—Pará, no te vayas. Una pregunta más.

Irma Keiner ya no se dio vuelta. Se me había acabado el tiempo.

Cerré los ojos. Me hubiera gustado tener en qué creer en aquel momento. En que había vida después de la muerte, por ejemplo, y que Marina me estaba esperando del otro lado. Creer que la podría volver a abrazar.

Entonces llegó el disparo.

CAPÍTULO 71

La pistola de Lito golpeó el suelo un segundo antes que sus rodillas. Incluso en la oscuridad, vi su cara tensarse. El balazo le había entrado por la espalda y salido por el pecho, apenas a un metro de mi cabeza.

Quedamos cara a cara, arrodillados en el suelo polvoriento que algún día sería el patio de una familia. Con ojos extraviados, se llevó la mano al pecho. Al vérsela bañada en sangre, largó un gruñido ronco y se inclinó hacia adelante para recoger su pistola.

Me lancé hacia él con todas las fuerzas que me permitieron las ataduras. Apunté el cabezazo directamente a su mandíbula, y el asistente cayó de espaldas, inmóvil.

Sonó otro estruendo, esta vez más cerca de mí. Irma había disparado hacia una de las paredes de la casa en construcción.

—Levantate —dijo tirando de mi camisa y sentí el metal todavía hirviendo detrás de la oreja derecha.

Me puse de pie como pude, y el brazo de Irma Keiner me rodeó el cuello.

—Al primer ruidito que escuche, lo mato —gritó hacia la pared a la que acababa de disparar—. Ahora nos vamos a subir al auto.

—Mejor dejalo libre y bajá el arma.

Reconocí la voz áspera del comisario Altuna.

—Para cualquier lado que vayas, no vas a llegar a hacer más de cincuenta metros antes de toparte con un móvil —añadió—. Mirá a tu alrededor.

Las luces azules de dos patrulleros se encendieron al mismo tiempo. Uno cortaba el acceso a la ruta, y el otro al resto de las calles de tierra del barrio en construcción.

—Les vas a tener que decir que elijan, entonces —respondió Irma—. O me dejan pasar, o cargan por el resto de su vida con la muerte de este.

La punta de la pistola de Irma Keiner alternaba ahora entre mi nuca y la pared que protegía al comisario. Mientras hablaba, tiraba de mi cuello hacia el coche con tanta fuerza que me costaba respirar. Los tobillos atados me hacían trastabillar constantemente y solo podía moverme dando saltitos hacia atrás. Con cada uno, la parte de atrás del cráneo me golpeaba contra el arma.

En esa situación, Altuna no iba a arriesgarse a disparar. No a menos que yo hiciera algo para ayudarlo antes de que Irma me metiera dentro del coche.

Mientras retrocedía, bajé la cabeza todo lo que el codo de la mujer me permitió y miré hacia el suelo por el rabillo del ojo. Di dos saltos más y luego me detuve un instante para calcular la fuerza del tercero. Si era demasiado corto, mi plan no funcionaría. Pero si era demasiado largo y ella se alarmaba, yo terminaría con una bala saliéndome por la frente.

Cerré los ojos y di el tercer salto, empujándola un poco con mi espalda.

Irma Keiner dio un paso largo hacia atrás para intentar contener todo nuestro peso y evitar que nos cayéramos al suelo. Entonces oí el ruido de las tablas golpeando unas contra otras.

La mujer soltó un gruñido y su brazo alrededor de mi cuello aflojó un poco. Cuando miré hacia abajo, vi que mi pie se había salvado por un centímetro de la punta oxidada de un clavo enorme. El suyo, en cambio, no había tenido tanta suerte y había aterrizado en medio de la pila de maderas.

Intentando mantener el equilibrio, Irma Keiner extendió los brazos, dejando de apuntarme con la pistola durante un instante. Supe que aquella sería mi única oportunidad de separarme de ella, y di un salto hacia adelante con todas mis fuerzas.

El disparo sonó antes de que yo tocara el suelo. No vino desde donde estaba el comisario, sino desde atrás del Audi.

La mujer cayó junto a mí en la tierra seca y saturada de polvo de cemento. Una zapatilla de lona verde le aprisionó la mano que empuñaba la pistola, obligándola a soltarla. Reconocí la figura corpulenta de Fernando, a la que se le sumaron dos policías más.

—¿Estás bien? —me preguntó después de esposar a la mujer del pastor. Todavía iba vestido de AC/DC.

—¿Cómo va a estar bien si casi le vuelan los sesos, Orlandi? —gritó el comisario Altuna apareciendo desde atrás de la pared. Llevaba el chaleco antibalas por encima del pijama.

CAPÍTULO 72

Tres días después de que Altuna y Fernando me salvaran de Irma Keiner, miré hacia el cielo antes de entrar a la comisaría. Un manto de nubes plomizas cubría la ciudad, amenazando nieve.

Altuna me esperaba en su despacho. Lo encontré sentado en su silla de respaldo enorme, leyendo el diario. En el centro de su escritorio impoluto había una caja de cartón apenas más grande que un libro. Al verme, cerró el periódico y se puso de pie.

—Te queda mejor el pelo oscuro, Varela.

Sonreí y me pasé la mano por la cabeza.

—Gracias por venir —dijo, estrechándome la mano.

—Al contrario, gracias por llamarme. Ya no aguantaba más sin saber cómo sigue todo.

Del barrio en construcción me habían llevado al hospital, y de allí a la comisaría para tomarme declaración. La única información que me dieron fue que Lito había muerto y que Irma Keiner estaba herida en el hombro pero sobreviviría. Luego me mandaron a casa y me dijeron que me mantendrían al tanto, pero no supe de ellos hasta el lunes cuando sonó el teléfono.

—¿Hubo alguna novedad? —quise saber.

Altuna se alisó la corbata con la palma de la mano.

—Sí, varias. Pero antes de eso, dejame aclararte que yo en realidad no debería contarte nada a vos, porque sos un testigo fundamental del caso. Si lo hago es porque, después de todo lo que hiciste, te merecés una explicación.

Incliné la cabeza en señal de agradecimiento.

Altuna abrió un cajón de su escritorio y sacó un teléfono con funda dorada.

—Este es el celular de Irma Keiner —dijo—. Mirá lo que encontramos.

En la pequeña pantalla vi a un hombre sentado en una butaca de un teatro vacío. Frente a él, había otros dos que reconocí a pesar de la mala calidad del video. El que le hablaba era el pastor Maximiliano, aunque lo que decía era apenas audible. Junto a él, Lito lo golpeaba con los puños cada vez que su jefe se lo indicaba.

—Esto fue hace doce días, en Puerto Madryn.

—Zacarías —dije.

—Sí. Zacarías Ponte. Prestando atención al audio, se escucha que Velázquez dice su nombre completo. Tuvo la mala suerte de que lo descubrieran grabando las transmisiones de radio entre el pastor y la asistente que le pasaba la información.

—Es culpa mía —dije llevándome una mano a la cabeza—. Yo le pedí ayuda para desenmascarar al pastor. Me dijo que sí, pero después nunca me volvió a contactar.

—Ya lo sé. Hablé por teléfono con él hace un rato. Está bien. Pasó un día en el hospital, pero ya está completamente recuperado.

—Me debe odiar.

—Al contrario. Te admira. Me dejó su número de teléfono para que lo llames, porque se siente un poco en deuda con vos por no haberte mandado la grabación. Dice que le dio miedo, porque el pastor amenazó con hacerle algo a su novia. Eso también se escucha en el video.

—Hijo de puta —murmuré—. ¿Y qué hacía esta filmación en el teléfono de Irma Keiner?

—Probablemente otra forma de incriminar a su marido en caso que todo se destapara. Si bien no lo relaciona con los albinos, le hubiera servido para interpretar el papel de mujer aterrorizada de lo que su marido es capaz de hacer. Imagino que no fue algo premeditado, sino que Keiner se encontró esta situación de casualidad y aprovechó para filmarla con su teléfono. Igual son todas especulaciones, porque no dijo una sola palabra sobre el caso desde que la esposamos.

—¿Nada?

—No. Se cerró como una ostra. Encima ayer llegó su abogado de Buenos Aires, y parece que le aconsejó que se mantuviera en silencio.

—¿Y qué pasa si no se confiesa culpable? Esa mujer no

puede quedar en libertad, comisario. Es un monstruo.

—Vos tranquilo, que ningún juez va a autorizar que la larguemos. Tenemos munición pesadísima para usar en su contra. Siete oficiales de testigo de que te secuestró y te tomó de rehén, por ejemplo. Además, mirá lo que me acaba de enviar la Policía Bonaerense.

Altuna señaló la computadora frente a él y yo me incliné sobre el escritorio para mirar la pantalla. Abrió un archivo adjunto a un email que tenía como asunto "Irma Keiner".

El documento mostraba una foto donde la mujer del pastor se veía más joven y a su vez más arruinada. El pelo le caía sobre los hombros en trenzas sucias, y las ojeras violáceas sobre la cara huesuda parecían pintadas.

—Resulta que antes de convertirse en la esposa del pastor Maximiliano y vivir una vida de lujos, Irma Keiner tuvo varios encuentros con la policía de Buenos Aires. Conducir en estado de ebriedad, disturbios en la vía pública bajo la influencia del alcohol, tenencia de drogas. Esas cosas.

—Una joyita.

—Sin embargo, la ristra de altercados se corta de golpe hace once años. Es como si Keiner hubiese pasado de alcohólica problemática a ciudadana respetable de un día para el otro.

—En la biografía del pastor creo que hay una parte donde ella habla del cambio en su vida al conocerlo a él.

—Sí, pero es mentira —dijo Altuna, sacando un ejemplar de *Mi amistad con Jesús* del mismo cajón donde tenía el teléfono—. El libro dice que se conocieron en 2003. La última entrada en el expediente de esta mujer es de dos años antes.

—¿Y eso tiene algo que ver con todo lo que acaba de pasar?

—Leé esto —me dijo, señalando dos líneas al final del archivo—. Es de la última vez que la detuvieron, en 2001.

—La multa por el vehículo secuestrado fue abonada por el señor Frederick Limbu, alias Freddy, DNI 90.751.998, ciudadano de la República Unida de Tanzania —leí, y recordé la frase de Irma Keiner.

Freddy es lo más parecido a Dios que conozco.

—Este tal Limbu nació en Tanzania en 1959 y se mudó a la Argentina a finales de los noventa. Vivió en El Jagüel hasta 2005, y después se fue un tiempo a su país. Volvió hace poco más de dos años —agregó Altuna.

—¿Al Jagüel?

—Exactamente. Donde apareció descuartizada Marcela Salgado. ¿Y sabés a qué se dedica don Freddy?

—¿Brujo? —arriesgué.

—Chamán, según sus clientes. La mayoría son enfermos terminales, aunque también atiende a mucha gente con adicciones. Alcoholismo, principalmente.

—¿Y ya lo interrogaron?

—Está detenido. Hace doce horas la Policía Bonaerense le allanó la casa.

Altuna hizo una pausa, como si buscara las palabras justas para decirme lo que venía a continuación.

—El tipo tenía partes humanas congeladas y otras macerando en diferentes líquidos. Se ve que a varios de sus clientes les daba brebajes para tomar.

Cerré los ojos y respiré hondo.

—Cuando llevaron los perros, los forenses desenterraron del patio huesos de unas trece personas diferentes.

—Esa es casi la cantidad de albinos desaparecidos que yo compilé en mi base de datos —dije.

—Ya están contactando a los familiares para hacer pruebas de ADN. No sabemos si Keiner era la única que le proveía de albinos. Después de lo que te contó a vos, yo creo que ella se los conseguía a cambio de que él tratara a su marido.

—Pero ella me dijo a mí que Velázquez no cree en estas cosas —dije, extrañado.

—A lo mejor iba igual para que la mujer no le rompiera las bolas. O capaz que lo curaba a distancia y el tipo no sabía nada. Qué se yo.

—¿O sea que al pastor se lo presume inocente? Me imagino que lo seguirán investigando un poco más, ¿no?

Altuna me miró con asombro.

—¿No leíste los diarios esta mañana?

Negué. Antes de hablar, el comisario se aclaró la voz.

—Se tiró anoche de la ventana de su habitación en el Lucania. Piso doce.

—¿Se mató?

—Sí. Una decisión inteligente, desde mi punto de vista.

Asentí, y me lo imaginé dudando en el borde de la ventana.

Enfermo terminal y con una esposa cómplice de un asesino en serie, yo también hubiera saltado al vacío.

—¿Y el resto de los de la banda? Los músicos, la mujer que repartía el café y todos esos.

—Ya los interrogamos a todos. No me corresponde decidirlo a mí, pero creo que el único que estaba en complicidad con Keiner era el asistente, Ángel Gálvez, alias "Lito". Suponemos que era el encargado de transportar a los secuestrados hasta Buenos Aires en el camión donde llevaba todo el equipo para la presentación del pastor.

Me eché hacia atrás en la silla y miré hacia el techo.

—¿Cómo sigue todo esto? —pregunté—. ¿Qué va a pasar con Irma Keiner y con este tipo, Freddy?

—Y... ahora vienen abogados, fiscales, juzgados y todo eso. A Limbu le cae perpetua, seguro. Keiner se come unos años adentro como mínimo, y si le encontramos algo definitivo que la vincule a las desapariciones, también la encierran para todo el campeonato.

Nos quedamos un rato en silencio. Finalmente el comisario se revolvió un poco en su silla y habló haciendo una mueca extraña, parecida a una sonrisa.

—Hiciste un trabajo extraordinario, Ricardo. No sé si te das cuenta de que salvaste muchas vidas. Te tengo que pedir disculpas por cómo te traté. Este caso va a quedar en la historia como uno de los más macabros de nuestro país y se resolvió gracias a vos.

—No solo a mí —agregué—. No hubiera descubierto nada de esto yo solo.

Altuna volvió a alisarse la corbata.

—No. Tenés razón. Y ese es uno de los motivos por los que te llamé.

De la caja de cartón que había sobre el escritorio, sacó el cuadro de una mujer con el pelo recogido en un rodete y un gorro azul en la cabeza. De no ser por los ojos grandes y marrones, quizás no la habría reconocido.

—Ariana —dije.

—Analía —me corrigió el comisario señalando la pequeña placa de metal en el borde inferior del marco—. Inspectora Analía Moreno.

—Gracias —le dije, sorprendido, y extendí la mano para agarrar el cuadro.

—No es para vos.

Antes de que yo pudiera preguntar nada, Altuna se levantó de su silla y salió de la oficina, indicándome que lo siguiera.

Nos detuvimos a mitad del pasillo largo que llevaba a la mesa de entrada. El comisario señaló un tornillo brillante en la pared, a la altura de nuestras cabezas. Entonces sí, me entregó el cuadro.

Lo colgué donde me había indicado, entre puertas de oficinas y caras sonrientes de otros policías ejemplares. Apenas a un par de metros del caño abollado de un calefactor que irradiaba un calor agradable en aquella mañana de invierno.

Cuando salí de la comisaría, la calle estaba cubierta de blanco. Sonreí al sentir la nieve crujir bajos mis pies, y decidí caminar un rato por la versión más linda de mi ciudad.

—FIN—

AGRADECIMIENTOS

En primer lugar quiero agradecer a Trini, mi compañerita de vida. Este libro está dedicado a vos porque sin tu apoyo y tu paciencia durante todo este tiempo, habría sido imposible.

Gracias también por los comentarios sobre el borrador de esta historia a Gerardo Mora, Javier Debarnot, Renzo Giovannoni, Pablo Reyes, Lucas Rojas, Norberto Perfumo, Ana Barreiro, Elena Terol Sabino, Marta Segundo Yagüe, Trini Yagüe Martínez, Mariana Perfumo, Mónica García, Andrés Lomeña Cantos, María José Serrano, Celeste Cortés y Hugo Giovannoni.

A Gere, Pipa, Sebacar, Mariam y Pecho —que aplauden contentos—, gracias por esos años locos e inolvidables en Comodoro. Y también a la familia Mora, por haberme adoptado durante mi paso por la Ciudad del Viento.

A Esteban Musacchio, gracias por los bocetos iniciales para la tapa.

Y sobre todo gracias a vos, que estás frente a la página, por darme la oportunidad de contarte una historia.

GRACIAS POR LEERME

¡Muchísimas gracias por leerme! Espero que hayas disfrutado con esta historia. Me tomo el atrevimiento de pedirte que me ayudes a llegar a más lectores compartiendo tu opinión. Podés hacerlo hablando del libro con personas de carne y hueso, publicando algo en redes sociales o, si lo compraste por internet, dejando una reseña en la web donde lo adquiriste. A vos sólo va a llevarte un minuto, pero el impacto positivo que tiene para mí es enorme.

Por último, me gustaría invitarte a formar parte de mi círculo más cercano de lectores dándote de alta en mi lista de correo. La uso para enviar cuentos inéditos, adelantar capítulos, compartir escenas extras de mis libros que quedaron fuera de la versión final y avisar cuando publico algo nuevo. No suelo escribir más de un correo por mes, así que no te preocupes porque no te voy a llenar la bandeja de entrada (y nada de SPAM, lo prometo). Para darte de alta, encontrarás un botón en mi página web.

Una vez más, gracias por estar ahí. Leyéndome, le das sentido a lo que hago.

SOBRE EL AUTOR

Cristian Perfumo escribe *thrillers* ambientados en la Patagonia Argentina, donde se crio.

El primero, *El secreto sumergido* (2011), está inspirado en una historia real y lleva ya ocho ediciones, con miles de copias vendidas en todo el mundo.

En 2014 publicó *Dónde enterré a Fabiana Orquera*, que agotó varias ediciones en papel y en julio de 2015 se convirtió en el séptimo libro más vendido de Amazon en España y el décimo en México.

Cazador de farsantes (2015), su tercera novela con frío y viento, también agotó la primera tirada.

El coleccionista de flechas (2017) ganó el Premio Literario de Amazon, al que se presentaron más de 1800 obras de autores de 39 países, y está siendo adaptada a la pantalla.

Rescate gris (2018) fue finalista del Premio Clarín de Novela 2018, uno de los galardones literarios más importantes de Latinoamérica, y más tarde fue publicado por la editorial Suma de Letras.

En 2020 publicó *Los ladrones de Entrevientos*, una novela de atracos que ha sido definida por la crítica como «*La casa de papel* en la Patagonia».

En 2021 publicó *Los crímenes del glaciar*, una novela negra ambientada por partes iguales en la Patagonia y los alrededores de Barcelona que se convirtió en best-seller en Amazon. Recientemente ha publicado *Los huesos de Sara* (2022), un *thriller* de misterio que traslada al lector a una excavación paleontológica en uno de los rincones más desconocidos y particulares de la Patagonia.

Sus libros han sido traducidos al inglés, al francés y editados en formatos audiolibro y braille.

Tras vivir años en Australia, Cristian está radicado en Barcelona.

Más novelas de Cristian Perfumo

LOS HUESOS DE SARA

Hay secretos que deberían permanecer enterrados para siempre

El cráneo del dinosaurio carnívoro más grande del mundo ha desaparecido del remoto sitio de la Patagonia donde estaba siendo excavado. Teresa Estévez, la paleontóloga que lidera la expedición, descubre que el ladrón ha dejado en su lugar una falange humana y una críptica nota con una única interpretación posible: el hueso pertenece a su mentora, Sara Lombardi, desaparecida en ese mismo lugar cuatro años atrás.

Con la ayuda de un periodista, Teresa se embarcará en una peligrosa carrera por recuperar uno de los fósiles más valiosos del planeta al mismo tiempo que descubre qué pasó con Sara Lombardi.

No te pierdas este thriller de misterio que te hará descubrir un rincón único de la Patagonia a través de la adictiva pluma de Cristian Perfumo, ganador del Premio Literario de Amazon y escritor best-seller en España y Latinoamérica.

DÓNDE ENTERRÉ A FABIANA ORQUERA

Verano de 1983: En una casa de campo de la Patagonia, a quince kilómetros del vecino más próximo, un político local despierta en el suelo. No tiene ni un rasguño, pero su pecho está empapado en sangre y junto a él hay un cuchillo. Desesperado, busca a su amante por toda la casa. Viajaron allí para pasar unos días juntos sin tener que esconderse. Todavía no sabe que ya nunca volverá a verla. Ni que la sangre que le moja el pecho tampoco es de ella.

Verano de 2013: Nahuel ha pasado casi todos los veranos de su vida en esa casa. Por casualidad, un día encuentra una vieja carta cuyo autor anónimo confiesa haber matado a la amante del candidato. El asesino plantea una serie de enigmas que prometen revelar su identidad y la ubicación del cuerpo. A medida que descifra pistas, Nahuel descubre que, incluso después de treinta años, hay quien prefiere que nunca se sepa la verdad sobre uno de los misterios más intrincados de aquella inhóspita parte del mundo.

¿Qué pasó con Fabiana Orquera?

LOS LADRONES DE ENTREVIENTOS

Durante años, trabajó para ellos. Ahora va a desvalijarlos.

Entrevientos no ha cambiado. Sigue siendo una de las minas de oro más remotas de la Patagonia y del mundo. Sin embargo, para Noelia Viader se ha convertido en un sitio totalmente diferente. Hace un año era su lugar de trabajo y hoy es una cruz roja en el mapa sobre el que repasa los detalles del atraco.

Tras catorce años alejada del mundo criminal, Noelia retoma el contacto con un mítico ladrón de bancos al que le debe la vida. Juntos reúnen a la banda que planea llevarse de Entrevientos cinco mil kilos de oro y plata.

Tienen dos horas antes de que llegue la policía. Si lo logran, los diarios hablarán de un robo magistral. Y ella habrá hecho justicia.

«Como *La casa de papel*, pero en la Patagonia»

www.cristianperfumo.com

EL COLECCIONISTA DE FLECHAS

La calma de una pequeña localidad patagónica se rompe cuando uno de sus vecinos aparece muerto con signos de tortura en su sofá.

Para la criminóloga Laura Badía, este es el caso de su vida: además de la brutalidad del asesinato, de la casa de la víctima han desaparecido trece puntas de flecha talladas hace miles de años por el pueblo tehuelche y cuyo valor es incalculable.

Con la ayuda de un arqueólogo venido de Buenos Aires, Laura se embarcará en la resolución de un misterio que no solo la llevará al glaciar Perito Moreno y a los enclaves más remotos de la Patagonia, sino también a recorrer el lado más oscuro de la mente humana, un lugar donde las mentiras y la codicia se esconden en cada recodo del camino.

Ganadora del Premio Literario de Amazon

www.cristianperfumo.com

LOS CRÍMENES DEL GLACIAR

El cuerpo de un turista aparece congelado en el glaciar más grande de la Patagonia. Murió sobre el hielo, de un disparo en el vientre, hace treinta años.

Pero tú, que te llamas Julián y eres de Barcelona, ignoras que esto te cambiará la vida.

Para entenderlo, primero deberás saber que tu padre tenía un hermano del que nunca te habló. Después, que ese hermano acaba de morir. Y, por último, que en su testamento figuras como único heredero de una misteriosa propiedad en El Chaltén, un idílico pueblo de la Patagonia.

Viajarás hasta allí para venderla, pero cometerás el error de hacer demasiadas preguntas. Entonces comprenderás que, treinta años después del crimen, en El Chaltén se esconde alguien dispuesto a borrarte del mapa con tal de que no llegues a la verdad.

www.cristianperfumo.com

RESCATE GRIS

Puerto Deseado, Patagonia Argentina, 1991. Raúl necesita dos trabajos para llegar a fin de mes. Cuando apaga el despertador para ir al primero de ellos, sabe que algo va mal. Su pequeño pueblo ha amanecido cubierto por la ceniza de un volcán y Graciela, su mujer, no está en casa.

Todo parece indicar que Graciela se ha ido por voluntad propia... hasta que llega la llamada de los secuestradores. Las instrucciones son claras: si quiere volver a verla, tiene que devolver el millón y medio de dólares que robó.

El problema es que Raúl no robó nada.

No te pierdas este thriller psicológico ambientado en una de las épocas más convulsas e inolvidables de la historia de la Patagonia: los días de la erupción del volcán Hudson.

Finalista del Premio Clarín de Novela

www.cristianperfumo.com

EL SECRETO SUMERGIDO

Marcelo, un joven buzo aficionado, busca en las aguas heladas de la Patagonia el lugar exacto del hundimiento de la Swift, una corbeta británica del siglo XVIII. Cuando la persona que más sabe del naufragio en todo el país aparece asesinada con un mensaje extraño en el regazo, Marcelo descubre que su inocente pasatiempo constituye una amenaza enorme para cierta gente. No sabe a quién se enfrenta, pero sí que compite con ellos por reflotar un secreto que, después de dos siglos bajo el mar, podría cambiar la historia de aquella parte remota del planeta. Encontrarlo será difícil. Seguir con vida, aún más.

Basada en una historia real. ¡Miles de ejemplares vendidos en todo el mundo!

www.cristianperfumo.com

CAZADOR DE FARSANTES

"Si estás viendo esto, es porque estoy muerto", dice a la cámara el periodista Javier Gondar pocas horas antes de que le peguen un balazo en la cabeza. En el video, Gondar señala como culpable de su asesinato al Cacique de San Julián, uno de los curanderos más famosos de la Patagonia.

Tras una experiencia difícil, Ricardo Varela se inicia en un extraño hobby: filmar con cámara oculta a chamanes y brujos de su ciudad y exponer sus trucos en Internet. No sabe si existe la brujería, ni le interesa demasiado. De lo que sí está seguro es que su ciudad está llena de farsantes sin escrúpulos dispuestos a prometer salud, dinero y amor a cualquiera que quiera creer. Y pagar.

Para Ricardo, enfrentarse al Cacique es la única forma de cerrar una herida que lleva dos años abierta. Sabe que tendrá que poner en riesgo su vida, y no le importa. Lo que no se imagina es que ese brujo no es más que el primer eslabón de una macabra trama que lleva años cobrándose vidas en nombre de la fe.

www.cristianperfumo.com

Printed in Great Britain
by Amazon